Het vierde protocol

D0892332

2864

Bezoek onze Internet-site www.awbruna.nl voor informatie over al onze boeken en softwareproducten.

Frederick Forsyth

Het vierde protocol

Zwarte Beertjes

*Voor Shane Richard, vijf jaar oud
Zonder jouw liefderijke attenties zou
dit boek in de helft van de tijd af
zijn gekomen*

Oorspronkelijke titel
The Fourth Protocol
© 1984 Frederick Forsyth
Vertaling
Gerard Grasman
© 1992 A.W. Bruna Uitgevers B.V., Utrecht

ISBN 90 449 2864 3
NUGI 331

DEEL EEN

1

De man in het grijs besloot dat hij omstreeks middernacht de Glen-diamanten zou stelen. Als ze tenminste nog in de ingebouwde kluis lagen en de bewoners van het appartement afwezig waren. Hij moest zekerheid hebben. Dus bleef hij wachten en kijken. Om half acht werd hij beloond.

De brede, grote limousine kwam de ondergrondse parkeergarage uit met de ingehouden, krachtige gratie die geassocieerd wordt met de merknaam ervan. Heel even wachtte hij in de muil van de grot terwijl de bestuurder de verkeerssituatie taxeerde, alvorens de weg op te draaien en koers te zetten naar Hyde Park Corner.

Jim Rawlings, in zijn gehuurde chauffeurspak gezeten achter het stuur van zijn eveneens gehuurde Volvo Estate, sloeg het gade vanaf de overkant van de blok luxe appartementen en slaakte een zucht van opluchting. Zonder dat iemand in Belgravia Street hem had opgemerkt had hij precies datgene gezien waarop hij had gehoopt: de echtgenoot achter het stuur, en zijn vrouw ernaast. De motor van zijn Volvo liep stationair en hij had de verwarming aangezet om de kou buiten te houden. Hij zette de automaat in de stand 'Drive,' verliet de rij geparkeerde auto's en begon de Daimler-Jaguar te volgen.

Het was een frisse, heldere ochtend. In het oosten, boven Green Park, gloorde een bleek schijnsel en de straatlantaarns brandden nog. Rawlings had al om vijf uur 's morgens zijn uitkijkpost betrokken, en hoewel er sindsdien een paar mensen door de straat waren gekomen had niemand aandacht aan hem besteed. In Belgravia Street, deel uitmakend van een van de 'duurste' wijken van het

Londense West End, trekt een geüniformeerd chauffeur in een grote auto geen aandacht, al helemaal niet als er vier koffers en een mand achterin staan en het bovendien de 31e december is. Veel goed-gesitueerden bereiden zich immers deze ochtend voor om uit de hoofdstad te vertrekken en de feestdagen door te brengen in hun landhuizen.

Hij bevond zich een meter of vijftig achter de Jaguar toen ze Hyde Park Corner bereikten en Rawlings een vrachtwagen gelegenheid gaf ertussen te komen. Tijdens de rit door Park Lane verkeerde hij even in spanning: er was hier een filiaal van Coutts Bank gevestigd en hij vreesde dat het echtpaar in de Jaguar hier zou stoppen om de diamanten in de nachtkluis te deponeren.

Bij Marble Arch zuchtte hij opnieuw van opluchting. De limousine voor hem reed niet om de ereboog heen om via de ventweg die parallel liep aan Park Lane terug te rijden naar de bank. De auto reed in snelle vaart regelrecht Great Cumberland Place op en bleef via Gloucester Place noordwaarts rijden. De bewoners van het luxe-appartement op de achtste etage van Fontenoy House lieten hun waardevolle bezit dus niet achter bij Coutts Bank; ze hadden ze of wel bij zich in de auto, óf hadden ze voor de jaarwisseling achtergelaten in hun appartement. Rawlings was ervan overtuigd dat ze voor het laatste hadden gekozen.

Hij bleef de Jaguar volgen tot bij Hendon, wachtte totdat de auto de laatste paar kilometer naar de M1-snelweg had afgelegd en keerde toen om, richting centrum. Blijkbaar gingen ze, zoals hij had gehoopt, de feestdagen doorbrengen bij de broer van de echtgenote, de hertog van Sheffield, die een landgoed bezat in het noorden van het graafschap Yorkshire, op zes uur rijden van Londen. Dit gaf hem minstens vierentwintig uur de tijd, meer dan hij nodig zou hebben. Hij twijfelde er niet aan dat hij in het appartement in Fontenoy House zou kunnen binnendringen: per slot van rekening was hij een van de beste insluipers van heel Londen.

In de loop van de ochtend bracht hij achtereenvolgens de Volvo terug naar het autoverhuurbedrijf, het uniform naar de kledingverhuurderij en de koffers naar de kast in zijn gerieflijke en kostbaar gemeubileerde flat op dc bovenste verdicping van een gerenoveerd theepakhuis in Wandsworth, de Londense wijk waarin hij geboren en getogen was. Hoe goed het hem ook ging, hij was en bleef een Zuidlondenaar in hart en nieren; en hoewel Wandsworth misschien minder chic was dan Belgravia of Mayfair bleef deze wijk zijn domein. Zoals al zijn 'vakgenoten' had hij er een hekel aan om de veiligheid van zijn 'territorium' te verlaten. Hier voelde hij zich redelijk veilig, ofschoon niet alleen de plaatselijke onderwereld maar ook de politie hem kende als een 'gezicht' – de onderwereldterm voor een misdadiger of schurk.

Zoals iedere succesvolle inbreker gedroeg hij zich in zijn woonbuurt zo onopvallend mogelijk en reed hij in een bescheiden auto; het enige waaraan hij zich te buiten ging was de elegante inrichting van zijn flat. In de lagere regionen van de onderwereld hield hij opzettelijk een waas van geheimzinnigheid in stand over de juiste aard van zijn bezigheden; en hoewel de politie er op dat punt terechte vermoedens op na hield was zijn strafblad schoon, afgezien van een kort verblijf in een opvoedingsgesticht tijdens zijn tienerjaren. Zijn onmiskenbare succes en de onduidelijkheid over de manier waarop hij dat succes boekte dwong respect af onder de jongeren die ambities koesterden op zijn vakgebied, zodat ze graag bereid waren hem kleine diensten te bewijzen. Hij werd zelfs met rust gelaten door de echte 'zware jongens', degenen die bij klaarlichte dag met jachtgeweren en pikhouwelen overvallen pleegden op de administraties van bedrijven als de lonen klaar lagen voor uitbetaling.

Zoals nu eenmaal onvermijdelijk was moest hij een camouflageberoep hebben om zijn inkomsten te verklaren. Ieder 'gezicht' oefende een of ander legaal beroep of bedrijf uit dat zijn welvaart kon verklaren. De beroepen die zich van oudsher in hun voorkeur mogen verheugen zijn het exploiteren of bezitten van een taxi, groentewinkel of schroothandel. Dergelijke façades bieden ruimte voor fikse verborgen winsten, contant afgewikkelde transacties, een keur van schuilplaatsen en het in dienst hebben van een stel zware jongens of handlangers. Dat zijn de geharde figuren met weinig hersens en veel spieren, die zelf ook behoefte hebben aan een ogenschijnlijk legitieme werkkring ter aanvulling en camouflage van hun eigenlijke beroep: dat van krachtpatser.

Rawlings had een autosloperij annex schroothandel. Hierdoor kon hij te allen tijde beschikken over een uitstekend geoutilleerde werkplaats, alle mogelijke soorten metaal, electradraad, accuzuur en de twee grote gespierde boeven die niet alleen auto's voor hem sloopten, maar hem ook moesten beschermen voor het geval hij ooit te maken zou krijgen met agressie van andere onderwereldfiguren die het in hun hoofd hadden gehaald het hem lastig te maken.

Nadat hij een douche had genomen en zich had geschoren schepte Rawlings wat rietsuiker in zijn tweede kop espresso van de ochtend en bestudeerde nog eens de schetsen die Billy Rice bij hem had achtergelaten.

Billy was zijn leerling, een schrandere knaap van 23 die eens goed in het vak zou worden, uitzonderlijk goed zelfs. Hij was op het gebied van de misdaad nog maar een beginneling en er duidelijk op gebrand iemand met het prestige van Rawlings hand- en spandiensten te verlenen, in ruil voor onschatbare lessen die hij al doende zou ontvangen. Vierentwintig uur eerder had Billy aangebeld bij de deur van het appartement op de achtste etage van Fontenoy House, om daar, gekleed in de livrei van een dure bloemenzaak, een groot boeket bloemen af te leveren. Deze uitmonstering had ervoor gezorgd dat hij moeiteloos langs de waakzame conciërge in de foyer van het gebouw was gekomen, waarbij hij zich zorgvuldig de ligging van de grote hal bij de ingang, de loge van de conciërge en de deur naar het trappenhuis in het hoofd had geprent.

Lady Fiona was zelf open komen doen en haar gezicht had eerst verbazing en daarna blijdschap weerspiegeld bij het zien van de bloemen. Ze waren haar zogenaamd gestuurd door het bestuur van het Fonds voor Behoeftige Oorlogsveteranen, waarvan lady Fiona een van de beschermvrouwen was en waarvan ze het jaarlijkse galabal die avond van de 30e december 1986 zou bijwonen. Rawlings gokte erop dat, als ze op dat bal toevallig een van de bestuursleden mocht willen bedanken voor het boeket, het betrokken bestuurslid voetstoots zou aannemen dat het namens hen allen door een van de andere leden was gestuurd.

Bij de deur had ze het aan het boeket gehechte kaartje bekeken, '*Oh, how perfectly lovely!*' geroepen in het scherp gearticuleerde, kristalheldere Engels van de Britse aristocratie, en het boeket aangenomen. Waarna Billy haar z'n afleveringsbon en een balpen had voorgehouden. Niet in staat die drie dingen tegelijkertijd vast te houden had lady Fiona zich met een lichte blos teruggetrokken in de zitkamer om daar het boeket uit handen te leggen, zodat ze Billy een poosje alleen had moeten laten in de kleine hal van het appartement.

Met zijn jongensachtige uiterlijk, zijn zachte, blonde haar, zijn blauwe ogen en zijn schuchtere glimlach was Billy een geschenk uit de hemel. Hij achtte zichzelf in staat om iedere huisvrouw van middelbare leeftijd in de metropool zand in de ogen te strooien, zodat ze hem argeloos zou binnenlaten in haar woning. Maar zijn onschuldige baby-ogen zagen niets over het hoofd.

Nog voor hij de deurbel indrukte had hij een volle minuut besteed aan het zorgvuldig onder de loep nemen van de deur, de deurposten en de omringende muur in de gang. Hij was op zoek geweest naar een kleine zoemer die niet groter was dan een walnoot, of naar een zwart knopje of schakelaartje waarmee zo'n zoemer kon worden afgezet.

Pas toen hij zich ervan overtuigd had dat beide ontbraken had hij op de bel gedrukt.

Nadat ze hem alleen had gelaten in het halletje herhaalde hij die procedure met de binnenkant van de deurstijlen en de muren, opnieuw zoekend naar een zoemer of schakelaar. Tegen de tijd dat de vrouw des huizes terug was in het halletje om de bon af te tekenen wist Billy dat de deur was beveiligd met behulp van een schuifslot, dat hij dankbaar had herkend als een Chubb-lock, in plaats van een Bramah-lock – een type dat de reputatie genoot dat het alleen met de juiste sleutel open was te krijgen.

Lady Fiona had de bon en de balpen aangenomen en geprobeerd haar paraaf te zetten. Dat lukte niet. De vulling was tevoren uit de houder verwijderd om te worden vervangen door een lege, en het laatste restantje inkt was op een blanco vel verbruikt. Billy verontschuldigde zich uitvoerig. Met een stralende lach verzekerde lady Fiona hem dat het helemaal niet erg was en dat ze wel een balpen in haar tasje had, waarna ze opnieuw achter de deur van de zitkamer verdween. Billy had echter al gevonden wat hij zocht: de deur was inderdaad aangesloten op een alarmsysteem.

Vlak boven het bovenste scharnier van de openstaande deur stak de uitschuifbare pen van een veercontact uit de zijkant van de deur. Op exact dezelfde hoogte was een kleine koker in de deurstijl verzonken. In die koker bevond zich, zo wist hij, een microschakelaartje. Als de deur werd gesloten gleed de uitschuifbare pen in de koker en drukte de microschakelaar in, zodat het circuit werd gesloten. Op dat moment stond het alarmsysteem onder spanning en zou de microschakelaar het alarm activeren zodra het contact werd verbroken doordat de deur werd geopend. Het kostte Billy nog geen drie seconden om zijn tubetje contactlijm uit z'n zak te halen, wat lijm in het kokertje met de microschakelaar te spuiten en er een bolletje kneedmassa, vermengd met lijm, in te drukken. Na nog eens vier seconden was dit bolletje steenhard en had de uitschuifbare pen in de rand van de deur niet langer toegang tot de microschakelaar.

Toen lady Fiona met het afgetekende bonnetje terugkwam stond de jongeman achteloos tegen de deurstijl te leunen en richtte hij zich dadelijk met een verontschuldigend lachje op, terwijl hij ongemerkt het restje kneedmassa van zijn duim smeerde. Later had Billy Jim Rawlings een volledige beschrijving gegeven van de ligging van de hal, het hok van de conciërge, de deur naar het trappehuis, de plaats van de liftkoker, de gang naar de toegangsdeur van het appartement, het halletje erachter en dat deel van de zitkamer dat hij had kunnen zien.

Rawlings nam een slok koffie. Hij was er zeker van dat de eigenaar van het appartement vier uur eerder zijn koffers naar de gang had gebracht, om vervolgens terug te keren in het halletje en daar het alarmsysteem in te schakelen. Zoals gewoonlijk was dat gebeurd zonder dat de sirene geluid had gegeven. Nadat hij de deur van het appartement achter zich had dichtgetrokken zou hij het veiligheidsslot op het nachtslot hebben gedraaid, in de overtuiging dat het alarmsysteem nu bekrachtigd zou zijn. Normaal gesproken zou de uitschuifbare pen tegen het heflboompje van de microschakelaar hebben gedrukt. Door het volledig omdraaien van de sleutel had het alarmsysteem definitief bekrachtigd moeten worden, maar nu de pen niet tegen de microschakelaar drukte functioneerde in elk geval de deurbeveiliging niet. Rawlings ging er van uit dat hij het slot van de deur binnen een half uur open zou hebben. In het appartement zelf zouden zich echter nog meer activeringsmechanismen bevinden. Die valstrikken zou hij ter plaatse moeten vermijden en eventueel elimineren.

Na z'n laatste slok koffie stak hij z'n hand uit naar de map met kranteknipsels die hij had aangelegd. Zoals iedere juwelendief spelde Rawlings de roddelrubrieken waarin het doen en laten van de 'society' werd gevolgd iedere dag nauwkeurig. De map die hij voor zich had had uitsluitend betrekking op de ontvangsten en feesten die lady Fiona met haar aanwezigheid had opgeluisterd, zoals bijvoorbeeld dat galabal van de vorige avond, waarbij ze haar kostbare diamanten – een hanger, een stel bijpassende oorbellen en een bijpassende tiara – had gedragen. Voor de laatste maal, als het aan Jim Rawlings lag.

Zestienhonderd kilometer oostelijker was ook de oude man die bij het raam van de zitkamer in de flatwoning op de derde etage van Prospekt Mira III naar buiten stond te kijken met z'n gedachten bij middernacht. De twaalf slagen van de klok zouden dan de eerste januari van het jaar 1987 inluiden, zijn vijfenzeventigste geboortedag.

De middag was al een aardig eindje op streek, maar hij was nog steeds gehuld in zijn kamerjas: er was tegenwoordig niet zoveel reden meer om vroeg op te staan en haast te maken met naar kantoor gaan. Er wás geen kantoor meer om naartoe te gaan. Zijn Russische vrouw Erita, dertig jaar jonger dan hijzelf, was samen met hun twee zoontjes gaan schaatsen op de ondergelopen en bevroren voetpaden van het Gorki-park, zodat hij nu alleen was.

In de spiegel aan de wand ving hij een glimp op van zichzelf, een aanblik die hem alleen maar aanleiding gaf tot mijmeren over zijn leven of wat hem daarvan nog restte. Zijn gezicht, dat altijd al gegroefd was geweest, was nu overdekt met diepe rimpels. Zijn vroeger zo dikke en zwarte haardos was nu sneeuwwit, dun en beroofd van iedere glans. Zijn huid had, na een leven van zwaar drinken en kettingroken, een vlekkerig en gespikkeld aanzien gekregen. Zijn ogen staarden hem dof en mistroostig aan. Hij draaide zich weer om naar het raam en blikte omlaag naar de straat, schuilgaand onder een dikke laag sneeuw. Een paar dik ingepakte, kromme *baboesjka's* waren bezig met sneeuwruimen, hoewel het vannacht opnieuw zou gaan sneeuwen.

Wat was het al weer lang geleden, peinsde hij, bijna op de dag af vierentwintig jaar nu, dat hij zijn baan die geen baan was in de steek had gelaten en een eind had gemaakt aan z'n zinloze ballingschap in Beiroet om hierheen te komen. Blijven zou geen enkele zin hebben gehad. Op dat moment zouden Nick Elliot en de anderen van de 'firma' het allemaal wel in elkaar gepast hebben, zo had hij zichzelf eindelijk durven toegeven. Dus was hij hierheen gekomen, met achterlating van vrouw en kinderen – die konden zich later wel bij hem voegen, als ze dat wensten.

Aanvankelijk had hij zich wijs gemaakt dat het was alsof hij naar huis kwam; naar een spiritueel en zedelijk 'thuis'. Hij had zich hals-over-kop in het nieuwe leven gestort, oprecht gelovend in de filosofie waarop het allemaal berustte. Een filosofie die uiteindelijk zou triomferen. Waarom ook niet? Tenslotte had hij er zich zevenentwintig jaar lang voor ingespannen. Hij had zich gelukkig en voldaan gevoeld, die eerste jaren na 1965. Natuurlijk had hij zich moeten onderwerpen aan die uitgebreide en uitputtende verhoren en bereidwillig alles verteld wat hij wist, maar binnen de Commissie voor Staatsveiligheid was hij met respect en eerbied bejegend. Per slot van rekening was hij een van de Vijf Sterren geweest (de grootste van allemaal), samen met Burgess, Maclean, Blunt en Blake: degenen die hadden weten door te dringen tot de eigenlijke kern van het Brits establishment en alles hadden verraden.

Burgess, een man die zich met zijn uitspattingen en gezuip vroegtijdig het graf in scheen te willen werken, was daar al in geslaagd voor hij in de Sovjet-Unie arriveerde. Maclean had als eerste zijn illusies verloren, maar die was dan ook al sinds 1951 in Moskou geweest. Omstreeks 1963 was hij al helemaal verzuurd, een verbitterd man die zich afreageerde op Melinda, die tenslotte niet meer hierheen had willen komen, naar deze flat. Op een of andere manier had Maclean het weten vol te houden, totaal gedesillusioneerd en verteerd door wrok, totdat de kanker had toegeslagen: tegen die tijd was hij zijn gastheren al gaan haten, en zij hém. Blunt was in Engeland verraden en daar overladen met schande en oneer. Zodat nu alleen nog hijzelf en Blake over waren, dacht de oude man. In zekere zin benijdde hij Blake, die zich geheel aan de Russische samenleving had aangepast en volkomen tevreden was: hij had hem en Erita uitgenodigd om bij hem thuis oudejaarsavond door te komen brengen. Natuurlijk had Blake het voordeel gehad van zijn kosmopolitische achtergrond – Hollandse vader, joodse moeder. Voor hem persoonlijk was assimilatie uitgesloten, iets wat hem duidelijk was geworden na de eerste vijf jaar. Tegen die tijd had hij het Russisch vloeiend leren spreken en schrijven, hoewel hij een uitgesproken Engels accent was blijven houden. Maar afgezien daarvan was hij de Russische samenleving gaan haten. Het wás en bleef een absoluut vreemde maatschappij voor hem, iets waarin nooit verandering zou komen.

Dat was niet het allerergste: nog voor hij er zeven jaar had gewoond had hij z'n laatste politieke illusies laten varen. Het was allemaal één grote leugen en hij was intelligent genoeg om het te kunnen doorzien. Hij had zijn jeugd en de beste jaren van zijn leven verspild aan het dienen van een leugen; hij had gelogen en verraden voor die leugen, er zijn 'green and pleasant land' voor prijsgegeven. En dat alles terwille van een leugen.

Jaren lang had hij de cricket-uitslagen (hij kreeg nagenoeg ieder Brits tijdschrift en iedere Britse krant van belang onder ogen) trouw gevolgd, terwijl hij adviezen verstrekte over het juiste moment en de juiste manier om aan te sturen op een staking. Wanneer hij de foto's van oude en vertrouwde plekjes in die tijdschriften bekeek bereidde hij de sluwe leugens voor die erop gericht waren het allemaal te ondermijnen. Zijn adviezen gingen rechtstreeks naar de KGB-top en zelfs de partijvoorzitter zelf. Maar al die tijd was er diep in zijn binnenste de laatste vijftien jaar die schrijnende, wanhopige leegte geweest die zich zelfs niet door de drank en de vele vrouwen had laten opvullen. Het was te laat; hij kon nooit meer terug, had hij zichzelf voorgehouden. Maar toch, maar toch…

Er werd gebeld. Hij verbaasde zich erover. Prospekt Mira III is een flatgebouw dat eigendom is van de KGB; het staat in een stille achterafstraat in het centrum van Moskou en wordt voornamelijk bewoond door hoge KGB-functionarissen en enkele ambtenaren van het ministerie van Buitenlandse Zaken. Een bezoeker diende zich te melden bij de conciërge. Erita kon het niet zijn: zij had een eigen sleutel. Toen hij opendeed stond er een man voor de deur. Hij was alleen en had een jeugdig en sportief uiterlijk. Zijn overjas was van uitstekende snit en hij had een warme *sjapka op* z'n hoofd. Op de bontmuts prijkte geen insigne. Zijn gezicht was op een kille manier star, maar niet vanwege de snijdende poolwind buiten, want zijn schoenen verrieden dat hij zo vanuit een warme auto het verwarmde gebouw was binnengegaan zonder door de bevroren sneeuw te moeten lopen. Blauwe, uitdrukkingsloze ogen staarden de oude man zonder vriendelijkheid of vijandigheid aan.

'Kameraad-kolonel Philby?' vroeg hij.

Nu was Philby helemaal verbaasd. Door zijn intimi, zoals de Blakes en vijf, zes andere vrienden werd hij altijd Kim genoemd. Alle anderen kenden hem slechts onder het pseudoniem dat hij al vele, vele jaren gebruikte. Voor slechts enkele topfiguren was hij Philby, een gepensioneerd KGB-kolonel.

'Ja.'

'Ik ben majoor Pavlov van het Negende Directoraat en verbonden aan de persoonlijke staf van de secretaris-generaal van de Communistische Partij van de Sovjet-Unie.'

Philby kende het Negende Directoraat van de KGB. Het was de instantie die belast was met de zorg voor lijfwachten voor alle topfiguren uit het partijkader en de gebouwen waarin deze mensen woonden en werkten. In uniform – tegenwoordig alleen nog in de gebouwen van de Partij of bij belangtijke ceremoniën – droegen ze het onmiskenbare blauwe lint om hun platte pet, met de bijpassende blauwe schouderpatjes en revers; als zodanig werden ze ook wel aangeduid als de 'Kremlingarde'. In hun hoedanigheid van persoonlijke lijfwacht droegen ze burgerkleding van onberispelijke snit, deze door-en-door getrainde en in een voortreffelijke conditie verkerende gewapende mannen die befaamd waren om hun kille loyaliteit.

'Nee maar,' zei Philby.

'Dit is voor u, kameraad-kolonel.'

De majoor reikte hem een langwerpige enveloppe van een goede kwaliteit papier aan. Philby nam hem aan.

'En dit ook,' zei Majoor Pavlov, en gaf hem een stijf stukje karton met een telefoonnummer erop.

'Dank u,' zei Philby. Zonder verder nog iets te zeggen knikte de majoor hem kortaf toe, draaide zich om z'n as en beende weg door de gang. Even later zag Philby hem vanuit het raam van zijn zitkamer wegrijden in de gestroomlijnde Tsjaika, een limousine met een opvallend kenteken, beginnend met de letters MOC – letters die gereserveerd bleven voor leden van het Centraalcomité van de Opperste Sovjet.

Jim Rawlings bestudeerde de foto uit het society-blad met behulp van een vergrootglas. Het was een opname van de vrouw die hij die ochtend samen met haar echtgenoot Londen had zien verlaten, in noordelijke richting. Alleen was de opname een jaar eerder genomen toen ze in de rij stond tijdens de officiële ontvangst, juist op het moment dat de vrouw naast haar prinses Alexandra de hand schudde. En ze droeg de diamanten. Rawlings, die maanden besteedde aan research voor hij een kraak zette, kende hun voorgeschiedenis bijna nog beter dan z'n eigen geboortedatum. In 1905 was de jeugdige graaf Margate uit Zuid-Afrika thuisgekomen met vier schitterende, nog ongekloofde diamanten. Ter gelegenheid van zijn huwelijk, in 1912, had hij deze stenen bij Cartier in Londen gebracht om er een huwelijksgeschenk voor zijn jonge bruid van te laten maken. Cartier had ze laten kloven bij Asscher in Amsterdam, destijds beschouwd als de meest bekwame diamantklovers ter wereld, na de triomf die zij hadden geboekt met het kloven van de kolossale Cullinan-diamant. Na bewerking waren de vier ruwe stenen veranderd in twee bij elkaar passende peervormige diamanten met elk achtenvijftig facetten; één stel van tien karaat per stuk, plus een stel van twintig karaat per stuk. In Londen had Cartier de stenen in wit goud gevat en ze omringd met maar liefst veertig kleinere steentjes, zodat er uiteindelijk een 'suite' was ontstaan, samengesteld uit een tiara (met als centrale steen een van de grote peervormige diamanten), een hanger (met de tweede grote steen als centrale diamant), plus twee identieke oorhangers met de beide kleinere peervormige stenen. Kort voor het gereedkomen van de suite overleed de vader van de graaf, de zevende hertog van Sheffield, zodat de titel overging op zijn zoon. Dit had tot gevolg dat de kostbare suite bekend werd als 'de Glen-diamanten' – naar de familienaam van het Huis Sheffield.

De achtste hertog had de suite bij z'n dood in '36 vermaakt aan zijn zoon, die zelf twee kinderen had: een in '44 geboren dochter en een in '49 ter wereld gekomen zoon. Het gezicht van de dochter, de nu tweeënveertigjarige lady Fiona, bevond zich nu onder Jim Rawlings' vergrootglas. 'Die zul jij niet meer dragen, schatje,' mompelde hij bij zichzelf. Toen begon hij voor alle zekerheid nog eens zijn uitrusting voor de komende avond te controleren.

Met een keukenmesje sneed Harold Philby de enveloppe open, trok de brief eruit en streek hem op de keukentafel glad. Hij was dadelijk onder de indruk: de brief was afkomstig van de secretaris-generaal van de Partij zelf, geschreven in diens keurige en precieze cyrillische hand- schrift. Het briefpapier was van dezelfde goede kwaliteit als de enveloppe, maar niet voorzien van een briefhoofd. Blijkbaar had de Sovjet-leider hem geschreven vanuit zijn privé-appartement in het enorme gebouw aan de Koetoezovski-prospekt, nummer 26. Sinds Stalins tijd herbergde het de weelderige Moskouse residenties van de allerhoogste partijtop.

In de rechter bovenhoek was geschreven: *Woensdagoch- tend, de 31e december 1986.* Daaronder volgde de tekst zelf:

Waarde Philby,
Mijn aandacht werd gevestigd op een door u tijdens een recent banket te Moskou gemaakte opmerking van de strekking, dat 'de politieke stabiliteit van Groot-Brittannië hier in Moskou bij voortduring wordt overschat; tegenwoordig meer dan ooit.' Graag ontvang ik van u een aanvulling en toelichting op deze uitlating. Stuurt u deze geschreven verklaring mij persoonlijk toe – en wel rechtstreeks, maar zonder er kopieën van te ma- ken of een secretaresse in te schakelen.
Wanneer u zo ver bent kunt u het nummer draaien dat ma- joor Pavlov u gegeven heeft; vraagt u naar hemzelf, dan zal hij zich bij u thuis vervoegen om het op te halen.
Mijn felicitaties met uw verjaardag, morgen.

Hoogachtend,

Philby staarde peinzend naar de handtekening onder het epistel en liet langzaam de lucht uit zijn longen ontsnap- pen. Dus was er tóch afluisterapparatuur aanwezig ge- weest tijdens dat etentje dat Krjoetsjkov de 26e had ge- geven voor een aantal hoge officieren van de KGB. Zoiets had hij al half-en-half vermoed. Als eerste plaatsvervan- gend chef van de KGB én hoofd van het Eerste Hoofddi- rectoraat was Wladimir Aleksandrovits; Krjoetsjkov naar lichaam en ziel het 'eigendom' van de secretaris-generaal. Hoewel hij formeel de titel generaal-overste voerde, was Krjoetsjkov geen militair, noch een functionaris van de inlichtingendienst: hij was een Partij-*apparatsjik* in hart en nieren – een van de velen die de huidige Sovjetleider op hoge posten had benoemd toen hij zelf chef van de KGB was geweest.

Philby las de brief nog eens over en schoof hem toen van zich af. De stijl van de oude heer is nog niet veranderd, dacht hij. Beknopt, op het afgemetene af, glashelder en sober, zonder beleefde franje en zonder ruimte voor tegenspraak. Zelfs het zinnetje over Philby's verjaardag was zo kortaf dat er duidelijk uit bleek dat hij alleen maar zijn dossier had laten komen en daarmee basta.

Niettemin was Philby onder de indruk. Een persoonlijke brief van deze schier onbereikbare en verheven sterveling was hoogst ongebruikelijk en zou heel wat mannen op hun benen hebben laten trillen, zo vereerd zouden ze zich ermee hebben gevoeld. Jaren geleden hadden de kaarten anders gelegen. Toen de huidige Sovjet-leider tot chef van de KGB werd benoemd was Philby al enkele jaren in Moskou en werd hij zo ongeveer als een ster beschouwd. Hij hield lezingen over de westerse inlichtingendiensten in het algemeen en de Britse SIS* in het bijzonder. Zoals iedere partijfunctionaris die pas was benoemd op een hoge post in een voor hem nieuw staatsorgaan was de nieuwe KGB-chef er op uit geweest zijn eigen protégés op sleutelposten te benoemen. Ofschoon Philby zich verzekerd wist van het respect en de bewondering die een van de Vijf Sterren van de inlichtingendienst toekwam, besefte hij terdege dat het uiterst nuttig kon zijn om in deze zo tot samenzweren geneigde samenleving een beschermheer in de hiërarchietop te hebben. En het nieuwe KGB-hoofd, onnoemelijk veel intelligenter en beschaafder dan voorganger Semitsjastni,

* de Geheime Dienst of MI-6. Vert.

had zoveel nieuwsgierigheid naar Groot-Brittannië aan de dag gelegd dat het ver uitging boven een normale belangstelling en gerust 'gefascineerdheid' mocht worden genoemd.

In de afgelopen jaren had hij Philby vele malen verzocht om een interpretatie of analyse van bepaalde gebeurtenissen in Groot-Brittannië, de personen die erbij betrokken waren en de reacties die er waarschijnlijk op zouden volgen – verzoeken waaraan Philby graag had voldaan. Het leek alsof de KGB-chef het materiaal dat afkomstig was van de interne Groot-Brittannië-experts van de KGB – materiaal dat samen met de rapporten van zijn vroegere dienst, het Internationale Departement van het Centraalcomité, tegenwoordig onder leiding van Boris Ponomarev, op zijn bureau belandde – wilde toetsen aan de opinie van een andere deskundige. Verscheidene malen had hij Philby's verborgen adviezen inzake Britse aangelegenheden ter harte genomen. Inmiddels was het al vijf jaar geleden dat Philby de nieuwe 'tsaar aller Russen' had gesproken. In mei '82 had hij acte de présence gegeven op een receptie ter gelegenheid van de terugkeer van de Sovjet-leider van de KGB naar het Centraalcomité, ogenschijnlijk in de hoedanigheid van secretaris, maar in werkelijkheid om zich voor te bereiden op Brezjnevs naderende dood en het bevorderen van z'n eigen opvolgingskansen. En nu had hij opnieuw behoefte aan Philby's interpretatie.

Zijn mijmeringen werden afgebroken door de terugkomst van Erita en de beide jongens. Ze hadden rode wangen van het schaatsen en waren luidruchtiger dan ooit. Destijds in 1975, lang nadat Melinda Maclean was overleden en de KGB-top tot de slotsom was gekomen dat zijn liederlijke gewoonten met betrekking tot vrouwen en drank hun charmes hadden verloren (althans, voor de KGB-organisatie), had Erita opdracht gekregen bij hem in te trekken. Ze was toen zelf een KGB-employée (zelfs bij uitzondering een *joodse* employée) en telde pas vierendertig lentes – een stevige en donkerharige jonge vrouw. Nog datzelfde jaar waren ze getrouwd. Na hun huwelijk had zijn aanzienlijke persoonlijke charme zich laten gelden: ze was oprecht van hem gaan houden en had vierkant geweigerd nog langer rapport over hem aan de KGB uit te brengen. De met zijn 'geval' belaste officier had zijn schouders opgehaald, melding gemaakt van de stand van zaken en te horen gekregen dat hij de zaak verder kon laten rusten. Twee jaar later was hun eerste zoon geboren, een jaar later gevolgd door de tweede.

'Iets belangrijks, Kim?' vroeg ze, toen hij opstond en de brief in zijn binnenzak liet verdwijnen. Hij schudde het hoofd. Ze wijdde zich weer aan het helpen van de jongens met het uittrekken van hun dikke gewatteerde jekkers.

'Niets bijzonders, liefje,' antwoordde hij. Het ontging haar echter niet dat zijn gedachten door het een of ander in beslag werden genomen. Ze was zo verstandig niet verder aan te dringen, maar kwam naar hem toe en kuste hem op de wang.

'Toe, drink niet teveel vanavond bij de Blakes.'

'Ik zal 't proberen,' zei hij met een glimlach.

In feite was hij echter van plan 'm nog een laatste maal flink te raken. Hij was al z'n leven lang een onverbeterlijk pimpelaar geweest, iemand die, als hij op een feestje eenmaal aan het drinken was geslagen, bleef doordrinken totdat hij niet meer kón. Hij had de waarschuwingen van zeker zo'n honderd verschillende dokters dat hij ermee op moest houden in de wind geslagen. Ze hadden hem gedwongen de sigaretten te laten staan en dat was al erg genoeg geweest. Maar niet de drank: hij kon er nog altijd mee ophouden wanneer hij maar wilde en wist dat hij de fles na vanavond een poosje met rust zou moeten laten. Hij herinnerde zich de opmerking die hij aan tafel bij Krjoetsjkov had gemaakt nog heel goed, met inbegrip van de gedachten die eraan vooraf waren gegaan. Hij wist wat er aan de gang was, diep in het hart van de Britse Labour Party, en waartoe het moest leiden. Anderen dan hijzelf hadden eveneens de massa's onbewerkte inlichtingen ontvangen die hij in de loop der jaren had bestudeerd; inlichtingen die nog steeds naar hem werden doorgestuurd, als een soort beleefde geste. Maar alleen *hij* was bij machte geweest alle stukjes van de puzzel in elkaar te passen en ze een plaatsje te geven in het raamwerk van de Britse massapsychologie, zodat er een realistisch 'plaatje' ontstond, een beeld dat strookte met de werkelijkheid. Als hij het denkbeeld dat bezig was te ontstaan in zijn geest recht wilde doen, zou hij dat beeld in woorden moeten vangen: hij stond voor de taak om een van de allerbeste analyses voor te bereiden die ooit ten behoeve van de Sovjet-leider uit zijn pen waren gevloeid. Hij kon Erita en de jongens voor het weekeinde naar hun *datsja* sturen, zodat hij in het appartement alleen kon zijn en eraan kon beginnen. Maar voor het zover was zou hij zich nog één keer laten vollopen.

Jim Rawlings bracht het uur tussen klokslag negen en klokslag tien die avond door in een andere, kleinere huurauto, geparkeerd tegenover de ingang van Fontenoy House. Hij droeg een perfect passende smoking en trok niemands aandacht. Nauwlettend bestudeerde hij het patroon van verlichte ramen op de hoger gelegen verdiepingen van het flatgebouw. Het appartement dat hij tot zijn doelwit had gekozen was natuurlijk onverlicht, maar tot zijn voldoening zag hij dat de ramen van de appartementen eronder en erboven verlicht waren. En te oordelen naar de gestalten van allerlei mensen die zich achter die ramen vertoonden waren er in beide luxe-flats oudejaarsfeestjes aan de gang. Om tien uur parkeerde hij zijn huurauto op een onopvallende plek in een zijstraat, twee blokken verderop, en slenterde naar de ingang van Fontenoy House. Er was zo'n druk komen en gaan van mensen dat de deuren wel dicht, maar niet afgesloten waren. Aan de linkerkant van de foyer bevond zich de loge van de conciërge, precies zoals Billy Rice hem had gezegd. Hij zag de conciërge achter het raam zitten, starend naar zijn Japanse portable. Bij het zien van Rawlings stond hij op en kwam naar de deur alsof hij hem aan wilde spreken. Rawlings had een fles champagne in z'n hand, met een enorm rood lint om de hals. Met het gebaar van iemand die aangeschoten was stak hij zijn hand op, bij wijze van groet. 'Goeienavond,' riep hij met dikke tong, eraan toevoegend: 'O, en nog een gelukkig nieuwjaar, zeg.'

Als de oude conciërge al voornemens was geweest hem naar een legitimatie of naar zijn bestemming te vragen had hij zich nu bedacht. Er waren in het gebouw minstens zes feestjes aan de gang en in zeker drie gevallen werd er 'open huis' gehouden, naar het scheen. Hoe moest *hij* in hemelsnaam het komen en gaan van de gasten bijhouden?

'O, eh, dank u, meneer. U ook gelukkig nieuwjaar,' riep hij nog; maar de heer in smoking was al doorgelopen, de gang in. Hij wijdde zich weer aan zijn film.

Rawlings beklom de trap naar de eerste etage en stapte toen pas in de lift naar de achtste. Om vijf minuten over tienen stond hij voor de deur van het appartement dat hij zocht. In overeenstemming met Billy's rapport was er geen zoemer te bespeuren en bleek het slot een Chubb te zijn, plus een zelfsluitend Yale-slot dat bedoeld was voor dagelijks gebruik en zo'n vijftig centimeter boven het activatieslot was aangebracht.

Het type activatieslot dat in Groot-Brittannië bekend is als het '*Chubb Mortise-lock*' telt in totaal zo'n 17 000 variatiemogelijkheden en combinaties. Het is een slot met vijf palletjes, maar voor een goeie 'sleutelaar' geen onoverwinnelijk probleem, omdat alleen de stand van de eerste twee hele palletjes plus die van de daarop volgende halve pal bepaald hoeft te worden: de resterende tweeëneenhalve pal zijn er het spiegelbeeld van, zodat de sleutel van de eigenaar zowel aan de binnen- als buitenkant van de deur functioneert.

Nadat Rawlings op z'n zestiende van school was gekomen had hij tien jaar lang in de ijzerwinkel van zijn oom Albert gewerkt, een zaak die voor de oude man – in zijn tijd zelf een befaamd insluiper – een voortreffelijke dekmantel was. De jonge Rawlings had er zich gretig vertrouwd kunnen maken met ieder type slot dat in de handel was, terwijl hij daarnaast de meeste kleinere types brandkast had leren kennen. Na tien jaar van volhardend en geduldig oefenen onder de deskundige leiding van oom Albert was Rawlings zover dat hij zo ongeveer ieder fabrieksslot kon 'knakken'. Uit zijn broekzak diepte hij een bosje lopers op, stuk voor stuk vervaardigd in z'n eigen werkplaats. Hij koos er drie uit en probeerde ze een voor een, waarna hij z'n keus bepaalde op de zesde aan de ring. Hij stak hem in het sleutelgat van het Chubb-slot en begon de drukpunten op te zoeken. Met behulp van een setje scherpe dunne vijltjes uit zijn borstzak begon hij, zich oriënterend op de lichte afdrukken die de palletjes op het zachtere materiaal hadden achtergelaten, de loper te bewerken. Binnen een minuut of tien ontstond het profiel van de eerste tweeëneenhalve pal. Meer had hij niet nodig: na nog eens vijftien minuten ingespannen vijlen was ook het spiegelbeeld van het profiel klaar. Hij stak de tot sleutel gepromoveerde loper in het slot en draaide hem langzaam en behoedzaam om. Al bij de eerste poging kon hij hem een volle slag omdraaien. Hij wachtte zestig seconden, alleen maar voor het geval dat Billy's vulling van met contactlijm vermengde kneedmassa in het deurstijlkokertje niet mocht 'houden'. Geen belgerinkel, geen sirenegehuil. Hij slaakte een zucht en begon met een dunne, haakse pen aan het Yaleslot te werken. Dat karweitje kostte hem een volle minuut: toen zwaaide de deur geruisloos open. Binnen heerste duisternis, maar het licht dat op de gang brandde toonde hem het interieur van het lege halletje: het mat ongeveer tweeëneenhalve meter in het vierkant en was voorzien van vaste vloerbedekking. Hij vermoedde dat er ergens onder de vloerbedekking wel een drukkussen aangebracht zou zijn, maar niet al te dicht bij de deur, om te voorkomen dat de eigenaar bij z'n binnenkomst telkens zelf het alarm zou activeren. Hij stapte het hallctje in maar bleef dicht bij de muur terwijl hij de deur voorzichtig achter zich sloot en het licht aanknipte. Aan zijn linker hand bevond zich een deur die gedeeltelijk open stond en hem een kijkje gunde in een toiletruimte. Rechts van hem zag hij een tweede deur: zonder twijfel de garderobekast waarin het controlesysteem van de alarminstallatie (dat hij met rust zou laten) aangebracht was. Hij haalde een tang uit zijn zak, bukte zich en trok de vloerbedekking aan de rand omhoog. Toen hij het tapijt ver genoeg had opgetild ontdekte hij het drukkussen, dat precies in het middelpunt van de hal was aangebracht. Het was er maar één. Hij liet de vloerbedekking zachtjes terugzakken op z'n plaats, liep om het drukkussen heen en duwde de brede deur voor hem open. Zoals Billy had gezegd was het inderdaad de deur naar de zitkamer.

Hij bleef een paar minuten op de drempel van de zitkamer staan voor hij op zoek ging naar de lichtschakelaar en het licht aan deed. Het was riskant, maar aan de andere kant bevond hij zich acht etages boven de begane grond, zaten de bewoners in Yorkshire en had hij niet genoeg tijd om alleen bij het schijnsel van een pennelichtje te kunnen werken in een kamer vol electronische valstrikken. Die kamer had een langwerpige vorm van ongeveer zeveneneenhalve bij vijfeneenhalve meter. Er lag eveneens vaste vloerbedekking en het vertrek was kostbaar gemeubileerd. De grote dubbelglazen ramen voor hem keken uit op het zuiden en de straat. De wand aan zijn rechter hand werd gedomineerd door een stenen schouw met een vuur van gashoutblokken: de deur in de hoek gaf waarschijnlijk toegang tot de grote slaapkamer. De andere muur, aan zijn linker hand, bevatte twee deu-

ren. Een ervan stond open en gaf toegang tot een gangetje, vermoedelijk naar een paar logeerkamers; via de
tweede deur kon je waarschijnlijk de eetkamer en de keuken bereiken. De volgende tien minuten bleef hij roerloos staan om de muren en het plafond zorgvuldig te bestuderen. De reden daarvoor was heel eenvoudig: het
was heel goed mogelijk dat er een *scanner* was geïnstalleerd die bedoeld was om op de warmte of beweging van
een lichaam te reageren. Als er een bel begon te rinkelen
kon hij binnen drie tellen het huis uit zijn. Er begonnen
echter geen bellen te rinkelen: de hele installatie was opgebouwd rond de beveiligde deur, vermoedelijk aangevuld met raamcircuits – en hij was niet van plan de ramen
aan te raken – en een aantal drukkussens.

Rawlings was ervan overtuigd dat de brandkast zich ofwel in deze kamer, óf in de grote slaapkamer zou bevinden; ongetwijfeld aangebracht in een buitenmuur, aangezien de tussenmuren niet dik genoeg zouden zijn.
Even voor elf uur had hij de juiste plaats ontdekt. Recht
voor hem, aan een stuk muur van ongeveer twee meter
veertig tussen twee brede ramen, hing een in vergulde
lijst gevatte spiegel. Maar de bovenrand hing niet, zoals
de schilderijen, een stukje van de muur, zodat er een
smalle schaduw langs de zijkant ontstond, maar vlak tegen het behang alsof hij bevestigd was aan scharnieren.
Hij tilde de rand van de vloerbedekking telkens met behulp van zijn tang een flink eind op en verplaatste zich zo
voetje voor voetje langs de muren, waarbij hij de draden
ontdekte die vanuit de plinten leken samen te komen op
een punt ergens midden in de kamer. Toen hij de spiegel
had bereikt ontdekte hij recht eronder een drukkussen.
Hij overwoog of hij het zou verwijderen, maar bedacht
zich en tilde een in de buurt staande lage tafel op, die hij
eroverheen plaatste, ervoor zorgend dat de poten de ran-
den van het kussen niet raakten. Nu wist hij dat hij veilig
zou zijn als hij dicht bij de muren bleef of zijn gewicht
door een meubelstuk liet dragen (aangezien het onmo-

gelijk was een meubel op een drukkussen te plaatsen zonder het alarm te activeren).

De spiegel werd tegen de muur getrokken door een magnetische sluiting die tevens als alarmcontact fungeerde. Dat vormde geen probleem. Hij wurmde een platte schijf weekijzer tussen de beide helften van de magneetsluiting – een in de spiegelrand en een in de muur. Toen hij de spiegel voorzichtig een stukje loswrikte van de muur bleef hij het plaatje weekijzer tegen de in de muur gemonteerde magneet drukken. De spiegel scharnierde zonder protest open: de muurmagneet was nog steeds in contact met een andere magneet – in de vorm van een plaatje weekijzer – dus meldde hij het controlecentrum niet dat er een contact was verbroken. Rawlings glimlachte tevreden. De muurkluis was een klein type Hamber, model D. Hij wist dat de deur vervaardigd was van hoogwaardig gehard staal; en de scharnierpen vormde één geheel met de deur, was eveneens van gehard staal en draaide in het frame rondom de deur. Het vergrendelingsmechanisme bestond uit drie schuifpennen van chroomstaal die in de deur zelf waren aangebracht en tot een diepte van vier centimeter in het frame rond de deur staken. Achter de stalen voorzijde van het deurtje bevond zich een ruimte ter diepte van vijf centimeter, ommanteld met dun staalplaat; in deze ruimte bevonden zich de drie schuifpennen met hun geleiders, de verticale grendelarm waarmee ze werden bediend, plus het driewielscombinatieslot waarvan de draaischijf hem nu aanstaarde. Rawlings piekerde er niet over hieraan te gaan prutsen. Er was een eenvoudiger methode: de deur opensnijden van onder tot boven, en wel aan de scharnierzijde van de combinatieschijf. Op die manier zou zestiende gedeelte van de kluisdeur – het gedeelte met het combinatieslot en de drie schuifpennen – netjes in het omlijstende frame blijven zitten. Maar het resterende deel van de deur zou probleemloos openzwaaien, zodat er voldoende ruimte ontstond om hem in de gelegenheid te stellen zijn hand in de kluis te steken en de inhoud naar buiten te halen.

Behoedzaam schuifelde hij terug naar het halletje, waar hij zijn 'fles champagne' had laten staan. Hij ging ermee terug naar de tafel onder de muurkluis, hurkte erop neer en begon de bodem uit de namaakfles te schroeven. De inhoud bestond, behalve een electrische detonator (verpakt in een met watten opgevulde doos), uit een verzameling kleine magneetjes, een rol doodgewoon dubbeladerig snoer en een lengte CLC. Rawlings wist dat toepassing van de zogeheten 'monroetheorie' – genoemd naar de ontdekker van het principe van de 'gevormde lading' – de beste garantie vormde voor het met succes doorsnijden van een plaat gehard staal ter dikte van dertien millimeter. Wat hij in z'n hand hield werd door deskundigen op het gebied van explosieven een *Charge-Linear-Cutting* of CLC genoemd: een metalen staaf met een V-vormige doorsnede die stijf, maar nog juist met de hand te buigen was, verpakt in kneedbare springstof. Een dergelijke 'gevormde lading' had de eigenschap dat de kracht van de explosie als het ware volgens het tracé van de staaf werd 'gebundeld'. In heel Groot-Brittannië waren er welgeteld drie bedrijven waar deze geavanceerde explosieven werden vervaardigd: een van de fabrieken was eigendom van de overheid en de beide anderen produceerden voor de particuliere sector. De verkoop van CLC was echter aan een strikt gehanteerd vergunningenstelsel gebonden, maar Rawlings beschikte als honderdprocent beroeps over een 'relatie' – een omgekochte werknemer bij een van de particuliere CLC-fabrieken.

Met vaardige, geroutineerde bewegingen bracht Rawlings precies de juiste lengte CLC aan op het deurtje van de Hamber-kluis, op het gedeelte tussen de combinatieschijf en de scharnieren. De detonator, waaruit twee stukjes koperdraad naar buiten staken, priemde hij in het ene uiteinde van de explosiefstaaf. Vervolgens draaide hij de twee in elkaar gedraaide stukjes koperdraad uit elkaar en duwde ze ver uiteen, dit om straks kortsluiting te voorkomen. Aan ieder draadje bevestigde hij een van de draden van zijn dubbeladerige snoer, dat eindigde in een normale stekker. Voorzichtig schuifelde hij achterwaarts langs de muren de kamer uit terwijl hij het snoer af liet rollen, totdat hij het gangetje naar de logeerkamers had bereikt. Hier was hij beschut tegen de schokgolf van de explosie. Behoedzaam ging hij verder naar de keuken en vulde daar een grote plastic zak uit z'n broekzak met water. Die bevestigde hij met punaises boven het explosief op het deurtje van de muurkluis. Donzen kussens, zo had oom Albert hem voorgehouden, zijn goed voor vogeltjes of misdaadfilms op de televisie. Er is niets dat beter een schok absorbeert dan water.

Het was nu twintig minuten voor twaalf. Het feestje boven zijn hoofd werd luider en luider. Zelfs in dit luxe appartement, in een gebouw waar het accent was gelegd op *privacy*, kon hij het geschreeuw en gelach van dansende mensen duidelijk horen. Z'n laatste handeling voor hij zich terugtrok in het gangetje was het aanzetten van het televisietoestel. In het gangetje bevond zich een stopcontact, na zich te hebben overtuigd dat het schakelaartje dat hij in het snoer had gemonteerd op UIT stond stak hij de stekker erin. Toen begon het wachten.

Om één minuut voor twaalven was het kabaal boven oorverdovend. Toen, plotseling, alsof iemand om stilte had geroepen, hield het kabaal op. Nu kon Rawlings het televisietoestel in de zitkamer dat hij had ingeschakeld horen. Het per traditie Schotse programma met z'n balladen en dansen van Hooglanders maakte plaats voor het statische beeld van de torenklok die bekend is als Big Ben-symbool van de Londense parlementsgebouwen. Achter de bekende façade van de klok bevond zich de kolossale bronzen klok, *Great Tom*, die vaak bij vergissing wordt aangeduid als Big Ben. De televisie-omroeper babbelde de resterende seconden naar middernacht weg, terwijl overal in het koninkrijk mensen hun glazen vulden. Het overbekende wijsje van het Big-Ben-carillon klonk, gevolgd door een korte pauze. Toen sprak *Great Tom* zelf: BANG – de daverende eerste slag van de twaalf weerklonk in twintig miljoen huizen in het land, verbrak de stilte in het appartement op de negende etage van Fontanoy House en werd prompt overstemd door het gejuich van de feestvierders, die luidkeels *Auld Lang Syne* inzetten. En terwijl de eerste klokslag weergalmde door de eerste etage knipte Jim Rawlings het schakelaartje in het snoer naar de detonator om.

De droge knal werd behalve door hemzelf door niemand opgemerkt. Hij wachtte zestig seconden, trok de stekker uit het stopcontact en begon terug te schuifelen naar de muurkluis, waarbij hij meteen het snoer oprolde. De rookwolk begon zich al te verspreiden en werd dunner. Van het geïmproviseerde schokgolfkussen en de ruim vier liter water erin was niets meer over, op een paar flarden plasticfolie na, plus wat vochtige plekken. De kluisdeur zag eruit alsof hij door een reus met behulp van een botte bijl van onder tot boven doormidden was gekliefd. Rawlings blies een paar slierten rook weg en trok met zijn gehandschoende hand het kortste deel van de deur, dat netjes in z'n scharnieren draaide, open. De plaatstalen beschermkast aan de binnenzijde was door de explosie aan flarden gescheurd, maar alle stalen pennen in het andere deel van de kluisdeur staken nog in hun kokers in het frame. Het deel dat hij open had getrokken was echter groot genoeg om in de kluis te kunnen kijken. Een geldkistje en een fluwelen zak; de zak trok hij voorzichtig naar buiten, waarna hij het sluitkoord losmaakte en de inhoud op het lage tafeltje liet glijden.

Ze fonkelden en schitterden in het licht alsof ze zelf vuur bevatten: de Glen-diamanten! Rawlings borg het restant van zijn uitrusting op in de nagebootste champagnefles – snoer, lege doos van de detonator, punaises en overgebleven eindje CLC – en realiseerde zich toen pas dat hij kampte met een onvoorziene moeilijkheid. De hanger en de oorbellen konden in zijn broekzakken, maar de tiara was hoger en breder dan hij had gedacht. Hij keek om zich heen, op zoek naar iets waarin hij zou passen, iets dat geen aandacht trok. Het lag op de schrijftafel, op nog geen meter afstand. Hij deponeerde de inhoud van de aktetas in een leunstoel – een verzameling van allerhande dingen, zoals een portefeuille, betaalkaarten, pennen, adresboekjes en een stel folders. De aktetas was geknipt voor z'n doel. Alles paste er in, met inbegrip van de Glen-diamanten en de champagnefles (het zou trouwens een beetje eigenaardig zijn geweest als hij met een fles champagne van een fuif was gekomen). Nadat hij voor de laatste maal in de zitkamer om zich heen had gekeken knipte Rawlings het licht uit, liep het halletje in en trok de deur achter zich dicht. Toen hij weer buiten het appartement was, op de gang, sloot hij de toegangsdeur met het Chubb-slot weer af. Een minuut later beende hij nonchalant langs het hokje van de conciërge en verdween in de nacht. De oude man nam niet eens de moeite op te kijken.

Het was die eerste januaridag al bijna middernacht, toen Harold Philby in zijn Moskouse flat achter de grote tafel in de huiskamer ging zitten. Hij had de vorige avond op het feestje van de Blakes inderdaad gedronken als een tempelier, maar zonder er plezier aan te beleven. Zijn gedachten konden zich niet losmaken van dat wat hij zou moeten schrijven. De ochtend had hij nodig gehad om zijn kater te boven te komen; en nu Erita en de jongens in bed lagen te slapen stelden de rust en stilte om hem heen hem in staat de dingen op z'n gemak te overdenken. Aan de overkant van de kamer koerde de duif in de grote kooi die in de hoek was opgesteld. Philby stond op en liep erheen, door de tralies starend naar de vogel met z'n gespalkte pootje. Hij was altijd al verzot geweest op huisdieren, vanaf de tamme vossin die hij in Beiroet had gehouden tot en met een hele reeks kanaries en parkieten in deze flat. De duif dribbelde hinkend over de bodem van de kooi, ernstig gehinderd door z'n gespalkte pootje.

'Ja, rustig nou maar, ouwe jongen,' zei Philby zacht door de tralies, 'binnenkort mag het eraf en kun je weer vliegen.'

Hij ging terug naar de tafel. Het moet goed worden, vermaande hij zichzelf voor de honderdste keer. De secretaris-generaal liet zich moeilijk een rad voor de ogen draaien en hij kon genadeloos toeslaan als hij merkte dat hij was bedrogen. Een paar van de hoge luchtmachtofficieren die verantwoordelijk waren voor de heibel die was ontstaan na het volgen en neerhalen van een Koreaans burgertoestel vol passagiers, in 1983, waren – op persoonlijke aanbeveling van zijn kant – geëindigd in kille graven, uitgehakt in de permafrost van het schiereiland Kamtsjatka. De Sovjet-leider mocht dan wat z'n fysieke gezondheid betrof een wrak zijn, een man die een deel van zijn tijd moest doorbrengen in een rolstoel; maar nog altijd was hij de onbetwiste heerser van de Sovjet-Unie: zijn woord was wet, zijn brein was zo scherp als een scheermes en zijn bleke oogjes zagen niets over het hoofd. Philby nam pen en papier en begon de hoofdpunten van zijn antwoord op papier te zetten.

Vier uur later, maar eveneens kort voor middernacht, keerde de eigenaar van het appartement op de achtste etage van Fontenoy House in Londen terug in de hoofdstad – alleen. Hij was een lange, grijzende man van een jaar of vijfenvijftig met een gedistingeerd uiterlijk. Hij reed regelrecht naar de ingang van de parkeergarage onder het flatgebouw, gebruikte zijn geplastificeerde pasje om de slagboom omhoog te laten gaan, parkeerde zijn wagen en stapte even later met zijn koffer in de lift naar de achtste etage. Hij verkeerde in een slecht humeur. Hij had een rit van ruim zes uur achter de rug, nadat hij het statige buitenhuis van zijn zwager veel eerder dan de bedoeling was geweest had verlaten, na een heftige ruzie met zijn vrouw. Sportief en dol op paarden als ze was, hield zij evenveel van de provincie als hij hem verfoeide. Ze vond het heerlijk om in hartje winter door de naargeestige heidevelden van Yorkshire te dwalen, hem binnenshuis achterlatend, waar hij was opgezadeld met haar broer, de tiende hertog van Sheffield. In zekere zin was dit voor hem nog erger, want als een man die prat ging op de waarde die hij hechtte aan mannelijke deugden was hij ervan overtuigd dat 'die vervelende kwal van een broer van haar van de verkeerde kant' was.

Het oudejaarsavonddiner was een verschrikking voor hem geweest: hij had zich aan alle kanten omringd gezien door de vrienden en kennissen van zijn vrouw, lui die voortdurend de mond vol hadden van jagen, schieten en vissen, het geheel nog verergerd door het hoge, doordringende lachje van de hertog en diens veel te knappe vriendjes. De volgende ochtend had hij zich tegenover zijn vrouw een laatdunkende opmerking laten ontvallen, en ze had hem meteen de wind van voren gegeven. Het draaide er op uit dat ze overeenkwamen dat hij na de thee gerust in z'n eentje terug mocht rijden: zij zou blijven logeren zo lang ze maar wilde, een verblijf dat wel een maand zou kunnen duren.

Hij stapte het halletje van zijn appartement in en wachtte: het alarmsysteem behoorde nu een luid 'bliep-bliep-bliep' te laten horen dat een halve minuut bleef aanhouden. In die tijd kon hij de hoofdschakelaar van de installatie bereiken om de zaak af te zetten. Dat verdomde ding, dacht hij, zeker een of andere storing. Hij opende de garderobekast en schakelde de hele installatie uit met behulp van zijn eigen sleutel. Daarna liep hij de zitkamer binnen en knipte het licht aan. Met open mond staarde hij vol afschuw naar het tafereel voor hem. De vochtige plekken waren dank zij de warmte opgedroogd en het televisietoestel stond niet aan. Wat onmiddellijk zijn aandacht trok was de geblakerde muur en de gespleten kluisdeur recht voor hem. Met een paar grote passen was hij de kamer door en keek in de kluis. Geen twijfel mogelijk, de diamanten waren weg. Hij keek langzaam om zich heen en zag dat zijn persoonlijke bezittingen op een hoop waren gegooid in de leunstoel bij de open haard, terwijl de vloerbedekking overal langs de plinten omhoog was getrokken. Wit als een doek liet hij zich in de andere leunstoel bij de haard zakken.

'Grote God,' hijgde hij, naar het scheen totaal verbijsterd door de aard van de ramp. Hij bleef tien minuten zwaar ademend in de leunstoel zitten, starend naar de chaos. Eindelijk stond hij op en liep naar de telefoon om met trillende vingers een nummer te draaien. Hij hoorde het toestel aan de andere kant telkens en telkens weer overgaan, maar er werd niet opgenomen.

De volgende ochtend wandelde John Preston even voor elven door Curzon Street naar het hoofdkwartier van de afdeling waarop hij werkte, juist om de hoek van het restaurant Mirabella, een gelegenheid waarin maar weinig employé's van de afdeling zich een etentje konden veroorloven. Het meeste personeel in overheidsdienst had de vrijdag na nieuwjaarsdag vrijaf kunnen nemen, zodat ze pas maandag hoefden te beginnen. Brian Harcourt-Smith had Preston echter uitdrukkelijk verzocht te komen, dus wás hij gekomen. Hij had wel zo'n idee waarover de plaatsvervangend directeur-generaal van MI-5 hem wilde spreken.

Drie jaar lang, meer dan de helft van de tijd die hij bij MI-5 had gewerkt nadat hij er als een soort 'laatbloeier' in de zomer van '81 in dienst was gekomen, maakte John Preston nu al deel uit van afdeling F van de Veiligheidsdienst*, de afdeling die verantwoordelijk was voor het in het oog houden van linkse en rechtse extremisten en hun organisaties, het onderzoeken van hun achtergronden

* de Britse 'BVD', beter bekend als MI-5. Vert.

en het infiltreren ervan door agenten van de dienst. De laatste twee jaar had hij deel uitgemaakt van F1, als hoofd van Sectie D, de afdelingspoot die zich speciaal bezighield met de ultra-linkse elementen die kans hadden gezien in de Labour Party te penetreren. Het resultaat van zijn onderzoekingen, neergelegd in een uitgebreid rapport, had hij twee weken geleden ingediend, even voor de kerst. Het verbaasde hem dat het in zo korte tijd was doorgenomen. Hij meldde zich bij de receptie, toonde zijn legitimatie, werd gefouilleerd en kreeg, nadat bij het secretariaat van de plaatsvervangend directeur-generaal was geverifieerd dat hij werd verwacht, toestemming om de lift naar de bovenste verdieping te nemen. Het speet hem dat hij de directeur-generaal zelf niet te spreken zou krijgen. Hij vond sir Bernard Hemmings sympathiek, maar bij MI-5 was het een publiek geheim dat de oude heer ziek was en steeds minder tijd op kantoor doorbracht. Bij zijn afwezigheid werd de dagelijkse leiding van de dienst dan ook in toenemende mate in handen genomen door zijn ambitieuze plaatsvervanger, een omstandigheid waarmee een paar van de oudere veteranen van de dienst niet erg ingenomen waren.

Sir Bernard was al sinds vele jaren de belichaming van MI-5; een man die ooit zelf als agent actief was geweest. Hij kon zich vereenzelvigen met de mannen die er op uit moesten om verdachte personen te schaduwen, vijandelijke koeriers in het oog te houden en door te dringen in subversieve organisaties. Harcourt-Smith daarentegen behoorde tot de lichting der 'gestudeerden,' was met de aantekening *cum laude* van de universiteit gekomen en was in eerste instantie de typische kantoorman, iemand die zich op het scharnierpunt tussen de afdelingen in z'n element voelde en gestaag promotie was blijven maken. Hij verwelkomde Preston hartelijk in zijn werkkamer en was zoals altijd onberispelijk gekleed. Al dat vertoon van hartelijkheid maakte dat Preston op z'n hoede was. Als je de verhalen mocht geloven was dit precies het soort ontvangst dat ook anderen te beurt was gevallen; mannen die een week later een ontslagbrief in de bus hadden gekregen. Harcourt-Smith wees Preston de stoel tegenover zijn bureau en ging er zelf achter zitten. Prestons rapport lag voor hem op het vloeiblad.

'Wel, John, het gaat om dit rapport van je. Je begrijpt natuurlijk wel dat ik het, evenals al je andere werk, buitengewoon ernstig neem.'

'Dank je,' zei Preston.

'Zo ernstig zelfs,' vervolgde Harcourt-Smith, 'dat ik een flink deel van de feestdagen hier op kantoor heb doorgebracht om het nog eens te herlezen en me erop te bezinnen.'

Preston oordeelde het verstandiger om niets te zeggen.

'Het is – hoe zal ik het noemen – tamelijk drastisch geformuleerd... nagenoeg zonder voorbehoud, nietwaar? De kwestie is, en dat is een vraag die ik mezelf *moet* stellen alvorens onze dienst enigerlei advies kan verstrekken inzake het te volgen beleid op basis van dit rapport, de kwestie is of dit allemaal wel onomstotelijk waar is. Is het na te trekken? Dat is de vraag die men *mij* zal gaan stellen.'

'Kijk eens, Brian, ik heb twee jaar besteed aan dit onderzoek. Mijn mensen hebben diep moeten graven, uitzonderlijk diep. De feiten, voor zover ik ze uitdrukkelijk als zodanig heb omschreven, zijn absoluut waar.'

'Juist. Heus, John, ik zal nooit de door jou gepresenteerde feiten in twijfel trekken, begrijp me goed. Maar de *conclusies* die je eruit hebt getrokken –'

'Zijn gebaseerd op logische overwegingen, naar ik meen,' zei Preston.

'Ah, logica – een fantastische discipline; ik heb er zelf college in gelopen,' hernam Harcourt-Smith. 'Maar je conclusies worden niet altijd gestaafd door keiharde bewijzen, vind je zelf ook niet? Laten we bijvoorbeeld dit eens nemen...' Hij sloeg de betreffende passage van Prestons rapport op en plantte zijn wijsvinger bij een bepaalde regel. 'Het MBR. Nogal extreem, niet?'

'Zeker, Brian, het is beslist extreem. Het zijn dan ook tamelijk extreme figuren.'

'Geen twijfel aan, geen twijfel aan. Maar zou het niet wat overtuigender zijn geweest als je een exemplaar van dit MBR bij je rapport had gevoegd?'

'Voor zover ik heb kunnen ontdekken is het nooit zwart op wit gezet, Brian. Het is niet meer dan een reeks voornemens – zij het uitzonderlijk *vaste* voornemens – waarmee bepaalde mensen rondlopen.'

Met een uitdrukking van spijt zoog Harcourt-Smith via een spleetje tussen zijn voortanden lucht in zijn longen, wat een sissend geluid veroorzaakte. *'Voornemens,'* zei hij, alsof het woord hem intrigeerde. 'Voornemens, ja. Maar weet je, John, er lopen in dit land heel wat mensen met allerlei voornemens rond, vast of niet vast – en ze zijn beslist niet allemaal vriendelijk bedoeld. Maar op grond van dergelijke voornemens kunnen we toch moeilijk een beleid van maatregelen of tegenmaatregelen aanbevelen...'

Preston stond op het punt iets te zeggen, maar Harcourt-Smith stond al op, hem daarmee duidelijk makend dat het onderhoud beëindigd was. 'Luister, John, laat dit nog maar een poosje onder mijn berusting. Ik moet er nog eens grondig over nadenken en misschien hier en daar m'n licht eens opsteken, voordat ik kan bepalen welke bestemming ik er het beste aan kan geven. Tussen haakjes, hoe bevalt 't je bij F-One(D)?'

'Uitstekend,' zei John, terwijl hij zelf ook opstond.

'Ik heb misschien iets voor je dat je nog beter zal bevallen,' zei Harcourt-Smith.

Na Prestons vertrek staarde Harcourt-Smith een poosje peinzend naar de deur die zich achter hem had gesloten. Hij scheen zich niet langer bewust van zijn omgeving. Het was niet mogelijk het rapport – een rapport dat hij persoonlijk als 'lastig' en mogelijk ooit gevaarlijk beschouwde – eenvoudig te vernietigen. Tenslotte was het officieel door het hoofd van een sectie ingediend en had het een dossiernummer. Hij dacht langdurig en ingespannen over dit probleem na. Toen nam hij zijn pen met rode inkt en schreef met zorg iets op de omslag van het Preston-rapport. Daarna drukte hij de knop van zijn intercom in om zijn secretaresse te laten komen.

'Mabel,' zei hij meteen bij haar binnenkomst, 'zou je dit misschien even naar Registratie willen brengen? Nu meteen, graag.'

Het meisje wierp een blik op de omslag. Ze las de letters G.V.A., gevolgd door de paraaf van Harcourt-Smith. In de dienst stonden deze letters voor 'Geen verdere actie': het rapport moest 'begraven' worden.

2

Pas de zondag die er op volgde, de vierde januari, kreeg de eigenaar-bewoner van het appartement in Fontenoy House gehoor bij het telefoonnummer dat hij drie dagen achtereen ieder uur had gedraaid. Het gesprek dat hij voerde was kort, maar had tot resultaat dat hij kort voor het lunchuur een ontmoeting had met een andere man in een aparte nis in een van de zalen van het uiterst discrete Hotel West End. De nieuwkomer was een jaar of zestig. Hij had staalgrijs haar, was sober gekleed en had de manieren van een overheidsfunctionaris – wat hij inderdaad was. Hij verontschuldigde zich dadelijk toen hij was gaan zitten.

'Het spijt me erg dat ik de afgelopen drie dagen niet bij de hand was,' zei hij. 'Omdat ik alleen woon werd ik door kennissen uitgenodigd om de feestdagen bij hen te komen doorbrengen, buiten de stad. Wel, wat is de moeilijkheid?'

Dat deed de eigenaar van het appartement hem in korte, beknopte zinnen uit de doeken. Hij had tijd genoeg gehad om erover na te denken op welke manier precies hij de kolossale ernst van wat er was gebeurd duidelijk zou maken en wist zijn woorden goed te kiezen. De man tegenover hem hoorde zijn relaas aan met toenemende ernst.

'Je hebt natuurlijk volkomen gelijk,' zei hij tenslotte. 'Dit zou wel eens buitengewoon ingrijpend kunnen zijn. Heb je de politie gebeld nadat je donderdagavond was thuisgekomen? Of in de periode erna?'

'Nee. Ik vond het beter eerst met jou te praten.'

'Ah. In zekere zin is dat jammer, hoewel het er nu toch al

41

te laat voor is. De mensen van het gerechtelijk laboratorium zouden zonder moeite kunnen vaststellen dat de kluis al een dag of drie, vier geleden is gekraakt. Dat lijkt me moeilijk uit te leggen. Tenzij…'

'Nou?' vroeg de eigenaar van het appartement gretig.

'Tenzij je kunt beweren dat de spiegel normaal op z'n plaats zat en dat alles er zo onberispelijk uitzag dat je aannemelijk kunt maken dat je drie dagen in je huis hebt gebivakkeerd zonder te merken dat er ingebroken was.'

'Nauwelijks mogelijk,' antwoordde de eigenaar van het appartement. 'De vloerbedekking was overal langs de plinten omhoog getrokken. De ellendeling moet langs de muren hebben gelopen om de drukkussens te vermijden.'

'Ja,' peinsde de ander. 'Ze zullen wel niet willen geloven dat een inbreker zo netjes is geweest zowel de vloerbedekking op z'n plaats te drukken als de spiegel dicht te klappen. Trouwens, normaal gesproken zou je de diamanten vrijdags hebben teruggebracht naar de bank, is 't niet?'

'Dat is waar.'

'Die vlieger gaat dus niet op. En ik vrees dat je al evenmin kunt beweren dat je die drie dagen elders hebt doorgebracht'

'Waar dan wel? Dan had iemand me moeten zien. Wat niemand heeft gedaan. Club? Hotel? Dan had ik me moeten melden.'

'Juist,' zei z'n gesprekspartner. 'Nee, ook dat is onmogelijk. De teerling is geworpen en we zullen ermee moeten leven. Het is nu te laat om er de politie nog bij te halen.'

'Maar wat moet ik verdomme dan?' vroeg de eigenaar van het appartement. 'Ze *moeten* eenvoudig terug worden gevonden.'

'Hoe lang blijft je vrouw weg uit Londen?' vroeg de ander.

'Joost mag het weten. Ze vermaakt zich best, daar in Yorkshire. Een paar weken, hoop ik.'

'Dan zullen we de beschadigde kluis moeten vervangen door een nieuwe van precies hetzelfde type. En ook moeten er replica's komen van de Glen-diamanten. Het zal tijd kosten dat voor elkaar te krijgen.'

'Ja, maar hoe moet 't dan met de gestolen diamanten?' vroeg de eigenaar van het appartement wanhopig. 'Die kunnen we niet zo maar ergens laten rondslingeren. Ik *moet* ze terug zien te krijgen.'

'Daar heb je gelijk in,' knikte de ander. 'Luister. Zoals je weet hebben mijn mensen de nodige contacten in het diamantenwereldje. Ik zal m'n voelhorens uitsteken. Je kunt er donder op zeggen dat de stenen naar een van de grote centra van diamantbewerkers zullen worden gestuurd om daar een andere vorm te krijgen. In hun huidige vorm zijn ze onverkoopbaar. Ze zouden binnen de kortste keren worden herkend. Ik zal eens kijken of we de inbreker op het spoor kunnen komen en die dingen terug kunnen vinden.' De man stond op en maakte aanstalten te vertrekken. Zijn gesprekspartner bleef zitten; hij maakte zich blijkbaar grote zorgen. Dat deed de sober geklede man eveneens, alleen wist hij het beter te camoufleren.

'Doe er niets aan en zeg er niets over,' raadde hij de eigenaar van het appartement aan. 'Probeer je vrouw zo lang mogelijk in de provincie te houden. Gedraag je zo normaal mogelijk. Je kunt ervan verzekerd zijn dat ik contact met je opneem zodra ik iets weet.'

De volgende ochtend maakte John Preston deel uit van de enorme mensenmassa die het hart van Londen binnenstroomde na de feestdagen, die vijf vrije dagen te lang hadden geduurd. Aangezien hij in de wijk South-Kensington woonde gaf hij er de voorkeur aan met de metro naar z'n werk te gaan. Hij verliet de ondergrondse bij de halte Goodge Street en legde de resterende halve kilometer te voet af – een onopvallende man van middelmatige lengte en lichaamsbouw, zesenveertig jaar oud en gehuld in een grijze regenjas maar ondanks de kou blootshoofds. Aan het eind van Gordon Street sloeg hij af naar de ingang van een al even onopvallend gebouw dat er uitzag als iedere andere kantoorflat, degelijk maar niet modern. Het gebouw fungeerde zogenaamd als behuizing van een verzekeringsmaatschappij; en pas als je binnen stond was te zien dat het duidelijk verschilde van de overige kantoorgebouwen in de omgeving.

Om te beginnen verbleven er permanent drie mannen in de grote hal achter de ingang: een bij de deur, een achter de receptiebalie en een bij de liftdeuren. En alledrie konden ze bogen op een gespierde lichaamsbouw en -lengte die normaal niet worden geassocieerd met het ondertekenen van verzekeringspolissen. Iedere verdwaalde burger die zich voorgenomen had juist met deze verzekeringsmaatschappij tot zaken te komen en koppig genoeg was om zich niet met een kluitje in het riet te laten sturen, zou stevig z'n neus hebben gestoten – want uitsluitend zij die in het bezit waren van een legitimatiebewijs dat genade kon vinden in het aftastoog van de computerterminal in de receptiebalie, kregen toestemming dieper in het gebouw door te dringen dan de foyer. De Britse Veiligheidsdienst, beter bekend als MI-5 is niet ondergebracht in één enkel gebouw. Deze organisatie is discreet maar o zo lastig gehuisvest in vier verschillende kantoorgebouwen. Het hoofdkwartier bevindt zich in Charles Street, en niet langer in het voormalige hoofdkwartier, Leconfield House, zoals de kranten hardnekkig blijven vermelden. Het op één na grootste gebouw van de dienst staat in Gordon Street en wordt in de wandeling kortweg aangeduid als 'Gordon', zoals het hoofdkwartier kort en krachtig 'Charles' wordt genoemd. De beide overige gebouwen zijn respectievelijk te vinden in Cork Street (dit gebouw is bekend als 'Cork') en Marlborough Street. 'Marlborough' is in feite nauwelijks meer dan een bescheiden dépendance.

De dienst zelf bestaat uit zes afdelingen, verspreid over

deze vier gebouwen. Sommige afdelingen hebben – alweer discreet, maar nogal verwarrend – onderafdelingen of secties in andere gebouwen.

Teneinde een overmatige slijtage van schoenzolen te vermijden, zijn al deze afdelingen en secties door middel van buitengewoon zorgvuldig beveiligde interne telefoonlijnen met elkaar verbonden, terwijl er een onfeilbaar systeem functioneert voor het identificeren van de antecedenten van de gesprekspartner.

De afdeling A heeft secties voor de sectoren Politiek, Technische Ondersteuning, Gebouwen/Vestigingen, Registratie/Data-verwerking, plus het kantoor van de Juridisch Adviseur en de Schaduwdienst. Laatstgenoemde sectie is de thuisbasis van die heterogeen samengestelde groep mannen (en enkele vrouwen) van alle mogelijke leeftijden en types die beschikken over een ongeëvenaarde vindingrijkheid en ervaring in het volgen van mensen: zonder overdrijving mag worden gezegd dat de Schaduwdienst de allerbeste teams voor persoonlijke surveillance ter wereld op de been kan brengen. Zelfs de 'concurrentie' heeft meermalen moeten erkennen dat de 'schaduwen' van MI-5 op eigen terrein zo ongeveer onverslaanbaar zijn.

In tegenstelling tot de Britse Geheime Dienst (MI-6), het orgaan dat tot taak heeft inlichtingen in het buitenland te verzamelen en waarvan de leden een groot aantal Amerikanismen in hun vakjargon bezigen, is de Veiligheidsdienst – in feite de binnenlandse veiligheidsdienst (MI-5) – belast met de binnenlandse contraspionage: het vakjargon dat in deze dienst wordt gehanteerd stoelt nog voornamelijk op termen die wortelen in het politiewerk. Termen als 'surveilleerder' worden niet gebruikt: de leden van de volgteams worden eenvoudig aangeduid als 'schaduwen'.

Afdeling B is verantwoordelijk voor zaken als Recrutering, Personeelszaken, Ballotage, Promoties, Pensioenen en Financiering (termen die staan voor 'salarissen' en 'operationele onkosten').

Afdeling C houdt zich bezig met de beveiliging van Openbare Bestuursorganen (stafleden en gebouwen), Toeleveranciers (voornamelijk burgerbedrijven die opdrachten uitvoeren op het gebied van de landsverdediging en communicatie), de Militaire Veiligheidsdienst (nauw samenwerkend met de eigen interne veiligheidsdiensten van de strijdkrachten) en Sabotage (daadwerkelijke of toekomstige).

Er was vroeger ook een afdeling D. Maar op grond van de zonderlinge logica waarop alleen zij die op het gebied van spionage en contraspionage werkzaam zijn het patent lijken te hebben is deze afdeling al vele jaren geleden herdoopt tot afdeling K. Het is overigens een van de grootste afdelingen van de Veiligheidsdienst; en de grootste onderafdeling wordt simpelweg aangeduid als de Sovjet-sectie, die zelf weer is onderverdeeld in de subsecties Operaties, Nasporingen-te-elde en Slagorde. Qua grootte volgt hier meteen de sectie Sovjetsatellieten op; en ook deze sectie van afdeling K is weer onderverdeeld in drie subsecties. Verder behoren ook de secties Recherche en Agenten tot afdeling K.

Zoals zich gemakkelijk laat raden wijdt afdeling K zijn niet geringe inspanningen aan het in het oog houden van het enorme aantal agenten van de Sovjet-Unie en z'n satellietstaten die vanuit de diverse ambassades, consulaten, gezantschappen, handelsmissies, Oosteuropese bankinstellingen en commerciële ondernemingen hun werk doen, of althans pogingen daartoe in het werk stellen – organen die dank zij de soepele houding van de Britse overheid de kans hebben gekregen om zich over de hele hoofdstad te verspreiden, tot in de provincies toe (zoals in het geval van de verschillende consulaten). In afdeling K is voorts een bescheiden kantoor te vinden dat het domein is van die functionaris die tot taak heeft de verbindingen tussen MI-5 en MI-6, de beide 'poten' van het inlichtingenapparaat, te onderhouden. Feitelijk ressorteert deze liaisonofficier onder MI-6 en is hij door de Geheime Dienst in het gebouw in Charles Street gedetacheerd om zijn liaisonfunctie naar behoren te kunnen vervullen. Zijn 'sectie' is eenvoudig bekend als K-7. Afdeling E (de alfabetische volgorde wordt bij de letter E weer voortgezet) houdt een toeziend oog op het internationale communisme en z'n aanhangers die om verderfelijke redenen Groot-Brittannië willen bezoeken, alsmede op de eigen-kweek-variëteit die om soortgelijke redenen naar het buitenland wenst te gaan. De eveneens tot afdeling E behorende sectie Verre Oosten heeft liaisonofficieren in Hong Kong, New Delhi, Canberra en Wellington, terwijl de sectie Overige Gebieden mensen heeft in Washington, Ottawa, de Westindische Eilanden en enkele bevriende hoofdsteden.

Dan is er tenslotte nog afdeling F, waarvan ook John Preston – althans tot die bewuste ochtend – deel uitmaakte: deze afdeling telt afzonderlijke secties voor Politieke Partijen (extreem-links) en Politieke Partijen (extreem rechts), Recherche en Agenten. Afdeling F is ondergebracht op de vierde verdieping van 'Gordon'; en John Preston was die ochtend van de vijfde januari onderweg naar zijn werkkamer in dit gebouw. Hij had dan misschien niet gedacht dat zijn drie weken eerder ingediende rapport hem tot 'favoriet van de maand' van Brian Harcourt-Smith zou maken, maar wel geloofde hij nog steeds dat zijn rapport uiteindelijk op het bureau van de directeur-generaal persoonlijk zou belanden: sir Bernard Hemmings. Deze zou, daar was hij van overtuigd, heel goed bij machte zijn de in dat rapport neergelegde informatie en de voor een deel op gissingen stoelende conclusies daaruit (zoveel was John best bereid toe te geven) door te spelen naar de voorzitter van de Commissie voor de Gezamenlijke Inlichtingendiensten, of naar de permanente onderminister van Binnenlandse Zaken, het ministerie waaronder MI-5 ressorteerde. Als de onderminister voor zijn taak berekend was zou hij vermoedelijk van oordeel zijn dat de minister er op z'n minst zelf een blik in moest slaan, en daarna zou de minister van Binnenlandse Zaken er op zijn beurt de aandacht van de Eerste Minister op vestigen.

Uit het memorandum dat hij na z'n binnenkomst op zijn bureau aantrof bleek dat er niets van dit alles zou gebeuren. Toen hij het had gelezen leunde hij achterover in zijn stoel, in beslag genomen door zijn gedachten. Hij was volkomen bereid zijn rapport door dik en dun te verdedigen; en *als* het hogerop was gekomen zou hij zeker de nodige vragen hebben moeten beantwoorden. Vragen die hij niet alleen had kunnen maar ook *willen* beantwoorden, omdat hij overtuigd was van zijn gelijk. Dat wil zeggen, hij hád ze kunnen beantwoorden zolang hij hoofd was van sectie F-1 (D); maar niet nadat hij was overgeplaatst naar een andere afdeling. Na een dergelijke overplaatsing zou het nieuwe hoofd van F-1 (D) degene zijn die de kwestie van het Preston-rapport aan de orde moest stellen; en John Preston wist heel goed dat de man die tot zijn opvolger was benoemd – vrijwel zeker een van Harcourt-Smiths trouwste beschermelingen – dat wel uit z'n hoofd zou laten.

Hij pleegde één telefoontje naar Registratie. Inderdaad, het was in het archief opgeborgen. Hij noteerde het dossiernummer, alleen maar om er in de toekomst eventueel naar te kunnen verwijzen, als dat ooit nodig mocht zijn. 'Hoe zo GVA?' vroeg hij ongelovig. 'Goed, goed, neem me niet kwalijk, Charlie, ik weet dat jij daar niet verantwoordelijk voor bent. Ik wilde het alleen maar weten; het verbaast me enigszins. Dat is alles.'

Hij legde de hoorn op de haak en dacht diep na. Gedachten die een ondergeschikte niet over zijn superieur behoort te denken, zelfs niet als er geen greintje persoonlijke empathie tussen hen beiden bestaat. Alleen wilden die gedachten hem maar niet loslaten. Het wás mogelijk, oordeelde hij, dat, als zijn rapport hogerop was gekomen, de last ervan uiteindelijk in z'n geheel op de schouders van Neil Kinnock kwam te rusten, de leider van de Labour-oppositie in het parlement. En hij zou er misschien niet al te blij mee zijn geweest. Ook was het mogelijk dat Labour bij de eerstvolgende verkiezingen – die over zeventien maanden voor de deur zouden staan – winst boekte, en dat Brian Harcourt-Smith de hoop koesterde dat een van de eerste daden van de nieuwe regering zou zijn hem tot directeur-generaal van MI-5 te benoemen. Het was niets nieuws dat hoge ambitieuze functionarissen in overheidsdienst zorgvuldig vermeden om invloedrijke politici die deel uitmaakten van de regering (of daar na verloop van tijd deel van konden gaan uitmaken) tegen de haren in te strijken. Bij een man met een zwakke of wankelmoedige dispositie of een alles-overheersende ambitie zou de tegenzin om de overbrenger te zijn van slecht nieuws heel goed een krachtige beweegreden kunnen zijn om niet over te gaan tot handelen.

Iedereen bij de dienst herinnerde zich nog als de dag van gisteren die affaire rondom de persoon van een vroegere directeur-generaal, sir Roger Hollis. Tot op de huidige dag was dat raadsel nog altijd niet helemaal opgelost, hoewel de kampioenen uit beide kampen er zo hun eigen overtuigde mening over op na hielden. Destijds, in 1962-1963, was Roger Hollis nagenoeg vanaf het allereerste begin bekend geweest met alle bijzonderheden van de 'affaire Christine Keeler', zoals het schandaal de geschiedenis in was gegaan. Weken, zo niet maanden voordat het schandaal in de openbaarheid kwam hadden er rapporten op zijn bureau gelegen: rapporten over de Cliveden-feestjes; over Stephen Ward, de man die de meisjes had 'geleverd' en in ieder geval uit de school had geklapt; over de Sovjetattaché Iwanov die samen met de minister van Defensie van Groot-Brittannië in de gunsten van één en hetzelfde meisje had gedeeld. Niettemin was Roger Hollis met de handen in de schoot blijven toezien zonder ook maar één keer, zoals zijn plicht zou zijn geweest, de toenmalige Eerste Minister, Harold Macmillan, om een onderhoud onder vier ogen te verzoeken. Doordat die waarschuwing uitbleef was Macmillan totaal overrompeld door het schandaal. De 'affaire' was gedurende de hele zomer van 1963 blijven doorsudderen, of, beter gezegd, dooretteren en had het land zowel binnen als buiten de grenzen veel schade berokkend. En voor iedere buitenstaander had het er sterk op geleken dat het scenario ervoor geschreven was in Moskou. Nog jaren daarna was het dispuut blijven woeden: was Roger Hollis traag en onbekwaam geweest; óf veel, onnoemelijk veel erger...?

'Kletskoek,' zei Preston bij zichzelf en zette het allemaal uit zijn hoofd. Toen las hij het memorandum nog eens door. Het was afkomstig van het hoofd van B-4 (Promoties) persoonlijk; en er werd hem meegedeeld dat hij met onmiddellijke ingang was overgeplaatst naar en benoemd tot hoofd van (A). Het memorandum was gesteld op het minzaam-vriendelijke toontje dat geacht wordt de pil te vergulden.

'De plaatsvervangend directeur-generaal heeft mij te verstaan gegeven dat het bijzonder plezierig zou zijn als bij het begin van het nieuwe jaar alle openstaande vacatures waren vervuld... U zoudt me zeer verplichten als u eventuele lopende zaken wilt afronden en zonder al te veel uitstel overdragen aan de jonge Maxwell, zo mogelijk nog binnen enkele dagen... de gemeende hoop uitspreken dat de nieuwe positie u zal bevallen en u van harte het beste wensen...'

'Slap gelul,' dacht Preston. Hij kende sectie C-1 als die welke belast was met de beveiliging van gebouwen en stafleden van de dienst; en de aanduiding A betekende dat het de subsectie betrof waarvan de verantwoordelijkheden beperkt bleven tot het grondgebied van de hoofdstad. Hij was dus vanaf nu belast met het toezicht op de beveiliging van alle in Londen gevestigde ministeries van Hare Majesteit.

'Dat is verdomme een baantje voor een smeris,' gromde hij verachtelijk, voor hij de telefoon naar zich toetrok om de leden van zijn sectieteam te bellen en afscheid van hen te nemen.

Op anderhalve kilometer afstand duwde Jim Rawlings op dat moment de deur open van een kleine maar exclusieve juwelierszaak in een zijstraat, op nog geen tweehonderd meter van het drukke verkeer in Bond Street. De winkel zelf was schaars verlicht, maar de spotlights waren gericht op de vitrines met antiek zilver. In de eveneens verlichte toonbankvitrine lagen sieraden uit een voorbij tijdperk te pronk. Kennelijk had de eigenaar van de zaak zich gespecialiseerd in antieke kostbaarheden, in plaats van zich toe te leggen op hun moderne tegenhangers. Rawlings droeg een gekleed donker pak, een zijden overhemd en een rustige bijpassende das; en in zijn hand droeg hij een mat glanzende aktetas. Het meisje achter de toonbank keek op en taxeerde hem met één blik van hoofd tot voeten. Hij zag er sportief en fit uit, met zijn zesendertig jaren, en hij bezat de gemengde uitstraling van iemand die voor een deel heer en voor het overige een doorzetter is – altijd een nuttige combinatie. Ze zette haar borst uit en lachte hem oogverblindend toe. 'Wat kan ik voor u doen?'
'Ik zou graag meneer Zablonsky willen spreken. Persoonlijk.' Zijn Cockney-accent zei haar dat hij waarschijnlijk geen cliënt was. Haar gezicht verstrakte meteen.
'U bent goudsmid, neem ik aan? We hebben genoeg reparateurs.'
'Zegt u maar dat een meneer James hem wil spreken,' zei Rawlings. Op dat moment zwaaide echter de deur met spiegel achterin de zaak open om Louis Zablonsky door te laten: een klein verschrompeld mannetje van vijfenzestig. Hij zag er ouder uit dan hij was.
'Nee maar, meneer James!' riep hij stralend. 'Wat een

verrassing u hier te zien. Komt u verder, alstublieft. Hoe maakt u het?' Hij ging Rawlings voor rond de toonbank en door de deur naar zijn privé-heiligdom. 'Het is in orde, Sandra-lief.'

Zodra ze in zijn kleine en overvolle kantoor stonden sloot hij de spiegeldeur achter zich en draaide de sleutel om. Door de aan één kant doorzichtige spiegel kon hij onbespied het interieur van de winkel in het oog houden. Hij gebaarde Rawlings naar de stoel tegenover zijn antieke bureau en ging zelf op de draaistoel erachter zitten. Het vloeiblad werd verlicht door één enkel spotje. Zijn scherpe oogjes namen Rawlings belangstellend op. 'Nou, laat eens horen, Jim, wat voer je in je schild?'

'Ik heb iets voor je, Louis, iets dat je uitstekend zal bevallen. Ga me dus straks niet vertellen dat het rommel is.' Hij knipte de sloten van zijn aktetas open, terwijl Zablonsky zijn handen uitbreidde, als de vermoorde onschuld.

'Jim, zou ik ooit...' Toen hij zag wat Rawlings op het vloeiblad deponeerde slikte hij de rest dadelijk in; en toen alles voor hem lag staarde hij er met grote ongelovige ogen op neer. 'De Glen-diamanten,' hijgde hij. 'Nou heb je me warempel de Glen-suite gejat... En er heeft nota bene nog niks over in de kranten gestaan!'

'Omdat ze misschien nog niet terug zijn in Londen,' zei Rawlings. 'Er zijn geen alarmbelletjes gaan rinkelen. Je weet dat ik er goed in ben.'

'Goed? Wat héét? De beste; de allerbeste! Maar Jim, de Glen-diamanten... Waarom heb je me niet even op de hoogte gebracht?'

Rawlings wist dat het voor alle betrokkenen gemakkelijker zou zijn geweest als er van tevoren een route was geregeld om de diamanten na de kraak te laten verdwijnen. Hij was echter gewoon op zijn eigen manier te werken – uiterst voorzichtig. Hij vertrouwde letterlijk niemand en een heler wel op de allerlaatste plaats, zelfs wanneer het een topheler betrof als Louis Zablonsky. Als de politie om een of andere reden een inval deed bij een heler en deze zich geconfronteerd zag met een dreigende langdurige gevangenisstraf, zou hij heel goed in de verleiding kunnen komen om zijn kennis over een op handen zijnde kraak te ruilen tegen gehele of gedeeltelijke clementie voor hemzelf. En de afdeling Ernstige Misdrijven van Scotland Yard was op de hoogte van Zablonsky's nevenactiviteiten, ook al had hij nog nooit een van Hare Majesteits gevangenissen van binnen bekeken. Dit was de reden waarom Rawlings nooit van te voren zijn plannen tot het zetten van een kraak aankondigde en altijd onaangediend bij Zablonsky of een andere heler verscheen. Vandaar dat hij Zablonsky's opmerking niet beantwoordde. Die was trouwens te gebiologeerd door de fonkelende edelstenen op zijn vloeiblad om zich daaraan te storen. En niemand hoefde hem in te lichten over de voorgeschiedenis van de Glen-diamanten. Nadat de negende hertog van Sheffield de suite in 1936 van zijn vader had geërfd was hij zelf vader geworden van twee kinderen – een jongen en een meisje, lady Fiona Glen. Bij zijn dood in 1980 had hij de diamanten niet aan zijn zoon en erfopvolger nagelaten, maar aan zijn dochter vermaakt.

Omstreeks 1974 had de bedroefde hertog zich genoodzaakt gezien het feit te erkennen dat zijn toen vijfentwintigjarige zoon, een wat buitenissige jongeman, datgene was wat de auteurs van roddelrubrieken in Engelse society-bladen graag omschrijven als een 'verstokte vrijgezel.' Er zouden geen mooie jonge gravinnen Margate of hertoginnen van Sheffield meer komen die zich konden tooien met de befaamde Glen-diamanten. Dus waren ze in handen gekomen van zijn dochter. Zablonsky wist dat lady Fiona na het overlijden van de hertog de diamanten zo nu en dan was gaan dragen (waarvoor de verzekeringsmaatschappij met tegenzin toestemming verleende), gewoonlijk bij galavoorstellingen en -bals voor liefdadige doeleinden, gelegenheden waarop zij zich regelmatig liet zien. Het resterende deel van de tijd bevonden de diamanten zich daar waar ze zich zoveel jaren hadden bevonden: in de duisternis van de kluis van Coutts Bank aan Park Lane. Hij begon te glimlachen.

'Zeker tijdens dat galabal in Grosvenor House, kort voor nieuwjaar?' zei hij nieuwsgierig. Rawlings haalde zijn schouders op. 'Wat ben je toch een dondersteen, Jim. Maar wel een dondersteen met talent.'

Hoewel hij het Pools, Jiddisch en Hebreeuws vloeiend beheerste, had Louis Zablonsky ondanks een veertigjarig verblijf in Engeland de taal van dat land nooit vlekkeloos onder de knie gekregen, want hij sprak Engels met een duidelijk hoorbaar Pools accent. Rawlings wist – dat was hem door Beryl Zablonsky verteld – dat de oude man als jongen in een van de concentratiekampen van zijn mannelijkheid was beroofd.

Zablonsky staarde nog steeds sprakeloos naar de vuurspattende diamanten, zoals een echte kenner een waarachtig meesterwerk kan bewonderen. Hij herinnerde zich vaag ooit ergens te hebben gelezen dat lady Fiona Glen omstreeks 1965 getrouwd was met een carrièremakende ambtenaar die in de jaren tachtig was opgeklommen tot een topfunctie in een van de ministeries; en ook dat het echtpaar ergens in West End woonde, waar het een bijzonder elegante en weelderige staat voerde die voornamelijk werd mogelijk gemaakt door het privéfortuin van de echtgenote.

'Nou, wat zeg je ervan, Louis?'

'Dat ik onder de indruk ben, beste Jim. Diep onder de indruk. Maar tevens verbijsterd. Dit zijn namelijk geen gewone stenen. Deze hier worden door iedereen in de branche onmiddellijk herkend. Wat moet ik ermee?'

'Dat moet jij nu juist *mij* vertellen,' zei Rawlings.

Louis Zablonsky breidde zijn armen uit. 'Ik zal open kaart met je spelen, Jim. De Glen-diamanten zijn vermoedelijk voor driekwart miljoen pond verzekerd: ongeveer de marktwaarde, als ze door Cartier werden verkocht. Maar op die manier kunnen we ze niet kwijt. Dan blijven er twee mogelijkheden open: een stinkend-rijke koper zoeken die ze wil hebben, ook al weet hij dat hij ze nooit kan laten zien of kan toegeven dat hij ze heeft – zulke lui zijn er wel, maar je moet ze met 'n lantaarntje zoeken. Zo iemand zou misschien de helft van de prijs willen neertellen.'

'Hoelang zou het duren voor je zo'n gegadigde hebt gevonden?'

Zablonsky haalde z'n schouders op. 'Dit jaar, volgend jaar, misschien ook nooit. Je kunt er moeilijk mee gaan lopen leuren, of er een advertentie voor zetten.'

'Dat duurt dus te lang,' zei Rawlings. 'En de tweede mogelijkheid?'

'De stenen losmaken uit hun zetting; maar alleen al daardoor loopt de waarde terug tot ongeveer zeshonderdduizend pond. Dan moeten ze verslepen en afzonderlijk aan de man worden gebracht als vier niet bij elkaar passende stenen. Op die manier krijg je er misschien driehonderdduizend pond voor. Waarvan de slijper natuurlijk zijn deel zal opeisen. Als ik deze kosten zelf voor m'n rekening neem zou ik je misschien honderdduizend kunnen betalen – maar pas aan het eind van de rit. Niet voordat alle stenen zijn verkocht.'

'Hoeveel kun je me dan als voorschot geven, Louis? Zoals je wel zult begrijpen kan ik nu eenmaal niet van de wind leven.'

'Wie wel,' zei de oude heler. 'Luister, voor de platina-zettingen zal ik op de schrootmarkt misschien tweeduizend pond kunnen vangen. En voor de veertig kleine stenen via de legale verkoopkanalen, eh, laat eens kijken, zeg maar twaalfduizend pond, op z'n hoogst. Dat is dan veertienduizend pond die ik vlot terug kan verdienen. Ik kan je de helft nu geven, contant. Wat zou je daarvan zeggen?'

Ze bleven de zaak nog een half uur lang bepraten en werden het tenslotte eens. Louis Zablonsky haalde £ 7000,-

in bankbiljetten uit zijn kluis. Rawlings maakte zijn aktetas open en deponeerde de bundeltjes bankpapier erin. 'Deftig, zeg,' zei Zablonsky. 'Heb je jezelf eens verwend?'

Rawlings schudde het hoofd. 'Overgehouen van die kraak,' zei hij. Zablonsky's gezicht betrok en hij hield Rawlings een opgestoken wijsvinger voor.

'Doe 'm *weg*, Jim. Hou nooit iets bij je van een klus. Het is het risico niet waard.'

Rawlings dacht erover na, knikte, nam afscheid en vertrok.

De hele dag had John Preston nodig gehad om de verschillende leden van zijn sectieteam op te sporen en afscheid van hen te nemen. Zonder uitzondering betuigden ze hem hun spijt dat hij moest vertrekken, zoals hij tot zijn voldoening merkte. Dan waren er nog alle administratieve beslommeringen. Bobby Maxwell was even bij hem aan komen wippen. Preston kende hem vluchtig. Hij was een sympathieke jongeman die dolgraag carrière wilde maken bij F-5 en vermoedde dat hij de meeste kansen op snelle promotie maakte als hij aanhaakte bij de rijzende ster van Brian Harcourt-Smith. Preston kon hem dat moeilijk verwijten. Zelf was hij pas op gevorderde leeftijd bij de dienst gekomen; regelrecht van de Militaire Inlichtingendienst. Dat was in 1981 geweest, toen hij eenenveertig was geworden. Hij wist dat hij de top nooit meer zou kunnen bereiken: sectiehoofd was wel zo ongeveer de limiet voor late beginners.

Een heel enkele keer ging de positie van de vertrekkende directeur-generaal naar iemand van buiten de dienst, als er in het inlichtingenapparaat zelf geen geschikte kandidaat te vinden was; en dat verwekte altijd ergernis onder de employé's van F-5. Maar per traditie was de directeur-generaal – zoals alle directeuren van de zes afdelingen en hun secties – voortgekomen uit de rijen der oudgedienden. Preston was met Maxwell overeengekomen dat hij de rest van de maandag zou gebruiken voor het afwerken van zijn administratieve beslommeringen, zodat de dinsdag in z'n geheel gebruikt kon worden om zijn opvolger in te lichten over alle lopende zaken en dossiers. Op die basis waren ze uiteen gegaan, elkaar alvast het beste toewensend. Hij raadpleegde zijn horloge. Het zou een latertje worden. Hij zou ieder dossier dat in behandeling was uit de kluis in zijn werkkamer moeten halen, controleren welke dossiers zonder bezwaar retour konden naar Registratie en de halve nacht kwijt zijn aan het doornemen van de lopende zaken, het ene rapport na het andere, dit om de volgende dag in staat te zijn Maxwell op de hoogte te brengen. Maar eerst had hij behoefte aan een stevige borrel. Hij nam de lift naar de kelderverdieping van Gordon, waar een knusse en goedgesorteerde bar was te vinden.

Louis Zablonsky bleef die dinsdag onafgebroken doorwerken in zijn afgesloten atelier achter de winkel. Hij kwam er maar twee keer uit om een cliënt persoonlijk te woord te staan. Het was een stille dag, iets waarvoor hij – geheel tegen z'n gewoonte in – dankbaar was. Hij werkte, zonder jasje en met de mouwen van zijn overhemd opgerold tot boven zijn vrijwel onbehaarde onderarmen, aan het zorgvuldig loswerken van de Glen-diamanten uit hun witgouden zetting. Zonder moeilijkheden kreeg hij de vier voornaamste stenen – de twee tienkaraats diamanten uit de oorhangers en de bijpassende twintigkaraats uit de tiara en de hanger – los, een werkje dat hem betrekkelijk weinig tijd kostte. Pas nu ze los op zijn vloeiblad lagen kon hij ze beter bestuderen. Ze waren werkelijk schitterend: ze fonkelden en vlamden in het licht. In de branche was al bekend dat het blauwwitte stenen waren, van de kwaliteit die vroeger bekend was onder de aanduiding *Top River*; maar na het van kracht worden van de gestandaardiseerde internationale normen waren ze opnieuw geklassificeerd als *D-flawless*. Toen hij ze eindelijk genoeg had bewonderd liet hij de vier stenen in een fluwelen zakje glijden. Hierna zette hij zich aan de tijd verslindende taak om de veertig kleinere diamanten los te werken uit het goud. Terwijl hij ingespannen werkte viel het licht uit de spotlight zo nu en dan op een verbleekt vijfcijferig nummer vlak boven zijn pols. Voor hen die de herkomst van een dergelijke tatoeëring kennen kon het maar één ding betekenen: het was het brandmerk van Auschwitz.

Zablonsky was als derde zoon van een Pools-joodse juwelier in 1930 in Warschau geboren. Hij was negen jaar oud toen de Duitsers Polen binnenvielen; en in 1940 was het getto van Warschau afgegrendeld nadat de nazi's er bijna vierhonderdduizend joden in hadden bijeen gedreven – mensen die zo weinig eten kregen dat ze onherroepelijk moesten omkomen van de honger. De 19e april 1943 kwamen de negentigduizend gettobewoners die zich tot dan toe in leven hadden weten te houden onder leiding van de weinige gezonde en tot vechten in staat zijnde jongemannen onder hen in opstand tegen hun beulen. Louis Zablonsky was toen pas dertien geworden, maar zo uitgemergeld dat hij vijf jaar jonger leek.

Toen het getto op de 16e mei eindelijk onder de voet werd gelopen door de Waffen-SS'ers onder bevel van generaal Jurgen Stroop, behoorde de kleine Louis tot de weinigen die aan de massale slachtingen konden ontkomen. Het merendeel van de gettobewoners, ongeveer zestigduizend mensen, had de dood gevonden – in de vorm van een kogel, een granaatscherf, een instortend dak, brand of een nekschot. De overgebleven dertigduizend waren vrijwel allemaal bejaarden, vrouwen en kleine kinderen, onder wie ook Louis Zablonsky. De meesten werden op transport gezet naar Treblinka en stierven daar.

Maar door een van die vreemde spelingen van het lot die het verschil kunnen betekenen tussen leven en dood kreeg de locomotief voor de veewagons waarmee ook

Zablonsky werd vervoerd panne. De wagon waarin hij zich bevond werd aan een andere locomotief gekoppeld en kreeg een nieuwe bestemming: Auschwitz. Hoewel hij al was ingedeeld bij de groep die naar de gaskamer werd gezonden, werd zijn leven gespaard toen hij als beroep 'juwelier' opgaf en te werk werd gesteld bij het sorteren en klassificeren van de sieraden die bij de pas aangevoerde nieuwe slachtoffers werden aangetroffen. Totdat hij zich op een dag moest gaan melden in het 'kamphospitaal' en in de klauwen viel van een blondharige man die eeuwig en altijd glimlachte en *der Engel* werd genoemd: een 'medicus' die onder andere maniakale experimenten uitvoerde op de geslachtsorganen van joodse jongens in de puberteitfase. Zo kwam het dat Louis Zablonsky op de operatietafel van Josef Mengele belandde, om zonder verdoving te worden gecastreerd.

Hij wipte de laatste van de veertig kleinere diamanten uit z'n witgouden zetting en ging na of hij er soms een over het hoofd had gezien. Voor alle zekerheid telde hij de stenen nog eens na en begon ze te wegen. Bij elkaar veertig stuks van gemiddeld een halve karaat, hoewel er veel bij waren die minder wogen. Geschikt voor verlovingsringen en dat soort sieraden, maar alles bijeengenomen zouden ze zo ongeveer twaalfduizend pond opleveren. Hij zou ze via Hatton Garden aan de man kunnen brengen zonder dat iemand er iets uit kon opmaken. Alles handje-contantje: hij kende zijn pappenheimers. Nu begon hij de witgouden zettingen samen te drukken tot een vormeloze massa.

Eind 1944 werden de overlevenden van Auschwitz in geforceerd tempo afgemarcheerd naar het westen en kwam Zablonsky in Bergen-Belsen terecht, waar hij – meer dood dan levend – door het Britse leger werd bevrijd. Na een langdurige en intensieve behandeling in het ziekenhuis werd Zablonsky, dank zij de goede gaven van een in het noorden van Londen actieve rebbe, overgebracht naar Engeland, waar hij, na verdere rehabilitatie, leerling werd bij een goudsmid-juwelier. In het begin van de jaren zestig had hij ontslag genomen bij zijn werkgever om een eigen juwelierszaak te openen, aanvankelijk in East End. Tien jaar later was hij de trotse eigenaar van zijn tegenwoordige, meer exclusieve zaak in West End. Destijds was hij in East End begonnen met het verhandelen van door zeelui meegesmokkelde edelstenen: smaragden uit Sri Lanka (het voormalige Ceylon), diamanten uit Afrika, robijnen uit India en opalen uit Australië. Nu, in 1986, mocht hij zichzelf beschouwen als welgesteld, dank zij de revenuen van zijn beide zaken (legitiem en illegaal). Hij was een expert op het gebied van diamanten, was een van de tophelers van Londen en bezat een groot vrijstaand huis in de gegoede buurt Golders Green, waar hij als een van de 'pijlers' van de samenleving werd gezien.

Toen de fraaie witgouden zettingen waren getransformeerd tot een onregelmatige klont wit metaal liet hij die in zijn afvalzak vallen, bovenop andere restanten die bestemd waren voor de smeltkroes. Hij liet Sandra uit, sloot de winkel zorgvuldig af, bracht zijn werkkamer aan kant en vertrok, met de vier kostbare diamanten in zijn zak. Onderweg naar huis maakte hij gebruik van een telefooncel om een nummer in België te draaien, in het dorpje Nijlen. Meteen na zijn thuiskomst belde hij British Airways en boekte voor een vlucht naar Brussel, de volgende ochtend.

Langs de oever van de Theems, de zuidelijke oever waar eens de vervallen pakhuizen van een zieltogende havenwijk hadden gestaan, was sinds het begin van de jaren tachtig een omvangrijk en ambitieus nieuwbouwproject in uitvoering. Tussen de nieuwe gebouwen bevonden zich nog grote lappen grond vol bergen puin, troosteloze landschappen waar het taaie gras bezig was het hier gestorte puin en gruis te overwoekeren. De bedoeling was dat dit hele gebied uiteindelijk zou worden volgebouwd met nieuwe flatblokken, winkelcentra en parkeergarages, maar wanneer dat z'n beslag zou hebben gekregen had niemand nog kunnen zeggen.

Bij warm weer plachten de leden van het Londense zwerversgilde hier te bivakkeren; en ieder 'gezicht' uit Zuid-Londen dat zich wilde ontdoen van hinderlijk bewijsmateriaal behoefde slechts het bewuste artikel mee te nemen naar een van deze verlaten oorden om het in brand te kunnen steken en zo spoorloos te laten verdwijnen.

Laat op de avond van die dinsdag, de 6e januari, zocht Jim Rawlings zich struikelend een weg over een stuk grond van enkele hectaren, waarbij hij herhaaldelijk zijn tenen stootte aan een brok puin dat hij niet tijdig had opgemerkt. Als iemand hem had gadegeslagen – wat niet het geval was – zou hij hebben opgemerkt dat hij in zijn ene hand een kleine plastic jerrycan droeg en in de andere een kostbare, met de hand vervaardigde kalfsleren aktetas.

Louis Zablonsky kwam 's woensdagsmorgens zonder moeilijkheden door de luchthavencontrole op Heathrow. Met zijn dikke overjas, geblokte hoedje van zachte tweedstof en bruyèrepijp ging hij op in de dagelijkse stroom van zakenlieden tussen Londen en Brussel. In het vliegtuig boog een van de stewardessen zich over hem heen en fluisterde hem toe: 'Ik ben bang dat we u geen toestemming kunnen geven uw pijp op te steken, meneer.' Zablonsky maakte haar uitgebreid z'n excuses en liet de pijp in zijn zak verdwijnen. Hij vond het volstrekt niet erg: hij rookte niet; en zelfs als hij de pijp had willen aansteken zou het ding niet best hebben getrokken. Niet met vier peervormige diamanten in de kop gedrukt, bedekt met geurige pijptabak. Op het vliegveld van Brussel huurde hij een auto en reed Zaventem in noordelijke richting uit. Bij Mechelen nam hij de afslag naar rechts en vervolgde zijn rit in noordoostelijke richting naar Lier en vervolgens Nijlen.

Antwerpen is het zwaartepunt van de Belgische diamantnijverheid, gegroepeerd rond de grote diamantbewerkerscentra in de Pelikaanstraat, waar naast de werkplaatsen ook veel showrooms te vinden zijn. Maar zoals vele takken van nijverheid is ook die welke zich bezighoudt met het kloven en slijpen van diamanten voor een deel afhankelijk van een groot aantal kleinere leveranciers en 'thuiswerkers' – éénmanszaakjes met een eigen werkplaatsje waaraan het vervaardigen van zettingen alsmede het reinigen en herslijpen van stenen kan worden uitbesteed. Een deel van deze 'thuiswerkers' woont in Antwerpen zelf: voor het merendeel diamantbewerkers van joodse afkomst uit Oost-Europa. Maar even ten oosten van Antwerpen ligt de streek die bekend is als de Kempen en bezaaid is met allerlei kleine dorpen waar eveneens grote aantallen van zulke kleinere ateliers zijn gevestigd waaraan de Antwerpse industrie werk uitbesteedt. In het hart van de Kempen ligt het dorpje Nijlen, even opzij van de snelweg en de spoorlijn tussen Lier en Herentals. Halverwege de Nijlense Molenstraat woonde Raoul Levy, een Poolse jood die zich na de oorlog in België had gevestigd en toevallig een achterneef was van Louis Zablonsky in Londen. Levy was diamantslijper van beroep en woonde als weduwnaar moederziel alleen in een van de kleine aardige bungalows van rode baksteen aan de westelijke kant van de Molenstraat. Zijn werkplaats bevond zich achter het huis. Kort na lunchtijd bracht Zablonsky hier z'n auto tot stilstand en werd hij door zijn achterneef verwelkomd.

Nadat ze een uur op het scherp van de snede hadden onderhandeld werden ze het eens. Levy zou de stenen herslijpen en ervoor zorgen dat er zo weinig mogelijk van hun gewicht verloren ging, maar zodanig dat ze niet meer te herkennen waren. Ze kwamen een bedrag van vijftigduizend Engelse ponden overeen, waarvan de helft bij vooruitbetaling en de andere helft nadat ook de vierde steen was verkocht. Zablonsky nam afscheid en keerde terug naar Londen.

De moeilijkheid met Raoul Levy was niet dat het hem ontbrak aan vakbekwaamheid, maar dat hij zich eenzaam voelde. Vandaar dat hij zich de hele week placht te verheugen op zijn ene uitstapje: hij nam eens per week de trein naar Antwerpen en bracht dan een bezoek aan zijn favoriete kroeg, waar 's avonds al zijn bevriende collega's kwamen en er eindeloos over hun vak werd gepraat. Drie dagen na Zablonsky's bezoek ging hij er opnieuw heen – en praatte één keer teveel over zijn werk.

Tijdens Zablonsky's bezoek aan België installeerde John Preston zich in zijn nieuwe kantoor op de tweede verdieping, blij dat hij tenminste niet het Gordon hoefde te verlaten om naar een ander gebouw te verhuizen. Zijn voorganger was aan het eind van het vorige jaar met pensioen gegaan en het plaatsvervangend hoofd van C-1 (A) had een paar dagen leiding gegeven aan de sectie, ongetwijfeld hopend dat hij definitief op die post zou worden benoemd. Hij verwerkte zijn teleurstelling manhaftig en lichtte Preston uitvoerig in over zijn nieuwe werkzaamheden. Preston kreeg de indruk dat ze voornamelijk uit steeds terugkerende routinetaken bestonden – kortom, één grote sleur. Toen hij 's middags alleen was gelaten liet Preston zijn blik over de lijst van ministeriegebouwen dwalen die onder zijn sectie A ressorteerden. Het waren er meer dan hij zich ooit had kunnen voorstellen, maar de meeste waren geen uitgesproken veiligheidsrisico's, afgezien van de mogelijkheid dat er altijd ambtelijke 'lekken' konden optreden waardoor politici in verlegenheid konden worden gebracht. Lekken waardoor de inhoud van documenten over voorgenomen besnoeiingen op de sociale uitkering voortijdig in de openbaarheid kon komen, bijvoorbeeld, vormden altijd een flink risico, aangezien de ambtenarenbonden veel stafleden met extreem-linkse opvattingen telden. Het voorkomen van dergelijke lekken kon echter in de regel wel worden toevertrouwd aan de interne beveiligingsdiensten van de ministeries zelf.

Voor Preston waren de ministeries van Buitenlands Zaken en Defensie de grootste 'kluiven,' samen met het departement van de Eerste Minister. Al deze ministeries ontvingen regelmatig ultra-geheime stukken. Ze beschikten echter ieder over een uiterst streng stelstel van veiligheidsvoorschriften en maatregelen, op de naleving waarvan werd toegezien door de interne beveiligingsdienst van ieder ministerie. Preston zuchtte. Hij nam de telefoon en begon een reeks afspraken te maken voor introductiebijeenkomsten met de chefs Beveiliging van de belangrijkste ministeries. Tussen de telefoontjes door wierp hij af en toe een blik op de stapel persoonlijk materiaal dat hij vanuit zijn kantoor twee verdiepingen hoger mee had genomen hierheen. Toen hij moest wachten op het moment waarop een van de functionarissen die hij wilde spreken hem zou terugbellen, omdat de man met iets anders bezig was, stond hij op, ontsloot zijn nieuwe 'persoonlijke' brandkast en legde de dossiermappen er een voor een in. Het laatste was zijn eigen kopie van het rapport dat hij in zijn vorige functie de voorgaande maand had ingediend; de enige kopie van het rapport waarvan hij wist dat het, voorzien van de aantekening GVA, was begraven in het archief. Schouderophalend schoof hij het exemplaar helemaal naar de achterkant van de brandkast. Waarschijnlijk zou het nooit meer worden doorgenomen, maar hij zag niet in waarom hij het, als was het alleen maar uit nostalgie, niet onder zijn berusting zou houden. Per slot van rekening was het *zijn* kopie en had het hem heel wat zweetdruppeltjes gekost om dat rapport te schrijven.

3

Moskou.
Woensdag 7 januari 1987.

Van: H.A.R. Philby
Aan: de kameraad secretaris-generaal van de CPSU

Staat u mij toe, kameraad secretaris-generaal, te beginnen met een uiterst beknopt overzicht van de achtergronden van de Britse Labour Party en de gestage penetratie van die partij door radicaal links gedurende de afgelopen veertien jaar, wat uiteindelijk beslist zal leiden tot een dominante positie van radicaal links.
De partij werd oorspronkelijk in 1900 opgericht door de stroming die destijds bekend was als de Trade (Labour) Union Movement, met het doel te fungeren als de politieke arm van de zich recentelijk georganiseerd hebbende arbeidersklasse. Van begin af aan verdedigde zij een gematigde vorm van bourgeois-socialisme en preekte eerder hervormingen dan revolutie. De waarachtig marxistisch-leninistische Britse arbeider was destijds lid van de Communistische Partij. Hoewel de vakbeweging in Groot-Brittannië altijd de bakermat was van het marxistisch-leninisme, waren de aanhangers ervan niet welkom in de Labour Party zelf, zodat de weinige extreem-linkse vrienden van de Sovjet-Unie die er sinds 1930 in slaagden heimelijk in de partij te infiltreren genoodzaakt waren uiterst behoedzaam te zijn bij het uitdragen van hun opvattingen. Andere vrienden van Moskou, zij die openlijk uitkwamen voor hun sympathieën voor het marxistisch-leninisme, werden ófwel niet tot de partij toegelaten, óf

als lid geroyeerd zodra zij werden ontdekt.

De reden waarom onze ware vrienden in Groot-Brittannië geen toegang hadden tot de door de massa gesteunde Labour Party, kan in enkele woorden worden omschreven: de Zwarte Lijst. Dit betreft een lijst waarop alle 'verboden organisaties' waren geplaatst: deze lijst verhinderde iedere vorm van verbroedering tussen de Labour Party en de veel kleinere groeperingen waarbij de waarlijk revolutionair gezinde socialisten zich hadden aangesloten, met andere woorden – de marxistisch-leninisten. Bovendien mochten zij die lid waren van één van de op de Zwarte Lijst voorkomende groeperingen niet aanvaard worden als lid van de Labour Party, een beleid dat de elkaar opvolgende leiders van de Labour Party gedurende vijftig jaar strak zijn blijven volgen.

Omdat de Labour Party in Groot-Brittannië de enige massaal gesteunde linkse partij was die enig uitzicht had op deelname aan de regering, was en bleef daadwerkelijke toepassing van Lenins overnamedoctrine – penetratie, gevolgd door dominantie – voor onze Britse vrienden een luchtkasteel. Desondanks bleven onze vrienden binnen de Labour Party, hoe gering ook in getal, onvermoeibaar in het geheim hierop aansturen; en in 1973 werd hun zwoegen eindelijk beloond. In het bewuste jaar, toen de Labour Party door de zwakke en wankelmoedige Harold Wilson werd geleid, wisten zij een uiterst kleine meerderheid te verwerven in het allesoverheersende Nationale Comité van Uitvoering van de partij, een meerderheid die ze benutten voor het indienen en aannemen van een resolutie tot schrapping van de Zwarte Lijst. Het resultaat overtrof hun stoutste verwachtingen. Nu de sluizen open waren gezet stroomden hele horden jeugdige extreem-linkse activisten die tot de naoorlogse generatie behoorden toe tot de partij: mensen die zich beschikbaar konden stellen voor het bemannen van posten in alle geledingen van de Labour Party. Hiermee was de weg vrijgemaakt voor het in praktijk brengen van de overnamedoctrine: via penetratie, invloedsuitbreiding en uiteindelijke dominantie. En de overname is thans voltooid.

Sinds 1973 is het Nationale Comité van Uitvoering, het meest vitale bestuursorgaan van de partij, nog maar zelden de extreem-linkse meerderheid uit handen geglipt en heeft de constitutie van de partij als geheel (evenals de samenstelling van de hogere geledingen) dank zij een bekwaam gebruik van dit instrument een ingrijpende verandering ondergaan, zodat het aanzien van de Labour Party onherkenbaar is gewijzigd.

Misschien mag ik op deze plaats, kameraad secretaris-generaal, even de rode draad van m'n betoog loslaten om nauwkeurig te omschrijven wat ik bedoel met 'onze vrienden' binnen de Britse Labour Party en de Britse vakbeweging. Zij laten zich onderbrengen in twee categorieën: zij die dat *bewust* zijn en zij die het zijn zonder het zelf te beseffen. Tot die eerste categorie reken ik niet degenen die thuishoren bij gematigd-links, noch de aanhangers van de trotskistische stroming, groeperingen die beide Moskou verafschuwen, zij het om uiteenlopende redenen. Ik doel bij uitstek op hen die behoren tot de extreem-linkse vleugel, met haar harde kern van ultra-links. Zij zijn de toegewijde, door-de-wol-geverfde marxistisch-leninisten die er geen prijs op stellen 'communist' te worden genoemd, omdat die term het lidmaatschap van de vrijwel krachteloze Communistische Partij van Groot-Brittannië impliceert. Dat verhindert hen echter niet trouwe vrienden van Moskou te zijn en in negen van de tien gevallen te handelen in overeenstemming met de wensen van Moskou, zelfs indien die wensen niet met zoveel woorden tot uitdrukking worden gebracht en betrokkene vol trots zal uitroepen dat hij slechts uit 'Britse' motieven heeft gehandeld en naar de stem van zijn 'geweten' moest luisteren.

De tweede groep van vrienden binnen de Labour Party, zij die de teugels van de partij thans in handen hebben, bestaat uit mensen die: zowel politiek als emotioneel een vorm van socialisme zijn toegedaan die zo links is dat het als marxistisch-leninisme kan worden omschreven; in alle denkbare omstandigheden vrijwel onveranderlijk spontaan zodanig reageren dat dit strookt met of aansluit op de Sovjet-Russische buitenlandse politiek ten aanzien van Groot-Brittannië en/of zijn westerse bondgenoten; geen enkele vorm van instructie of uitleg nodig hebben om zodanig te reageren en vermoedelijk beledigd zouden zijn als hen voorstellen daartoe werden gedaan; bewust of onbewust – hetzij gedreven door hun overtuiging, een verwrongen soort patriottisme, de wens tot vernietigen, winstbejag, eigenbelang, angst voor intimidatie, eigenwaan of de neiging om mee te lopen met de massa, het bekende 'kudde-instinct' – zich zodanig zullen gedragen dat dit volmaakt overeenstemt met onze Sovjet-Russische belangen. Zonder uitzondering fungeren zij als invloeden die onze belangen bevorderen.

Vanzelfsprekend verzekeren zij allemaal dat zij op zoek zijn naar democratie. Gelukkig verstaat de overgrote meerderheid der Britten ook vandaag nog onder de term 'democratie' een pluralistische (uit een veelheid van politieke partijen bestaande) staat waarvan de regering gekozen wordt op basis van universeel stemrecht voor volwassenen; en wel via op geregelde tijdstippen te houden geheime verkiezingen. Het is echter duidelijk dat onze vrienden van extreem-links, mensen die ieder uur van hun waakbewustzijn bezig zijn met de linkse politiek – ja, voor wie linkse politiek eten en drinken is – met die term een 'democratie van toegewijden' bedoelen, met henzelf in de controlerende functies. Het treft goed dat de Britse pers nauwelijks stappen onderneemt om dit gebrek aan inzicht bij niet-links te corrigeren. Dit droeg ertoe bij dat onze marxistisch-leninistische vrienden in de Labour Party sinds 1973 in staat zijn geweest om zich geheel en al te wijden aan de inspannende taak de partij ongemerkt over te nemen, een streven dat pas mogelijk werd gemaakt door afschaffing van de Zwarte Lijst. Op die manier heeft het z'n beslag gekregen.

De Labour Party heeft altijd op drie pijlers gerust: de vakbonden, de regionale arbeiderspartijen (ieder in hun eigen kiesdistrict) en de parlementaire fractie van de Labour Party – de groep van parlementsleden die tot de Labour Party behoren en bij de voorgaande verkiezingen zijn gekozen. De voorzitter van de Labour Party wordt altijd uit hun midden gekozen.

De *gezamenlijke vakbonden* zijn verreweg de sterkste van deze drie pijlers en oefenen hun invloed op twee manieren uit. Om te beginnen fungeren zij als de betaalmeesters van de partij, door de partijkas te vullen met de politieke bijdragen die ingehouden worden op het loon van miljoenen arbeiders. Ten tweede beschikken zij tijdens de jaarlijkse partijconventies over enorme stemvolmachten: zij stemmen namens miljoenen vakbondsleden. Deze '*block votes*' garanderen hen de aanname van iedere ingediende resolutie en de keuze van één derde deel van de leden van het zo vitaal belangrijke Nationale Comité van Uitvoering.

De stemvolmachten van de vakbondsvertegenwoordigers zijn van doorslaggevend belang, want ze zijn in handen van de *full-time* vakbondsactivisten en -bestuurders die het beleid van de vakbeweging bepalen, uitgevoerd door het Nationaal Uitvoerend Comité van de gezamelijke vakbonden. Deze vakbondsactivisten en -bestuurders vormen de top van de piramide (waarvan de middelste geledingen worden gevormd door de regionale vakbondsvertegenwoordigers). Om die reden was het daadwerkelijk overnemen van grote delen van het bestuursapparaat van de vakbonden door extreem-linkse activisten natuurlijk van essentieel belang, een taak die inmiddels tot een goed einde is gebracht. Hun grote bondgenoot hierbij is van oudsher de apathie van grotendeels gematigde vakbondsleden zelf geweest, zij die niet de moeite nemen om de vergaderingen van hun plaatselijke vakbonden bij te wonen. Hierdoor waren de activisten, die bij geen enkele vergadering verstek laten gaan, bij machte om duizenden plaatselijke, honderden regionale en de belangrijkste nationale uitvoerende comité's van de afzonderlijke vakbonden over te nemen. Op dit moment controleren de grootste tien van de in totaal tachtig vakbonden die overkoepeld worden door de Labour Party maar liefst de *helft van alle stemmen* die de vakbeweging kan uitbrengen op partijconventies; negen van deze grootste tien vakbonden hebben extreemlinkse besturen (tegen slechts twee vakbonden in het begin van de jaren zeventig). Dit alles kon – over de hoofden van miljoenen Britse arbeiders heen – worden bewerkstelligd door niet meer dan tienduizend toegewijde mannen.

Het grote belang van deze door extreem-links gedomineerde vakbondsinvloed zal duidelijk worden bij mijn beschrijving van het kiescollege dat de nieuwe voorzitter van de Britse Labour Party pleegt te kiezen: in dit kiescollege hebben de vakbonden veertig procent van de stemmen in handen.

De tweede pijler wordt gevormd door de Regionale Arbeiderspartijen of CLP's (Constituency Labour Parties). Hun kern bestaat uit zogeheten Comité's van Algemeen Bestuur die, behalve het dagelijkse bestuur van hun districtpartij, nog een andere vitale functie uitoefenen: het kiezen van de Labour-kandidaat voor de parlementsverkiezingen. Gedurende het decennium van 1973 tot 1983 zijn veel jonge extreem-linkse activisten binnen de kiesdistricten actief geworden en waren zij bij machte om, via het trouw bezoeken van saaie en slecht bezochte vergaderingen van de Regionale Arbeiderspartijen, de oudere vakbondsbestuurders weg te stemmen en zo gaandeweg het ene na het andere Comité van Algemeen Bestuur onder hun invloed te brengen. Bij ieder nieuw succes dat zij in dit streven boekten werd de positie van de voornamelijk tot gematigd-links behorende Labourvertegenwoordigers in het parlement steeds wankeler. Desondanks konden zij niet gemakkelijk van hun zetel worden gewipt. Om een tastbare triomf van extreem-links te bewerkstelligen was het noodzakelijk om de autonome positie van deze parlementsleden, die in laatste instantie verantwoording schuldig waren aan hun eigen geweten, te ondergraven; dit door hen te veranderen van de belangenbehartigers van hun kiezers tot de uitvoerders van de wil van hun eigen Comité van Algemeen Bestuur.

In 1979 werd dit doel op briljante wijze door extreem-links verwezenlijkt, toen te Brighton een nieuwe kiesregel werd aangenomen: voortaan moesten de volksvertegenwoordigers van de Labour Party jaarlijks herkozen (of weggestemd) worden door hun Comité van Algemeen Bestuur. Deze wijziging bracht een massale machtsverschuiving teweeg. Een hele groep gematigden – de zogeheten 'centristen' – trad uit de partij en richtte de Social Democratic Party op; anderen werden niet herkozen en stapten uit de politiek; en een paar van de bekwaamste centristen werden zodanig onder druk gezet dat zij afstand deden van hun posten. Maar nog altijd oefende de Parliamentary Labour Party – de parlementaire fractie van de partij – één belangrijke functie uit: uitsluitend háár leden konden de leider van de Labour Party kiezen, ondanks het feit dat zij van haar invloed beroofd en diep vernederd was. Het was van kardinaal belang hen ook die macht te ontfutselen, teneinde de overname van de drie pijlers waarop de partij stoelde te completeren. Dit werd, opnieuw dank zij de inspanningen van extreem-links, in 1981 verwezenlijkt met de vorming van een kiescollege waarin de parlementaire fractie dertig procent van de stemmen, de districtspartijen eveneens dertig procent en de vakbonden veertig procent in handen hebben. Het kiescollege zal een nieuwe partijleider kiezen wanneer daar behoefte aan bestaat en hem *jaarlijks* in zijn functie bevestigen (of niet). Die laatste bevoegdheid is van doorslaggevend belang voor de thans in voorbereiding verkerende plannen, die ik nog zal omschrijven.

De door mij uiteengezette machtsworsteling was in 1983 een feit. De overname was nagenoeg volledig; alleen hadden onze vrienden twee fouten gemaakt, door af te wijken van de leninistische rookgordijndoctrine – uit voorzichtigheid de ware bedoelingen verbergen achter een façade. Om deze titanenstrijd te kunnen winnen hadden zij zich te zeer bloot moeten geven en waren zij teveel in de openbaarheid getreden, terwijl hun al te voorbarige roep om nieuwe algemene verkiezingen hen ernstig opbrak. Extreem-links had nog één jaar meer nodig voor consolidatie, het kalmeren van de gemoederen en het versterken van de eenheid. Dat jaar kregen zij niet. De Labour Party, veel te vroeg opgezadeld met het meest onverbiddelijke manifest van extreem-links uit haar hele bestaansgeschiedenis, verkeerde in volslagen wanorde. En wat erger was: het Britse kiezerspubliek had het ware gezicht van extreem-links te zien gekregen. Zoals u zich nog zult herinneren, kameraad secretaris-generaal, ontpopten de algemene verkiezingen van '83 zich als een duidelijke ramp voor de nu door extreem-links gedomineerde Labour Party. Niettemin zou ik willen opperen dat de uitslag in feite een zegen was, ook al lijkt op het eerste gezicht het tegendeel het geval. Want het leidde tot het bewonderenswaardige, zelfverloochenende realisme waarvan onze waarachtige vrienden in de Labour Party gedurende de afgelopen veertig maanden hebben blijkgegeven.

Van de in totaal 650 kiesdistricten wist de partij er in '83 slechts 209 te veroveren. Dit was echter niet zó ongunstig als het er uitzag. Zo behoorden van de 209 Labour-afgevaardigden er niet minder dan honderd tot de linkervleugel van de partij – en veertig hunner tot extreem-links. Het mag misschien niet veel zijn, maar de huidige parlementaire Labour-fractie is de meest linkse die ooit in het

Britse Lagerhuis heeft gezeten.

Bovendien bezorgde de verkiezingsnederlaag de dwazen die de strijd om de totale overname al gewonnen waanden een stevige schok. Al spoedig begonnen ook zij in te zien dat nu (na de verbitterde maar noodzakelijke worsteling van onze vrienden, tussen '79 en '83, om de partij in handen te krijgen) de tijd was gekomen om de eenheid te herstellen en het beschadigde machtsfundament in het land te repareren, met het oog op de eerstvolgende verkiezingen. Onder leiding van extreem-links is op het partijcongres van oktober 1983 een begin gemaakt en sindsdien is dit streven krachtdadig voortgezet.

Voorts zagen onze vrienden allemaal in dat het noodzakelijk was terug te vallen op de door Lenin zelf voorgeschreven clandestiene status voor waarachtige aanhangers van het marxistisch-leninisme, werkzaam in een bourgeois-samenleving. Het *Leitmotif* dat de gedragingen van extreem-links gedurende de afgelopen veertig maanden heeft gekenmerkt was dus terugkeer naar de clandestiene status die gedurende de jaren zeventig zulke uitstekende resultaten had opgeleverd; en wel in combinatie met de terugschakeling naar een schijnbare en verrassende graad van gematigdheid. Het heeft grote inspanningen gekost dit te verwezenlijken, maar ook in dit opzicht zijn de kameraden niet tekort geschoten. Sinds oktober 1983 heeft extreem-links zich gehuld in het kleed van hoffelijkheid, verdraagzaamheid en gematigdheid; er wordt voortdurend gehamerd op het allesoverheersende belang van eenheid binnen de partij en er werden tot nog toe ondenkbaar geachte concessies in de extreem-linkse dogmatiek gedaan om die te bereiken. Zowel de centristen binnen de partij als de massamedia schijnen zich door het nieuwe, aanvaardbare gezicht van onze marxistisch-leninistische vrienden zand in de ogen hebben laten strooien.

Meer in het verborgene is inmiddels de overname van de Labour Party afgerond: alle bestuurlijke organen en comité's zijn thans ofwel in handen van extreem-links, óf kunnen op één enkele buitengewone partijconventie worden overgenomen. Maar – en het gaat om een belangrijk 'maar' – extreem-links heeft zich in de regel ermee tevredengesteld het voorzitterschap van deze hefboom-comité's door een vertegenwoordiger van gematigd-links te laten bekleden, of zelfs hier en daar (als er sprake was van een overweldigende meerderheid) door een centrist.

De centristische vleugel is overigens, een stuk of tien sceptici daargelaten, op doelmatige wijze ontkracht door de nieuw gesmede eenheid, terwijl men zo verstandig is geweest hen zelf verder ongemoeid te laten. Dat neemt echter niet weg dat de 'stalen vuist' zich nog altijd 'in de fluwelen handschoen' bevindt.

Op districtsniveau is het overnameproces met betrekking tot de Regionale Arbeiderspartijen door extreem-links stilletjes voortgezet, zodat het ternauwernood de aandacht van het grote publiek of de massamedia heeft getrokken. Een overeenkomstig proces heeft zich binnen alle geledingen van de vakbeweging voltrokken, zoals ik reeds aanstipte. Negen van de tien grootste vakbonden en de helft van de resterende zeventig kleinere bonden worden thans geleid door bestuurders van extreem-linkse signatuur; en ook hier is doelbewust gestreefd naar een veel onopvallender optreden dan voor 1983.

Samenvattend kan worden gesteld dat de hele Britse Labour Party thans in handen is van extreem-links: hetzij rechtstreeks, of via gematigd-linkse surrogaten en geïntimideerde centristen – óf er is slechts een spoedvergadering van het betreffende comité voor nodig om dat alsnog te bewerkstelligen. En desondanks schijnen noch de gewone leden van de Labour Party of de vakbonden, noch de massamedia of de grote massa van de kiezers die van oudsher gewoon zijn Labour te stemmen zich daarvan bewust te zijn. Voor het overige heeft extreem-links gedurende veertig maanden de volgende algemene verkiezingen in Groot-Brittannië benaderd alsof het een militaire campagne betreft. Om een eenvoudige meerderheid in het Britse parlement te bereiken zou de partij zo'n 325 tot 330 zetels nodig hebben; 210 hiervan kunnen als 'vast' worden beschouwd. De resterende 120 – zetels die in 1979 of 1983, of bij beide verkiezingen verloren zijn gegaan – dienen als 'haalbaar' te worden gekwalificeerd en zijn dan ook als 'doelgebied' aangewezen.

In Groot-Brittannië is het een politiek feit dat de kiezers vaak na twee volledige zittingstermijnen van een bepaalde regering schijnen te denken dat het tijd wordt voor een verandering, zelfs als de zittende regering niet impopulair is. De Britse kiezers zullen echter alleen meewerken aan een verandering als zij vertrouwen stellen in het alternatief. De Labour Party heeft gedurende de afgelopen veertig maanden gestreefd naar het terugwinnen van dat kiezersvertrouwen, zij het dat dit streven werd geïnspireerd door onze vrienden binnen de partij. Naar recente opinie-onderzoeken te oordelen is deze campagne duidelijk succesvol verlopen, aangezien het procentuele verschil tussen de regerende Conservatieven en Labour is geslonken tot enkele punten. Als we in aanmerking nemen dat in het Britse districtenstelsel de uitslag van algemene verkiezingen in feite wordt bepaald door tachtig 'marginale' zetels – zetels die naar links of naar rechts kunnen schuiven, afhankelijk van de keuze van vijftien procent aan 'zwevende stemmen' uit het Britse electoraat – mag worden gesteld dat de Labour Party een kans maakt om bij de volgende verkiezingen weer aan de macht te komen.

Het door middel van algemene verkiezingen weer aan de regering komen van de Labour Party zou echter op zichzelf niet voldoende zijn om Groot-Brittannië dusdanig te ontwrichten dat de revolutionaire drempel wordt overschreden. Het zou noodzakelijk zijn de nieuwe en triomferende partijleider van Labour ten val te brengen voordat hij als Eerste Minister kan worden beëdigd, en hem te vervangen door een vooraf geselecteerde kandidaat van extreem-links die dan als de eerste marxistisch-leninistische Eerste Minister van Groot-Brittannië een regering kan vormen. Dit plan verkeert thans in een vergevorderd stadium.

Staat u mij toe, nogmaals kort van mijn betoog af te wijken: ditmaal om de manier waarop een voorzitter van de Labour Party wordt gekozen nader toe te lichten. Nadat op aandringen van onze extreem-linkse vrienden een kiescollege tot stand is gekomen, in 1983, werd de volgende procedure gevolgd: op grond van een kiesregel konden tot dertig dagen na beëdiging van de nieuwe parlementsleden kandidaturen voor de positie van partijvoorzitter worden gesteld. Gedurende de daarop volgende drie maanden konden de rivaliserende kandidaten hun aanspraken toelichten voordat het kiescollege bijeenkwam. In geval van een verkiezingsnederlaag van Labour was het heel goed mogelijk dat er een nieuwe partijleider werd gekozen; indien de Labour Party echter had gewonnen zou het ondenkbaar zijn geweest de Eerste Minister weg te stemmen, aangezien deze gedurende de termijn van drie maanden na beëdiging van de parlementsleden overal in het land campagne kon voeren om de steun van de massa's te winnen.

Maar vorig jaar zagen onze vrienden, die immers de meerderheid in het Nationaal Comité van Uitvoering in handen hadden, kans bij het partijcongres van oktober in Brighton een kleine 'hervorming' van de kiesprocedure erdoor te krijgen. In geval van een *Labour-overwinning* bij de algemene verkiezingen kan nu de partijleider op snelle en doelmatige manier in zijn functie worden bevestigd: eventuele tegenkandidaturen dienen voortaan binnen drie dagen na bekendmaking van de verkiezingsuitslag te worden gesteld, waarna er binnen nog eens vier dagen een buitengewone vergadering van het kiescollege dient te worden gehouden. Als het kiescollege bijeen is geweest en de partijleider heeft 'gekozen' zullen er de eerstvolgende twee jaren geen kandidaturen kunnen worden gesteld omdat het kiescollege het volgende jaar niet bijeenkomt. Degenen die aarzelden om in te stemmen met deze 'hervorming' kregen de verzekering dat de hele 'bevestigingsprocedure' alleen maar een formaliteit zou zijn. Het sprak immers vanzelf dat niemand zich zou keren tegen een partijleider die zojuist een verkiezingsoverwinning uit het vuur had gesleept en wachtte op het verzoek van de vorstin tot het vormen van een nieuwe regering. Hij zou eenvoudig zonder oppositie in zijn functie worden bevestigd, nietwaar?

In werkelijkheid wordt juist gestreefd naar het tegendeel. Er zou zich *wel degelijk* een alternatieve kandidaat voor de positie van partijleider aandienen. De korte tijd die verloopt tussen de verkiezingsuitslag en de buitengewone vergadering van het kiescollege zal de zittende partijleider verhinderen campagne te voeren om de steun van de massa's te krijgen; de Comité's van Dagelijks Bestuur van de vakbonden zullen hun veertig procent stemmen namens de miljoenen vakbondsleden in de schaal werpen – en die comité's worden gedomineerd door onze vrienden. Met betrekking tot de Nationale Uitvoerend Comité's geldt hetzelfde. Samen, met de helft van de parlementaire fractie van de Labour Party achter zich, heeft deze alliantie een absolute meerderheid in het kiescollege. Dientengevolge zal de vorstin geen andere keus hebben dan de *nieuwe* partijleider naar Buckingham Palace te ontbieden.

Nu de specifieke bijzonderheden. Binnen de kern van de extreem-linkse vleugel van de Labour Party en de Britse vakbeweging is er een groep van twintig personen die, zo kan worden gesteld, samen *ultra-links* vormen. Ze kunnen niet worden omschreven als een 'comité', aangezien zij elkaar zelden of nooit in een en hetzelfde lokaal ontmoeten. Ieder afzonderlijk hebben zij zich een leven lang geleidelijk omhoog gewerkt in de partijhiërarchie; en ieder beschikken zij over een manipulatieve invloed die de bevoegdheden van hun formele functie of positie verre te buiten gaat. Het betreft hier zonder uitzondering toegewijde en waarachtige aanhangers van de marxistisch-leninistische leer: negentien mannen en één vrouw. Negen hunner zijn vakbondsbestuurders: zes (met inbegrip van de vrouw) hebben er namens Labour zitting in het parlement; en voorts telt de groep twee academici, een lid van het Hogerhuis, een advocaat en een uitgever. Zij zijn degenen die de machtsovername zullen ensceneren en er de definitieve stoot toe geven.

Als de nieuwkomer zich eenmaal heeft verzekerd van het partijleiderschap en de post van Eerste Minister, zal hij in feite *carte-blanche* genieten, geruggesteund als hij wordt door het door extreem-links gedomineerde Nationaal Comité van Uitvoering van de Labour Party, zodat hij het kabinet geheel naar eigen inzichten kan samenstellen en zich dadelijk kan gaan wijden aan het voorgenomen pakket van wettelijke maatregelen. Kortom: de bevolking zou gestemd hebben voor een man die ogenschijnlijk tot de gematigd-linkse traditionalisten behoorde, of voor op z'n hoogst een gematigd-linkse regering, terwijl er in feite een zuiver extreem-links regiem aan de macht zal komen, *zonder* de hinderlijke noodzaak tot tussentijdse verkiezingen. Wat het programma van wetgeving betreft: in dit stadium bestaat dit uit een plan voor twintig als wenselijk beoordeelde maatregelen, die echter om voor de hand liggende redenen nog niet zwart op wit zijn gezet. Het zijn stuk voor stuk maatregelen die al heel lang op het politieke verlanglijstje van extreem-links hebben gestaan, ofschoon er slechts enkele zijn opgenomen in het officiële manifest van de Labour Party – en dan nog in afgezwakte vorm. Dit uit twintig punten bestaande plan is in kleine kring bekend als het *Manifest voor de Britse Revolutie*, afgekort tot MBR. De eerste vijftien punten heben betrek-

king op de massale nationalisatie van particuliere ondernemingen, bezittingen en tegoeden; de afschaffing van
particulier grondbezit, particuliere medische praktijken
en particuliere onderwijsinstellingen; het onder staats-
controle brengen van alle onderwijsfuncties, politionele
organen en massamedia, alsmede de rechterlijke macht;
en voorts de afschaffing van het Britse Hogerhuis, dat
bolwerk van de aristocratie dat het vetorecht bezit op
alle maatregelen van een gekozen regering om haar positie te bestendigen. (Vanzelfsprekend kan het niet aan
de grillen van het Britse electoraat worden overgelaten
om de revolutie tot staan te brengen of zelfs ongedaan te
maken.) Aangezien de laatste vijf punten van het MBR ons
hier in de Sovjet-Unie rechtstreeks raken, som ik ze
hieronder op:

a) Het zich onmiddellijk door Groot-Brittannië terugtrekken uit de Europese Gemeenschap, zonder
acht te slaan op eventuele bij verdrag vastgelegde ver-
plichtingen.

b) Het zonder uitstel inkrimpen van alle conventionele strijdkrachten van Groot-Brittannië tot één vijfde
deel van hun huidige sterkte en omvang.

c) De onmiddellijke afschaffing en vernietiging van
alle Britse kernwapens en afvuursystemen.

d) Het met onmiddellijke ingang uit Groot-Brittannië
wegzenden van alle onderdelen van de strijdkrachten
van de Verenigde Staten, zowel nucleaire als conventionele – samen met hun materieel en al hun personeel.

e) Het zich door Groot-Brittannië onmiddellijk terugtrekken uit en verwerpen van de Noord-Atlanti-
sche Verdragsorganisatie (NAVO).

Overbodig het feit te onderstrepen, kameraad secretaris-generaal, dat deze laatste vijf voorgenomen maatregelen de verdedigingsstelsels van de westelijke alliantie zodanig zullen ondermijnen dat het onmogelijk

zal zijn ze binnen afzienbare tijd te herstellen – *als* dat al ooit mogelijk zou zijn. Als Groot-Brittannië zich eenmaal heeft teruggetrokken zullen de kleinere NAVO-landen waarschijnlijk spoedig volgen en zal de NAVO ineenschrompelen, zodat de Verenigde Staten van Amerika aan de overzijde van de Atlantische Oceaan in een hopeloos isolement zullen komen te verkeren.

Het zal duidelijk zijn dat alles dat ik in dit memorandum heb uiteengezet en beschreven voor z'n volledige verwerkelijking geheel en al afhankelijk is van een verkiezingsoverwinning van de Britse Labour Party; en het zou wel eens mogelijk kunnen zijn dat de eerstvolgende verkiezingen, te houden in de lente van 1988 daartoe de laatste gelegenheid bieden.

Het bovenstaande was de feitelijke betekenis van mijn opmerking tijdens het banket bij kameraad-generaal Krjoetsjkov, dat 'de politieke stabiliteit van Groot-Brittannië hier in Moskou voortdurend wordt overschat, en tegenwoordig meer dan ooit.'

Met de meeste hoogachting,

uw

Harold Adrian Russell Philby

Het antwoord van de secretaris-generaal van de CPSU was verrassend en kwam met tot voldoening stemmende snelheid. Nauwelijks een dag nadat Philby het memorandum had toevertrouwd aan majoor Pavlov meldde de jonge officier met het ondoorgrondelijke gezicht en de kille blik, verbonden aan het Negende Directoraat, zich weer bij hem. In zijn hand had hij een bruine enveloppe, die hij Philby zonder een woord te zeggen overhandigde alvorens zich om te draaien en weg te lopen.

Het was opnieuw een met de hand geschreven persoonlijke brief van de secretaris-generaal, zoals gebruikelijk kort en zakelijk. De Sovjet-leider bedankte zijn vriend Philby voor diens moeite. Hij was in staat geweest de juistheid van de inhoud van Philby's memorandum te verifiëren. Naar aanleiding daarvan was hij van oordeel dat een overwinning van de Britse Labour Party bij de eerstvolgende algemene verkiezingen in dat land een eerste plaats op het lijstje van prioriteiten van de Unie van Socialistische Sovjet-Republieken behoorde te krijgen. Om die reden zou hij een kleine adviescommissie in het leven roepen: een commissie die alleen aan hem persoonlijk verantwoording schuldig was en hem zou moeten adviseren inzake eventuele in de toekomst te nemen beleidsbeslissingen Hij achtte het wenselijk dat Harold Philby de leden van deze commissie als adviseur ter beschikking zou staan en vezocht hem bij deze die taak op zich te willen nemen.

4

Het groepje dat een bezoek kwam afleggen bij Raoul Levy was vier man sterk: grote, gespierde kerels die in twee auto's kwamen voorrijden. De eerste auto kwam voor Levy's bungalow in de Molenstraat tot stilstand, terwijl de tweede honderd meter verderop in de straat stopte.

De twee mannen die uit de eerste auto stapten beenden snel maar geruisloos via de korte oprijlaan naar de voordeur; de beide chauffeurs bleven – met gedoofde lichten en lopende motoren – wachten. Het was een ijzig-koude avond en kort na zeven uur was het al pikdonker op straat, zodat niemand die vijftiende januari door de Molenstraat wandelde. De mannen die aanbelden bij de voordeur gedroegen zich als haastige zakenlieden die werk te doen hadden en zich geen tijdverlies konden permitteren: in ieder geval huldigden ze de mening: 'hoe eerder achter de rug, hoe beter het is.' Ze stelden zich niet voor toen Levy open kwam doen. Ze stapten eenvoudig naar binnen en trokken de deur achter zich dicht. Levy's protest was hem nauwelijks over de lippen gekomen toen hem hardhandig de mond werd gesnoerd door vier stevige worstvingers die met kracht in zijn solar plexus werden geramd.

De twee forse kerels trokken hem zijn overjas aan, drukten hem z'n hoed op zijn hoofd, draaiden de voordeur niet op slot en escorteerden hem geroutineerd over de oprijlaan naar de wachtende auto, waarvan het achterportier open sprong toen ze hem hadden bereikt. Toen ze met Levy tussen hen in op de achterbank wegreden hadden ze welgeteld twintig seconden nodig gehad. Ze reden met hem naar de Kesselse Heide, een groot openbaar park even ten noordwesten van Nijlen, waarvan de hele, twintig hectaren metende oppervlakte, bestaande uit heidevelden, weiden en bossen van eiken en coniferen, totaal verlaten was. De bestuurder van de tweede auto, die als ondervrager zou optreden, kwam op de passagiersstoel voorin zitten. Hij draaide zich meteen om en knikte zijn beide 'collega's toe. De man die rechts van Levy was gezeten sloeg zijn grote armen om het bovenlichaam van de tengere diamantslijper om hem stil te houden, terwijl hij zijn gehandschoende linker hand over Levy's mond legde. De tweede man haalde een zware tang tevoorschijn en pakte Levy's hand beet, waarna hij met snelle bewegingen drie vingerkootjes verbrijzelde – de een na de ander.

Wat Levy nog meer angst aanjoeg dan de onverdragelijke pijn was dat ze hem niet eens vragen stelden. Ze schenen geen belangstelling te hebben voor het stellen van vragen. Toen het vierde vingerkootje in de bek van de tang tot pulp werd geknepen schreeuwde Levy smekend om vragen. Toen pas knikte de ondervrager op de passagiersstoel achteloos en zei: 'Dus je bent bereid om je mond open te doen?'

Achter de handschoen knikte Levy heftig ja. De handschoen zakte. Levy stootte een langgerekte, rochelende schreeuw uit. Toen hij was uitgeschreeuwd vroeg de man op de passagiersstoel: 'Die diamanten uit Londen. Waar zijn ze?'

Hij sprak weliswaar Vlaams, maar met een uitgesproken buitenlands accent. Levy zei het hem zonder uitstel. Geen geld ter wereld kon hem schadeloos stellen voor het verlies van zijn handen en daarmee zijn broodwinning. De ondervrager dacht even na over de informatie. 'Sleutels,' zei hij toen.

Die had Levy in zijn broekzak. De ondervrager nam ze in ontvangst en verliet de auto. Een paar tellen later reed de tweede auto terug naar de weg, waarbij het bevroren gras onder de banden kraakte. Hij bleef vijftig minuten weg. Al die tijd bleef Levy zachtjes jammeren en zijn vermorzelde hand omklemmen. De twee beulen door wie hij werd geflankeerd schenen geen notitie van hem te nemen, bij gebrek aan interesse. De bestuurder zat stil voor zich uit te staren, z'n gehandschoende handen om het stuurwiel. Toen de ondervrager zich weer bij hen voegde maakte hij geen woord vuil aan de vier kostbare stenen die hij nu in zijn zak had. Hij zei alleen: 'Nog één laatste vraag. Wie heeft ze je gebracht?'

Levy schudde het hoofd. De ondervrager zuchtte vanwege de verspilde tijd en knikte de man aan Levy's rechter kant toe. De twee gespierde kerels verwisselden van rol: de man die rechts van hem zat nam nu de tang en Levy's rechter hand. Nadat hij twee vingerkootjes ervan had vermorzeld noemde Levy de naam. Hij verliet de auto en keerde terug naar die van hemzelf. Achter elkaar reden de beide auto's hotsend terug naar de weg en begonnen die weer te volgen, richting Nijlen. Bij het passeren van zijn huis zag Levy dat het licht uit en de deur gesloten was. Hij had gehoopt dat ze hem er hier uit zouden gooien, maar dat gebeurde niet. Na het centrum van het dorp bleven ze oostwaarts rijden. De lichten van de cafés, waarin het warm en knus toeven was in de winterse vrieskou, schoten langs de zijraampjes, maar niemand kwam naar buiten hollen. Levy kon zelfs het woord *Politie* in blauwe neonletters op de gevel van het bureau tegenover de kerk langs zien flitsen, maar er was geen levende ziel te bekennen.

Ruim drie kilometer ten oosten van Nijlen kruist de Looystraat de spoorbaan op een plaats waar de rails zich strak als vier linealen uitstrekken tussen Liers en Herentals en zelfs de grote diesellocomotieven snelheden van ruim honderdentien kilometer per uur bereiken. Aan weerskanten van de vlakke spoorwegovergang staan boerderijen. Kort voor de overweg kwamen beide auto's tot stilstand. Ze doofden hun lichten en zetten hun motoren af. Zonder iets te zeggen opende de bestuurder het handschoenenkastje, diepte er een fles uit op en overhandigde die aan zijn maats achterin. Een van de twee kneep Levy's neus dicht, terwijl de tweede dubbelgestookte graanjenever in zijn gorgelende mond liet lopen. Pas toen de fles voor driekwart leeg was hielden ze op en lieten hem met rust. Raoul Levy begon weg te zakken in een alcoholische nevel. Zelfs de pijn begon wat minder te worden. De drie mannen in de auto en de bestuurder van de tweede bepaalden zich tot wachten.

Om kwart over elf stapte de ondervrager uit de voorste auto, liep naar de tweede en mompelde iets door het zijraampje. Op dat moment was Levy al buiten bewustzijn, hoewel hij krampachtige bewegingen maakte. Het tweetal naast hem sleurde hem de auto uit en droeg hem tussen zich in naar de rails, waarbij zijn voeten over de grond sleepten. Om twintig over elf gaf een van de twee hem een harde klap met een ijzeren staaf en verwisselde hij het tijdelijke voor het eeuwige. Ze legden hem zodanig op de spoorbaan dat zijn verbrijzelde handen op de rails rustten en zijn ingeslagen schedel er vlakbij lag.

Hans Grobbelaar bracht de laatste sneltrein van die avond om exact 23.09 uur in beweging naast het perron van Lier. Het was een dagelijkse routinerit en hij zou omstreeks een uur of een in Herentals in z'n warme bed kunnen kruipen. Het was een doorgaande verbinding en de trein reed netjes op tijd om 23.19 uur door Nijlen. Voorbij de overweg daar voerde hij de snelheid verder op, zodat hij met een vaart van ruim honderd kilometer per uur het rechte baanvak afreed dat de Looystraat kruiste. De enkele schijnwerper van zijn kolossale 6268 verlichtte de rails over een afstand van honderd meter. Vlak voordat hij de overweg bereikte zag hij de vormeloze gedaante op de baan liggen en remde uit alle macht, zodat de stalen wielen van zijn trein vonken spatten. De trein verloor snelheid, maar bij lange na niet genoeg. Met open mond staarde hij door de voorruit terwijl de locomotief op de roerloze gestalte aanstormde. Hij kende twee collega's die hetzelfde overkomen was – zelfmoordenaars of dronken kerels, niemand die het wist, daarna. Met zo'n gevaarte achter je voel je de bons niet eens, hadden ze hem verteld. Ze hadden gelijk. Toen de gillende locomotief over de de plek des onheils raasde bedroeg de snelheid nog bijna vijftig kilometer per uur. Toen de trein eindelijk tot stilstand was gekomen durfde hij niet eens te kijken. Hij rende naar een van de boerderijen en sloeg alarm. Bij het licht van de politielantaarns zag de verbrijzelde massa vlees en botten onder zijn wielen eruit als aarbeienjam. Hans Grobbelaar zou pas tegen het krieken van de dag zijn huis bereiken.

Diezelfde ochtend, alleen vier uur later, betrad John Preston de foyer van het ministerie van Defensie in Whitehall, liep naar de receptie en legitimeerde zich met zijn universele pasje. Na het onvermijdelijke controletelefoontje met de man die hij te spreken had gevraagd werd hij naar de lift gebracht en via verscheidene gangen naar de werkkamer van het hoofd Beveiliging van het ministerie geëscorteerd, een kamer op een van de hoogste verdiepingen en in het achterste gedeelte van het gebouw, waarvan de ramen uitzicht boden op de Theems.

Brigade-generaal b.d. Bertie Capstick was weinig veranderd sinds Preston hem voor het laatst had gezien, jaren eerder in Ulster: groot, blozend en joviaal. Met zijn appelwangen had hij eerder het uiterlijk van een boer dan van een militair. Hij kwam dadelijk naar Preston toe en bulderde: 'Nee maar, daar hebben we Johnny, m'n jongen – zo waar als ik leef. Kom binnen, kom binnen!'

Hoewel hij slechts tien jaar ouder was dan Preston zelf had Bertie Capstick de gewoonte vrijwel iedereen die jonger of lager in rang was dan hijzelf 'm'n jongen' te noemen, waarmee hij zich iets vaderlijks aanmat dat wel strookte met zijn uiterlijk. Hij was echter vroeger een

geharde, taaie militair geweest die zich diep in het territorium van de Maleisische terroristen waagde, gedurende de Britse politionele actie die thans bekend was als de
'Malaya- campaign'; en later had hij het bevel gevoerd
over een groep infiltratie-experts in de Borneose jungle.
Capstick wees hem een stoel en haalde een fles malt-
whisky uit een archiefkast. 'Je lust zeker wel een slokje?'
'Nog wat aan de vroege kant,' protesteerde Preston. Het
was net elf uur geweest.
'Onzin! Terwille van de goeie ouwe tijd. Trouwens, de
koffie die ze hier durven te serveren is een gevaar voor de
volksgezondheid.' Capstick ging zitten en schoof Preston over zijn bureau een glas toe. 'Nou, vertel 'ns op,
m'n jongen, wat hebben ze met je gedaan?'
Preston trok een gezicht. 'Dat heb ik je al door de telefoon gezegd,' zei hij triest. 'Ze hebben me een of ander
verdomd smerisbaantje gegeven – waarmee ik niets
denigrerends ten opzichte van jou bedoel, Bertie.'
'Och, ik verkeer ongeveer in dezelfde situatie, Johnny.
Mij hebben ze zonder meer de wei in gestuurd. Dat wil
zeggen – ik ben nu natuurlijk gepensioneerd, ik mag niet
klagen. Maar op je vijfenvijftigste duimen zitten draaien
is ook niet alles; en toen kon ik dit baantje krijgen. En het
is zo kwaad nog niet. Iedere dag op een holletje naar de
trein, nagaan of alle veiligheidsvoorschriften netjes worden nageleefd en niemand zich als een stoute jongen ge-
draagt – en dan weer naar huis, naar moeder de vrouw. 't
Had erger gekund. Hoe dan ook – óp die goeie ouwe
tijd!'
'Proost,' zei Preston. Ze namen allebei een slok.
Hoewel die 'goeie ouwe tijd' nu ook weer niet zó goed
was, dacht Preston. Toen hij Bertie Capstick, destijds
nog kolonel, bijna zes jaar geleden voor het laatst had gesproken, was deze bedrieglijk extroverte officier plaatsvervangend directeur van de Militaire Inlichtingendienst in Noord-Ierland geweest. Hij zetelde toen in dat
gebouwencomplex te Lisburn waarvan de uitgebreide

computergeheugens na een druk op de knop precies kunnen zeggen welke IRA-man zich kortgeleden op z'n hoofd heeft gekrabd. Preston was toen een van zijn 'jongens' geweest, werkende in burger en onder een aangenomen identiteit: zijn taak bestond uit het infiltreren van de voornamelijk door de voorstanders van de harde lijn bewoonde 'Provo-getto's' om daar met verklikkers te praten of pakjes uit zogeheten 'brievenbussen' op te halen. Het was Bertie Capstick geweest die hem door dik en dun was blijven verdedigen tegenover de moord en brand schreeuwende pennelikkers van Holyrood House, toen Preston tijdens het uitvoeren van een missie voor Capstick tegen de lamp was gelopen en er bijna het leven bij in schoot.

Het gebeurde op de 28e mei 1981 en er had de volgende dag maar heel weinig over in de kranten gestaan. Preston zat in een onopvallende auto en was zojuist de beruchte wijk 'de Bogside' van Londonderry in gereden, op weg naar een afspraak met een verklikker. Of er nu in hogere regionen iets was uitgelekt of dat de auto waarin hij reed een keertje teveel was gebruikt, óf dat de inlichtingendienst van de Provisionals – kortweg Provo's genoemd – zijn gezicht had weten thuis te brengen, kon later niet meer worden achterhaald. Hoe dan ook, hij was tegen de lamp gelopen. Kort nadat hij het bolwerk van de Noord-Ierse republikeinen had bereikt was er een auto met vier gewapende Provo's uit een zijstraatje gekomen om hem te gaan schaduwen. Al gauw had hij hen in zijn achteruitkijkspiegeltje opgemerkt en meteen afgezien van het rendez-vous, maar de Provisionals wilden meer. Toen hij eenmaal te ver in de Bogside was doorgedrongen om nog terug te kunnen werd hij plotseling door zijn belagers gesneden en tot stoppen gedwongen, waarna ze uit hun auto waren gesprongen – twee man met Armalites en een met een pistool.

Preston, die geen kant meer op kon, behalve naar de hemel of de hel, trok het initiatief naar zich toe. Ondanks de overmacht en tot grote consternatie van zijn belagers liet hij zich razendsnel uit zijn auto rollen, juist op het moment dat het voertuig door de Armalites met kogels werd doorzeefd. Hij had zijn Browning, kaliber negen millimeter, in zijn hand; afgesteld op automatisch vuren. Liggend op de kasseien had hij hen er van langs gegeven. Ze hadden van hem verwacht dat hij fatsoenlijk zou sterven; vandaar dat ze veel te dicht opeen hurkten. De bestuurder van de Provo-auto had gas gegeven en was met rokende banden en uitlaat weggescheurd. Preston had kans gezien weg te komen naar een wijkplaats – een huis dat bemand werd door vier sas-soldaten, die hem hadden opgevangen tot de komst van Capstick. Vanzelfsprekend was dadelijk de hel losgebroken – in de vorm van officiële onderzoeken, verhoren en bezorgde vragen van hogerop. Er kon geen sprake van zijn dat hij zijn werkzaamheden weer ter hand nam: hij was, om de betreffende term uit het jargon te gebruiken, voor eens en voor altijd 'aangebrand' – wat zoveel betekent als geïdentificeerd of gebrandmerkt. Hij was niet langer bruikbaar. De overlevende Provo zou hem overal en altijd herkennen. Ze wilden hem niet eens laten terugkeren naar zijn vroegere regiment paratroepen in Aldershot: Joost mocht weten hoeveel Provisionals er in Aldershot rondhingen.

Ze hadden hem de keus gelaten tussen Hong Kong of de uitgang. Waarna Bertie Capstick een babbeltje had gemaakt met een goeie kennis. Opeens bleek er een derde keuzemogelijkheid te zijn: als éénenveertigjarige majoor uit het leger stappen en als late beginneling in dienst te treden bij mi-5. Hij had voor de laatste mogelijkheid gekozen.

'Had je iets bijzonders?' vroeg Capstick.

Preston schudde ontkennend het hoofd. 'Ik doe alleen maar de ronde om iedereen te leren kennen,' legde hij uit.

'Geen zorgen, Johnny. Nu ik weet dat jij in het zadel zit

zal ik je bellen zodra er hier iets de kop opsteekt dat belangrijker lijkt dan het tillen van de jubileumkas. 'Hoe maakt Julie het, tussen haakjes.'

'Ze heeft me drie jaar geleden het beste gewenst.'

'Het spijt me dat te horen, m'n jongen.' Capsticks gezicht drukte oprechte bezorgdheid uit. 'Een andere knaap?'

'Nee. Toen niet. Ik geloof wel dat ze nu iemand heeft. Alleen maar het werk… je kent dat wel.'

Bertie Capstick knikte grimmig. 'Mijn Betty heeft zich op dat punt altijd goed gehouen,' zei hij peinzend. 'M'n halve leven ben ik van huis geweest. Ze heeft nooit krimp gegeven en de kachel trouw aan 't branden gehouden. Dat neemt niet weg dat het voor een vrouw geen leven is. Ik heb het vaker zien gebeuren, heel wat keertjes zelfs. Evengoed pech voor je. Krijg je de jongen nog wel eens te zien?'

'Af en toe,' knikte Preston.

Capstick had geen gevoeliger snaar kunnen raken. Preston bewaarde in zijn kleine eenzame flat in South Kensington twee foto's. De eerste was zijn trouwfoto: hij zesentwintig en slank in zijn para-uniform; Julia net twintig en mooi in haar witte bruidsjapon. De tweede was van zijn zoon Tommy, die meer voor hem betekende dan het leven zelf.

Ze hadden het voor de beroepsmilitair normale leven geleid, van de ene plaats verhuizend naar de andere; en Tommy was acht jaar later geboren. Een gebeurtenis die John Prestons leven had vervuld, maar niet dat van zijn vrouw. Al spoedig waren de taken van het moederschap Julia de keel uit gaan hangen, iets dat in de hand werd gewerkt door de eenzaamheid tijdens zijn veelvuldige afwezigheid. Ook was ze over geldgebrek gaan klagen. Ze had hem voortdurend aan z'n hoofd gezeurd om uit het leger te gaan en een beter betaald baantje in de burgermaatschappij te zoeken; ze had eenvoudig geweigerd begrip op te brengen voor het feit dat hij van zijn werk hield en dat de sleur van een bureaubaantje in handel of industrie hem op den duur op de zenuwen zou gaan werken. Hij had overplaatsing gekregen naar de Militaire Inlichtingendienst, maar dat maakte de situatie alleen maar erger. Ze stuurden hem naar Ulster, waarheen echtgenotes niet konden volgen. Als klap op de vuurpijl was hij ondergronds gaan werken en hadden ze iedere vorm van contact moeten verbreken. Na het Bogside-incident had ze hem uitgebreid verteld wat ze ervan dacht. Ze hadden het nog één keer samen geprobeerd en waren, nadat hij bij MI-5 was gaan werken, in het voorstadje Sydenham gaan wonen. Hij was bijna iedere avond netjes thuisgekomen. Het had het scheidingsprobleem opgelost, maar hun huwelijk verzuurd. Julia wilde meer dan hij haar met zijn salaris van late beginneling bij MI-5 had kunnen geven.

Nadat Tommy op haar aandringen naar een plaatselijk kostschooltje in de buurt van Sydenham was gezonden, op z'n achtste, had zij een baantje als receptioniste aangenomen bij een modehuis in West End. Het had hun toch al krappe budget nog zwaarder belast. Een jaar later was ze helemaal bij hem weggegaan en had Tommy meegenomen. Ze woonde nu, zo wist hij, samen met haar baas, een man die oud genoeg was om haar vader te kunnen zijn, maar in staat om haar 'in stijl' te onderhouden en Tommy naar een dure kostschool in Tonbridge te sturen. Zodat hij de twaalfjarige jongen nu nog maar nauwelijks te zien kreeg. Hij had haar aangeboden te scheiden, maar ze wilde er niet van horen. Nu ze al drie jaar uit elkaar waren had hij er ook zonder haar instemming een scheiding kunnen doordrukken, maar ze had hem gedreigd dat zij dan Tommy helemaal op zou eisen, aangezien hij niet in staat zou zijn zowel alimentatie te betalen als voor de jongen te zorgen. Ze had hem klem en hij wist het. Ze stond goedgunstig toe dat hij in de vakanties Tommy steeds een weekje bij zich nam, plus één zondag per semester.

'Nou, ik moet er weer eens vandoor, Bertie. Je weet me dus te vinden als er soms iets belangrijks mocht zijn.'
'Allicht, allicht.' Bertie Capstick haastte zich naar de deur om hem uit te laten. 'Pas goed op jezelf, Johnny. Van ons goeien zijn er niet al teveel meer over, weet je.'
Ze namen lachend afscheid van elkaar en Preston keerde terug naar Gordon Street.

Louis Zablonsky kénde de mannen die in een bestelwagen kwamen voorrijden en die zaterdagavond laat bij hem aanbelden. Zoals gebruikelijk op zaterdag was hij alleen thuis: Beryl was uit en zou pas in de kleine uurtjes thuiskomen. Hij veronderstelde dat ze daarvan op de hoogte waren.
Hij zat naar een nachtfilm op de televisie te kijken toen er werd gebeld, iets dat hem niet bijzonder opviel. Zodra hij opendeed drongen ze binnen en duwden de deur achter zich dicht. Ze waren met z'n drieën. Anders dan het viertal dat twee dagen eerder een bezoek had afgestoken bij Raoul Levy – een incident waarvan hij niets wist aangezien hij geen Belgische kranten las – waren dit huurlingen uit de Londense wijk East End – 'patsers', in het spraakgebruik van de onderwereld. Twee van de mannen waren echte bruten, dommekrachten met biefstukkengezichten die zonder bedenkingen zouden doen wat hun werd gezegd door de derde man: een tengere man met een gemeen pokdalig gezicht en vaalblond haar. Zablonsky kende hen niet persoonlijk: hij 'kende' hen eenvoudig – hij had hen in de concentratiekampen vaak genoeg gezien, alleen waren ze dan gekleed geweest in uniform. Dit besef beroofde hem van de wil zich te verzetten. Hij begreep dat het geen enkele zin zou hebben. Kerels als deze deden met mensen als hij altijd wat ze wilden, hoe dan ook. Verzet bieden of smeken zou niets uithalen. Ze duwden hem ruw de huiskamer in en kwakten hem in zijn eigen leunstoel. Een van de krachtpatsers posteerde zich achter zijn stoel en duwde Zablonsky die-

per in de kussens. De tweede stelde zich recht tegenover hem op en betastte peinzend zijn vuist met de palm van zijn andere hand. De tengere blonde man trok een krukje bij, ging erop zitten en staarde naar het gezicht van de juwelier.

'Raak,' zei hij.

De 'patser' rechts van Zablonsky liet zijn vuist uitschieten en trof hem recht op zijn mond. De man droeg een koperen boksbeugel. De voorkant van Zablonsky's mond veranderde in een chaotische massa tanden, lippen, bloed en tandvlees. De kleine blonde schurk grijnsde.

'Niet daar,' zei hij berispend. 'De man moet tenslotte nog kunnen praten, hè? Lager.'

De beul plantte twee keer zijn verwoestende vuist in de borstkas van de juwelier. Er knapten ribben. Zablonsky's mond bracht een klaaglijk gejammer voort. De grijns van de blonde man werd breder. Hij hield ervan als zijn slachtoffers geluid maakten. De juwelier probeerde zich zwakjes te verzetten, maar die moeite had hij zich wel kunnen besparen. De gespierde armen van de man achter zijn stoel hielden hem even meedogenloos vast als die andere armen destijds op een stenen tafel in het zuiden van Polen, toen een andere blonde man glimlachend op hem neer had staan kijken.

'Je bent stout geweest, Louis,' zei de blonde man zalvend. 'Je hebt een kennis van me erg boos gemaakt. Hij heeft zo'n idee dat jij iets van hem hebt en wil het dus terug hebben.' Hij vertelde de juwelier wat het was. Zablonsky slikte wat van het bloed weg dat zijn mond vulde.

'… is… hier… niet…' bracht hij moeizaam uit.

De blonde man dacht even na.

'Keer de zaak maar ondersteboven,' beval hij zijn beide gorilla's. 'Hij zal geen moeilijkheden maken. Haal alles overhoop.'

De twee mannen begonnen het huis te doorzoeken en

lieten de kleine blonde man achter bij Zablonsky in de huiskamer. Ze gingen grondig te werk en het kostte hen een uur. Toen ze ermee klaar waren was iedere kast en iedere lade leeggehaald en hadden ze in alle hoeken en gaten gezocht. De blonde man vergenoegde zich ermee Zablonsky tegen diens gebroken ribben te porren. Kort na middernacht kwamen de beide gorilla's terug van de zolder.

'Niks te vinden,' zeiden ze.

'Wie heeft ze, Louis?' vroeg de blonde man. Hij probeerde zijn mond te houden, dus bleven ze hem net zo lang slaan tot hij het vertelde. Toen de man achter de stoel hem losliet viel hij voorover op het vloerkleed en rolde met opgetrokken knieën op zijn zij. Zijn gezicht werd blauw rondom zijn lippen, zijn ogen staarden voor zich uit en zijn ademhaling was onregelmatig en schokkend. De drie boeven stonden onbewogen op hem neer te kijken.

'Hij heeft een hartaanval,' zei een van de drie belangstellend. 'Hij knijpt er tussenuit.'

'Dan hebben jullie zeker een beetje te hard geslagen,' zei de blonde man sarcastisch. 'Laten we gaan. We hebben de naam nu.'

'Denk je dat-ie de waarheid heeft gezegd?' vroeg een van de patsers.

'Dat deed-ie al een uur geleden,' zei de blonde man. Het drietal verliet het huis, stapte in de bestelwagen en reed weg. Toen ze op de snelweg reden, even ten zuiden van Golders Green, vroeg een van Zablonsky's beulen: 'Wat gaan we nou doen?'

'Bek dicht, ik probeer na te denken,' zei de blonde man. De kleine sadist zag zichzelf graag als een belangrijk kopstuk in de misdaad. In werkelijkheid waren zijn verstandelijke vermogens beperkt en worstelde hij met een probleem waar hij niet uit kon komen. Enerzijds hadden ze alleen opdracht gekregen om één man op te zoeken en de gestolen waar terug te halen; anderzijds waren ze daar niet in geslaagd. In de buurt van Regent's Park ontdekte hij een telefooncel. 'Stoppen,' zei hij. 'Ik ga even bellen.' De man die hem in de arm had genomen had hem een telefoonnummer gegeven (van een andere telefooncel) en drie specifieke tijdstippen waarop hij hem zou kunnen bereiken. Het eerste tijdstip zou over een paar minuten aanbreken.

Kort voor twee uur 's nachts kwam Beryl Zablonsky terug van haar zaterdagavonduitje. Ze parkeerde haar Metro aan de overkant van de straat en constateerde bij het openen van de voordeur dat de lichten nog brandden. Iets waarover ze zich verbaasde.

De vrouw van Louis Zablonsky was een lief jodinnetje uit een arbeidersgezin. Al op jeugdige leeftijd had ze geleerd dat het dwaas en egoïstisch is om ál teveel van het leven te verwachten. Tien jaar geleden, toen ze vijfentwintig was, had Louis haar gezien in de tweede rij koristes van een geflopte musical en haar ten huwelijk gevraagd. Hij had haar eerlijk verteld dat hij als man tot niets in staat was, maar desondanks had ze hem geaccepteerd. Vreemd genoeg was het een goed huwelijk geworden. Hij was onuitsprekelijk goed voor haar geweest en had haar behandeld als een al te toegeeflijke vader. Ze aanbad hem bijna als een eigen dochter. Hij had haar alles gegeven dat hij haar kon geven: een mooi huis, kleren naar hartelust, sieraden, ruim zakgeld en geborgenheid. Ze was hem dankbaar. Natuurlijk was er één ding dat hij haar niet had kunnen geven, maar daar stond tegenover dat hij begrip en verdraagzaamheid toonde. Het enige wat hij vroeg was dat hij nooit hoefde te weten wie, of dat ze van hem zou verlangen er een te ontmoeten. Op haar vijfendertigste was Beryl een tikkeltje overrijp; wat laagbij-de-gronds maar heel aantrekkelijk op de manier die jongere mannen aanspreekt. En het genoegen was meestal wederzijds. Ze beschikte over een kleine flat in West End, speciaal voor haar afspraakjes, en genoot schaamteloos van haar 'zaterdagavonduitjes,' zoals ze het in gedachten was gaan noemen. Twee minuten nadat Beryl Zablonsky haar huisdeur had ontsloten gaf ze huilend haar adres door aan de ambulancedienst die ze had gebeld. De ambulance arriveerde zes minuten later. De stervende werd op een brancard gelegd en gedurende de hele rit naar Hampstead Free werden er pogingen gedaan hem in leven te houden. Beryl reed mee in de ambulance. Onderweg had hij een kortdurend moment van helderheid en wenkte hij haar naderbij, dicht bij zijn bloedende mond. Ze spande zich in om de paar woorden die hij kon uitbrengen op te vangen en fronste verbaasd haar voorhoofd. Het waren zijn laatste woorden. Tegen de tijd dat ze Hampstead hadden bereikt was Louis Zablonsky een van de gevallen die in de loop van een normale zaterdagnacht dood in het ziekenhuis worden afgeleverd.

Voor Jim Rawlings had Beryl Zablonsky nog steeds een zwak. Vóór zijn huwelijk, zeven jaar geleden, hadden ze een kortstondige verhouding gehad. Ze wist dat zijn huwelijk inmiddels op de klippen was gelopen en dat hij nu weer alleen woonde in zijn flat op de bovenste verdieping van dat blok in Wandsworth; en het telefoonnummer had ze vaak genoeg gedraaid om het uit haar hoofd te kennen. Toen hij haar aan de lijn kreeg kostte het Rawlings, doordat ze nog steeds huilde, wat moeite uit te maken door wie hij werd gebeld, mede omdat hij nog half sliep. Ze belde hem vanuit een cel op de afdeling Spoedgevallen en moest telkens als de kiestoon begon een nieuw muntje in de gleuf werpen. Toen tot hem doordrong wie ze was luisterde Rawlings met toenemende verbazing naar haar waarschuwing.

'Was dat alles wat hij heeft gezegd... meer niet? Luister, liefje, het spijt me, het spijt me werkelijk. Als de lucht een beetje is opgeklaard kom ik naar je toe om te zien of er iets is dat ik voor je kan doen. O... en Beryl... nog bedankt.'

Rawlings legde de hoorn op de haak, dacht een ogenblik na en draaide toen kort na elkaar twee nummers. Ronnie, een van de mannen die op zijn sloperij werkten, was als eerste bij hem, tien minuten later gevolgd door Syd. Ze hadden hun 'gereedschap' bij zich, in overeenstemming met zijn instructies. Ze waren net op tijd: nog geen kwartier later denderden hun bezoekers de acht trappen van het trappenhuis op.

Eigenlijk had de kleine blonde man, in de onderwereld bekend als 'Blondie', de tweede opdracht liever niet aangenomen, maar het extra geld dat de stem in de telefoonhoorn hem had gegarandeerd had hij niet kunnen laten lopen. Blondie en zijn beide krachtpatsers kwamen uit East End en hadden er een enorme hekel aan ten zuiden van de Theems te moeten opereren. In de Londense onderwereld is de animositeit tussen de benden uit East End en die uit Zuid-Londen legendarisch; en als een onderwereldfiguur uit Zuid-Londen zonder uitnodiging een bezoek afstak aan East End (of vice versa) kon hij zich daarmee een massa moeilijkheden op de hals halen. Blondie ging er echter voor deze ene keer van uit dat het om half vier 's nachts rustig genoeg zou zijn en dat hij met gemak na gedane arbeid terug kon zijn in zijn eigen 'territorium' voordat de zaak werd ontdekt.

Toen Jim Rawlings zijn deur opende werd hij door een enorme kolenschop van een hand regelrecht teruggeduwd naar de huiskamer. De beide gorilla's stapten als eersten naar binnen, met Blondie in de achterhoede. Toen Blondie de deur achter zich dicht kwakte stapte Ronnie de keuken uit en deelde de eerste klap met de steel van een zwaar pikhouweel uit. Syd haastte zich de garderobekast uit en liet zijn harde rubberhamer neerkomen op de schedel van de tweede man. Ze zakten allebei als gevelde ossen door hun knieën. Blondie prutste verwoed aan de grendel op de deur, in een wanhopige poging terug te keren naar de betrekkelijke veiligheid van het trappenhuis, toen Rawlings over de beide lichamen heen stapte en hem in zijn nekvel greep, waarna hij hem met zijn neus tegen een madonnaportret-achter-glas kwakte – het meest innige contact dat hij ooit met de religie had gehad. Het glas werd aan scherven gedrukt en Blondie kreeg verscheidene splinters in zijn wangen. Ron en Syd boeiden de twee zware jongens, terwijl Rawlings Blondie mee sleurde naar de huiskamer. Enkele minuten later, bij de voeten vastgehouden door Ron en rond het middel door Syd, bungelde Blondie voor meer dan de helft van zijn lichaamslengte uit het raam, acht verdiepingen boven de begane grond. 'Zie je die parkeerplaats beneden?' vroeg Rawlings hem. Ondanks de winterse duisternis van de nacht kon de angstige man heel diep beneden de daken van geparkeerde auto's zien glimmen in het schijnsel van de lantaarns. Hij knikte heftig.

'Mooi. Over een minuut of twintig zal het daar beneden op die parkeerplaats enorm druk zijn. Allemaal mensen die zich rondom een groot stuk plasticfolie verdringen. En wie denk je dat eronder zal liggen, helemaal verbrijzeld en verminkt…?'

Blondie, die zich er nu van bewust was dat zijn levensverwachting eerder in seconden dan in minuten moest worden uitgedrukt riep moeizaam omhoog: 'Goed, goed, ik zal jullie alles zeggen.'

Ze trokken hem naar bmnen en duwden hem in een stoel. Hij probeerde zich beminnelijk voor te doen. 'Luister, directeur, we kennen allebei 't klappen van de zweep. Ik werd alleen maar gehuurd om een klus op te knappen, nietwaar? Er moest iets worden teruggehaald dat gejat was…'

'Die oude man in Golders Green,' zei Rawlings.

'Ja… kijk, eh, die zei dat jij 't had, dus zijn we hierheen gekomen.'

'Dat was een gabber van me. En nou is-ie dood.'

'Tja, dat spijt me dan, directeur. Wist ik dat-ie 't aan z'n hart had? De jongens hebben hem alleen maar een paar keer geraakt, meer met.'

'Jij ellendeling. Zijn hele mond was in elkaar geslagen en al z'n ribben waren gebroken. Zeg op – waar kwam je voor?'

Blondie vertelde het hem.

'De wát…? vroeg Rawlings vol ongeloof. Blondie herhaalde het. 'Hoe zo?'

'Dat moet je mij niet vragen, directeur. Ze betaalden mij alleen om het terug te halen. Of om uit te zoeken wat ermee gebeurd was.'

'Nou,' zei Rawlings, 'ik voel er verdomd veel voor om jou en je maats nog voor zonsopgang in de Theems te dumpen, met een heel aardig nieuw model betonnen onderbroek aan. Alleen heb ik geen behoefte aan al die toestanden. Ik zal je dus deze keer laten lopen. Ga jij je baas dus maar vertellen dat er niks in zat. Helemaal niks. En ik heb 'm verbrand – er is alleen nog wat as van over. *As*, meer niet. Jullie dachten toch zeker niet dat ik iets van een klus in m'n bezit hield? Dat zou alleen de grootste stomkop doen. En nou wegwezen.'

Bij de deur riep Rawlings Ron nog even terug. 'Blijf bij ze totdat ze de rivier over zijn. En geef die kleine rat een cadeautje van me, namens de oude heer. Begrepen?'

Ron knikte. Een paar minuten later werd de zwaarst beschadigde van de beide East-Enders in de laadbak van zijn eigen bestelwagen geschoven, z'n handen nog in de boeien. De tweede was nog half bewusteloos toen zijn handen werden losgemaakt en hij te horen kreeg dat hij moest sturen. Blondie werd op de stoel voor de passagier gegooid en verbeet de pijn van twee gebroken armen. Ron en Syd bleven de bestelwagen volgen totdat hij Waterloo Bridge op reed; pas toen keerden ze om en reden naar huis.

Jim Rawlings was verbijsterd. Hij maakte een kop espresso voor zichzelf klaar en probeerde de zaak te overdenken. Inderdaad was hij van plan geweest de aktetas temidden van het puin te verbranden. Alleen was de tas zo'n fraai staaltje van vakmanschap; en het matte leer had zacht geglommen in het schijnsel van de vlammen. Hij had de tas zorgvuldig aan alle kanten bekeken, op zoek naar merktekens aan de hand waarvan iemand hem zou kunnen herkennen. Hij had er niet een kunnen ontdekken. Vandaar dat hij, tegen beter weten in en ondanks de waarschuwing van Zablonsky, de tas in z'n bezit had gehouden – in weerwil van het risico. Rawlings stapte naar een hoge kast en nam de aktetas eruit. Dit keer onderzocht hij hem met de blik van de geoefende inbreker. Het kostte hem tien minuten voor hij het knopje aan de handgreepzijde van de tas had gevonden, een knopje dat zijdelings weggleed als je er met de muis van je hand op drukte. In het binnenste van de tas hoorde hij een geluid. Toen hij hem weer opende was de bodem aan één kant een centimeter omhoog gekomen. Met behulp van een pennemesje werkte hij de bodem verder omhoog en wierp een blik in het geheime dunne compartiment tussen de echte en de valse bodem van de tas. Met een pincet trok hij er de tien vellen papier uit. Rawlings was geen deskundige op het gebied van regeringsdocumenten, maar het briefhoofd van het ministerie van Defensie kon hij lezen, terwijl de woordjes TOP SECRET overal ter wereld worden begrepen. Hij richtte zich op en floot zachtjes.

Rawlings was een inbreker en dief, maar evenmin als vele anderen uit de Londense onderwereld zag hij graag dat zijn land werd benadeeld. Het is een bekend feit dat kinderverkrachters en landverraders in de gevangenis gescheiden moeten worden gehouden van de beroepsmisdadigers, aangezien deze de neiging hebben het gezicht van zulke figuren opnieuw te modelleren zodra ze alleen met hen worden gelaten. Rawlings wist van wie het appartement was waar hij had ingebroken, maar er was nog altijd geen aangifte van gedaan en hij vermoedde – om redenen waarvan hij de draagwijdte alleen maar kon gissen – dat dat waarschijnlijk nooit zou gebeuren óók. Het was niet nodig er de aandacht op te vestigen. Maar aan de andere kant waren de diamanten vermoedelijk voorgoed verloren nu Zablonsky dood was, zodat hij naar zijn aandeel in de winst kon fluiten. Hij begon een grondige hekel te krijgen aan de eigenaar van dat appartement. Hij had de papieren al zonder handschoenen aan vastgehouden en wist dat zijn vingerafdrukken voorkwamen in het archief van Scotland Yard. Rawlings voelde er niets voor zich bekend te maken, dus begon hij de documenten met een doek af te wrijven – in de wetenschap dat ook de vingerafdrukken van de verrader erdoor werden verwijderd.

Die zondagmiddag deed hij een onopvallende bruine enveloppe op de bus, een enveloppe die zorgvuldig was dichtgeplakt en ruim van zegels was voorzien. De bus werd pas op maandagmorgen geleegd en de enveloppe kwam dan ook pas dinsdag op z'n bestemming aan.

Die twintigste januari kreeg John Preston brigade-generaal b.d. Bertie Capstick aan de lijn. De hartelijke, joviale klank was verdwenen uit zijn stem.

'John, herinner je je nog waar we het kortgeleden over hebben gehad? Ik zou je bellen als er zich iets voordeed, weet je nog? Nou, dat is nu het geval. En het gaat *niet* om de kas van het jubileumfonds, Johnny. Dit is iets groots. Iemand heeft me iets toegezonden – over de post. Nee, geen bombrief, maar dit zou wel eens veel ernstiger kunnen blijken. Het ziet ernaar uit dat we hier een lek hebben, ouwe jongen. En hij moet een hoge positie bekleden, verdomd hoog. Dat betekent dat dit een klus wordt voor jouw dienst. Het lijkt me verstandig dat je hierheen komt om de zaak zelf eens te bekijken.

Diezelfde morgen arriveerden er twee werklieden bij het appartement op de achtste etage van Fontenoy House. Ze kwamen volgens afspraak, hoewel de eigenaar zelf niet aanwezig was, en lieten zichzelf binnen met behulp van de sleutels die ze daartoe hadden meegekregen. In de loop van de dag hakten ze de beschadigde Hamber-kluis uit de muur los en vervingen hem door een kluis van hetzelfde merk en type die zich in niets van z'n voor-ganger onderscheidde. Toen het donker begon te wor-den hadden ze de muur in z'n vroegere staat hersteld en was er geen spoor van de inbraak meer te bespeuren. Toen vertrokken ze weer.

5

Preston zat in de werkkamer van de uiterst bezorgde
Bertie Capstick en bestudeerde minutieus de tien fotokopieën die op Berties bureau uit waren gespreid, nadat
hij ze had gelezen.
'Hoeveel mensen hebben die enveloppe in hun handen
gehad?' vroeg hij.
'Om te beginnen de postbode, uiteraard. En Joost mag
weten hoeveel lui op de sorteerafdeling. Verder hier in
het gebouw de mensen van de postkamer, de man die de
ochtendpost rondbrengt en ikzelf. Ik denk niet dat je
veel lol zult beleven aan die enveloppe.'
'En de documenten die erin zaten?'
'Alleen ikzelf, Johnny. Uiteraard wist ik niet wat het was
voor ik ze eruit had getrokken.'
Preston dacht een poosje na. 'Afgezien van degene die ze
op de post heeft gedaan kunnen er de vingerafdrukken
op staan van de persoon die ze heeft weggenomen, veronderstel ik. Ik zal Scotland Yard moeten vragen ze te
controleren op vingerafdrukken. Persoonlijk verwacht
ik er niet veel van. Maar nu over de inhoud. Het lijkt me
informatie die uitsluitend bedoeld is voor het hoogste
niveau.'
'Het allerhoogste,' beaamde Capstick somber. Alles wat
erin staat is supergeheim. Een deel ervan ligt uiterst gevoelig en heeft betrekking op onze bondgenoten in de
NAVO-plannen – voor tegenmaatregelen voor een hele
reeks Sovjet-Russische dreigingen – dat soort dingen.'
'Goed,' zei Preston. 'Laten we nu eens de verschillende
mogelijkheden doornemen. Veronderstel dat dit is opgestuurd door een vaderlandslievend burger die zich om

een of andere redenen niet bekend wenst te maken. Dat gebeurt wel vaker: sommige mensen willen nergens bij betrokken raken. Hoe zou zo iemand eraan gekomen kunnen zijn? Via een aktetas, misschien, achtergelaten in een garderobe, een taxi of restaurant?'

Capstick schudde het hoofd. 'Nooit op een legale manier, Johnny. Dit spul had onder geen enkele voorwaarde het gebouw uit gemogen, behalve misschien in de verzegelde postzak, bestemd voor het ministerie van Buitenlandse Zaken of het kabinet van de Eerste Minister. Er is echter geen melding gemaakt van geknoei aan een geregistreerde postzak. Op deze kopieën is trouwens niet aangegeven dat ze bestemd zijn voor een dienst buiten dit gebouw, iets dat het geval had moeten zijn als ze op legale wijze buiten terecht waren gekomen. De mensen die zelfs maar een blik op dit soort informatie mogen slaan kennen de regels. Niemand, maar dan ook helemaal niemand, mag dit soort documenten mee naar huis nemen om ze door te nemen. Is je vraag daarmee afdoende beantwoord?'

'Ruimschoots,' zei Preston. 'Ze zijn van buiten het ministerie teruggestuurd. Dus heeft iemand ze meegenomen naar buiten. Illegaal. Grove onachtzaamheid, óf een doelbewuste poging tot spionage?'

'Bekijk de datums maar eens,' zei Capstick. 'Deze documenten zijn in de loop van een maand ontstaan. Het is godsonmogelijk dat ze allemaal tegelijk op één en hetzelfde bureau zijn beland, op één en dezelfde dag. Iemand heeft ze in de loop van een hele maand moeten verzamelen.'

Met behulp van zijn zakdoek liet Preston de tien fotokopieën terugzakken in de enveloppe waarmee ze waren gearriveerd. 'Ik zal ze moeten meenemen naar Charles Street, Bertie. Mag ik je telefoon even gebruiken?' Hij draaide het nummer van Charles en verzocht om rechtstreekse doorverbinding met het secretariaat van sir Bernard Hemmings. De directeur-generaal van MI-5 was op zijn post en na enig uitstel en wat aandringen van Preston nam hij het telefoontje zelf aan. Preston vroeg eenvoudig om een gesprek onder vier ogen op zeer korte termijn en kreeg zijn zin. Hij legde de hoorn op de haak en wendde zich tot Bertie Capstick.

'Ik zou je willen vragen voorlopig niets te ondernemen of tegen iemand hierover iets te zeggen, Bertie. Niemand. Gedraag je zoveel mogelijk alsof dit een doodgewone dag is, een dag als iedere andere,' zei Preston. 'Je hoort nog van me.'

Er was geen kwestie van dat hij het ministerie met deze documenten kon verlaten zonder te worden geëscorteerd. Capstick 'leende' hem een van de suppoosten uit de grote hal beneden, een gespierde potige vent die vroeger bij de Royal Guards had gezeten. Met de documenten in zijn aktetas vertrok Preston uit het ministerie en nam een taxi naar Clarges Apartments. Hier stapte hij uit, keek de taxi na totdat hij uit het zicht was verdwenen en wandelde toen de resterende tweehonderd meter door Clarges Street naar Charles Street, waar het hoofdkwartier van zijn dienst was gevestigd. Hier kon hij zijn escorte terugsturen. Tien minuten later werd hij ontvangen door sir Bernard zelf. De oude spionnenvanger had een grauwe kleur, alsof hij pijn had, wat inderdaad regelmatig het geval was. De ziekte die in zijn lichaam woekerde veranderde niets aan zijn uiterlijk, maar de medische proeven lieten er geen twijfel over bestaan: een jaar, hadden ze gezegd, en aan opereren viel niet te denken. Zijn pensioen zou op de eerste september ingaan; en aangezien hij nog verlof tegoed had betekende dit dat hij half juli de dienst kon verlaten, zes weken voor z'n zestigste verjaardag. Waarschijnlijk zou hij al eerder vertrokken zijn, als zijn persoonlijke verantwoordelijkheden niet zwaarder hadden gewogen. Zijn tweede vrouw had een dochter meegebracht in het huwelijk en de oude man, die zelf kinderloos was gebleven, droeg het kind op handen. Het meisje zat nog op school. Als hij voor zijn tijd met pensioen ging zou hij genoegen moeten nemen met een fikse korting op zijn pensioenuitkering, zodat hij zijn vrouw en stiefdochter bij zijn dood in kommervolle omstandigheden zou moeten achterlaten. Of het nu verstandig was of niet, hij probeerde het vol te houden totdat zijn pensioen officieel was ingegaan, teneinde vrouw en kind een volledig pensioen te kunnen nalaten. Na een leven lang werken in dienst van het vaderland bezat hij verder vrijwel niets om hun na te laten.

Preston legde hem kort en krachtig uit wat er zich die ochtend op het ministerie van Defensie had voorgedaan en bracht hem op de hoogte van Capsticks mening dat de documenten alleen opzettelijk buiten het ministerie terecht konden zijn gekomen.

'Grote God, niet nóg eentje,' kreunde sir Bernard. Hij herinnerde zich de arrestatie van Vassall en Prime nog als de dag van gisteren, evenals de zure reactie van de Amerikanen toen zij ervan in kennis waren gesteld. 'Nou, John, waar had je gedacht te beginnen?'

'Ik heb Bertie Capstick gevraagd het voorlopig nog even onder de roos te houden,' antwoordde Preston. 'Want als we op het ministerie een heuse verrader hebben zitten staan we voor een tweede raadsel. Namelijk: wie heeft ons dit spul teruggestuurd? Een toevallige voorbijganger, een insluiper, een echtgenote met een bezwaard geweten? We weten 't niet. Maar als we die persoon weten op te sporen zullen we misschien kunnen ontdekken waar deze documenten vandaan zijn gekomen. Op die manier zouden we het hele onderzoek kunnen kortsluiten en onszelf een massa gewroet kunnen besparen. De enveloppe verschaft me weinig hoop – bruin papier van standaardkwaliteit en van een model dat in duizenden winkels wordt verkocht, normale postzegels, adres geschreven in blokschriftkapitalen, met behulp van een viltstift. En bovendien hebben tientallen mensen die enveloppe in handen gehad. Maar misschien zijn er nog vingerafdrukken op de fotokopieën te vinden. Ik zou graag zien dat Scotland Yard ze onder de loep neemt – onder ons toezicht, uiteraard. Daarna weten we misschien wat ons te doen staat.'

'Goed geredeneerd. Handel jij dat zelf maar af,' zei sir Bernard. 'Ik zal Tony Plumb op de hoogte moeten stellen, en waarschijnlijk ook Perry Jones. Ik zal proberen of ze vrij zijn omstreeks het lunchuur. Het is natuurlijk afhankelijk van wat Perry Jones ervan vindt, maar ik neem aan dat we de JIC* erbij moeten halen. Ga jij je gang dus maar, John, en hou me op de hoogte. Als Scotland Yard iets vindt wil ik dat meteen weten.'

Bij Scotland Yard waren ze heel behulpzaam: Preston kreeg een paar top-laboranten tot zijn beschikking. Preston keek de man van de dactyloscopische dienst op zijn vingers, toen deze iedere fotokopie met pijnlijke zorg bestreek met poeder. Hij kon niet verhinderen dat de man het stempel TOP SECRET op iedere kopie onder ogen kreeg.

'Is er in Whitehall soms iemand ondeugend geweest?' informeerde de laborant gekscherend.

Preston schudde het hoofd. 'Dat niet, nee. Maar wel lui en onachtzaam,' loog hij. 'Dit spul had in de papiervernietiger gemoeten, in plaats van in de prullenbak. De verantwoordelijke ambtenaar zal een gevoelige tik op zijn vingers krijgen, als we die vingers tenminste weten te identificeren.'

De belangstelling van de laborant verflauwde dadelijk. Toen hij klaar was schudde hij het hoofd. 'Niks,' zei hij. 'Zo schoon als een brandje. Maar één ding kan ik u wel zeggen. Deze kopieën zijn afgeveegd. Er is maar één duidelijk stel vingerafdrukken op te vinden. Waarschijnlijk die van uzelf.'

Preston knikte. Het was nergens voor nodig de man te onthullen dat de bewuste vingerafdrukken die van bri-

* JIC: Joint Intelligence Committee: Commissie der Gezamenlijke Inlichtingendiensten. Vert.

gade-generaal b.d. Bertie Capstick waren.

'Heel eigenaardig,' hernam de laborant. 'Op dit soort papier krijg je altijd prachtige vingerafdrukken, die er weken of zelfs maanden later nog op staan. Er had eigenlijk minstens een tweede stel vingerafdrukken op moeten staan, maar vermoedelijk nog meer. Bijvoorbeeld van de ambtenaar die ze vóór u in handen heeft gehad. Maar die ontbreken. Voordat deze paperassen in de prullenbak gingen moeten ze met een doek schoon zijn gewreven. Ik kan hier en daar vezels herkennen. Maar geen vingerafdrukken. Het spijt me.'

Preston had hem de enveloppe niet eens laten zien. De man die deze fotokopieën had schoongeveegd zou het wel uit zijn hoofd hebben gelaten vingerafdrukken op de enveloppe te veroorzaken. Trouwens, de enveloppe zou zijn verhaaltje over een nonchalante ambtenaar dadelijk hebben ontkracht. Hij ontfermde zich weer over de tien kopieën van supergeheime documenten en vertrok. Capstick heeft gelijk, dacht hij. Het is een lek; en een ernstig lek ook. Het was inmiddels drie uur 's middags geworden. Hij ging terug naar Charles Street en wachtte op de terugkeer van sir Bernard.

Na enige aandrang had sir Bernard een gezamenlijke lunch kunnen arrangeren met sir Anthony Plumb, de voorzitter van de JIC (de overkoepelende Commissie van de Gezamenlijke Inlichtingendiensten), en sir Peregrine Jones, permanent onderminister van Defensie. In een besloten vertrek van een exclusieve club aan St. James' Square troffen ze elkaar. De beide andere hoge overheidsfunctionarissen maakten zich zorgen over het dringende karakter van het verzoek van de directeur-generaal van MI-5 en gaven tamelijk verstrooid hun bestellingen op. Na het vertrek van de kelner lichtte sir Bernard hen in. Het benam beide heren hun laatste restje eetlust.

'Ik wou dat Capstick zich regelrecht tot mij had gewend,' zei sir Perry Jones met enige ergernis. 'Het is verdomd

irritant om op deze manier op de hoogte te worden gebracht.'
'Ik meen,' zei sir Bernard, 'dat Preston, de man van mijn
dienst die erbij werd gehaald, hem heeft verzocht er nog
even over te zwijgen, omdat wc – als we inderdaad een
lek hebben op een hoge post in het ministerie – de dader
niet attent moeten maken op het feit dat we de documenten terug hebben gekregen.'
Sir Peregrine gromde iets, nu hij enigzins gerust was gesteld.
'Wat vind jij ervan, Perry?' vroeg sir Anthony Plumb. 'Is
er ook maar een schijn van kans dat dit spul in gefotokopieerde vorm op een onschuldige of eenvoudig nonchalante manier het ministerie heeft kunnen verlaten?'
De topambtenaar van Defensie schudde het hoofd.
'Het lek behoeft niet per se een hoge functionaris te
zijn,' merkte hij op. 'Tenslotte hebben alle topfiguren
een persoonlijke staf. En kopieën moeten er altijd worden gemaakt: soms moeten drie, vier mensen een document onder ogen krijgen. Maar zodra er een kopie wordt
gemaakt moet die worden geregistreerd om later te worden vernietigd. Dus als er drie kopieën zijn gemaakt behoren er ook drie te worden vernietigd. De moeilijkheid
is alleen dat een topman moeilijk al zijn paperassen zelf
kan vernietigen. In de regel zal hij het dus aan iemand
van zijn staf overlaten. Alle secretaresses en typistes enzovoort worden natuurlijk gescreend, maar geen enkel
systeem is voor de volle honderd procent waterdicht.
Waar het hier om gaat is dat deze kopieën, die samen een
hele maand overbruggen, door iemand op het ministerie
mee naar buiten zijn genomen. Dat kan onmogelijk toevallig zijn gebeurd, of zelfs maar uit nonchalance. Het
moet met opzet zijn gedaan, verdomme…'
Hij legde zijn mes en vork neer en liet zijn lunch nagenoeg
onaangeroerd staan. 'Nee, het spijt me, Tony, maar ik ben
van mening dat we met een ernstig lek te maken hebben.'
Sir Tony Plumb zag er ernstig uit. 'Ik vrees dat ik een

kleine subcommissie van het JIC in het leven zal moeten roepen,' zei hij. 'Van een zeer besloten karakter, in dit stadium. Met alleen een vertegenwoordiger van Binnenlandse Zaken, Buitenlandse Zaken, Defensie en het Kabinet, plus de hoofden van MI-Five en MI-Six, alsmede iemand van het GCHQ. Kleiner zal niet gaan.'

Ze kwamen overeen dat sir Tony voor de volgende ochtend een eerste bijeenkomst van deze subcommissie zou beleggen, terwijl sir Bernard Hemmings de anderen zou inlichten of John Preston 's middags met zijn bezoekje aan Scotland Yard enig resultaat had geboekt. Daarna gingen ze uiteen.

De JIC is een tamelijk uitgebreid overlegorgaan. Afgezien van de vertegenwoordigers van een stuk of zes ministeries en verscheidene overheidsdiensten, de luchtmacht, de landmacht en de marine en de beide inlichtingendiensten, telt deze overkoepelende commissie tevens de in Londen gevestigde vertegenwoordigers van Canada, Australië, Nieuw-Zeeland en – uiteraard – het Amerikaanse Central Intelligence Agency. Pleinaire zittingen komen hoogst zelden voor en verlopen tamelijk formeel. Er worden daarentegen geregeld subcommissies gevormd, omdat de leden ervan, ieder belast met specifieke taken, elkaar vaak persoonlijk kennen en daardoor in staat zijn meer werk te doen in minder tijd.

De door sir Anthony Plumb ingestelde subcommissie – als voorzitter van de JIC en persoonlijk coördinator voor de inlichtingendiensten van de Eerste Minister was hij daartoe bevoegd – kreeg als codenaam 'Paragon' en kwam op de ochtend van die eenentwintigste januari voor de eerste maal bijeen: en wel om 10.00 uur in het kantoor van de ministerraad in Whitehall, in de ruimte op de tweede kelderverdieping die bekend is als COBRA.*

* Afkorting voor Cabinet Office Briefing Room. Deze vergaderruimte is geluiddicht en voorzien van airconditioning en wordt iedere dag op de aanwezigheid van afluisterapparatuur gecontroleerd.

Formeel gesproken was de secretaris van de minister-raad, sir Martin Flannery, hun gastheer, maar hij deed ten gunste van sir Anthony afstand van die waardigheid, zodat deze de voorzittershamer kon hanteren. Namens Defensie was sir Perry Jones aanwezig, sir Patrick (Paddy) Strickland vertegenwoordigde Buitenlandse Zaken en sir Hubert Villiers was er namens Binnenlandse Zaken, de instantie waaronder MI-5 ressorteert. Het GCHC – het hoofdkwartier van de 'afluisterdienst' van de regering in Gloucestershire – een dienst die in dit tijdsgewricht van geavanceerde techniek zo belangrijk is geworden dat zij welhaast een inlichtingendienst op zichzelf vormt – had z'n plaatsvervangend directeur-generaal gestuurd, daar de directeur-generaal zelf met vakantie was. Sir Bernard Hemmings vertegenwoordigde Charles Street en had Brian Harcourt-Smith meegenomen. 'Ik acht het beter dat Brian van begin af aan volledig op de hoogte blijft,' had Hemmings sir Anthony uitgelegd. Iedereen begreep dat hij bedoelde: '… voor het geval ik er een volgende keer niet zelf bij kan zijn.'
De laatste aanwezige, een man die onbewogen aan het andere uiteinde van de vergadertafel had plaatsgenomen, tegenover sir Anthony Plumb, was sir Nigel Irvine, het hoofd van de Geheime Dienst, beter bekend als MI-6. Het vreemde is namelijk dat MI-5 een directeur-generaal heeft en MI-6 niet. De Geheime Dienst heeft een 'hoofd': een functionaris die in het hele wereldje van de inlichtingendiensten en in Whitehall eenvoudig bekend is als 'C', hoe hij ook moge heten. Nog vreemder is dat die letter 'C' niet de afkorting is van het woordje *Chief*. Het eerste hoofd van MI-6 heette Mansfield-Cummings, en de 'C' heeft betrekking op het tweede deel van die naam. Ian Fleming, met zijn grote inventiviteit op taalkundig gebied, gebruikte de tweede initiaal, de 'M', als aanduiding voor het hoofd van MI-6 in zijn James-Bond-thrillers.*

* En John le Carré noemde het hoofd van MI-6 'Control'. Vert.

In totaal zaten er negen mannen rond de tafel, waarvan er niet minder dan zeven tot ridder waren geslagen, mannen die meer macht en invloed vertegenwoordigden dan welk ander zevental in het Britse koninkrijk ook. Ze kenden elkaar goed en noemden elkaar bij de voornaam. Ieder afzonderlijk konden zij de beide plaatsvervangend directeuren-generaal bij de voornaam aanspreken, terwijl deze hen altijd 'sir' zouden noemen – een ongeschreven wet.

Sir Anthony Plumb opende de vergadering met een korte omschrijving van de ontdekking die de vorige dag was gedaan, hetgeen de overige aanwezigen gemompelde uitingen van schrik en ontsteltenis ontlokte. Hij liet het aan sir Bernard Hemmings over de zaak nader toe te lichten. De directeur-generaal van MI-5 vulde de bijzonderheden in, met inbegrip van het feit dat het onderzoek van de fotokopieën door Scotland Yard niets had opgeleverd. Op zijn gebruikelijke manier – met nadruk – voegde sir Perry Jones eraan toe dat het onmogelijk was dat de kopieën op toevallige wijze of als gevolg van nonchalance het ministerie hadden kunnen verlaten. Het kon alleen maar opzettelijk en illegaal zijn gebeurd.

Toen hij zweeg heerste er stilte aan de lange vergadertafel. Boven hun hoofden hing een naargeestig spookbeeld, dat in enkele woordjes kon worden samengevat: Hoe groot was de schade? Hoe lang was dit al aan de gang? Hoeveel documenten waren er ontvreemd? Waar waren ze terechtgekomen? (Hoewel dat laatste tamelijk voor de hand scheen te liggen.) Wat voor documenten waren er gekopieerd? Hoeveel nadeel was er aan Groot-Brittannië en het NAVO-bondgenootschap berokkend? En: Hoe moeten we dit onze bondgenoten uitleggen, voor de drommel?

'Door wie laat je dit behandelen?' vroeg sir Martin Flannery aan sir Bernard.

'Hij heet John Preston,' antwoordde deze. 'Hij is hoofd van sectie C-One (A). Hij werd gewaarschuwd door het hoofd Beveiliging van het ministerie, brigade-generaal buiten dienst Bertie Capstick, nadat deze de enveloppe tussen zijn post had aangetroffen.'

'Misschien zouden we, eh... er iemand aan kunnen zetten die wat meer ervaren is...' opperde Brian Harcourt-Smith.

Sir Bernard Hemmings fronste zijn wenkbrauwen. 'John Preston is een laatbloeier,' legde hij de anderen uit. 'Hij is nu zes jaar bij ons. Ik stel onvoorwaardelijk vertrouwen in hem.'

'Er is echter nog een andere reden. We zullen ervan uit moeten gaan dat er boze opzet in het spel is.'

Sir Perry Jones knikte somber.

'Voorts,' zo vervolgde sir Bernard, 'kunnen we ervan uitgaan dat de verantwoordelijke persoon – ik zal hem of haar voorlopig maatje noemen – op de hoogte is van het feit dat de documenten niet langer in zijn of haar bezit zijn. We mogen de hoop koesteren dat maatje echter *niet* weet dat ze door een onbekende zijn teruggestuurd naar het ministerie. Dat neemt niet weg dat maatje zich waarschijnlijk grote zorgen maakt en zich voorlopig koest zal houden. Als ik er nu een hele ploeg fretten aan zette zou maatje zich dadelijk realiseren dat het spel uit is. Het laatste waaraan we behoefte hebben is een snelle vlucht, gevolgd door een steroptreden tijdens een internationale persconferentie in Moskou. Ik stel dus voor dat we de zaak voorlopig onder de roos blijven houden en proberen maatje op het spoor te komen. In zijn hoedanigheid van zojuist benoemd hoofd van sectie C-One (A) kan Preston heel goed de ronde doen door de ministeries, zogenaamd om de gevolgde procedures te controleren op hun veiligheid. Een betere camouflage is moeilijk te bedenken. Met een beetje geluk zal maatje er niets bijzonders in zien.'

Aan het andere uiteinde van de tafel knikte sir Nigel Irvine, het hoofd van MI-6, instemmend.

'Klinkt heel logisch,' zei hij.

'Is er misschien een kansje dat we via een van jouw bronnen iets op het spoor kunnen komen, Nigel?' vroeg Anthony Plumb.

'Ik zal m'n voelhorens eens uitsteken,' antwoordde hij neutraal. Bij zichzelf dacht hij: Andrejev, ik zal een ontmoeting met Andrejev op touw moeten zetten. 'Wat doen we met onze nobele bondgenoten?' vroeg hij hardop.

'Waarschijnlijk zal jou de eer de beurt vallen om hen – of althans een paar van hen – op de hoogte te stellen,' hielp sir Anthony Plumb hem herinneren. 'Dus wat vind je er zelf van, Irvine?'

Sir Nigel bekleedde zijn hoge post al zeven jaar en was aan zijn laatste jaar bezig. Dank zij zijn subtiele werkmethoden, zijn grote ervaring en zijn onbewogen manier van doen genoot hij bij de Europese en Amerikaanse inlichtingendiensten groot respect. Maar het zou desondanks geen grapje zijn om als boodschapper van zulke slechte berichten te moeten fungeren, noch was het een beste beurt om er de dienst mee te verlaten. Hij dacht aan Alan Fox, de norse en soms uiterst sarcastische verbindingsman van het CIA in Londen.

Alan zou van dit gerecht een diner met vijf gangen weten te maken. Hij haalde glimlachend zijn schouders op.

'Ik ben het roerend eens met Bernard. Maatje zal zich grote zorgen maken. Ik denk dat we wel mogen aannemen dat hij de eerstvolgende paar dagen geen haast zal maken met het kopiëren van supergeheime informatie. Het zou bovendien wel aardig zijn als we onze bondgenoten kunnen melden dat we al enige vooruitgang hebben geboekt, als we hen op de hoogte gaan stellen. Misschien kunnen we hun zelfs een indruk geven van de geleden schade. Ik geef er de voorkeur aan eerst eens te kijken wat deze Preston boven water kan brengen. Laten we op z'n minst een paar dagen afwachten.'

'Het taxeren van de geleden schade is van essentieel belang,' knikte sir Anthony. 'En dat lijkt nagenoeg onmogelijk zolang we maatje niet hebben gevonden, om hem er vervolgens van te overtuigen dat hij maar beter een paar vragen kan beantwoorden. Voorlopig lijkt het erop dat we afhankelijk zijn van Prestons progressie.'

'Dat lijkt wel de titel van een of ander boek,' mompelde een van de leden van de groep, toen ze opstonden. De permanente onderministers onder hen gingen op weg naar hun mimsters om die in een zeer vertrouwelijk onderhoud op de hoogte te stellen. Sir Martin Flannery wist dat hij een paar uiterst onbehaaglijke ogenblikken tegemoet ging met de Eerste Minister, mevr. Margaret Thatcher, die zich een grote reputatie had verworven als een ongemakkelijk 'heerschap'.

De volgende dag kwam in Moskou een andere commissie bijeen. Majoor Pavlov had Philby kort na de lunch gebeld met de mededeling dat hij de kameraad-kolonel om zes uur zou komen afhalen: de kameraad secretaris-generaal van de CPSU wenste hem te spreken. Philby veronderstelde – met reden – dat deze aankondiging, vijf uur tevoren, bedoeld was hem de gelegenheid te geven zich behoorlijk te kleden en ervoor te zorgen dat hij nuchter was.

Op dit uur waren de Moskouse straten verstopt door het traag in de sneeuwjacht voortkruipende verkeer, maar de Tsjaika met het MOC-kenteken spoedde zich voort over de middelste rijbaan die gereserveerd was voor de *wlasti*, de elite – de bevoorrechten in wat er was geworden van de droom van Karl Marx: de klassenloze maatschappij. *Deze* samenleving bezat echter een starre, sterk gelaagde structuur en ging gebukt onder een strikt stelsel van klasses, zoals alleen een uitgebreide bureaucratische hiërachie daaronder gebukt kan gaan. Bij het voorbijrijden van Hotel Oekraïna kreeg Philby even de indruk dat ze misschien helemaal door zouden rijden naar de *datsja* in Oesovo, maar na een kilometertje meer sloegen ze af naar de gesloten toegangshekken van het kolossale, acht verdiepingen tellende woonblok aan de Koetoezovski Prospekt 26. Philby verbaasde zich: het was een zeldzame eer om te worden -ontvangen in de privé-woning van een lid van het Politbureau.

Voor het gebouw zelf liepen lijfwachten van het Negende Directoraat heen en weer, gekleed in burger; maar bij de stalen toegangshekken droegen ze hun uniform: een dikke grijze overjas, bonten *sjapka's* met neergeslagen oorkleppen en de blauwe insignes van de Kremlingarde. Major Pavlov legitimeerde zich en de hekken zwaaiden open. De Tsjaika reed langzaam naar binnen en kwam op het plein voor het gebouw tot stilstand.

Zonder iets te zeggen ging de majoor hem voor. In het gebouw zelf werden nog tweemaal hun papieren gecontroleerd en passeerden ze achtereenvolgens een verborgen metaaldetector en een röntgenscanner voordat ze de lift in konden. Ze stapten uit op de derde verdieping, die in z'n geheel het domein was van de secretaris-generaal. Majoor Pavlov klopte aan op een deur, die even later openzwaaide en een in een wit uniform gestoken majordomo onthulde. De man beduidde Phitby dat hij binnen kon komen. De zwijgzame majoor trok zich terug en de deur viel achter Philby in het slot. Een bediende nam zijn hoed en zijn jas aan, waarna hij naar een grote zitkamer werd gebracht; hier was het bijzonder warm – een oud man kan erg gevoelig zijn voor kou – maar de kamer was verrassend sober gemeubileerd.

Anders dan Leonid Bresjnev, een man die een uitgesproken voorkeur had voor de drukke rococo-stijl en gesteld was op comfort, stond de huidige secretaris-generaal bekend als iemand die op het vlak van zijn persoonlijke smaak geneigd was tot ascese. De inrichting bestond uit meubelen van Zweeds en Fins vurenhout – blank, met strakke, functionele vormen. Afgezien van de beide ongetwijfeld onbetaalbare *bochara*-tapijten was er nergens iets antieks te zien. Er stond een lage koffietafel, met vier leunstoelen eromheen gegroepeerd: tussen deze fauteuils was ruimte voor een vijfde opengelaten. In het vertrek stonden drie mannen, kennelijk geen van drieën zo vrijpostig om zonder toestemming te gaan zitten. Philby kende hen alledrie en werd door hen toegeknikt, toen hij binnenkwam.

Een van de drie mannen was prof. Wladimir Iljitsj Krilov, hoogleraar in de moderne geschiedenis aan de Universiteit van Moskou. Belangrijker dan zijn hoogleraarschap was het feit dat hij een wandelende encyclopedie was met betrekking tot de socialistische en communistische partijen in West-Europa, met Groot-Brittannië als specialiteit. Maar zijn eigenlijke belangrijkheid bestond eruit dat hij deel uitmaakte van de Opperste Sovjet – het uit één partij bestaande Sovjet-Russische parlement, terwijl hij daarnaast lid was van de Russische Academie van Wetenschappen en regelmatig geconsulteerd werd voor het Internationale Departement van het Centraal comité, waarvan de secretaris-generaal vroeger voorzitter was geweest.

De man in burger, met de kaarsrechte houding van de militair, was generaal Pjotr Sergejvitsj Martsjenko: Philby kende hem slechts oppervlakkig, maar bij wist dat Martsjenko een van de hoogste functionarissen was van de GRU, de Militaire Inlichtingendienst van het Sovjet-Russische leger. Martsjenko was een doorkneed expert op het gebied van methoden voor het versterken van de binnenlandse veiligheid én het tegendeel daarvan, het ondergraven van de stabiliteit van andere samenlevingen. Hij had zich altijd toegelegd op de Westeuropese democratieën en had zijn halve leven besteed aan het bestuderen van hun politieke en binnenlandse veiligheidsorganen.

De derde aanwezige was dr. Josef Viktorovitsj Rogov, die als fysicus eveneens lid was van de Academie van Wetenschappen. Zijn faam dankte hij echter aan een andere titel: internationaal schaakgrootmeester. Hij stond daarnaast bekend als een van de weinige persoonlijke vrienden van de secretaris-generaal. In het verleden had deze verscheidene malen een beroep op hem gedaan, als hij van oordeel was dat hij bij het opstellen van plannen voor bepaalde operaties wel enige hulp kon gebruiken van Rogovs opmerkelijke brein.

Philby was nog geen twee minuten binnen toen de dubbele deuren aan het uiteinde van de zitkamer opengingen en de onbetwiste alleenheerser over de Sovjet-Unie en de Sovjet-Russische vazalstaten, satellieten en kolonies zijn entrée maakte. Hij zat in een rolstoel, voortgeduwd door een boomlange bediende met een wit jasje aan. Hij manoeuvreerde de rolstoel op de opengebleven plaats tussen de vier leunstoelen. 'Neemt u plaats, heren,' zei de secretaris-generaal.

Philby verbaasde zich in stilte over de veranderingen die zich bij de man hadden voltrokken. Op zijn vijfenzeventigste vertoonden zijn gezicht en handen de vlekken en rimpels die je normaal gesproken alleen bij uitzonderlijk oude heren aantreft. Maar de openhartoperatie van 1985 scheen geslaagd te zijn en kennelijk functioneerde ook de pacemaker naar behoren. Niettemin maakte hij een broze indruk. De dikke, glanzende witte haardos, bekend van de foto's die altijd op de eerste mei werden gemaakt, een haardos die hem het uiterlijk verleende van een gemoedelijke huisarts, was vrijwel verdwenen. Rondom beide ogen waren donkere, bruine schaduwen zichbaar, ondanks de niet-aflatende zorg die aan het bewaken van zijn gezondheid werd besteed. Anderhalve kilometer verder aan de Koetoezovski Prospekt, op korte afstand van het vroegere dorp Koentsevo, stond – op een enorm uitgestrekt grondgebied dat omgeven werd door een twee meter hoge palissade, het uiterst exclusieve Hospitaal voor leden van het Centraalcomité, de voormalige Koentsevo Klinika, die in de loop der jaren was uitgebreid en gemodetniseerd. Op het ziekenhuisterrein stond ook de oude *datsja* van Stalin, de verrassend bescheiden bungalow waarin de tiran een groot deel van zijn leven had doorgebracht en waarin hij ook de laatste adem had uitgeblazen. De hele *datsja* was omgetoverd tot de allermodernste intichting voor intensive care die er in de hele Sovjet-Unie te vinden was: bedoeld voor deze ene man, die hen nu vanuit zijn rolstoel een voor een zat op te nemen. In de *datsja* hielden zich permanent zes vooraanstaande specialisten beschikbaar, en iedere week bracht de secretaris-generaal hun een bezoek om zich te laten behandelen. Het was duidelijk dat zij hem in leven wisten te houden – zij het slechts moeizaam. Maar dat brein van hem was er nog steeds, daar achter die kille oogjes die door de glazen van zijn goudomrande bril de kamer inblikten. Hij knipperde zelden met zijn oogleden; en *als* hij het deed gebeurde dat langzaam, op de manier van een roofvogel.

Hij verspilde geen tijd aan inleidend ceremonieel. Philby wist dat hij dat nooit deed. Hij knikte naar de andere drie heren en zei: 'De kameraden hebben het memorandum van onze vriend kameraad-kolonel Philby gelezen. Hoewel het geen vraag was, maar een constatering, knikten de andere drie bevestigend.

'Dan zal het u niet verbazen te horen dat ik de overwinning van de Britse Labour Party bij de eerstkomende algemene verkiezingen – en daarmee van de extreem-linkse vleugel van die partij – voor de Sovjet-Unie van het allergrootste belang acht. Daarom wil ik dat u vieren een geheime commissie vormt, met het doel mij te adviseren inzake iedere methode die u maar kunt bedenken en die ons in staat kan stellen die verkiezingsoverwinning te bevorderen – uiteraard volledig achter de schermen. U mag hier met niemand over spreken. Eventuele documenten, voor zover we er niet buiten kunnen, dienen een strikt persoonlijk karakter te hebben. Eventuele notities moeten worden verbrand; er mag alleen in privéwoningen worden vergaderd. De heren dienen zich van ontmoetingen in het openbaar te onthouden en mogen geen derden raadplegen. U rapporteert aan mij persoonlijk, door hierheen te bellen en majoor Pavlov te spreken te vragen. Ik zal dan een vergadering beleggen waarop u uw voorstellen ter tafel kunt brengen.

Het was Philby duidelijk dat de Sovjet-leider het aspect 'geheimhouding' bijzonder ernstig nam. Hij had tenslotte deze bijeenkomst ook kunnen beleggen in zijn kantoorsuite in het gebouw van het Centraalcomité, de grauwe steenkolos aan de Novaja Plosjed waar alle Sovjetleiders na Stalin hebben gewerkt. Maar daar hadden andere leden van het Politbureau hen kunnen zien komen en gaan, of bij geruchte van het bestaan van de commissie kunnen horen. Blijkbaar wilde de secretaris-generaal de commissie zo geheim houden dat alleen *hij* van haar bestaan op de hoogte was. Er was echter nóg iets vreemds: afgezien van hemzelf (en wat die functie betrof was hij allang gepensioneerd) was er niemand van de KGB aanwezig, ondanks het feit dat het Eerste Hoofddirectoraat uitgebreide archieven over Groot-Brittannië bijhield en over eersteklas experts in Britse aangelegenheden beschikte. De geslepen vos had, om redenen die alleen hijzelf kende, besloten om deze aangelegenheid niet toe te vertrouwen aan de organisatie waarvan hij ooit zelf voorzitter was geweest.

'Heeft iemand iets te vragen?'

Aarzelend stak Philby een hand op. De secretaris-generaal knikte hem toe.

'Kameraad secretaris-generaal, ik bestuurde vroeger altijd zelf mijn oude Wolga. Maar sinds mijn ziekte van vorig jaar hebben mijn dokters me dat verboden. Tegenwoordig laat ik me door mijn vrouw rijden. Maar in dit geval en terwille van het vertrouwelijke karakter...'

'Ik zal u een chauffeur van de KGB toewijzen voor de duur van deze opdracht,' zei de secretaris-generaal zacht. Ze wisten allemaal dat de andere drie mannen een eigen chauffeur hadden, op grond van hun maatschappelijke status. Verder bracht niemand iets naar voren. Na een knikje duwde de boomlange bediende de rolstoel met z'n inzittende terug door de dubbele deuren. De vier adviseurs stonden op en namen afscheid van elkaar.

Twee dagen later kwam de 'Albion-commissie' voor een eerste intensieve werkvergadering bijeen in de *datsja* die een van de beide academici buiten Moskou bezat.

Boektitel of geen boektitel, Preston boekte inderdaad enige progressie. Tijdens de inauguratie-bijeenkomst van de subcommissie met de codenaam Paragon bevond hij zich in de catacomben van de afdeling Registratie, diep onder het ministerie van Defensie. 'Bertie,' zo had hij tegen brigade-generaal b.d. Capstick gezegd, 'voor het oog van het personeel hier ben ik alleen maar een verdomd lastige nieuwe bezem. Laat het maar voorkomen alsof ik alleen erop uit ben een wit voetje te halen bij m'n eigen superieuren. Ik ben zogenaamd bezig met een routinecontrole van alle beveiligingsprocedures; niks om je zorgen over te maken. Alleen maar een vervelende lastpost.'

Capstick had zijn rol met verve gespeeld door rond te bazuinen dat het nieuwe hoofd van sectie C-1 (A) de ronde deed door alle ministeries om eens even te laten zien wat voor noeste werker hij was. De ambtenaren van Registratie hadden wanhopig met hun ogen gerold en met nauwelijks verholen ergernis hun medewerking toegezegd. Maar op deze manier had Preston zich toegang verschaft tot de dossiers, zodat hij op onopvallende wijze kon zien welke documenten door *wie* waren opgevraagd en teruggevraagd, en – wat het belangrijkste was – *wanneer* dat precies was gebeurd. En hij had al vroeg een gelukje: alle gefotokopieerde documenten waren zowel op het ministerie van Buitenlandse Zaken als op het departement van de Eerste Minister geweest, omdat ze allemaal betrekking hadden op het NAVO-bondgenoten en aangelegenheden waarbij de NAVO in z'n geheel diende te reageren op een hele verscheidenheid aan mogelijke initiatieven van de zijde van de Sovjet-Unie. Op één uitzondering na.

Dat ene document had het ministerie nooit verlaten. De permanente onderminister, sir Peregrine Jones, was kortgeleden teruggekomen uit Washington, waar hij besprekingen had gevoerd met het Pentagon over gezamenlijke patrouilles door Britse en Amerikaanse kernonderzeeërs in de Middellandse Zee, het midden en zuiden van de Atlantische Oceaan en de Indische Oceaan. Hij had een beknopt verslag van zijn besprekingen opgesteld en dat de ronde laten doen langs een hele reeks hogere 'mandarijnen' op het ministerie. Het feit dat ook dit document in gefotokopieerde vorm was aangetroffen tussen de gestolen paperassen bewees op z'n minst dat het lek zich binnen dat ene ministerie moest bevinden.

Preston zette zich aan het opstellen van een analyse van de distributie van supergeheime documenten gedurende een tijdsbestek van vele maanden. Het stond vast dat de documenten waarvan de onbekende de fotokopieën had teruggestuurd dateerden uit een petiode die begrensd kon worden door exact vier weken, vanaf het eerste tot het laatste document. Voorts was duidelijk dat iedere 'mandarijn' die al deze documenten op zijn bureau had gekregen er nog meer ter inzage moest hebben gehad. Dus was de spion selectief te werk gegaan.

Bij elkaar waren er vierentwintig topambtenaren die toegang hadden gehad tot alle tien de documenten, zo kon Preston aan het eind van de tweede dag van zijn nasporingen vaststellen. Nu begon hij aan het natrekken van verlofdagen, absenties, ambtsreizen naar het buitenland en ziekmeldingen, met het doel die ambtenaren die binnen de bewuste periode van vier weken onmogelijk de documenten in hun vingers konden hebben gehad te elimineren. Hierbij werd hij door twee omstandigheden gehinderd: hij moest doen alsof hij een hele massa andere documentbewegingen natrok, dit om te vermijden dat hij de aandacht vestigde op de tien gefotokopieerde documenten. Zelfs archivarissen kletsen graag en hij moest rekening houden met de mogelijkheid dat het lek gezocht moest worden onder het lagere personeel, misschien een secretaris of typist, iemand die in de positie verkeerde om in de koffiepauze een praatje te maken met iemand van de Registratie. Ten tweede kon hij moeilijk zijn licht gaan opsteken op een van de hogere verdiepingen: daardoor kon hij niet nagaan hoeveel fotokopieën er van de originele documenten waren gemaakt. Hij wist echter dat het regelmatig voorkwam dat een topambtenaar formeel op zijn eigen naam een geheim document opvroeg bij Registratie, maar na lezing tot de conclusie kwam dat hij een collega zou moeten consulteren. In dat geval werd er een fotokopie gemaakt, die, na te zijn voorzien van een nummer, aan de bewuste collega ter hand werd gesteld. Als deze collega de kopie terugbracht werd die vernietigd – óf niet, zoals in dit geval. Het oorspronkelijke document ging dan terug naar Registratie. Maar het wás mogelijk dat meerdere mensen zo'n fotokopie onder ogen hadden gehad.

Om dit tweede probleem op te lossen kwam hij na werktijd, toen de duisternis al was ingevallen, samen met Capstick terug naar het ministerie om op de hogere verdiepingen het aantal gemaakte kopieën te controleren, een werkje waarvoor de schoonmaaksters niet de minste belangstelling aan de dag legden. Na de tweede avond kon hij opnieuw een aantal namen van zijn lijstje schrappen, eenvoudig omdat de betrokken ambtenaren geen kopieën hadden laten maken van het bewuste document alvorens dat terug te laten brengen naar Registratie. Op de 27e januari bracht hij in Charles Street rapport uit over zijn vorderingen.

Het was Brian Harcourt-Smith die hem ontving; sir Bernard was weer eens niet op kantoor.

'Het verheugt me dat je iets voor ons hebt, John,' zei Harcourt-Smith. 'Ik ben al twee keer gebeld door sir Anthony Plumb. De leden van Paragon schijnen nogal druk op hem uit te oefenen. Brand maar los.'

'Om te beginnen,' zei Preston, 'de documenten zelf. Ze zijn blijkbaar met zorg geselecteerd, alsof onze spion alleen die informatie nam waarom hem werd gevraagd. Dat vergt deskundigheid. Naar mijn mening elimineert dat de personeelsleden uit de lagere regionen. Die zouden te hooi en te gras te werk zijn gegaan, door eenvoudig te nemen wat hen in de vingers kwam. Het is natuurlijk niet meer dan een voorlopige conclusie, maar zo kunnen we het aantal kandidaten terugdringen. Ik denk dat het iemand met de nodige ervaring is, met oog voor het belang van de inhoud. We kunnen dus koeriers en administratief personeel buiten beschouwing laten. In ieder geval bevindt het lek zich niet op Registratie. Nergens verbroken verzegelingen van postzakken; geen illegaal meegenomen documenten of fotokopieën die zonder verlof werden gemaakt.'

Harcourt-Smith knikte. 'Jij denkt dus dat we boven moeten zoeken?'

'Inderdaad, Brian, dat denk ik. Daar heb ik nog een andere reden voor. Ik heb twee avonden gebruikt om iedere gemaakte kopie afzonderlijk na te trekken. Ik heb geen onregelmatigheden kunnen ontdekken. Dat laat slechts één mogelijkheid open. Iemand moet drie kopieën ter vernietiging hebben gekregen en er slechts twee hebben vernietigd, om vervolgens de derde kopie mee naar buiten te smokkelen. Nu komen we op het aantal topambtenaren dat daarvoor in aanmerking komt.

In totaal zijn er vierentwintig mensen die alle tien de documenten in hun bezit hebben gehad. Volgens mij kunnen we er twaalf buiten beschouwing laten, aangezien zij alleen maar kopieën hebben gekregen; ieder niet meer dan één – met de bedoeling er advies over te geven. De regels zijn glashelder. Een ambtenaar die voor dat doel een kopie heeft ontvangen is gehouden deze kopie terug te sturen naar de man die hem om advies heeft gevraagd. Als hij één kopie houdt is dat tegen de voorschriften en laadt hij verdenking op zich. Maar als hij er *tien* hield zou dat ongehoord zijn. Dat brengt ons bij de twaalf personen die de originele documenten van Registratie hebben ontvangen.

Daarvan waren er drie om uiteenlopende redenen niet aanwezig op het ministerie op de dagen die vermeld staan als opvraagdatum die we kennen, omdat ze natuurlijk voorkomen op de door onze anonieme vriend teruggezonden fotokopieën. Deze drie mannen hebben de bewuste documenten op andere datums opgevraagd, dus kunnen we hen elimineren. Dan houden we negen kandidaten over. Vier daarvan hebben nooit kopieën laten maken om aan anderen advies te kunnen vragen; en het spreekt wel vanzelf dat het onbevoegd maken van fotokopieën absoluut onmogelijk is: iedere kopie wordt genummerd.'

'En toen hielden we er nog vijf over,' mompelde Harcourt-Smith.

'Juist, zoals ik al zei, het is niet meer dan een voorlopig resultaat, maar meer heb ik zo gauw niet kunnen achterhalen. Drie van deze vijf topambtenaren hebben gedurende dezelfde periode nog andere documenten op hun bureau gehad waarvan de inhoud soortgelijk is aan die van de gestolen paperassen. Die andere documenten waren soms aanmerkelijk interessanter, maar werden *niet* gestolen, hoewel ze daar beslist voor in aanmerking kwamen. Uiteindelijk houd ik dus twee kandidaten over. Nog niets definitiefs; niet meer dan twee voor de hand liggende verdachten.' Hij schoof Harcourt-Smith de beide dossiers over het bureau toe. Die bekeek ze nieuwsgierig.

'Sir Richard Peters en George Berenson,' las hij. 'Sir Richard is secretaris van de onderminister die verantwoordelijk is voor het internationaal industrieel beleid; en Berenson is plaatsvervangend hoofd Inkoop Defensiemateriaal. Ze hebben allebei natuurlijk een persoonlijke staf.'

'Ja.'
'Maar die beschouw jij niet als verdacht. Mag ik vragen waarom niet?'
'O, maar de leden van hun persoonlijke staven zijn wel degelijk verdacht,' zei Preston. 'Waarschijnlijk zouden beide kandidaten iemand van hun staf nodig hebben voor het vervaardigen van de kopieën, ook al om ze later weer te vernietigen. Maar dat breidt het aantal verdachten uit tot een stuk of tien, twaalf mensen. Als we daarentegen in staat mochten zijn de beide hoofdverdachten van verdenking te zuiveren, zou het kinderspel zijn met hun medewerking de schuldige op heterdaad te betrappen. Vandaar dat ik met de beide hoofdverdachten wil beginnen.'
'Hoe wilde je het aanpakken?' zei Harcourt-Smith.
'Gedurende een beperkte periode zullen we al hun gangen moeten nagaan, uiteraard zonder dat ze er iets van merken. Daarnaast kunnen we hun post onderscheppen en hun telefoon aftappen,' zei Preston.
'Ik zal het aan de Paragon-commissie voorleggen,' beloofde Harcourt-Smith. 'Maar bedenk dat deze twee mensen tot de hoogste top behoren. Ik hoop voor je dat je gelijk hebt.'

De tweede Paragon-vergadering had diezelfde dag nog plaats, laat in de middag en opnieuw in de ruimte die bekend was als COBRA. Harcourt-Smith trad op namens sir Bernard Hemmings: hij had voor iedere aanwezige een kopie van Prestons rapport meegenomen. Zwijgend lazen ze het door. Toen iedereen klaar was vroeg sir Anthony Plumb: 'Wel?'
'Op het eerste gezicht heel logisch,' zei sir Hubert Villiers.
'Preston heeft zich in die korte tijd uitstekend geweerd,' meende sir Nigel Irvine.
Harcourt-Smith glimlachte flauwtjes. 'Vanzelfsprekend kan geen van beide heren de schuldige zijn,' zei hij haas-

tig. 'Het ligt veel meer voor de hand om aan een secretaresse of zo te denken. Zo iemand had gemakkelijk alle
tien de documenten kunnen meenemen.'

Brian Harcourt-Smith was gevormd op een kleine en
onaanzienlijke kostschool en ging gebukt onder een forse maar volstrekt overbodige last. Onder het vernisje van
de echte Engelse *gentleman* dat hij zich had eigen gemaakt ging iemand schuil die voortdurend liep te wrok-
ken. Al zijn hele leven ergerde hij zich aan het ogenschijnlijke gemak waarmee de mannen uit zijn omgeving
door het leven gingen. Hij verfoeide het schier eindeloze netwerk van kennissen en vrienden waarvan zij deel
uitmaakten – vriendschappen die dikwijls lang geleden
tot stand waren gekomen op kostscholen, universiteiten
of in de strijdkrachten. Hierdoor beschikten zij over 'relaties' waarvan zij gebruik konden maken wanneer ze
maar wilden. Het was bekend als de 'club van de ouwe
jongens' of de 'magische kring'; en hij verafschuwde
vooral het feit dat hij er zelf geen deel van uitmaakte. 'Er
kómt een dag' zo had hij zichzelf talloze malen voorgehouden – de dag waarop hij de post van directeur-generaal zou bekleden en zichzelf 'sir' mocht laten noemen –
'dat ik de gelijke ben van die kerels. En dan zullen ze naar
me luisteren, écht luisteren.'

Aan het uiteinde van de tafel was sir Nigel Irvine, een man
die zijn ogen en oren goed de kost placht te geven, de blik
in de ogen van Harcourt-Smith niet ontgaan, en hij maakte er zich zorgen over. Die man daar is in staat z'n woede
op te zouten, peinsde hij. Irvine was een tijdgenoot van
sir Bernard Hemmings en ze kenden elkaar al heel lang.
Hij dacht aan Hemmings opvolging, komende herfst. En
hij vroeg zich af waartoe de woede in Harcourt-Smiths
binnenste, in combinatie met zijn verborgen ambities,
zou kunnen leiden of misschien al hadden geleid.

'Nou, we hebben gelezen wat meneer Preston voorstelt,'
zei sir Anthony Plumb. 'Onafgebroken surveillance.
Wat doen we. Geven we hem z'n zin?'

De handen gingen omhoog.

Iedere vrijdag vindt bij MI-5 een bijeenkomst plaats die de 'veiling' wordt genoemd. De directeur van afdeling K hanteert de voorzittershamer, als hoofd van de grootste afdeling van MI-5, waarbij ook de liaison-officier met MI-6 zijn kantoor heeft. Tijdens de 'veiling' kunnen de andere afdelingsdirecteuren verzoeken indienen voor wat zij menen nodig te hebben: financiële middelen, technische hand- en spandiensten, of 'schaduwen' voor het nagaan van de handel en wandel van hun favoriete verdachten. De grootste druk wordt altijd uitgeoefend op de directeur van afdeling A, onder wie ook de sectie Surveillance – beter bekend als de Schaduwdienst ressorteert. Die week was de vrijdagse vergadering zinloos voor wat de Schaduwdienst betrof: wie die 30e januari vroeg om schaduwen kreeg nul op het request. Want twee dagen eerder had Harcourt-Smith, daartoe gemachtigd door 'Paragon', John Preston alle schaduwen toegewezen waarom hij had gevraagd.

Aangezien een ploeg zes schaduwen telde (vier daarvan vormden de 'doos', en twee zaten gereed in geparkeerde auto's) en hij voor een dag van vierentwintig uur vier ploegen nodig had per verdachte, betekende dit dat er maar liefst achtenveertig schaduwen niet beschikbaar waren voor andere taken. Dit verwekte de nodige verontwaardiging, maar niemand kon er iets tegen ondernemen.

'We hebben twee verdachten,' vertelden de instructeurs in Cork de leden van de acht surveillance-teams: 'Deze hier; en deze. De eerste is getrouwd, maar zijn vrouw zit ergens in de provincie. Ze wonen in een appartement in West End en in de regel gaat hij iedere ochtend te voet naar het ministerie, een afstand van bijna tweeeneenhalve kilometer. De tweede is vrijgezel en woont even buiten Edenbridge in het graafschap Kent. Hij pakt iedere dag de trein naar zijn werk. We beginnen morgen.'

De sectie Technische Ondersteuning ontfermde zich

over het afluisteren van de telefoonnummers en het onderscheppen van de post. Zo kwam het dat zowel sir Richard Peters als de heer George Berenson onder de microscoop werd gelegd.

De eerste schaduwploeg kwam net even te laat om nog te kunnen zien dat er een pakketje werd afgegeven bij Fontenoy House. De geadresseerde nam het uit handen van de conciërge in ontvangst toen hij thuiskwam van zijn werk. Het pakje bevatte een nauwkeurige replica van de suite (uiteraard met zirkonen in plaats van diamanten), zodat de 'Glen-diamanten' de volgende dag bij Coutts Bank in de kluis konden worden gedeponeerd.

6

Vrijdag de dertiende wordt geacht een dag te zijn die on-
heil brengt, maar voor John Preston was het tegendeel
waar. Die dag bracht hem het eerste gelukje bij het ar-
beidsintensieve schaduwen van de beide topambtenaren.
Al zestien dagen waren ze dag en nacht in het oog gehouden, zonder enig resultaat. Beide mannen hielden
trouw vast aan hun gewoonten en ze waren geen van beiden schaduwbewust: wat zoveel wil zeggen dat zij er niet
op bedacht waren dat hun gangen konden worden nage-
gaan – zodat ze de taak van hun schaduwen gemakkelijk
maakten. Maar ook stomvervelend.

De Londenaar kwam iedere dag op hetzelfde tijdstip tevoorschijn uit zijn appartement in Belgravia, wandelde
naar Hyde Park Corner, sloeg af naar Constitution Hill
en stak het St. James' Park over. Bij Horse Guards Para-
de aangekomen stak hij achtereenvolgens dat plein en
Whitehall over en liep regelrecht het ministerie binnen.
Nu eens lunchte hij binnen, dan weer buiten. De meeste
avonden bracht hij thuis door, óf in zijn club.

De forens woonde moederziel alleen in een schilderach-
tig huisje buiten Edenbridge. Hij nam iedere dag dezelfde trein naar Londen, legde de afstand tussen Charing
Cross Station en het ministerie te voet af en verdween
naar binnen. De schaduwen 'brachten hem iedere avond
thuis' en bleven daar in de nachtelijke kou op hun post
totdat ze bij het krieken van de dag door de eerste dagploeg werden afgelost. Geen van beide verdachten dééd
iets verdachts. Ook het afluisteren van hun telefoons en
het onderscheppen van hun post leverde niets bijzonders
op: de gebruikelijke rekeningen, persoonlijke brieven,

banale telefoongesprekken en een bescheiden, respectabele manier van leven. Tot die dertiende februari.

Als leider en coördinator van het speurwerk bevond
John Preston zich in de radioverbindingenkamer in de
kelderverdieping van Cork Street, toen er een melding
binnenkwam van de B-ploeg, belast met het schaduwen
van sir Richard Peters: 'Joe houdt een taxi aan. We zitten
achter hem, met beide auto's.'

In het jargon van de Schaduwdienst wordt de verdachte
altijd aangeduid als 'Joe', 'Chummy' ('Maatje') of 'onze
vriend'. Toen de dienst van de B-ploeg erop zat had
Preston een onderhoud met de ploegleider, Harry Burkinshaw. Harry was een kleine, corpulente man van middelbare leeftijd, in zijn vak een doorgewinterde veteraan
die uren achtereen kon opgaan in de achtergrond van
een Londense straat, maar met opmerkelijke snelheid in
actie kon komen als zijn 'target' een poging nam hem
van zich af te schudden.

Hij droeg een geruit wollen jasje en een slappe vormeloze hoed, liep altijd rond met een regenjas over zijn arm
en had een fototoestel om zijn nek hangen, zodat hij in
niets verschilde van de doorsnee Amerikaanse toerist.
Maar zoals bij iedere schaduw waren hoed, jasje en regenjas van soepele stof vervaardigd en konden ze bin-
nenstebuiten worden gekeerd, wat zes verschillende
combinaties opleverde. Iedere schaduw koestert zijn 'attributen' en besteedt de grootst mogelijke zorg aan het
spelen van de verschillende rollen die hij binnen luttele
seconden kon aannemen.

'Nou, vertel eens, Harry. Hoe is 't gegaan?' vroeg Preston.

'Hij kwam op het gebruikelijke tijdstip uit het gebouw
van het ministerie. We pikten hem meteen op en zorgden ervoor dat hij netjes in het midden van de doos terecht kwam. Maar in plaats van zijn vaste route te nemen
liep hij helemaal naar Trafalgar Square en hield daar een
taxi aan, net op het moment dat onze dienst zou aflopen.

We hebben onze collega's van de aflosploeg gewaarschuwd dat ze moesten wachten en zijn zelf achter die taxi aangegaan. Hij stapte uit voor de deur van Panzer's Delicatessen aan Bayswater Road en liep Clanricarde Gardens in. Halverwege schoot hij een voortuin in en liep de trap af naar het souterrain. Een van de jongens kon dicht genoeg in de buurt komen om te kunnen zien dat er onderaan die trap alleen maar een deur was – de toegang tot een souterrain-appartement. Daar was hij in verdwenen. Op dat moment moest mijn mannetje zich terugtrekken, omdat "maatje" alweer naar buiten kwam en de trap op liep. Hij ging terug naar Bayswater Road, nam een andere taxi en reed terug naar West End. Daarna ging hij weer z'n gewone dagelijkse gang.'

'Hoe lang is hij in dat souterrain gebleven?'

'Dertig, veertig seconden misschien,' zei Burkinshaw. 'Ofwel er werd verdomd vlug voor hem opengedaan, óf hij beschikte over een eigen sleutel. Er was achter de ramen geen licht te ontdekken. Hij leek alsof hij er even langs ging om post op te halen, of te zien of er soms post voor hem klaarlag.

'Wat is het voor een huis?'

'Haveloos en verwaarloosd – en daar onderaan die trap was het ronduit smerig. Maar u kunt het morgenochtend allemaal in het journaal lezen. Vindt u 't erg als ik nu naar huis ga? Ik kan haast niet meer op m'n benen staan.'

Die hele avond bleef Preston over dit merkwaardige incident piekeren. Waarom in hemelsnaam bracht iemand als sir Richard Peters bezoekjes aan een smerig souterrain in de buurt van Bayswater Road? En dat voor nauwelijks een halve minuut? Niet om iemand daar te spreken, daar was de tijd te kort voor geweest. Inderdaad om post te halen? Of om post achter te laten? Hij gaf opdracht ook het betreffende pand in het oog te houden en binnen een uur was er een man met fototoestel ter plaatse.

Een weekeinde is een weekeinde. Natuurlijk had Preston ook op zaterdag of zondag de politie kunnen vragen het souterrain-appartement te doorzoeken, maar dat zou opzien hebben gebaard. Terwijl sir Richard Peters beslist niet mocht merken dat hij werd geschaduwd, noch zijn eventuele opdrachtgevers.

Preston besloot om tot maandag te wachten.

De Albion-commissie had prof. Krilov als haar voorzitter en woordvoerder aangewezen, en hij was dan ook de man die majoor Pavlov waarschuwde dat de commissie zover was dat zij aan de secretaris-generaal verslag wilde uitbrengen van haar overwegingen. Dat telefoontje vond plaats op zaterdagochtend. Binnen enkele uren hadden de vier leden van de commissie afzonderlijk opdracht gekregen zich te melden bij de *datsja* in Oesovo waar de kameraad secretaris-generaal zijn weekeinden placht door te brengen.

De andere drie waren in hun eigen auto's gekomen, maar Philby werd er door majoor Pavlov persoonlijk heen gereden, zodat hij geen gebruik hoefde te maken van de diensten van Gregoriev, de chauffeur van de KGB die al meer dan twee weken zijn auto voor hem had bestuurd.

Ten westen van Moskou, dicht bij de oever van de rivier de Moskwa en bereikbaar via de Oespenskoje-brug, ligt een complex van kunstmatige dorpskernen, waaromheen de 'weekend-huisjes' van de aanzienlijken en machtigen uit de Sovjet-Russische samenleving zijn gegroepeerd. Maar zelfs hier was sprake van een starre hiërarchie. Rond Peredelkino lagen de *datsja's* van belangrijke kunstenaars, academici en hoge militairen; rond Zhoekovka die van de leden van het Centraalcomité en andere hoge politieke functionarissen, vlak onder het Politbureau; maar de leden van dit laatstgenoemde orgaan, de mannen aan de hoogste politieke top, hebben hun *datsja's* rondom de meest exclusieve 'dorpskern': Oesovo.

Oorspronkelijk was de Russische *datsja* een zomerverblijf buiten de stad; maar *deze* verdienen vaak de naam van luxe-villa – landhuizen die omgeven zijn door tientallen hectaren aan berken- en dennenbossen. En op zo'n grondgebied wordt vierentwintig uur per dag gepatrouilleerd door groepjes lijfwachten van het Negende Directoraat, teneinde de privacy en veiligheid van de *wlasti* te verzekeren. Zoals Philby wist had ieder lid van het Politbureau, na eenmaal tot die hoge waardigheid te zijn opgeklommen, recht op vier residenties. Om te beginnen het gezinsappartement aan de Koetoezovski Prospekt, een woning die de familie voorgoed ter beschikking zal blijven staan, tenzij de potentaat uit de gratie mocht raken. Verder is er de officiële ambtsvilla in de Lenin-heuvels, voorzien van alle gemakken en voldoende personeel, volgestopt met electronische afluisterapparatuur en vrijwel nooit in gebruik, behalve om er buitenlandse hoogwaardigheidsbekleders in onder te brengen. Dan komt de *datsja* in de bossen ten westen van Moskou, een onderkomen dat de zojuist tot lid van het Politbureau gepromoveerde functionaris naar eigen inzichten en smaak mag laten bouwen. En tenslotte is er de zomerresidentie, dikwijls in de Krim aan de Zwarte Zee. De secretaris-generaal had zijn zomerresidentie echter al lang geleden laten bouwen in Kislovodsk, een kuuroord met minerale bronnen in de Kaukasus voor mensen met ingewandsaandoeningen.

Philby had de *datsja* van de secretaris-generaal in Oesovo nog nooit gezien. Toen de Tsjaika er in de avondlijke vrieskou arriveerde zag hij dat het een langwerpige, lage bungalow was, opgetrokken uit uitgehakte steenblokken en afgedekt met lei. Het geheel ademde dezelfde nuchtere eenvoud als het meubilair in het appartement aan de Koetoezovski Prospekt. Binnen was het erg warm, en de secretaris-generaal ontving hen in een ruime zitkamer, waar een knetterend houtvuur een extra bijdrage leverde aan de smorende hitte. Na het minimum aan beleefdheden beduidde de secretaris-generaal prof. Krilov dat hij hem deelgenoot kon maken van de gedachten van de Albion-commisie.

'Het zal u duidelijk zijn, kameraad secretaris-generaal, dat wij hebben gezocht naar een middel om een deel van het Britse electoraat – niet minder dan tien procent van de stemgerechtigden – over te halen tot twee uitgangspunten van kardinaal belang: a) een aanzienlijke vermindering van het vertrouwen van de kiezer in de zittende Conservatieve regering; en b) het aanwakkeren van de overtuiging dat de verkiezing van een Labour-regering de beste garanties biedt voor veiligheid en tegemoetkoming aan de wensen van de kiezer.

Om het zoeken naar een dusdanig middel te vereenvoudigen hebben we onszelf afgevraagd of er misschien één enkele kwestie was die de hele verkiezingen kon beheersen, of waaraan zoveel gewicht kon worden gegeven dat dit zou gaan gebeuren. Na ampele overwegingen zijn we het er over eens geworden dat geen enkel economisch thema – vermindering van de werkgelegenheid, fabriekssluitingen, toenemende industriële automatisering of zelfs inkrimping van het ambtenarenapparaat – belangrijk genoeg was om tot allesbeheersende inzet van de verkiezingen te worden gemaakt. Wij geloven dat er slechts één aangelegenheid is die zich daartoe zou lenen. Wij denken aan de allerbelangrijkste politieke kwestie van niet-economische aard die momenteel de gemoederen in Groot-Brittannië en alle overige Westeuropese landen verhit: de terugdringing, respectievelijk afschaffing van kernwapens. Dit is een thema dat in de westerse wereld ontzaglijk belangrijk is geworden, iets waarvoor miljoenen de straat op willen gaan. In essentie komt deze betrokkenheid voort uit de angst die onder massa's leeft. En wij zijn van mening dat op deze kwestie alle nadruk moet worden gelegd, zodat wij er ten volle profijt van kunnen trekken.

'En hoe luiden uw voorstellen daartoe precies?' vroeg de secretaris-generaal minzaam.

'U bent, kameraad secretaris-generaal, op de hoogte van onze inspanningen in die richting. Er zijn geen miljoenen, maar miljarden roebels besteed aan het aanmoedigen van de verschillende stromingen in de kapitalistische samenleving die gekant zijn tegen de kernbewapening: groeperingen die niet moe worden het kiezersvolk in West-Europa en Amerika te verzekeren dat unilaterale afschaffing van kernwapens de beste kans op het verzekeren van de wereldvrede is. Onze verborgen inspanningen zijn gigantisch geweest en hebben enorm veel vrucht afgeworpen, maar dat betekent nog niets in vergelijking met dat wat naar onze mening nu moet worden nagestreefd. De Britse Labour Party is de enige, van de grote vier die aan de eerstvolgende algemene verkiezingen zullen deelnemen, die zich heeft uitgesproken voor eenzijdige nucleaire ontwapening. Naar onze inzichten dienen we nu alle registers open te trekken en met gebruikmaking van alle mogelijke middelen – geld, misleidende informatie en grootscheepse propaganda – te gaan werken aan de taak om die wankelmoedige tien procent van de Britse stemgerechtigden ervan te overtuigen dat Labour stemmen gelijk staat aan stemmen voor wereldvrede.'

Terwijl ze wachtten op de reactie van de secretaris-generaal was de stilte bijna tastbaar. Eindelijk zei hij: 'Onze inspanningen van de afgelopen acht jaar waarop u doelde, hebben die resultaat opgeleverd, meent u?'

Prof. Krilov zag er op slag uit alsof hij getroffen was door een antiraket-raket. Philby was beter afgestemd op de golflengte van de Sovjet-leider en schudde het hoofd. Toen de secretaris-generaal notitie had genomen van zijn reactie, hernam hij: 'Acht jaar lang hebben we ons nu kolossale inspanningen getroost om het vertrouwen dat de Westeuropese kiezers met betrekking tot deze kwestie in hun regeringen stellen te ondergraven. Momenteel, dat is waar, zijn alle groeperingen die pleiten voor eenzijdige ontwapening zo links georiënteerd dat onze vrienden ze op een of andere manier onder hun invloed hebben kunnen brengen, zodat ze onze belangen bevorderen. Onze campagne heeft dus een rijke oogst opgeleverd, in de vorm van politieke invloed en mensen die met ons sympathiseren. *Maar...*' Plotseling liet de secretaris-generaal beide handpalmen dreunend neerkomen op de armleuningen van zijn rolstoel. Dat heftige gebaar van een man die normaal gesproken zo ijskoud en onbewogen placht te blijven bezorgde zijn vier toehoorders een hevige schok. '... *er is nog niets veranderd!*' bulderde hij. Meteen daarna klonk zijn stem weer effen en bedaard. 'Vijf, nee, zelfs nog vier jaar geleden verzekerden al onze deskundigen van het Centraalcomité, de universiteiten en de KGB, deskundigen die deel uitmaken van de speciale studiegroepen met een analyserende functie, ons – ik heb 't nu over de leden van het Politbureau – dat de westerse groeperingen die voor eenzijdige ontwapening zijn zo krachtig waren dat zij het opstellen van de Cruise-missiles en Pershings konden verhinderen. Wij hebben dat geloofd. Men heeft ons echter misleid. Daarom hebben wij in Genève onze poot stijf gehouden, overtuigd als we waren door onze eigen propaganda, dat, als we het maar lang genoeg volhielden, de Westeuropese regeringen wel door de knieën zouden gaan voor de grootscheepse antikernbombetogingen die wij achter de schermen steunden: zij zouden ervan afzien om de Pershing-raketten en kruisraketten te plaatsen. Maar wat gebeurde er? Die dingen werden desondanks opgesteld en wij zagen ons genoodzaakt de besprekingen in Genève te verlaten.'

Philby knikte en deed zijn best er bescheiden uit te blijven zien. Destijds, in 1983, had hij zijn nek ver uitgestoken door een rapport te schrijven waarin hij had gesuggereerd dat de *peacenik*-beweging in de westerse samenleving niet bij machte zou zijn haar stempel op een belangrijke verkiezingscampagne te drukken of een regering van gedachten te doen veranderen, in weerwil van alle luidruchtige vredesdemonstraties door miljoenen mensen. Hij had gelijk gekregen. Hij vermoedde dat de dingen een keer begonnen te nemen die strookte met zijn bedoelingen.

'Het was *niet* afdoende, kameraden, het was nog steeds niet afdoende,' zei de secretaris-generaal. 'En nu komt u me weer met hetzelfde recept aan boord. Kameraad-kolonel Philby, wat zeggen de laatste Britse opiniepeilingen over dit thema?'

'Niet veel gunstigs, vrees ik,' zei Philby. 'Volgens de nieuwste gegevens zou momenteel twintig procent van de Britse kiezers voorstander zijn van eenzijdige nucleaire ontwapening. Maar zelfs dat is nog verwarrend. Het percentage voorstanders is onder de traditionele Labour-kiezers, behorend tot de arbeidersklasse, nog lager. Het is een verontrustend feit, kameraad secretaris-generaal, dat de Britse arbeidersklasse tot de meest behoudende ter wereld behoort. Uit de opiniepeilingen blijkt ook dat zij tot de meest vaderlandslievende behoort: de traditie weegt zwaar. Tijdens de Falklands-oorlog hebben zelfs de meest onverzoenlijke vakbondsleiders de regels gelaten voor wat ze waren en werd er in de havens vierentwintig uur per dag gewerkt om de oorlogsschepen gevechtsklaar te maken.

Daarom ben ik bang dat wij, als we bereid zijn die harde realiteit onder ogen te zien, zullen moeten toegeven dat de Britse arbeider steevast geweigerd heeft om in te zien dat zijn belangen bij ons in de allerbeste handen zouden zijn, of dat hij op z'n minst gebaat is bij een verzwakking van de verdediging van Groot-Brittannië. En er is geen enkele reden om te denken dat hij nu opeens wel van gedachten zal veranderen.'

'De harde realiteit, dat is precies wat ik deze commissie heb gevraagd onder ogen te zien,' zei de secretaris-generaal. Hij dacht een poosje na, en zei toen:

'Ga heen, kameraden. Overleg opnieuw met elkaar. En breng me dan een plan, een actieve maatregel, die ons in staat zal stellen om die massale angst waarover u het had uit te buiten als nooit tevoren: iets dat zelfs de nuchterste en meest praktische man en vrouw ertoe zal brengen om te stemmen voor het verwijderen van ieder kernwapen op Brits grondgebied, en daarmee voor Labour.'

Toen ze vertrokken waren stond de oude Rus moeizaam op uit zijn rolstoel en wandelde met behulp van een stok langzaam naar het raam. Peinzend staarde hij naar de berken, waarvan de takken doorbogen onder het gewicht van de bevroren sneeuw. Toen hij de macht in handen had genomen, terwijl zijn voorganger nog niet eens was bijgezet, had hij zichzelf voorgenomen om in de tijd die hem nog restte vijf taken te volbrengen. Hij wilde de geschiedenis ingaan als de man die de voedselproduktie had opgevoerd en de voedseldistributie had verbeterd; die het aantal en de kwaliteit van verbruiksgoederen had verdubbeld door middel van een grondige reorganisatie van een chronisch inefficiënte industrie; die de partijdiscipline op alle niveaus had versterkt; die de plaag der corruptie, knagend aan de vitale organen van het land, had uitgeroeid; en die zijn land de uiteindelijke suprematie had bezorgd over z'n vele vijanden. Vier jaar nadat hij aan de macht was gekomen wist hij dat hij op alle punten had gefaald.

Hij was nu een oude, zieke man en wist dat de tijd hem door de vingers glipte. Hij was er altijd prat op gegaan een pragmatisch denker te zijn, een realist binnen het kader van de strikt-orthodoxe marxistische leer. Maar zelfs pragmatische denkers koesteren zo hun dromen; en ook oude, zieke mannen hebben hun ijdelheden. Die van hem waren eenvoudig genoeg: hij verlangde slechts één gigantische triomf, één groots monument voor hém en hem alleen. Hoe hevig hij ernaar verlangde, die bitterkoude winternacht, wist alleen hijzelf.

Die zondag maakte Preston een wandeling langs het huis in Clanricarde Gardens, een zijstraat van Bayswater

Road die zich voortzette in noordelijke richting. Burkinshaw had gelijk gehad: het was een van die Victoriaanse, vijf verdiepingen tellende woningen van een gegoede burgerman die nu ernstig waren verwaarloosd; een huis van het soort dat tegenwoordig is opgedeeld in gemeubileerde zitslaapkamers die tegen stevige prijzen worden verhuurd. De kleine voortuin was overwoekerd door onkruid en een trapje van vijf treden leidde naar de voordeur, waarvan de verf afbladderde. Een tweede trap leidde naar een klein plaatsje voor de deur van het souterrain, waarvan de bovenkant nog juist vanaf de straat zichtbaar was. Opnieuw vroeg Preston zich af waarom een topambtenaar van een ministerie, een man die nota bene geridderd was, een bezoek zou brengen aan zo'n haveloos pand. Ergens, zo wist hij, zou zich de schaduw bevinden die het huis in het oog moest houden, vermoedelijk in een geparkeerde auto en met een fototoestel met afstandslens bij de hand. Hij deed geen enkele poging de man te lokaliseren, maar wist dat hij zelf gezien moest zijn. ('s Maandags zag hij zichzelf in het surveillancerapport omschreven als 'een onopvallende figuur die om 11.21 uur langs het huis was gelopen en enige belangstelling voor het pand had getoond.' Niets te danken, dacht hij bij zichzelf.) 's Maandagsmorgens bracht hij ook een bezoek aan het plaatselijke stadhuis en bestudeerde de lijst van belastingplichtingen in de bewuste straat. Voor het adres stond slechts één hoofd van een huisgezin vermeld, een zekere Michael Z. Mifsud. Preston was dankbaar voor de Z: veel van die naam konden er niet rondlopen. Na een verzoek daartoe via de portofoon begaf de dienstdoende schaduw in Clanricarde Gardens zich onopvallend naar de overkant van de weg om een blik te slaan op de namen bij de belknopjes. M. Mifsud bleek op de begane grond te wonen. Kennelijk de eigenaar-hoofdbewoner, dacht Preston; de rest van het huis zal-ie wel gemeubileerd verhuren, want mensen die ongemeubileerd huren betalen zelf onroerendgoedbelasting.

Later die ochtend liet hij de naam Michael Z. Mifsud in-toetsen op de terminal van de computer van Immigratie in Croydon. Zoals zijn naam al deed vermoeden was hij afkomstig van Malta; en hij bleek al dertig jaar in Enge-land te wonen. Er was niets definitiefs bekend, maar vijf-tien jaar geleden was er een vraagteken achter zijn naam gezet. Geen follow-up; geen toelichting. De computer van het archief van de Criminele Recherche bij Scotland Yard gaf een verklaring voor het vraagteken: het had een haar gescheeld of de man was uitgewezen, maar in plaats daarvan had hij twee jaar in de bak gezeten wegens een vergrijp tegen de goede zeden. Na de lunch vertrok Preston naar Charles Street om een bezoek te brengen aan Armstrong van Financiën.

'Kan ik morgen doorgaan voor een inspecteur van de Fiscale Opsporingsdienst?' vroeg hij.

Armstrong zuchtte. 'Ik zal proberen het voor je in orde te maken,' zei hij. 'Bel me aan het eind van de middag nog even.'

Vervolgens liep hij naar het kantoor van de Juridisch Ad-viseur. 'Zou je bij Bijzondere Zaken van Scotland Yard een huiszoekingsbevel voor dit adres voor me kunnen organiseren? Daarnaast zou ik graag een brigadier van politie beschikbaar willen hebben, met het oog op een eventuele arrestatie.' (De Britse Inlichtingendienst mi-5 is niet bevoegd tot het verrichten van arrestaties: uitslui-tend een politiefunctionaris mag iemand arresteren, be-halve in noodgevallen, waarbij het tot een 'civiele' arres-tatie kan komen. Als mi-5 iemand wilde inrekenen was de afdeling Bijzondere Zaken van Scotland Yard in de re-gel tot medewerking bereid.)

'Je was toch niet van plan er te gaan inbreken, wel?' vroeg de jurist achterdochtig.

'In geen geval,' zei Preston. 'Ik wacht totdat de bewoner van dit appartement komt opdagen en ga dan pas over tot huiszoeking. Misschien zal het nodig zijn de man te arresteren; het hangt er maar vanaf of die huiszoeking iets oplevert. Daar heb ik dan de brigadier bij nodig.'

'Goed dan,' verzuchtte de Juridisch Adviseur. 'Ik zal me in verbinding stellen met onze tamme magistraat. Ga er maar van uit dat je ze allebei morgenochtend hebt.'

Kort voor vijven kon Preston langskomen bij Financiën om het legitimatiebewijs van een inspecteur van de Fiscale Opsporingsdienst waarom hij had gevraagd op te halen. Armstrong overhandigde hem nog een tweede kaartje. Er stond een telefoonnummer op. 'Als er moeilijkheden ontstaan vraag je de verdachte maar dit nummer te draaien. Het is van de FO in Willesden Green. Hij kan vragen naar een zekere meneer Charnley; die zal voor je instaan. Je naam is Brent, tussen haakjes.'

'Dat zie ik,' zei Preston.

Michael Z. Mifsud bleek, toen hij de volgende ochtend opendeed, geen vriendelijk heerschap te zijn. Hij was ongeschoren, droeg geen overhemd en bleek nauwelijks bereid tot medewerking. Uiteindelijk liet hij Preston echter toch binnen en ging hem voor naar zijn groezelige huiskamer.

'Wat komt u me nou vertellen?' protesteerde Misfud. 'Over welk inkomen heeft u het? Ik geef alles op dat ik verdien!'

'Meneer Mifsud, ik verzeker u dat dit een routine-steekproef is. Een van de vele dic wc jaarlijks verrichten. Als u alle huurpenningen die u binnenkrijgt hebt opgegeven, hebt u niets te verbergen.'

'Ik héb helemaal niks te verbergen. Neemt u de zaak maar op met mijn accountant,' zei Mifsud weerbarstig.

'Als u er op staat kan ik dat zeker doen,' zei Preston. 'Maar ik verzeker u dat het inschakelen van uw accountant u wel eens een fikse bom duiten zou kunnen kosten. Ik zal open kaart met u spelen: als de huurbedragen kloppen zal ik eenvoudig de zaak voor gezien houden en een steekproef gaan nemen bij iemand anders. Maar als een van deze appartementen wordt gebruikt voor onzedelijke doeleinden, wat God verhoede, komen de kaarten anders te liggen. Ik heb uitsluitend belangstelling voor de inkomstenbelasting die u verschuldigd bent. Maar ik ben verplicht eventuele andere bevindingen aan de politie te melden. U weet hopelijk wat het begrip 'gelegenheid geven' inhoudt?'

'Hoe bedoelt u?' protesteerde Mifsud. 'Er wórdt hier geen gelegenheid gegeven! Ik heb alleen maar fatsoenlijke huurders. Zij betalen mij huur; ik betaal netjes belasting. Tot over de laatste cent!'

Maar hij was niettemin een tikje bleker geworden en hij haalde nijdig zijn map met huurnota's voor de dag. Preston deed alsof hij voor iedere nota belangstelling had. Hij constateerde dat het souterrain voor veertig pond per week aan een zekere meneer Dickie was verhuurd. Het kostte hem een uur om alle bijzonderheden los te peuteren. Mifsud had de huurder van het souterrain nog nooit in levenden lijve gezien: bij legde met de regelmaat van de klok een enveloppe met de verschuldigde huur klaar. Mifsud beschikte echter wel over een getikte brief waarin de huurovereenkomst werd bevestigd. Die brief was ondertekend door meneer Dickie. Toen hij wegging nam Preston die brief mee, ondanks Mifsuds bezwaren. Nog voor lunchtijd had hij hem afgeleverd bij de grafologen van Scotland Yard, samen met kopieën van het handschrift van sir Richards Peters en diens handtekening. Omstreeks vijf uur belde Scotland Yard hem terug: het handschrift was afkomstig van een en dezelfde persoon, alleen had hij geprobeerd het te verdraaien.

Dus onze vriend Peters houdt er een eigen *pied-à-terre* op na, dacht Preston. Ten behoeve van vertrouwelijke afspraakjes met zijn contactman? Hoogst waarschijnlijk wel. Preston vaardigde de nodige instructies uit: als Peters opnieuw koers mocht zetten naar dat souterrain moest hij, Preston, onmiddellijk worden gewaarschuwd, onverschillig waar hij zich bevond. De bewaking van het pand moest worden voortgezet, voor het geval er iemand anders zou komen opdagen.

De woensdag kroop tergend langzaam voorbij, gevolgd door de donderdag. Maar toen hij die dag het ministerie verliet hield sir Richard Peters opnieuw een taxi aan en zette koers naar Bayswater Road. Zijn schaduwen waarschuwden Preston, die zich op dat moment in de bar in de kelderverdieping van het gebouw in Gordon Street bevond. Daarvandaan belde hij meteen Scotland Yard en liet de aan hem toegewezen hoofdagent van Bijzondere Zaken uit de kantine halen. Hij kreeg de man aan de telefoon en noemde hem het adres.

'Kom zo snel mogelijk naar me toe, maar zonder ophef,' zei hij. 'Ik sta aan de overkant van het huis op je te wachten.' Gedrieën kwamen ze daar bijeen. Preston had zijn taxi tweehonderd meter voor de bewuste zijstraat verlaten en weggestuurd; de hoofdagent was gekomen in een civiele dienstauto en had de agent die de auto bestuurde opdracht gegeven óm de hoek te parkeren, zonder licht aan. Hoofdagent Lander bleek nog tamelijk jong en onervaren te zijn: het was zijn eerste 'klus' met mensen van MI-5 en hij leek nog al onder de indruk te zijn. Harry Burkinshaw doemde plotseling en geruisloos uit het duister op.

'Hoe lang is hij al binnen, Harry?'

'Exact vijfenvijftig minuten,' zei Burkinshaw.

'Nog andere bezoekers?'

'Niemand.'

Preston haalde zijn huiszoekingsbevel voor de dag en liet het aan Lander zien. 'Mooi, dan kunnen we er nu op af,' zei hij.

'Is er kans dat hij geweld zal gebruiken?' vroeg Lander.

'Och, laten we voor hem hopen van niet,' zei Preston. 'Het is een ambtenaar van middelbare leeftijd. De man zou zich kunnen bezeren.'

Ze staken de straat over en liepen stil de voortuin in. Achter de gordijnen van het souterrain brandde gedempt licht. Ze daalden geruisloos de trap af en Preston drukte op de bel. Ze hoorden binnen voetstappen en de

144

deur ging open. De gestalte die omlijst werd door het lichtschijnsel was die van een vrouw. Bij het zien van de twee mannen verdween de verwelkomende glimlach rond haar zwaar aangezette lippen als sneeuw voor de zon. Ze probeerde de deur dicht te duwen, maar Lander drukte hem open, drong haar opzij en rende naar binnen.

Piepjong was ze niet meer, maar ze had haar best gedaan. Haar golvende zwarte haar hing tot op haar schouders en omkranste een zwaar opgemaakt gezicht. Ze had overvloedig gebruik gemaakt van mascara en oogschaduw, rouge en een felle kleur lippenstift. Voor ze kans had gezien haar housedress dicht te ritsen had Preston een glimp opgevangen van zwarte kousen en een vuurrood jarretelgordeltje. Hij leidde haar bij de elleboog naar de zitkamer en liet haar daar plaatsnemen. Zwijgend zaten ze te wachten – zij starend naar de grond – terwijl Lander het appartement doorzocht. Hij wist dat verdachten zich soms in kasten of onder een bed verstopten en deed zijn werk grondig. Na een minuut of tien kwam hij licht blozend uit de achterkamer.

'Geen spoor van 'm te bekennen. Hij zal de achterdeur hebben genomen en moet over de tuinhekken zijn geklommen om de straat te kunnen bereiken.'

Juist op dat moment werd er bij de voordeur aangebeld.

'Iemand van u?' vroeg Lander aan Preston. Die schudde het hoofd. 'Nee, niet als er maar één keer wordt gebeld.'

Lander ging opendoen. Preston hoorde een harde vloek, gevolgd door het geluid van rennende voetstappen. Later bleek dat de man die aanbelde had geprobeerd te vluchten bij het zien van een geüniformeerde politieman. Burkinshaws mensen hadden zich bovenaan de trap samengetrokken en de man vastgehouden totdat Lander boven was en hem de handboeien kon aandoen. Daarna had de man zich koest gehouden en kon hij zonder moeilijkheden naar de wachtende politieauto worden geleid.

Preston bleef bij de vrouw zitten en luisterde naar het wegstervende tumult.

'Het is geen arrestatie,' zei hij kalm. 'Maar ik denk dat we maar naar het hoofdkantoor moesten gaan, vindt u ook niet?'

De vrouw knikte triest. 'Vindt u het goed dat ik me eerst even omkleed?'

'Dat lijkt me een goed idee, sir Richard,' zei Preston.

Een uur later werd een potige, maar overtuigd-homoseksuele vrachtwagenchauffeur bij het politiebureau Paddington Green op vrije voeten gesteld, nadat men hem ernstig had gewezen op de gevaren van het reageren op de anonieme advertenties in contactblaadjes voor volwassenen.

John Preston escorteerde sir Richard Peters naar de provincie, bleef tot middernacht luisteren naar wat hij te zeggen had, reed terug naar Londen en besteedde de rest van de nacht aan het schrijven van zijn rapport. Dit stuk hadden de leden van de Paragon-commissie voor zich liggen toen ze vrijdagsmorgens om elf uur weer bijeen kwamen. Aan alle kanten werd lucht gegeven aan verbijstering en afschuw.

'Goeie genade,' dacht sir Martin Flannery, secretaris van de ministerraad, bij zichzelf. 'Eerst Hayman, toen Trestrail, vervolgens Dunnett en nu dit weer. Kunnen die stakkers dan nooit hun gulp dichthouden?'

De laatste man die klaar was met het doornemen van Prestons rapport keek op. 'Tamelijk schrikbarend, moet ik zeggen,' zei sir Hubert Villiers van Binnenlandse Zaken.

'Waar is hij nu?' vroeg sir Anthony Plumb aan de directeur-generaal van MI-5, die geflankeerd werd door Harcourt-Smith.

'Op een van onze adressen in de provincie,' antwoordde sir Bernard Hemmings. 'Hij heeft al naar het ministerie gebeld, zogenaamd vanuit zijn landhuis in Edenbridge, met het verhaal dat hij gisteren over een bevroren plas is uitgegleden en een bot in z'n enkel heeft gebroken. Hij zei dat hij in het gips zat en een dag of veertien zou wegblijven, op voorschrift van de dokter. Dat verschaft ons voorlopig wat ruimte.'

'Zien we niet één vraag over 't hoofd?' mompelde sir Nigel Irvine, hoofd van mi-6. 'Even afgezien van zijn afwijkende smaak – is hij nu wel of niet onze man? Is *hij* het lek?'

Brian Harcourt-Smith schraapte zijn keel. 'De ondervraging, mijne heren, verkeert nog in het beginstadium,' zei hij. 'Maar het lijkt waarschijnlijk dat hij het inderdaad is. Het lijdt geen twijfel dat hij een belangrijke kandidaat was voor recrutering door middel van chantage.'

'De factor tijd begint van essentieel belang te worden,' bracht sir Patrick Strickland van Buitenlandse Zaken naar voren. De kwestie van het begroten van de aangerichte schade hangt nog altijd boven onze hoofden; en bovendien zal mijn departement moeten bepalen wat wij onze bondgenoten vertellen, en wanneer.'

'We zouden natuurlijk, eh… onze verhoormethode kunnen intensiveren,' opperde Harcourt-Smith. 'Ik geloof dat we dan binnen vierentwintig uur meer zullen weten.'

Er ontstond een onbehaaglijke stilte. Het denkbeeld dat een van hun collega's, wat hij ook mocht hebben uitgehaald, onderhanden zou worden genomen door de 'harde ploeg', was ronduit verontrustend. Sir Martin Flannery had het gevoel alsof zijn maag bezig was zich om te draaien. Hij had een diep wortelende persoonlijke aversie tegen het gebruik van geweld. 'Dat is in dit stadium toch zeker niet onvermijdelijk?' vroeg hij.

Sir Nigel Irvine, die naar het rapport had zitten staren, tilde zijn hoofd op. 'Bernard, deze Preston, de man die het onderzoek leidt – hij lijkt me tamelijk goed te weten wat hij doet.'

'Zonder meer,' beaamde sir Bernard Hemmings.

'Nu zat ik me af te vragen,' vervolgde Nigel Irvine met

bedrieglijke schuchterheid, '... of het, aangezien hij direct na de gebeurtenissen bij Bayswater Road enkele uren in Peters' gezelschap is geweest, misschien nuttig zou kunnen zijn als deze commissie in de gelegenheid werd gesteld te horen wat *hij* te zeggen heeft.'

'Hij heeft vanmorgen bij mij persoonlijk verslag uitgebracht,' kwam Harcourt-Smith haastig tussenbeide. 'Ik ben ervan overtuigd dat ik iedere vraag over de gang van zaken zal kunnen beantwoorden.'

Het hoofd van MI-6 putte zich dadelijk uit in verontschuldigingen. 'M'n beste Brian, daar twijfel ik geen seconde aan,' zei hij. 'Het is alleen dat... nou ja... soms doe je bij het verhoren van een verdachte indrukken op die zich moeilijk laten toevertrouwen aan papier. Ik weet niet wat de commissie ervan vindt, maar we zullen een besluit moeten nemen over wat er nu verder dient te gebeuren. Ik meende alleen dat het wellicht dienstig zou kunnen zijn om het oor te luisteren te leggen bij de enige man die met Peters heeft gesproken.'

Overal aan de tafel werd geknikt. Hemmings stuurde de overduidelijk geïrriteerde Harcourt-Smith naar de telefoon om Preston te laten opdraven. Terwijl de 'hoge mandarijnen' wachtten werd er koffie geserveerd. Dertig minuten later stapte Preston COBRA binnen. De commissieleden namen hem een tikje nieuwsgierig op. Er werd hem een stoel gewezen in het midden van de tafel, recht tegenover zijn directeur-generaal en diens plaatsvervanger. Sir Anthony Plumb legde hem uit met welk dilemma de commissie zich zag geconfronteerd.

'Kunt u ons vertellen hoe Peters zich gedroeg na zijn arrestatie?' vroeg sir Anthony. Preston dacht even na.

'In de auto, toen we onderweg waren naar de provincie, stortte hij in,' zei Preston. 'Tot op dat moment had hij een zekere houding weten te bewaren, hoewel hem dat duidelijk grote moeite kostte. Ik heb hem alleen weggebracht en reed zelf. Hij begon te huilen en luchtte zijn hart.'

'Juist,' zie sir Anthony. 'En wat had hij te zeggen?'

'Hij gaf toe dat hij travestiet is, maar scheen totaal ver-
bijsterd over het feit dat hij van verraad werd verdacht.
Dat bleef hij heftig ontkennen, ook nadat ik hem had
overgelaten aan de hoede van onze mensen daar.'
'Allicht blijft hij ontkennen,' zei Brian Harcourt-Smith.
'Desondanks kan hij de man zijn die we zoeken.'
'Inderdaad,' beaamde Preston.
'Maar welke *indruk* hebt u zelf gekregen, diep in uw binnenste?' mompelde sir Nigel Irvine.
'Heren, ik geloof niet dat hij onze man is.'
'Mogen we vragen waarom?' vroeg sir Anthony.
'Sir Nigel vroeg me naar mijn subjectieve indruk -- en
meer is het dan ook niet,' zei Preston. 'Ik heb al eens
twee keer meegemaakt dat een man zag dat zijn hele wereld rondom hem was ingestort en meende dat hij niet
veel meer over had om voor te leven. Als iemand die in
zo'n stemming verkeert uitpakt is hij geneigd *alles* op te
biechten. De zeldzame enkeling die zichzelf helemaal in
de hand weet te houden, figuren als Philby en Blunt, laten alles over zich heenkomen. Maar dat waren verraders op grond van hun ideologische overtuiging: marxis-
ten in hart en nieren. Als sir Richard Peters via chantage
tot verraad was gedwongen zou hij, zo meen ik, dat of
wel hebben toegegeven toen zijn kaartenhuis ineenstort-
te, óf hij zou op z'n minst niet verbaasd zijn geweest toen
hij hoorde dat hij van verraad werd beschuldigd. En hij
toonde zich totaal overrompeld. Hij kán natuurlijk een
goed acteur zijn, maar ik geloof dat hij op dat moment
niet tot toneelspelen in staat was. En anders heeft hij
zondermeer recht op een Oscar.'
Dat was een langdurige toespraak voor iemand met zo'n
geringe status ten overstaan van de Paragon-commissie,
en een poosje bleef het stil. Harcourt-Smith zat met
priemende ogen in Prestons richting te staren, maar sir
Nigel nam hem belangstellend op. Ambtshalve was hij
op de hoogte van het incident in de Bogside, toen Prestons loopbaan bij de Militaire Inlichtingendienst abrupt

was afgebroken. Ook ving hij de blik van Harcourt-Smith op en vroeg hij zich af waarom de plaatsvervangend directeur-generaal van mi-5 een hekel aan Preston scheen te hebben. Zelf had hij een uiterst gunstige indruk van de man.

'Wat denk jij ervan, Nigel?' vroeg Anthony Plumb.

Irvine knikte. 'Ook ik heb gezien in welke stemming een aan de kaak gestelde verrader komt te verkeren. Ze laten zich helemaal gaan, op zo'n moment. Vassall, Prime – allebei onbekwame slappelingen, die er alles uitgooiden toen het dak boven hun hoofden instortte. Maar als het Peters niet is houden we alleen nog George Berenston over, lijkt me.'

'Er is al een maand voorbijgegaan,' klaagde sir Patrick Strickland. 'We zullen de schuldige nu toch werkelijk op een of andere manier moeten vastnagelen.'

'Het is nog steeds mogelijk dat het een persoonlijke assistent of secretaresse van een van deze twee heren is,' merkte sir Perry Jones op. 'Zo is 't toch, meneer Preston?'

'Volkomen juist, sir,' zei Preston.

'Dan zullen we dus of wel George Berenson van verdenking moeten zuiveren, óf bewijzen dat *hij* onze man is,' zei sir Patrick Strickland met enige verbittering. En zelfs als hij gezuiverd is houden we nog Peters over. En als *die* niet uitpakt zijn we weer terug bij Af.'

'Zou ik misschien een suggestie mogen doen?' vroeg Preston zacht. Er ontstond enige verbazing. Tenslotte was hij niet hierheen gehaald om voorstellen te spuien. Maar sir Anthony Plumb was van nature hoffelijk.

'Doe dat vooral,' zei hij.

'De tien documenten die de onbekende heeft teruggestuurd passen zonder uitzondering in een bepaald patroon,' zei Preston. De heren rondom de tafel knikten.

'Zeven ervan,' vervolgde Preston, 'handelden over de aanwezigheid van navo – en Britse strijdkrachten in de Atlantische Oceaan – op het noordelijk of het zuidelijk halfrond. Blijkbaar heeft onze man – of zijn opdrachtgevers – bij uitstek belangstelling voor dit aspect van de NAVO-planning. Zou het misschien mogelijk zijn een soortgelijk document het bureau van de heer Berenson te laten passeren; een document waarvan de inhoud zo onweerstaanbaar verleidelijk is dat hij, als hij inderdaad de schuldige is, sterk in de verleiding zal komen er een kopie van achterover te drukken en een poging te doen die kopie door te geven?'

Een aantal hoofden aan de tafel knikte bedachtzaam.

'Hem uitroken, bedoel je?' peinsde sir Bernard Hemmings. 'Wat denk jij, Nigel?'

'Het staat me wel aan. Het zou wel eens succes kunnen opleveren. Is 't te doen, Perry?'

Sir Peregrine Jones tuitte zijn lippen. 'Zelfs realistischer dan je zou verwachten,' zei hij. 'Bij mijn bezoek aan Amerika is het denkbeeld geopperd – een idee dat ik nog niet heb aangekaart – dat het op een gegeven dag wel eens nodig zou kunnen zijn om onze faciliteiten voor het innemen van brandstof en victualiën op Ascension Island uit te breiden met faciliteiten voor onze kernonderzeeërs. Onze Amerikaanse vrienden toonden zich zeer geïnteresseerd. Ze lieten zelfs doorschemeren dat zij bereid zouden zijn een deel van de kosten voor hun rekening te nemen, als de faciliteiten ook voor hun schepen werden opengesteld. Het zou onze onderzeeërs de noodzaak besparen om terug te moeten naar Faslane, waar voortdurend die vervelende demonstraties aan de gang zijn, terwijl de *yankees* niet terug hoeven te gaan naar Norfolk in Virginia. Ik veronderstel dat ik wel kans zal zien een uiterst vertrouwelijk en persoonlijk document te laten opstellen waarin dit idee wordt vastgesteld als een definitieve politieke beslissing. Zo'n document kan ter kennis worden gebracht van vier, vijf mensen, onder wie ook Berenson.'

'Zou Berenson onder normale omstandigheden zo'n document ook op zijn bureau krijgen?' vroeg sir Paddy Strickland.

'Beslist,' zei Jones. 'Als plaatsvervangend hoofd Inkoop Defensiematerieel is hij met zijn staf verantwoordelijk voor het nucleair aspect. Hij zou het beslist in moeten zien, samen met drie of vier anderen. Ook zouden er een paar kopieën van moeten worden gemaakt, uitsluitend bestemd voor de naaste medewerkers. Die moeten ze terugbrengen en laten vernietigen. De originelen dienen persoonlijk aan mij te worden teruggebracht.'

De commissie werd het erover eens: het document over Ascension Island zou dinsdagmorgen op het bureau van George Berenson belanden.

Bij het verlaten van het departement nodigde sir Nigel Irvine sir Bernard Hemmings uit samen met hem te gaan lunchen. 'Goeie vent, die Preston,' zei Irvine. 'Z'n aanpak staat me beslist aan. Ben je verzekerd van zijn persoonlijke loyaliteit?'

'Ik zou niet weten waarom niet,' zei sir Bernard verbaasd.

'Aha – dan is dát misschien de verklaring,' dacht 'C' bij zichzelf, terwijl hij raadselachtig bleef zwijgen.

Die zondag, de tweeëntwintigste februari, bracht de Britse Eerste Minister door in haar officiële residentie in de provincie, het landgoed Chequers in het graafschap Buckinghamshire. Onder strikte geheimhouding verzocht zij drie van haar intiemste adviseurs uit de ministerraad en de voorzitter van de Conservative Party om naar haar toe te komen, en zélf te rijden.

Wat zij te zeggen had zette hen allemaal diep aan het denken. In juni van het volgend jaar zou ze haar tweede ambtstermijn van vier jaar hebben volgemaakt. Ze had zich nu voorgenomen om ook voor de derde achtereenvolgende maal een verkiezingsoverwinning te boeken. Volgens de economische statistieken moest er gerekend worden op een recessie in de herfst, wat gepaard zou gaan met een nieuwe golf van looneisen. Er zouden stakingen kunnen uitbreken. Ze wenste onder geen voorwaarde een herhaling van de 'winter van onvrede' van 1978, toen een golf van werkonderbrekingen de geloof-waardigheid van de Labour-regering dusdanig had on-dergraven dat zij in mei 1979 gevallen was.

Daar kwam nog bij dat de alliantie van de Sociaal-Demo-cratische Partij met de Liberalen was blijven steken op twintig procent, volgens de recente opinieonderzoeken, terwijl Labour met het nieuwe vernisje van eenheid en een gematigde opstelling in populariteit was gestegen en op dit moment op zo'n zevenendertig procent zou kun-nen rekenen, slechts zes punten minder dan de Conser-vatieven. En dat verschil werd voortdurend kleiner. Kortom, ze wilde aansturen op nieuwe algemene verkie-zingen in juni, maar dan zonder de schadelijke specula-ties die in 1983 op haar besluit vooruit waren gelopen en dat besluit hadden verhaast. Een plotselinge intentiever-klaring met het karakter van een donderslag bij heldere hemel, gevolgd door een verkiezingscampagne van niet meer dan drie weken – dát was wat ze wilde: niet in 1988, of zelfs de herfst van 1978, maar nog deze zomer. Ze bond haar collega's de noodzaak tot zwijgen op het hart, maar gaf te kennen dat zij een uitgesproken voorkeur had voor de voorlaatste donderdag van juni – de achttiende.

's Maandags had sir Nigel Irvine zijn ontmoeting met Andrejev. Het gebeurde heel onopvallend op het stukje woeste heide binnen de Londense stadsgrenzen dat be-kend is als Hampstead Heath, het hoogste punt van Londen, zo'n 145 meter boven de zeespiegel. Er was een heel scherm van Irvines eigen mensen opgetrokken, mannen die zich over de heide hadden verspreid om er-voor te waken dat Andrejev niet zelf in het oog werd ge-houden door de eigen KR-mannen* van de Sovjet-Russi-sche ambassade. Hij bleek echter 'schoon' te zijn. De ploeg Britse schaduwen die het doen en laten van de

* schaduwen van de Russische contraspionage

153

Sovjet-diplomaat in het oog moest houden was tijdelijk teruggeroepen.

Nigel Irvine benaderde Andrejev als een 'hoofdzaak' – een 'contact' dat door het hoofd van MI-6 zelf werd onderhouden. Dergelijke gevallen zijn zeldzaam, omdat mannen die zo'n hoge post bij de dienst (van welk land dan ook) bekleden in de regel niet zelf een agent controleren. Zoiets kán niettemin voorkomen: op grond van het uitzonderlijke belang van de bewuste agent; of omdat deze door zijn contactman werd aangeworven voordat deze opklom tot de positie van hoofd van zijn dienst, en de bewuste agent weigert met iemand anders contact te onderhouden. Dat laatste was het probleem met Andrejev.

Destijds, in februari 1972, was Nigel Irvine, destijds nog gewoon meneer Irvine, hoofd van de Tokiose 'vestiging' van MI-6 geweest. Die maand hadden de Japanse terroristenbestrijders besloten om het hoofdkwartier van de fanatieke ultralinkse Red Army Faction, dat ontdekt was in een villa op de besneeuwde hellingen van de berg Otakine, 'uit te mesten'. De villa stond in een dorpje dat Asama-so heette. Het eigenlijke werk werd opgeknapt door de Japanse staatspolitie, maar onder bevel van het hoofd van de Eenheid ter Bestrijding van het Terrorisme die als zodanig een grote reputatie had opgebouwd, een zekere Sassa, die bevriend was met Nigel Irvine. Op grond van de grote ervaring die Britse experts hadden opgedaan met het bestrijden van de IRA-terreur, was Irvine in staat geweest Sassa met raad en daad terzijde te staan, met gevolg dat er dank zij zijn suggesties een aantal Japanse levens gespaard bleef. Met het oog op de strikte neutraliteit van zijn land kon Sassa Irvine helaas niet op een tastbare manier bedanken.

Maar tijdens een diplomatieke ontvangst, een maand later, had de briljante en subtiel werkende Japanner onopvallend Irvines aandacht getrokken en hem met een hoofdknikje attent gemaakt op een Russisch diplomaat aan de overkant van de zaal. Waarop hij zich glimlachend had teruggetrokken. Irvine had de Rus benaderd en ontdekte dat hij Andrejev heette en zojuist in Tokio was aangekomen. Hij had de man laten schaduwen en constateerde toen dat de man zo dom was geweest een klandestiene verhouding te beginnen met een Japans meisje, een overtreding die hem onmiddellijk onmogelijk zou maken zodra zijn eigen mensen ervan op de hoogte kwamen. Vanzelfsprekend wisten de Japanners er al van, eenvoudig omdat iedere Sovjet-Russische diplomaat in Tokio steevast onopvallend wordt geschaduwd, iedere keer als hij de ambassade verlaat. Irvine had een valstrik gespannen, de nodige foto's en bandopnamen verzameld en tenslotte Andrejev overrompeld via de 'krakboem-hebbes' methode. De Rus was er bijna in gebleven, in de waan dat hij werd overvallen door zijn eigen mensen. Onder het ophijsen van zijn broek had hij ermee ingestemd met Irvine te praten. Hij bleek een uitstekende vangst. Zo was hij bijvoorbeeld verbonden aan het Illegale Directoraat van de KGB, maar bovendien een Lijn-N-man.

Het Eerste Hoofddirectoraat van de KGB, verantwoordelijk voor alle overzeese activiteiten, is onderverdeeld in 'gewone' Directoraten en Speciale en Gewone Departementen. Normaal gesproken ressorteren KGB-agenten die onder een diplomatieke dekmantel opereren onder een van de 'territoriale' departementen – en het Zevende Departement heeft toevallig Japan als werkterrein. De agenten die onder deze departementen vallen worden PR-lijn-mannen genoemd als zij in het buitenland werken en belast zijn met het vergaren van informatie via het leggen van nuttige contacten, het lezen van technische publicaties, enzovoort.

Maar de meest geheime kern van het Eerste Hoofddirectoraat bestaat uit het Illegale Directoraat, kortweg aangeduid als S-Directoraat; en deze afdeling kent geen territoriale grenzen. De staf van het S-Directoraat is belast met het opleiden en controleren van de 'illegale agenten' – spionnen die geen diplomatieke onschendbaarheid genieten en die ondergronds werken, onder een valse identiteit. Zij worden belast met geheime missies en opereren buiten de ambassade. Dat neemt echter niet weg dat er altijd in iedere KGB-*rezidentoera* (aanwezig in elke Sovjet-Russische ambassade) één lid van het S-Directoraat is te vinden. En als de betreffende ambassade zich op overzees grondgebied bevindt wordt hij aangeduid als een 'Lijn-N-man'. Deze KGB-functionarissen voeren uitsluitend bijzondere opdrachten uit. Vaak controleren zij spionnen die afkomstig zijn uit het betreffende land zelf, of verlenen zij informatieve en technische assistentie aan een agent van het S-directoraat die afkomstig is uit het Sovjet-blok en onder valse identiteit opereert.

Andrejev was zo'n agent van het S-Directoraat. Maar nog vreemder was het feit dat hij geen Japan-deskundige was, zoals al zijn collega's van het Zevende Departement behoorden te zijn. Hij was een talenexpert, met Engels als specialiteit; en de reden voor zijn verblijf in Japan was het onderhouden van het contact met een sergeant-majoor van de Amerikaanse luchtmacht die door 'talentenjagers' in San Diego was ontdekt, maar later naar de gezamenlijke Amerikaans-Japanse luchtmachtbasis Tasjikawa was overgeplaatst. Andrejev, die wist dat hij geen genade zou kunnen vinden in de ogen van zijn eigen superieuren in Moskou, had ermee ingestemd om voortaan voor Irvine te gaan werken. Aan die prettige regeling kwam een einde toen de Amerikaanse sergeant-majoor, niet langer opgewassen tegen de grote druk die op hem werd uitgeoefend, zichzelf op tamelijk slordige manier in een van de toiletten van de luchtmachtbasis met behulp van zijn dienstpistool ontslag uit de dienst verleende, waarna Andrejev met bekwame spoed werd teruggehaald naar Mosou. Irvine had nog overwogen of hij de man meteen zou laten 'aanbranden' maar had daar tenslotte van afgezien.

En toen was hij opeens weer boven water gekomen – in Londen. Een half jaar eerder was een partijtje nieuwe foto's het bureau van sir Nigel Irvine gepasseerd; en hopla, daar was hij weer. Andrejev bleek vanuit het S-Directoraat te zijn overgeplaatst naar de PR-Lijn, zodat hij als Tweede Secretaris bij de Sovjet-Russische ambassade kon worden geaccrediteerd en als zodanig diplomatieke onschendbaarheid genoot. Sir Nigel had de duimschroeven weer aangedraaid. Andrejev had geen andere keus gehad dan meewerken, maar weigerde hardnekkig contact te onderhouden met iemand anders. Dat was de reden waarom sir Nigel zijn geval als een 'hoofdzaak' behandelde.

Met betrekking tot het lek in het Britse ministerie van Defensie had hij weinig te vertellen; hém was over iets dergelijks niets bekend. Als er inderdaad zo'n lek bestond zou de bewuste topambtenaar van het ministerie rechtstreeks gecontroleerd kunnen worden door een illegaal opererende KGB-agent in Groot-Brittannië die zelf rechtstreeks aan Moskou rapporteerde; en anders kon hij worden 'gerund' door een van de drie Lijn-N-mannen in de Sovjet-Russische ambassade. Zulke figuren zouden echter nooit onder het genot van een kop koffie in de kantine over zo'n belangrijke zaak babbelen. Persoonlijk had Andrejev er niets over gehoord, maar hij beloofde dat hij zijn ogen en oren open zou zetten. Op die basis gingen de beide mannen op Hampstead Heath uiteen.

Het *Ascension-Island*-document werd dinsdagmorgen gedistribueerd door sir Peregrine Jones, die de maandag had benut om het eigenhandig op te stellen. Het belandde op de bureaus van vier topambtenaren. Bertie Capstick had toegezegd dat hij iedere avond zou terugkomen op het ministerie om te controleren of er soms illegale fotokopieën van het document waren gemaakt. Preston had zijn schaduwen gezegd dat hij ogenblikkelijk van iedere handeling van Berenson op de hoogte gebracht wenste te worden, al krabde de man zich alleen maar achter het oor. De mensen die zijn post moesten onderscheppen kregen soortgelijke instructies, en de leden van de ploeg die zijn telefoon moest afluisteren werden aangespoord tot de hoogste graad van waakzaamheid. Opnieuw begon het wachten.

7

Die eerste dag gebeurde er niets. Die avond gingen brigade-generaal b.d. Capstick en Preston het ministerie
van Defensie binnen, toen het personeel van dit departement op één oor lag. Samen controleerden ze het aantal
kopieën. In totaal waren er zeven gemaakt. Drie ervan
op verzoek van George Berenson; de overige vier op verzoek van twee andere topambtenaren, die er ieder twee
hadden laten maken. De resterende 'mandarijn' had
geen enkele kopie laten maken. Op de avond van de
tweede dag deed Berenson iets merkwaardigs. Zijn schaduwen meldden dat hij midden op de avond zijn appartement in Belgravia verliet en naar een telefooncel wandelde in de naaste omgeving. Ze konden het nummer dat
hij draaide niet zien, maar zagen wel dat hij slechts enkele woorden sprak, de hoorn op de haak hing en naar huis
kuierde. Waarom, zo vroeg Preston zich af, zou iemand
zoiets doen terwijl hij een uitstekend functionerende telefoon – daar kon Preston een eed op doen, aangezien hij
het nummer liet afluisteren – in zijn flat had?
De derde dag, donderdag, verliet George Berenson op
z'n vaste tijdstip het ministerie, hield een taxi aan en reed
naar het district St. John's Wood. In de hoofdstraat van
dit voorstadje met z'n dorpsachtige atmosfeer bevond
zich een ijssalon annex coffeeshop. Het plaatsvervangend hoofd Inkoop Defensiematerieel stapte hier naar
binnen en bestelde een sorbet, een van de specialiteiten
van het huis. John Preston bevond zich op dat moment in
de radiocentrale in de kelderverdieping van het gebouw
in Cork Street en luisterde naar de binnenkomende melding van de leider van schaduwploeg A, Len Stewart.

'Ik heb daarbinnen twee mensen,' zei hij, 'en verder nog twee man op straat. Plus mijn beide auto's.'

'Wat voert-ie uit, daarbinnen?' vroeg Preston.

'Dat kan ik niet zien,' meldde Stewart via zijn persoonlijke radio. 'We zullen moeten wachten totdat mijn mensen binnen kans hebben gezien contact met mij te zoeken.'

In feite verorberde Berenson, gezeten in een nis, zijn sorbet en vulde de laatste hokjes in van de kruiswoordpuzzel in een exemplaar van de *Daily Telegraph* dat hij uit zijn aktetas had gehaald. Hij schonk niet de minste aandacht aan de twee in spijkerbroek gestoken studenten die in een hoekje zaten te scharrelen. Na een half uur vroeg de topambtenaar van Defensie om de nota, liep ermee naar de kassa, rekende af en vertrok.

'Hij is weer buiten,' riep Len Stewart. 'Maar mijn twee mensen zijn nog binnen. Hij loopt nu door High Street. Ik denk dat-ie op zoek is naar een taxi. Ik kan mijn mensen binnen nu zien; ze zijn bezig af te rekenen.'

'Kun je hen vragen wat hij daarbinnen precies heeft gedaan?' vroeg Preston. Dit hele incident had iets vreemds, vond hij. Het mocht dan een gespecialiseerde ijssalon zijn, maar in Mayfair en in West End waren er genoeg andere ijssalons op de route tussen het ministerie en Belgravia. Waarom was hij helemaal naar St. John's Wood, ten noorden van Regent's Park, gegaan, alleen om een ijsje te eten?

Stewart meldde zich weer. 'Er komt een taxi aanrijden. Hij houdt hem aan. Wacht even, daar komen mijn mensen die binnen hebben gezeten.' Een poosje was er alleen statische ruis te horen. Toen: 'Hij schijnt er alleen maar een ijsje te hebben gegeten en een kruiswoordpuzzel in de *Daily Telegraph* te hebben ingevuld. Toen heeft-ie betaald en is weggegaan.'

'Waar is die krant?' vroeg Preston.

'Die liet-ie liggen toen hij vertrok... Wacht even... toen kwam de eigenaar om het tafeltje aan kant te brengen, die heeft de krant en het vuile glas meegenomen naar de keuken... Hij zit nu in de taxi en rijdt weg. Wat doen we – blijven we hem achterna rijden?'

Preston dacht koortsachtig na. Harry Burkinshaw en zijn B-ploeg hoefden sir Richard Peters nu niet te volgen en hadden een paar dagen rust gekregen. Weken achtereen hadden ze hem onafgebroken in het oog gehouden; in de regen, de vrieskou en de Londense mist. Als hij deze ploeg opsplitste en Berenson kwijtraakte, waarna de man ergens anders zijn contactpersoon kon ontmoeten, zou Harcourt-Smith hem levend villen en zijn huid tegen een schuurdeur laten spijkeren. Hij nam een besluit.

'Len, laat die taxi door één auto volgen, met alleen de bestuurder erin. Ik weet wel dat het niet voldoende zal zijn als hij te voet mocht proberen weg te komen. Maar laat de rest van je ploeg toch maar die ijssalon in het oog houden.'

'Komt voor de ijscoman,' zei Len Stewart. De radio zweeg.

Preston had geluk: de taxi reed regelrecht naar Berensons club in West End en zette hem daar af. Hij verdween naar binnen. Maar dat zegt nog niks, dacht Preston. Zijn contactman kan evengoed daarbinnen zitten.

Len Stewart stapte zelf de ijssalon binnen en bleef er tot aan sluitingstijd zitten, achter een kop koffie en de *Evening Standard*. Er gebeurde helemaal niets. Hij kreeg beleefd het verzoek om op te hoepelen en vertrok. Aan weerskanten van de straat zagen de leden van zijn ploeg het personeel van de ijssalon vertrekken, waarna de eigenaar de zaak afsloot en de lichten uitdeed. Intussen probeerde Preston vanuit Cork Street het zo te regelen dat de telefoon van de ijssalon werd afgetapt en liet hij zich informeren over de achtergronden van de eigenaar. Dat bleek een zekere *signor* Benotti te zijn, een legale immigrant die oorspronkelijk uit Napels kwam en al twintig jaar een onberispelijk leven in Londen had geleid. Omstreeks middernacht kreeg Preston zijn zin: niet alleen de telefoon van de ijssalon, maar ook die in *signor* Benotti's woning in het district Swiss Cottage werd afgetapt. Het leverde niets op. Preston bracht in Cork Street een slapeloze nacht door. De ploeg die Stewarts team moest aflossen begon om acht uur 's avonds en bleef de ijssalon en de woning van Benotti die hele nacht in het oog houden. Vrijdagochtend wandelde Benotti om negen uur terug naar zijn zaak en opende de deur om tien uur. Op hetzelfde moment namen Len Stewart en zijn dagploeg de wacht over. Om elf uur meldde Stewart zich via de radio.

'Er staat een bestelbusje voor de deur,' zei hij tegen Preston. 'Zo te zien laadt de bestuurder grote dozen met kant-en-klaar ijsjes in. Kennelijk een normale leveringsronde.'

Preston roerde peinzend zijn twintigste kop afgrijselijk slechte koffie om. Hij had wat moeite om helder te denken, vanwege het gebrek aan slaap. 'Ik weet 't,' zei hij. 'Er is al telefonisch over gesproken. Laat die bestelwagen door een auto met bijrijder volgen. Ieder adres waar goederen worden afgeleverd moet worden genoteerd.'

'Dan hou ik hier nog maar één auto en twee man over, mezelf inbegrepen,' zei Stewart. 'Dat lijkt me verdomd weinig en dus riskant.'

'Momenteel is er een veiling aan de gang in Charles. Ik zal kijken of ik een extra team los kan branden,' beloofde Preston. De bestelbus stopte die ochtend bij twaalf adressen, zonder uitzondering in de omgeving van St. John's Wood en Swiss Cottage, behalve twee die helemaal in Marylebone waren gelegen. Sommige adressen behoorden tot flatgebouwen, waar de schaduwen zich nauwelijks onopgemerkt konden bewegen, maar niettemin noteerden ze ieder adres. Hierna reed de bestelbus terug naar de ijssalon. 's Middags werd er geen ijs afgeleverd.

'Zou je die lijst met adressen even aan willen reiken bij

Cork, als je naar huis gaat?' vroeg Preston aan Len Stewart.

Die avond meldde de afluisterdienst dat Berenson vier telefoontjes thuis had gehad, onder meer van iemand die zei dat hij een verkeerd nummer had gedraaid. Hij had zelf geen uitgaande gesprekken gevoerd. Alles stond op de band. Wilde Preston de band nog horen? Er stond niets op dat ook maar in de verste verte verdacht leek. Hij vond dat hij toch de moeite maar even moest nemen.

Op zaterdagochtend vuurde Preston een schot af in het duister – een schot dat meer dan alle andere schoten die hij in z'n leven had afgevuurd afhankelijk zou zijn van goed geluk. Met behulp van een door Technische Ondersteuning geleverde bandrecorder, en puttend uit een grote verscheidenheid aan smoesjes, belde hij alle adressen die op Stewarts lijstje voorkwamen op; en telkens als hij een vrouw aan de lijn kreeg vroeg hij of hij haar echtgenoot even mocht spreken. En aangezien het zaterdagochtend was ving hij nergens bot, op één uitzondering na.

Eén stem kwam hem vagelijk bekend voor. Waar kwam dat door? Een vleugje van een accent? En waar kon hij het eerder hebben gehoord? Hij staarde naar de naam van degene die op het bewuste adres woonde. De naam zei hem niets. Somber ging hij een broodje eten in een café in de buurt van Cork Street. Toen hij zijn kop koffie leegdronk begon het hem plotseling te dagen. Hij haastte zich terug naar Cork Street en draaide opnieuw de band af. Het wás mogelijk; niet onomstotelijk, maar beslist mogelijk. Scotland Yard telt onder de uitgebreide faciliteiten van het gerechtelijk laboratorium ook een sectie Stemanalyse – heel nuttig voor het geval dat een verdachte wiens telefoon werd afgeluisterd domweg ontkent dat het zijn stem is die op de band staat. MI-5 beschikt zelf niet over laboratoriumfaciliteiten en is dus voor dergelijke dingen afhankelijk van Scotland Yard, waarbij Bijzondere Zaken meestal een bemiddelende rol vervult. Preston belde naar hoofdagent Lander, die kans zag nog diezelfde middag een spoedbijeenkomst bij de sectie Stemanalyse te regelen. Er was maar één expert beschikbaar, en die vond het ontzettend dat hij de op de televisie uitgezonden voetbalwedstrijd in de steek moest laten om naar z'n werk te gaan, maar hij deed het. Deze magere jongeman met zijn bril met dikke glazen draaide Prestons bandjes een keer of vijf, zes af, starend naar het groene lijntje op het scherm van zijn oscilloscoop dat zelfs de geringste timbre-nuances en buigingen in de stemmen registreerde.

'Dezelfde stem,' zei hij eindelijk. 'Geen twijfel mogelijk.' Op zondag achterhaalde Preston de naam van de man met het lichte accent, door gebruik te maken van de lijst van in Londen geaccrediteerde diplomaten. Voorts belde hij een kennis, verbonden aan de Natuurkundige Faculteit van de Universiteit van Londen, ruïneerde diens zondag door hem om een grote gunst te vragen en draaide tenslotte het nummer van sir Bernard Hemmings' woning in het graafschap Surrey.

'Ik geloof dat er iets is dat wij aan de Paragon-commissie moeten melden, sir,' zei hij. 'Liefst nog morgenochtend.'

De Paragon-commissie kwam om elf uur bijeen en sir Anthony Plumb verzocht Preston verslag te doen van zijn bevindingen. De sfeer was er een van gespannen verwachting, maar sir Bernard Hemmings keek ernstig voor zich uit. Preston gaf een zo beknopt mogelijk overzicht van de gebeurtenissen van de eerste twee dagen na distributie van het document over Ascension Island. De belangstelling nam zienderogen toe toen hij gewag maakte van Berensons vreemde en uiterst korte telefoontje vanuit een openbare cel op woensdagavond.

'Hebt u nog kans gezien dat telefoontje af te tappen?' vroeg sir Peregrine Jones.

'Nee, sir, we konden er niet vlug genoeg bij komen,' antwoordde Preston.

'Waar was het dan voor bedoeld, denkt u?'

'Ik meen dat meneer Berenson zijn contactman een op handen zijnde 'levering' aankondigde, waarbij hij vermoedelijk een code gebruikt om tijd en plaats aan te geven.'

'Kunt u dat op een of andere manier aantonen?' vroeg sir Hubert Villiers van Binnenlandse Zaken.

'Nee, sir.'

Preston vervolgde zijn exposé met een beschrijving van Berensons bezoek aan de ijssalon, waar hij een exemplaar van de *Daily Telegraph* had achtergelaten – een krant die even later door de eigenaar zelf was weggehaald.

'Bent u erin geslaagd die krant te bemachtigen?' vroeg sir Paddy Strickland.

'Nee, sir. Als we op dat moment die ijssalon waren binnengevallen hadden we misschien tot de arrestatie van Benotti en wellicht ook Berenson kunnen overgaan; maar Benotti had gemakkelijk kunnen beweren dat hij absoluut niet wist dat er iets in de krant verborgen was, terwijl Berenson had kunnen aanvoeren dat hij een afschuwelijk nonchalante vergissing had gemaakt.'

'Maar u meent desondanks dat het bezoek aan die ijssalon de bewuste "levering" was?' vroeg sir Anthony Plumb.

'Ik ben ervan overtuigd,' zei Preston. Hierna deed hij verslag van de levering van grote dozen ijs aan een twaalftal afnemers, de volgende ochtend, legde uit hoe hij van elf afnemers de stemmen op de band had weten vast te leggen en maakte gewag van het telefoontje dat Berenson diezelfde avond had gekregen van iemand die beweerde dat hij een 'verkeerd nummer' had gedraaid.

'De stem van degene die hem die avond belde en zei dat hij het verkeerde nummer had gedraaid, zich verontschuldigde en afbelde, was de stem van een van degenen die ijs thuis hadden laten bezorgen.'

Het was muisstil rondom de tafel.

'Kan er toeval in het spel zijn geweest?' vroeg sir Hubert Villiers twijfelend. 'Er worden in deze stad ontzaglijk veel verkeerde nummers gedraaid zonder dat daar iets achter steekt. Ik krijg ze zelf om de haverklap aan de lijn.'

'Ik heb gisteren een goede kennis van mij geconsulteerd die toegang heeft tot een computer,' zei Preston neutraal. 'De kans dat een man uit een stad van twaalf miljoen inwoners in z'n eentje een ijssalon binnenstapt om een sorbet te eten; dat diezelfde ijssalon de volgende ochtend ijs gaat thuisbezorgen bij twaalf afnemers; en dat een van die twaalf afnemers omstreeks middernacht 'per ongeluk' het nummer draait van de bewuste sorbeteter – die kans bedraagt minder dan één op het miljoen. Dat telefoontje op vrijdagavond was bedoeld om de ongestoorde ontvangst van een zending te bevestigen.'

'Laten we eens kijken of ik het goed begrijp,' zei sir Perry Jones. 'Berenson heeft de drie fotokopieën die hij ten behoeve van zijn drie collega's had gemaakt – fotokopieën van dat fictieve document van mij – weer in ontvangst genomen en gedaan alsof hij ze alledrie vernietigde. In werkelijkheid hield hij er één in zijn bezit. Hij stopte die kopie weg in een krant en liet de krant achter in een ijssalon. De eigenaar van de ijssalon stelde zich in het bezit van de krant, deed een plastic hoesje om het geheime document en liet het de volgende ochtend, weggestopt in een doos ijs, door zijn bestelbusje afleveren bij de contactman. Die vervolgens Berenson telefonisch meldde dat hij het had ontvangen.'

'Zo moet het volgens mij in z'n werk zijn gegaan,' bevestigde Preston.

'Een kans van één op het miljoen,' peinsde sir Anthony Plumb hardop. 'Nigel, wat denk jij ervan?'

Het hoofd van mi-6 schudde langzaam het hoofd. 'Wij bij de Geheime Dienst geloven niet in kansen van één op het miljoen,' zei hij. 'Niet in *ons* werk, nietwaar, Bernard? Nee, dit was beslist een levering – vanaf de bron via een bemiddelaar, die *signor* Benotti, naar de contactman. John Preston hier heeft gelijk. Mijn gelukwensen. Berenson is onze man.'

'Wel, wat heeft u ondernomen sinds u deze conclusie had getrokken?' vroeg sir Anthony hem.

'Ik heb de surveillance van Berenson overgeheveld naar de contactman,' zei Preston. 'Ik heb hem weten te achterhalen. Vanochtend heb ik me zelfs bij zijn schaduwen gevoegd en ben hem vanaf zijn flat in Marylebone, waar hij als vrijgezel alleen woont, gevolgd naar zijn kantoor. Het is een diplomaat van een ander land. Hij heet Jan Marais.'

'Jan? Dat klinkt Tsjechisch,' vond sir Perry Jones.

'Dat niet precies,' zei Preston somber. 'Jan Marais is een geaccrediteerd diplomaat, behorend tot de staf van de Zuidafrikaanse ambassade.'

Er ontstond een verbijsterde stilte en iedereen staarde hem ongelovig aan. Met een krachtterm die in de regel niet in het vocabulaire van de diplomaat voorkomt, sloeg sir Paddy Strickland boos op tafel en zei: 'Wel verdomme.' Alle hoofden draaiden zich in de richting van sir Nigel Irvine, die diep geschokt aan het eind van de langwerpige tafel zat. 'Als dit waar is,' dacht hij bij zichzelf, 'maak ik van een Zuidafrikaanse bas een Zuidafrikaanse sopraan.' Hij dacht aan generaal Henry Pienaar, het hoofd van de Zuidafrikaanse Inlichtingendienst. Dat de Zuidafrikanen het hadden gewaagd een stel Londense inbrekers in de arm te nemen om de archieven van het African National Congress te plunderen was één ding; maar het 'runnen' van een spion die toegang had tot het hart van het Britse ministerie van Defensie, stond – tussen twee inlichtingendiensten – gelijk aan een oorlogsverklaring.

'Als de heren het goed vinden,' zei sir Nigel, 'zou ik graag enkele dagen de gelegenheid krijgen om deze zaak wat verder uit te diepen.'

Twee dagen daarna, op de vierde maart, zat een van de

ministers aan wie mevr. Thatcher haar wens om aan te sturen op vervroegde algemene verkiezingen had toevertrouwd samen met zijn vrouw te ontbijten in hun statige herenhuis aan Holland Park in Londen. Zijn vrouw bladerde in een folder met aanbiedingen voor vakantiereizen.

'Korfoe lijkt me leuk,' zei ze. 'Of Kreta.'

Aangezien een reactie uitbleef drong ze verder aan.

'Lieverd, we moeten van de zomer nu toch echt proberen er veertien dagen tussenuit te gaan, zodat je rust kunt nemen. Per slot van rekening is het al bijna twee jaar geleden sinds we met vakantie zijn geweest. Wat denk je van juni? Nog voor de grote drukte – en het weer is er dan op z'n mooist.'

'Juni gaat niet,' zei de minister zonder op te kijken.

'Maar het is er zo mooi in juni!' protesteerde ze.

'Juni niet,' zei hij. 'Wanneer kan me niet schelen, zolang het maar niet juni is.'

Ze zette grote ogen op.

'Wat is er zo belangrijk aan juni?'

'Laat maar.'

'Jij sluwe ouwe vos,' zei ze ademloos. 'Het komt door Margaret, nietwaar? Dat gezellige knusse babbeltje op Chequers van vorige week zondag. Ze wil de steun van het kiezersvolk! Als-je-menou…'

'Mond dicht,' zei haar echtgenoot; maar na vijfentwintig jaar wist ze feilloos of ze het bij het juiste eind had. Toen ze opkeek zag ze Emma, hun dochter, in de deuropening staan.

'Je gaat er vandoor, liefje?'

'Ja…' zei het meisje. 'Tot kijk dan maar.'

Emma Lockwood was negentien lentes jong, studeerde aan de kunstacademie en was volkomen verslingerd aan de cultus die 'radicale politiek' wordt genoemd, met heel haar jeugdig enthousiasme. Ze verafschuwde de politieke inzichten van haar vader en probeerde ertegen te protesteren door haar levenswijze. Tot de tolerante ergernis

van haar ouders sloeg ze geen enkele antikernwapenbe-
toging over, noch een van de luidruchtige manifestaties
van protesterend links. Een van de manieren waarop ze
persoonlijk protest aantekende was naar bed gaan met
Simon Devine, een docent aan een polytechnische
school die ze had ontmoet tijdens een demonstratie. Als
minnaar stelde hij niet veel voor, maar toch wist hij indruk op haar te maken met zijn vurige trotskisme en zijn
welhaast ziekelijke afkeer van de bourgeoisie – een klas-
se waartoe hij iedereen scheen te rekenen die het niet
met hem eens was. Degenen die in staat waren hun afwijkende mening op meer effectieve wijze kenbaar te
maken werden uitgekreten voor fascisten. Die avond
maakte ze hem in zijn zit-slaapkamer deelgenoot van de
tip die ze had vernomen toen ze haar vader en moeder
had afgeluisterd, staande in de deuropening. Devine was
lid van een aantal revolutionaire studiegroepen en
schreef bijdragen voor extreem-linkse uitgaven, die gekenmerkt werden door de hartstochtelijke toon die erin
werd aangeslagen en door de kleine kring van mensen
die ze lazen. Twee dagen later maakte hij gewag van de
gouden tip die Emma Lockwood hem had gegeven; en
wel tijdens een bespreking met een van de redacteuren
van een vlugschrift waarvoor hij een artikel had geschreven. In dat artikel werden alle vrijheidslievende arbeiders van de automobielfabrieken te Cowley opgeroepen
de hele produktie lam te leggen vanwege het feit dat een
van hun collega's ontslagen was (wegens diefstal).
De vlugschriftredacteur maakte Devine duidelijk dat het
gerucht niet 'hard' genoeg was om er een voor publicatie
geschikt artikel over te schrijven. Hij beloofde echter dat
hij de kwestie bij zijn geestverwanten zou aankaarten en
ried Devine aan de informatie verder voor zich te houden. Toen Devine vertrokken was besprak de redacteur
de zaak inderdaad met een van zijn geestverwanten, zijn
'geleide'. En zijn geleide gaf het weer door aan diens
contactman, in de *rezidentoera* van de Sovjet-Russische

ambassade. De tiende maart bereikte het nieuws Moskou. Devine zelf zou verbijsterd zijn geweest als hij het had geweten. Want als iemand die met hart en ziel reageerde op Trotski's oproep tot ogenblikkelijke ontketening van de wereldrevolutie, haatte hij Moskou en alles waarvan dat leninistische bolwerk het symbool was.

Sir Nigel Irvine was diep geschokt door de onthulling dat een belangrijke spion binnen het Britse establishment werd gecontroleerd door een Zuidafrikaans diplomaat. Hij maakte gebruik van de enige mogelijkheid die hem openstond – het rechtstreeks benaderen van de Zuidafrikaanse National Intelligence Service met het verzoek om een verklaring. De relatie tussen de Britse SIS (MI-6) en de Zuidafrikaanse NIS zou door politici van beide landen als 'niet-bestaand' worden omschreven. Het zou juister zijn om te zeggen dat beide diensten elkaar op 'armlengte' hielden. Om zuiver politieke redenen onderhouden beide geheime diensten contact met elkaar, maar dat contact verloopt uiterst moeizaam. Vanwege de wijdverbreide afschuw van de apartheidsdoctrine hebben de achtereenvolgende Britse regeringen deze relatie altijd met gefronste wenkbrauwen bezien, hoewel dat door de Labour-regeringen in sterkere mate gebeurde dan door de conservatieve. Vreemd genoeg mocht de relatie ook gedurende de Labour-jaren tussen 1964 en 1979 voortbestaan, vanwege de verwikkelingen in Rhodesië. De toenmalige eerste minister, Harold Wilson, ging ervan uit dat hij alle informatie die hij over Ian Smith kon krijgen nodig had om zijn sancties tegen diens bewind te effectueren. En de Zuidafrikanen wisten meer van de gang van zaken in Rhodesië dan wie ook. Tegen de tijd dat die affaire achter de rug was waren de conservatieven weer aan de macht, in mei 1979; en ook nu werd de relatie voortgezet, ditmaal vanwege de moeilijkheden in Angola en Namibië, gebieden waarin de Zuidafrikanen, dat moest worden toegegeven, over uitstekende netwerken voor het vergaren van inlichtingen beschikten. Natuurlijk was de relatie niet eenzijdig. Het waren de Britten geweest die door de Westduitsers werden getipt over de banden die de echtgenote van de Zuidafrikaanse admiraal Dieter Gerhardt met Oost-Duitsland onderhield; en later werd Gerhardt als spion, werkend voor het Oostblok, ontmaskerd. Ook hadden de Britten de Zuidafrikanen getipt over een stel Sovjet-Russische 'illegalen' dat zich in Zuid-Afrika had genesteld, een tip die gegeven kon worden dank zij welhaast encyclopedische dossiers die de sis over dergelijke heren pleegt bij te houden.

In 1967 was er sprake geweest van een onaangename oprisping, toen een agent van de voorgangster van de nis (de boss), een zekere Norman Blackburn die als barkeeper werkzaam was in de Zambezi Club, zijn charme had benut om een van de 'Garden Girls' in zijn ban te brengen. De 'Garden Girls' zijn de op het adres 10 Downing Street werkzame secretaresses, zo genoemd omdat ze werken in een vertrek dat grenst aan de achtertuin. Het verliefde meisje (we zullen haar hier Helen noemen, aangezien ze sindsdien een respectabele echtgenote en moeder is geworden) zag kans Blackburn verscheidene geheime documenten in handen te spelen voor de affaire aan het licht kwam. De affaire baarde veel opzien en leidde ertoe dat Harold Wilson er voortaan rotsvast van overtuigd was, dat alles dat er mis ging – vanaf 'kurk' in de wijn tot en met mislukte oogsten – het werk was van de boss.

Later stabiliseerde de relatie zich echter weer en werd ze in meer beschaafde banen geleid. De Britten hebben hiertoe in Johannesburg een agent van de sis gestationeerd, speciaal om de National Intelligence Service van bepaalde zaken op de hoogte te brengen. Maar op Zuidafrikaans grondgebied onthoudt deze zich van 'actieve maatregelen'. De Zuidafrikanen hebben op hun beurt verscheidene agenten in Londen waarvan de sis op de hoogte is, agenten die aan de Zuidafrikaanse ambassade verbonden zijn. Buiten de ambassade lopen er nog een paar rond en die worden door MI-5 — verantwoordelijk voor het bewaken van de binnenlandse veiligheid – in het oog gehouden. Hun taak bestaat uit het op de voet volgen van de Londense activiteiten van verscheidene Zuidafrikaanse revolutionaire organisaties, zoals de ANC, de SWAPO en andere groeperingen. Zolang deze Zuidafrikaanse agenten zich hiertoe beperken worden zij met rust gelaten.

In opdracht van sir Nigel zocht de Britse agent in Johannesburg contact met generaal Henry Pienaar, waarna hij zijn Londense baas verslag uitbracht van wat het hoofd van de NIS hem tijdens dat persoonlijke onderhoud had verteld. De tiende maart verzocht sir Nigel Irvine om een nieuwe bijeenkomst van de Paragon-commissie.

'Onze brave en rondborstige generaal Pienaar zweert bij alles dat hem heilig is dat hij niets afweet van Jan Marais. Hij verzekert ons dat Marais niet voor hém werkt en dat ook nooit heeft gedaan.'

'Maar spreekt hij de waarheid?' wilde sir Paddy Strickland weten.

'In dit spel mag je daar nooit van uitgaan,' zei sir Nigel. 'Maar het is niet onmogelijk. Hij zou bijvoorbeeld, om maar iets te noemen, nu al drie dagen hebben geweten dat we Marais hebben ontdekt, na dat gesprek met mijn agent in Johannesburg. Als Marais voor hem werkte zou hij weten dat onze wraak verschrikkelijk zou zijn. Toch heeft hij niemand van zijn mensen hier teruggetrokken – wat hij volgens mij beslist zou hebben gedaan als hij wist dat hij zich aan onoirbare dingen had schuldig gemaakt.'

'Maar wie en wat is deze Marais dan wél, verdomme!' riep sir Perry Jones uit.

'Pienaar verzekert ons dat hij dat minstens even graag wil weten als wij,' antwoordde 'C'. 'Hij ging zelfs grif in op mijn verzoek om iemand van ons te ontvangen die samen met zijn mensen de zaak kan onderzoeken. Ik wil er een mannetje heen sturen.'

'Hoe is de situatie met betrekking tot Berenson en Marais momenteel?' vroeg sir Anthony Plumb aan de vertegenwoordiger van MI-5, Harcourt-Smith.

'Beide heren worden discreet in het oog gehouden, maar we hebben nog niets tegen hen ondernomen, bijvoorbeeld door in hun woning in te breken. We beperken ons tot het onderscheppen van hun post, het afluisteren van hun telefoonnummers en dag- en nachtsurveillance,' antwoordde Harcourt-Smith.

'Hoe lang denk je nodig te hebben, Nigel?' vroeg Plumb.

'Tien dagen.'

'Vooruit dan maar. Maar dit is wel het uiterste. Over tien dagen zullen we met alles wat we hebben tegen Berenson in actie moeten komen en een begin maken met het begroten van de schade – mét of zonder zijn vrijwillige medewerking.'

De volgende dag belde sir Nigel Irvine sir Bernard Hemmings op in diens woning in de omgeving van Farnham, waar de zieke directeur-generaal van MI-5 het bed moest houden. 'Bernard, die man van jou, Preston. Ik weet dat het ongebruikelijk is – ik *zou* natuurlijk een van m'n eigen mensen kunnen sturen, en zo. Maar zijn aanpak bevalt me. Kan ik hem van je lenen voor dat onderzoek in Zuid-Afrika?'

Sir Bernard stemde toe. De twaalfde maart nam Preston de nachtvlucht naar Johannesburg. Pas toen hij al hoog en droog in het toestel zat bereikte het nieuws daarvan het bureau van Brian Harcourt-Smith. Hij werd verteerd door kille woede, maar wist dat hij moest buigen voor een hogere autoriteit.

De Albion-commissie kwam op de avond van de twaalfde maart verslag uitbrengen bij de secretaris-generaal en werd door hem ontvangen in zijn appartement aan de

Koetoezovski Prospekt.

'En... wat hebben de heren mij te melden?' vroeg de Sovjet-leider bedaard.

Als voorzitter van de commissie gebaarde prof. Krilov naar de schaakgrootmeester, die de map die hij voor zich had opensloeg en begon voor te lezen. Zoals altijd in tegenwoordigheid van de secretaris-generaal was Philby diep onder de indruk van de schier onbeperkte macht van deze man, macht waarvoor hij heilig ontzag had. Tijdens de research die de commissie de afgelopen dagen had gepleegd was steeds alleen al het noemen van zijn naam voldoende geweest om hen alles te verschaffen dat zij wensten, zonder dat er vragen werden gesteld.

Als een man die zich grondig had verdiept in het vraagstuk van de machtsuitoefening bewonderde Philby de meedogenloze en sluwe manier waarop de secretaris-generaal zich had verzekerd van de absolute macht in iedere vezel van de Sovjet-Russische samenleving. Zo had hij een persoonlijke adept van hem, generaal Fedortsjoek, als zijn opvolger op de post van KGB-chef benoemd. Vanuit de partij had de huidige secretaris-generaal zijn positie in het Centraalcomité weten te consolideren en had hij rustig zijn tijd afgewacht, tot op het moment dat de korte regeringen van eerst Andropov en vervolgens Tsjernenko ten einde waren en hij de laatste kon opvolgen. Binnen enkele maanden had hij zijn vertrouwelingen geïnstalleerd op alle knooppunten van macht: de partij, de strijdkrachten, de KGB en het ministerie van Binnenlandse Zaken. Nu hij alle troeven in handen had was er niemand die het waagde zich tegen hem te verzetten of tegen hem samen te zweren.

'We hebben een plan uitgestippeld, kameraad secretaris-generaal,' zei dr. Rogov, die ondanks zijn vriendschap met de Sovjet-leider de officiële aanspreektitel bleef gebruiken. 'Het is een concreet plan tot actief ingrijpen, een voorstel dat gericht is op het verstoren van de wankele verhoudingen in het Britse volk, op een manier waarbij de Reichstagbrand en de moord op aartshertog Ferdinand in Serajewo tot onbetekenende incidenten verbleken. We hebben het Plan Aurora genoemd.'

Het kostte hem een vol uur om alle details voor te lezen. Zo nu en dan keek hij tersluiks op om te zien of er enige reactie kwam, maar de secretaris-generaal was groot-meester in een spelsoort die van heel wat ingrijpender aard is dan het edele schaakspel en zijn gezicht bleef vol-komen onbewogen. Eindelijk was dr. Rogov klaar. Het bleef doodstil in de kamer terwijl ze wachtten.

'Er zitten duidelijke risico's aan,' zei de secretaris-gene-raal zacht. 'Welke garanties hebben we dat dit niet op onszelf zal terugslaan als een boemerang, zoals bij be-paalde, eh... andere operaties?'

Hij had het woord zelf niet uitgesproken, maar ze wisten allemaal wat hij bedoelde. Tijdens zijn laatste jaar bij de KGB was zijn positie daar ernstig aan het wankelen ge-bracht door de Wojtyla-affaire, die op een rampzalige mislukking was uitgedraaid. Het had drie jaar geduurd voor alle geruchten en beschuldigingen tot bedaren wa-ren gekomen; en de affaire had de Sovjet-Unie juist die soort wereldwijde publiciteit bezorgd die het land kon missen als kiespijn. In de prille lente van 1981 had de Bulgaarse Geheime Dienst gemeld dat haar mannetjes onder de Turkse gastarbeiders in de bondsrepubliek een vreemde vis aan de haak hadden geslagen. Op grond van etnische, culturele en historische factoren koesterde Bulgarije, de meest volgzame en trouwe satelliet van de Sovjet-Unie, meer dan oppervlakkige belangstelling voor Turkije en alles dat Turks was. De man die de Bul-gaarse agenten hadden ontdekt was een door extreem-links in Libanon getrainde terroristische sluipmoorde-naar, die in opdracht van de ultra-rechtse groepering in Turkije die zichzelf de Grijze Wolven noemt links en rechts had gemoord, uit de gevangenis was ontsnapt en naar West-Duitsland had weten te ontkomen. Het ei-genaardige aan hem was dat hij bezeten bleek van de wens om de paus te vermoorden. Nu hadden de Bulgaren graag uitsluitsel over het volgende; moesten ze Mechmed Ali Agca teruggooien in het water, of hem geld, valse papieren en een wapen geven en hem z'n gang laten gaan?'

Onder normale omstandigheden zou de reactie van de KGB zijn ingegeven door voorzichtigheid: doden. Maar... de omstandigheden waren niet normaal. Karol Wojtyla, 's werelds eerste Poolse paus, vertegenwoordigde een belangrijke dreiging. Heel Polen was opstandig geworden; er bestond grote kans dat de dissidente arbeidersbeweging Solidaridad het communistische bewind binnenkort zou verjagen. De dissident Wojtyla had al eens in zijn pauselijke hoedanigheid een bezoek aan Polen gebracht – en dat had vanuit Russisch gezichtspunt rampzalige gevolgen gehad. De man moest of wel in discrediet worden gebracht, óf voorgoed de mond worden gesnoerd. Dus antwoordde de KGB de Bulgaren: ga jullie gang maar, zolang wij er maar niets van hoeven te weten. In mei 1981 was Agca, voorzien van geld, valse papieren en een pistool, naar Rome gebracht, waar ze hem de weg hadden gewezen en gezegd dat hij z'n hoofd niet moest verliezen als hij richtte. Het gevolg was dat het heel wat andere mensen de kop had gekost.

'Met alle respect, maar ik geloof niet dat dit daarmee te vergelijken is,' zei dr. Rogov, die Plan Aurora voor het grootste deel zelf had bedacht en nu bereid was het te verdedigen. 'Er waren drie redenen waarom de Wojtylakwestie catastrofaal uitpakte: a) het slachtoffer liet niet het leven; b) de man die de aanslag pleegde werd levend gepakt; en c) het ergste van alles was dat er geen goed doordachte plannen gereed waren om de schuld te geven aan een plaatselijke samenzweerdersorganisatie, zoals bijvoorbeeld de extreem-rechtse elementen in Italië zelf, of uit Amerika. Er had op dat moment een vloedgolf van geloofwaardig bewijsmateriaal klaar moeten liggen, waarmee voor het oog van de hele wereld bewezen had kunnen worden dat Agca er door extreem-rechts toe was aangezet.'

De secretaris-generaal knikte langzaam, als een oud reptiel.

'In dit geval zullen de kaarten heel anders komen te liggen,' hernam dr. Rogov. 'In ieder stadium, iedere inleidende fase, hebben we mogelijkheden ingebouwd waarop we kunnen terugvallen. De man die het moet uitvoeren dient een eersteklas beroeps te zijn, iemand die zonder aarzelen een eind aan z'n eigen leven zal maken voor hij wordt gepakt. De concrete hulpmiddelen die er bij nodig zijn zullen er volmaakt onschuldig uitzien en kunnen geen van alle worden herkend als afkomstig uit de Sovjet-Unie. De man die het uitvoert kan de volvoering van het plan zelf niet overleven. En het plan voorziet in de noodzakelijke maatregelen om de Amerikanen na afloop de schuld te geven – en wel op zodanige manier dat ze er zich niet aan kunnen onttrekken.'

De secretaris-generaal wendde zich tot generaal Martsjenko.

'Heeft dit plan kans van slagen?' vroeg hij. De drie overige leden van de commissie waren slecht op hun gemak. Het zou gemakkelijker zijn geweest als ze eerst kennis hadden kunnen nemen van de reactie van de secretaris-generaal, waarna ze zonder veel gevaar ermee konden instemmen. Hij had zich echter in geen enkel opzicht blootgegeven. Martsjenko schepte diep adem en knikte. 'Het is denkbaar,' beaamde hij. 'Ik schat dat het tien tot zestien maanden zal duren voor dit plan operationeel is.'

'Kameraad-kolonel?' De secretaris-generaal keek Philby aan.

Philby stotterde heviger dan normaal toen hij antwoord gaf; dat overkwam hem altijd als hij blootstond aan spanningen. 'W-wat de risico's aangaat – ik b-ben niet de aangewezen man om die te bbeoordelen. Noch het vraagstuk van de technische haalbaarheid. En wat de uitwerking betreft – het lijdt geen enkele twijfel dat meer dan tien procent van de "zwevende kiezers" erdoor zal worden overgehaald om haastig op Labour te stemmen.'

'Kameraad-professor Krilov?'

'Ik zie mezelf genoodzaakt negatief te adviseren, kameraad secretaris-generaal. Ik beschouw dit plan als uiterst riskant, zowel waar het de uitvoering zelf als de mogelijke gevolgen betreft. Het is vierkant in strijd met het Vierde Protocol. Als daar ooit inbreuk op wordt gemaakt zullen we de consequenties daarvan wellicht allemaal aan den lijve ondervinden.'

De secretaris-generaal scheen zich in zichzelf terug te trekken en geen van allen waagden ze het hem in zijn overpeinzingen te storen. Gedurende meer dan vijf eindeloze minuten bleven de zware, geplooide oogleden achter zijn brilleglazen gedeeltelijk neergeslagen. Eindelijk ging zijn hoofd omhoog. 'Buiten dit vertrek bestaan er geen aantekeningen, bandopnamen of zelfs maar snippers van memoranda met betrekking tot dit plan?'

'Niets,' verklaarden de vier leden van de commissie eenparig.

'Verzamel dan alle documenten en mappen die u bij u hebt en geef ze aan mij,' zei de secretaris-generaal. Zodra ze hieraan gevolg hadden gegeven sprak hij op zijn karakteristieke monotone manier verder. 'Het is niet te geloven dat u zoiets roekeloos, gewaagds, avontuurlijks, krankzinnigs en gevaarlijks hebt kunnen bedenken,' zei hij effen. 'De commissie is hiermee ontbonden. U kunt zich weer aan uw normale werkzaamheden wijden en het is u verboden ooit nog met één woord over de Albioncommissie of Plan Aurora te reppen.'

Toen de vier vernederde mannen onder bedrukt zwijgen de kamer verlieten bleef hij roerloos zitten, starend naar de tafel. In stilte trokken ze hun jassen aan en zetten hun bontmutsen op, waarbij ze vermeden elkaar in de ogen te zien, ook toen ze naar hun beneden wachtende auto's werden geëscorteerd. Philby stapte in zijn oude Wolga en wachtte totdat zijn KGB-chauffeur, Grigoriev, de motor zou starten, maar de man verroerde zich niet. Een voor een verlieten de limousines van de drie anderen het plein en reden onder de boogpoort door de brede laan op. Toen ze uit het zicht verdwenen waren werd er op Philby's zijraampje geklopt. Hij ontwaarde het gezicht van majoor Pavlov en draaide het raampje omlaag.

'Zoudt u met mij mee willen komen, kameraad-kolonel.' Philby zonk het hart in de schoenen. Hij besefte dat hij teveel wist, als enige buitenlander in het groepje. De secretaris-generaal had de reputatie dat hij uiterst grondig te werk ging bij het aaneenknopen van eventuele losse eindjes, met een uitgesproken voorkeur voor permanente oplossingen. Hij volgde majoor Pavlov terug het gebouw in. Twee minuten later was hij terug in de zitkamer van de secretaris-generaal. De oude man zat nog steeds in zijn rolstoel bij het lage tafeltje. Hij wees Philby een stoel en met angst en beven nam de Britse verrader plaats.

'Wat dacht je er in werkelijkheid van?' vroeg de secretaris-generaal zacht. Philby slikte moeizaam.

'Ingenieus, gedurfd en gevaarlijk,' zei hij. 'Maar *als* het lukt uiterst doelmatig.'

'Het is briljant,' mompelde de secretaris-generaal. 'En het gaat door, maar onder mijn leiding. Dit wordt *mijn* operatie; alleen de mijne. En jij zult er een belangrijke rol in spelen.'

'Mag ik één vraag stellen?' waagde Philby. 'Waarom ik? Ik ben maar een buitenlander, ook al heb ik mijn hele leven de Sovjet-Unie gediend en meer dan een derde ervan in dit land doorgebracht. Ik ben nog steeds een buitenlander.'

'Precies,' antwoordde de secretaris-generaal, 'en daarom heb je geen andere beschermheren dan mijzelf. Jij kunt onmogelijk een samenzwering tegen mij op touw zetten. Je neemt afscheid van je vrouw en kinderen en stuurt je chauffeur weg. Daarna neem je je intrek in een van de gastenverblijven in mijn *datsja* te Oesovo. Daar kun je in alle rust de ploeg samenstellen die plan Aurora moet uitvoeren. Je zult alle gezag krijgen dat je nodig hebt, maar je maatregelen worden via mijn kantoor bij het Centraalcomité uitgevoerd. Persoonlijk mag je je aan niemand vertonen.'

Hij drukte een knop onder het tafelblad in.

'Je zult voortdurend onder toezicht werken van deze man. Ik meen dat je hem al kent.'

De deur was opengegaan; in de deuropening stond de roerloze gestalte van majoor Pavlov, wiens kille, onbewogen gezicht in Philby's richting staarde. 'Hij is buitengewoon intelligent en uiterst argwanend,' zei de secretaris-generaal met duidelijke instemming. 'Bovendien is hij onvoorwaardelijk loyaal. Toevallig is hij mijn neef.'

Terwijl Philby opstond om met de majoor mee te gaan reikte de secretaris-generaal hem een strookje papier aan. Het was een notitie van het Eerste Hoofddirectoraat, gericht aan de secretaris-generaal van de CPSU persoonlijk. Philby staarde ernaar alsof hij zijn ogen niet kon geloven.

'Ja,' zei de secretaris-generaal. 'Dat bericht bereikte me gisteren. Je zult de tien tot zestien maanden waarom generaal Martsjenko vroeg niet ter beschikking hebben. Het ziet ernaar uit dat mevrouw Thatcher van plan is in juni in actie te komen. We zullen haar een week voor moeten zijn.'

Langzaam liet Philby zijn adem ontsnappen. In 1916 had het tien dagen geduurd om de Russische revolutie tot stand te brengen. De grootste windvaan die Groot-Brittannië ooit had voortgebracht zou precies negentig dagen de tijd krijgen om de Britse te bewerkstelligen.

DEEL TWEE

8

Toen John Preston op de ochtend van de dertiende maart landde op de luchthaven Jan Smuts bij Johannesburg, werd hij daar opgewacht door het hoofd van de plaatselijke afdeling van MI-6, een lange magere blonde man die Dennis Grey heette. Zijn aankomst werd vanaf het uitkijkterras gadegeslagen door twee agenten van de Zuidafrikaanse NIS, maar zij deden geen enkele moeite hem te benaderen. Het passeren van de douane was een formaliteit, en binnen een half uur nadat zijn vliegtuig was geland reden de beide Engelsen in snelle vaart in noordelijke richting over de snelweg naar Pretoria. Preston staarde nieuwsgierig naar het landschap om hem heen, een landschap dat in geen enkel opzicht beantwoordde aan de voorstelling die hij er altijd van Afrika op na had gehouden: dit was slechts een moderne zesbaansautoweg die een kale vlakte doorsneed en geflankeerd werd door moderne fabrieken en boerderijen in Europese trant.

'Ik heb in het Burgerspark voor je geboekt,' zei Grey, op een toon alsof ze elkaar al jaren kenden. 'In het hartje van Pretoria. Er was me verteld dat je de voorkeur gaf aan een hotel boven de Residentie.'

'Ja,' zei Preston. 'Alvast bedankt.'

'Ik stel voor dat je je eerst even laat inschrijven. Om elf uur hebben we een afspraak met het Beest.' Deze niet bepaald van affectie getuigende bijnaam sloeg oorspronkelijk op generaal Van den Berg, het hoofd van het vroegere Bureau of State Security, in de wandeling altijd aangeduid als de 'BOSS'. Na het zogeheten 'Muldergateschandaal' van 1979 was het ongelukkige huwelijk tussen de Zuidafrikaanse Geheime Dienst en de Binnenlandse Veiligheidsdienst van dat land ontbonden, tot grote opluchting van het beroepspersoneel van de Geheime Dienst en dat van het ministerie van Buitenlandse Zaken, dat herhaaldelijk in verlegenheid was gebracht door de lompe manoeuvres van de BOSS. De inlichtingenarm van de BOSS was als de National Intelligence Service een zelfstandig leven gaan leiden, terwijl generaal Henry Pienaar, destijds hoofd van de Militaire Inlichtingendienst van Zuid-Afrika, naar de NIS was overgeplaatst om die te gaan leiden. Hij was dus geen politie-generaal, maar een militaire. En hoewel hij niet zijn leven lang verbonden was geweest aan de Geheime Dienst, zoals sir Nigel, zijn Britse tegenhanger, hadden de jaren die hij in de Militaire Inlichtingendienst had doorgebracht hem geleerd dat er meer manieren zijn om een kat te doden dan het dier met een stomp voorwerp op de kop te timmeren. Generaal Van den Berg was met pensioen gestuurd, maar hij was nog steeds bereid om aan iedereen die het maar horen wilde de verzekering te geven dat 'de hand Gods op hem rustte.' De Britten waren zo onvriendelijk geweest zijn bijnaam over te hevelen naar de persoon van generaal Pienaar.

Preston zette zijn handtekening in het register van Hotel Burgerspark in de Van der Waltstraat, liet zijn koffers naar z'n kamer brengen, waste en schoor zich in grote haast en voegde zich om half elf bij de in de foyer wachtende Grey. Ze reden meteen weg naar het Union Building. De zetel van het overgrote deel van de Zuidafrikaanse regering is een gigantisch blok van okerkleurige, met bruin vermengde zandsteen ter hoogte van drie verdiepingen. Het langwerpige gebouw telt vier zuilengangen die haaks op de bijna driehonderdzeventig meter lange voorgevel staan. Het complex staat in het centrum van Pretoria op een heuvel: vanaf de esplanada aan de voorzijde heeft men uitzicht over een dal waarvan de bodem wordt gevormd door de Kerkstraat, terwijl de bruine heuvels in het zuiden die deel uitmaken van het panorama bekroond worden door de geblokte massa van het Voortrekker-monument.

Dennis Grey legitimeerde zich aan de receptiebalie en zei met wie hij een afspraak had. Binnen enkele minuten verscheen er een jongeman die hen voorging naar de werkkamer van generaal Pienaar. Het hoofdkwartier van het hoofd van de NIS bevindt zich op de bovenste verdieping van het gebouw, in het westelijke uiteinde. Aan de wandeling die Grey en Preston door gangen, afgewerkt met een bruin-en-roomkleurig motief dat zo te zien het symbool was voor Zuidafrikaanse overheidsdiensten, maakten scheen haast geen einde te komen, een indruk die nog werd versterkt door de eentonige lambrisering van donkerbruin hout. De werkkamer van de generaal, helemaal aan het einde van de laatste gang op de derde verdieping, werd geflankeerd door twee andere kantoorruimten: in de kamer aan de rechter kant waren twee secretaresses aan het werk, terwijl het vertrek aan de linker kant het domein was van twee naaste medewerkers van de generaal. De jongeman klopte hier aan, wachtte op een gesnauwd bevel om binnen te komen en opende de deur voor de twee Britse bezoekers. Het was een tamelijk sombere, stijf aandoende kantoorruimte met een groot bureau tegenover de deur, een bureau dat kennelijk van tevoren zorgvuldig aan kant was gebracht. Bij de ramen, die uitzicht boden op de Kerkstraat en de heuvels daarachter, stond een lage tafel, omgeven door vier leren fauteuils. De groene gordijnen die de wanden aan het zicht onttrokken waren vermoedelijk bedoeld om de aan de muren hangende operationele landkaarten te verhullen.

Generaal Pienaar was een grote, zware man die bij hun binnenkomst opstond en hen tegemoet liep om hen de hand te schudden. Grey nam het voorstellen voor zijn rekening, waarna de generaal een uitnodigend gebaar maakte naar de leren fauteuils. Er werd koffie geserveerd, maar het gesprek bleef zich op het niveau van de spreekwoordelijke koetjes en kalfjes bewegen. Grey begreep de wenk, verontschuldigde zich en vertrok. Een poosje bleef generaal Pienaar in Prestons richting staren. 'Zo, meneer Preston,' zei hij in vrijwel accentloos Engels, 'dan zijn we nu toe aan ons eigenlijke onderwerp, onze diplomaat Jan Marais. Ik heb het sir Nigel al gezegd en ik herhaal het nog eens tegenover u: Marais werkt *niet* voor mij, noch voor mijn regering – althans, niet in de boedanigheid van contactman voor het dirigeren van agenten in Groot-Brittannië. U bent hierheen gekomen om te proberen erachter te komen voor wie hij dan wél werkt?'

'Dat is mijn opdracht, generaal, voor zover het een haalbare zaak is.'

Generaal Pienaar knikte diverse keren. 'Ik heb sir Nigel volledige medewerking van onze kant beloofd. Ik ben van plan mijn woord gestand te doen.'

'Dank u, generaal.'

'Ik zal u een van de twee leden van mijn persoonlijke staf toewijzen. Hij zal u helpen aan alles dat u nodig hebt – dossiers die u misschien zult willen inzien; en zo nodig zal hij de tekst voor u vertalen. Spreekt u Zuidafrikaans?*

'Geen woord, generaal.'

'Dan zult u een tolk goed kunnen gebruiken.'

Hij drukte op een knop en een paar tellen later zwaaide de deur open voor een man met ongeveer hetzelfde indrukwekkende postuur als dat van de generaal, alleen was hij een stuk jonger: Preston schatte hem op even in de dertig. Hij had honingkleurig haar en zandkleurige wenkbrauwen. 'Mag ik u voorstellen – kapitein Andries Viljoen. Andy, dit is meneer Preston uit Londen, met wie je zult samenwerken.'

Preston stond op en schudde hem de hand. Hij bespeur-

---

* In Zuid-Afrika zelf spreekt men 'Afrikaans'; om verwarring te voorkomen verdiende de term 'Zuidafrikaans' m.i. de voorkeur. Vert.

de een nauwelijks verholen vijandigheid bij de jonge Zuidafrikaan, misschien een afspiegeling van de gevoelens van zijn superieur, die ze echter beter wist te verbergen.

'Ik hcb aan het andere einde van de gang een kamer voor u laten vrijmaken,' zei generaal Pienaar. 'Wel, laten we verder geen tijd verspillen, mijne heren. Zet u er alstublieft vaart achter.'

Toen ze alleen waren in de voor hem gereserveerde kamer, vroeg Viljoen: 'Waarmee had u willen beginnen, meneer Preston?'

Inwendig slaakte Preston een zucht. De nonchalante manier van elkaar bij de voornaam noemen die de informele sfeer in Charles Street en Gordon Street kenmerkte lag hem veel beter. 'Met het persoonlijke dossier van Jan Marais, alstublieft, kapitein Viljoen.'

Viljoen stak zijn triomfantelijkheid niet onder stoelen of banken, toen hij de map uit een van de laden van het bureau opdiepte. 'We hebben het vanzelfsprekend zelf al doorgenomen,' merkte hij op. 'Ik heb het een paar dagen geleden eigenhandig uit het personeelsarchief van Buitenlandse Zaken gelicht.' Met die woorden schoof hij het Preston toe: een dik dossier in een stijve gele omslag. Misschien heeft u er iets aan als ik even samenvat wat we er tot nu toe uit hebben kunnen opmaken. Marais is in de lente van zesenveertig bij het ministerie van Buitenlandse Zaken in Kaapstad in dienst gekomen. Hij heeft dus al iets meer dan veertig dienstjaren en zal in december met pensioen gaan. Hij heeft een onberispelijke Zuidafrikaanse achtergrond en heeft nimmer ook maar de geringste achterdocht gewekt. Dat is de reden waarom zijn gedrag in Londen voor ons een volslagen mysterie is.'

Preston knikte. Het was hem zo klaar als een klontje: ze waren hier duidelijk van mening dat 'Londen' een vergissing had gemaakt. Hij sloeg de map open. Een van de bovenste documenten in het dossier was een stapeltje met de hand beschreven vellen papier. 'Zijn eigenhandig geschreven, in het Engels gestelde autobiografie – iets dat iedereen die bij Buitenlandse Zaken solliciteert moet doen. In die dagen was de United Party onder Jan Smuts aan de regering en werd er veel meer gebruik gemaakt van het Engels dan tegenwoordig. Een dergelijk curriculum vitae zou tegenwoordig in het Zuidafrikaans worden geschreven. Vanzelfsprekend dient iedere kandidaat beide talen vloeiend in woord en geschrift te beheersen.'

'Dan lijkt 't me het beste er maar mee te beginnen,' zei Preston. 'Zoudt u, terwijl ik het doorlees, misschien een beknopte samenvatting kunnen maken van zijn loopbaan bij Buitenlandse Zaken? Met inbegrip van zijn standplaatsen in het buitenland – waar, wanneer en hoe lang?'

'Lijkt me logisch,' knikte Viljoen. '*Als* hij in de fout is gegaan of óm werd geturnd zal dat vermoedelijk wel ergens in het buitenland zijn gebeurd.'

De nadruk die Viljoen op het woordje 'als' had gelegd liet duidelijk uitkomen hoe zeer hij aan die mogelijkheid twijfelde, terwijl het woord 'buitenland' verwees naar de funeste invloed die buitenlanders moesten hebben op 'goeie' Zuidafrikaners. Preston begon te lezen.

'Ik ben in augustus 1925 geboren in het boerenstadje Duiwelskloof in het noorden van Transvaal, als enige zoon van de eigenaar van een boerderij in het Mootsekidal, even buiten dat stadje. Mijn vader, Laurens Marais, was van zuiver Zuidafrikaanse afstamming, maar mijn moeder, Mary, was afkomstig uit een Engelse familie. Destijds was dat een nogal ongebruikelijk huwelijk, maar dank zij deze omstandigheid heb ik zowel het Engels als het Zuidafrikaans vloeiend leren beheersen omdat ik erin werd opgevoed.

Mijn vader was aanzienlijk ouder dan mijn moeder, die een zwak gestel had en overleed toen ik tien was; ze werd het slachtoffer van een van de tyfusepidemieën waardoor mijn geboortestreek van tijd tot tijd werd geteisterd.

Mijn vader was al zesenveertig toen ik ter wereld kwam, maar mijn moeder pas vijfentwintig. Hij verbouwde voornamelijk aardappelen en tabak, en fokte daarnaast wat kippen, ganzen, kalkoenen, koeien, schapen. Voor eigen gebruik verbouwde hij voorts wat tarwe. Zijn leven lang was hij een overtuigd aanhanger van de United Party, reden waarom hij mij naar maarschalk Jan Smuts vernoemde.'

Preston keek op. 'Ik veronderstel dat dit alles geen enkel beletsel vormde voor zijn kandidatuur?' merkte hij op. 'Beslist niet, nee,' zei Viljoen, na een blik op de betreffende passage. 'De United Party was toen nog aan de regering, zoals ik al zei. De National Party verwierf pas in achtenveertig de meerderheid.' Preston las verder.

'Op m'n zevende ging ik naar de plaatselijke Boerenschool in Duiwelskloof, terwijl ik op twaalfjarige leeftijd naar het Merensky-gymnasium werd gestuurd, dat vijf jaar eerder was gesticht. Na het uitbreken van de Tweede Wereldoorlog, in 1939, sloeg mijn vader, een groot bewonderaar van het Brits imperium, als hij 's avonds op de stoep* uitrustte van gedane arbeid, geen enkele nieuwsuitzending over. Na de dood van mijn moeder waren we elkaar nog nader gekomen dan voorheen. Al spoedig begon ik ernaar te verlangen mijn bijdrage te kunnen leveren aan de strijd. Twee dagen na mijn achttiende verjaardag, in augustus 1943, nam ik afscheid van mijn vader, nam de trein naar Pietersburg en stapte daar over op de trein naar Pretoria in het zuiden. Mijn vader vergezelde me helemaal tot aan Pietersburg; en het laatste wat ik van hem zag was zijn gestalte op het perron terwijl hij me gedag zwaaide. De volgende dag stapte ik het hoofdkwartier van Defensie in Pretoria binnen, meldde me vrijwillig voor dienst en werd naar het oplei-

* Veranda

dingskamp Robert Heights gezonden om daar mijn uitrusting in ontvangst te nemen en de eerste beginselen van de wapenhandel onder de knie te krijgen. Daar ook gaf ik mij vrijwillig op voor een rood lintje.'

'Wat betekent "jezelf opgeven voor een rood lintje"?' vroeg Preston. Viljoen keek op van zijn schrijfwerk.
'In die tijd konden uitsluitend vrijwilligers worden uitgezonden naar gevechtszones buiten de grenzen van Zuid-Afrika,' legde Viljoen uit. 'Niemand kon een soldaat daartoe dwingen. Zij die zich als vrijwilliger opgaven voor de strijd overzee kregen een rood lintje op hun uniform.'

'Vanuit Robert Heights werd ik gedetacheerd bij het Witwatersrand Rifles/de la Rey Regiment, een onderdeel dat na de bij Tobroek geleden zware verliezen tot een gecombineerd regiment was samengevoegd. Per trein werden we naar een doorgangskamp bij Hay Paddock gestuurd, in de omgeving van Pietermaritzburg, om ons daar aan te sluiten bij de versterkingen voor de Zuidafrikaanse Zesde Divisie die wachtte op transport naar Italië. Uiteindelijk scheepten we ons met z'n allen in op de *Duchess of Richmond*, voeren door het Suezkanaal en zetten eind januari voet aan wal in Taranto.
Gedurende het grootste deel van die Italiaanse lente rukten we op richting Rome, dat aan het begin van de zomer door de Zesde Divisie – toen samengesteld uit de 12e ZA Gemotoriseerde Brigade en de 11e ZA Pantserbrigade, waarvan ook het Witwatersrand/de la Rey Regiment deel uit maakte – werd bereikt. Hierna rukten we op richting Florence. Op de dertiende juli bevond ik mij even voorbij Monte Benichi in de Chianti-keten op patrouille, met een team verkenners van de C-Compagnie. Na het invallen van het duister raakte ik in dit dichtbeboste gebied afgescheiden van de rest van onze patrouille, zag me opeens omsingeld door soldaten van de Her-

man Göring Division en werd krijgsgevangen gemaakt. Ik was zo gelukkig er levend af te komen maar samen met enkele andere geallieerde krijgsgevangenen werd ik in een legertruck gezet en naar een *Käfig* overgebracht – een tijdelijk krijgsgevangenenkamp in het plaatsje La Tarina, even ten noorden van Florence. De oudst-aanwezige onderofficier van de Zuidafrikaanse strijdkrachten, zo herinner ik mij, was een adjudant die Snijman heette. Lang zou het niet duren: toen de Geallieerden oprukten door Florence werden we op brute manier 's nachts geëvacueerd. Er ontstond een enorme chaos. Enkele krijgsgevangenen probeerden te ontsnappen en werden neergeschoten. De Duitsers lieten hen eenvoudig op de weg liggen, zodat de legertrucks over hen heen moesten rijden. Vanuit de vrachtwagens werden we overgeladen in veewagons en reden we dagen achtereen in noordelijke richting totdat we de Alpen over waren en tenslotte een krijgsgevangenenkamp in Moosberg bereikten ongeveer veertig kilometer ten noorden van München.

Ook dit verblijf zou van korte duur zijn. Al na veertien dagen werd de helft van het aantal krijgsgevangenen uit dit kamp afgemarcheerd naar het spoorwegemplacement en werden we opnieuw de veewagons ingedreven. Zes dagen en nachten achtereen werden we, vrijwel zonder eten of drinken, door Duitsland van het kastje naar de muur gereden, totdat we eind augustus 1944 eindelijk de trein mochten verlaten om naar een ander en veel groter kamp te worden geëscorteerd. Dit kamp was bekend als Stalag 344 en bevond zich te Lamsdorff in de omgeving van Breslau, een stad in Neder-Silezië. Ik vermoed dat Stalag 344 zo ongeveer het slechtste krijgsgevangenenkamp in heel Duitsland is geweest: er waren zo'n 11 000 geallieerde soldaten bijeengebracht die zich op hongerrantsoenen in leven moesten zien te houden – iets dat voornamelijk werd mogelijk gemaakt dank zij de voedselpakketten van het Rode Kruis.

Aangezien ik destijds de rang van korporaal bekleedde, moest ik de leiding van een werkploeg op mij nemen en werd ik dagelijks met een groot aantal andere krijgsgevangenen per legertruck overgebracht naar een fabriek van synthetische benzine, waar we te werk waren gesteld. Die winter heersten er in de Silezische laagvlakte barre omstandigheden en was het er bitter koud. Op zekere dag, kort voor de kerst, kreeg de vrachtwagen waarmee onze ploeg werd vervoerd panne. Twee krijgsgevangenen probeerden het defect te verhelpen, onder schot gehouden door Duitse bewakers. Sommigen van ons kregen toestemming uit de laadbak te springen. Een jonge Zuidafrikaanse soldaat die naast mij stond staarde naar het dichte dennenwoud op nog geen dertig meter afstand, keek mij aan en trok vragend een wenkbrauw op. Waaróm ik het heb gedaan zal ik wel nooit begrijpen, maar voor ik het wist renden we samen door de dikke laag sneeuw, die ons tot de heupen reikte, voor ons leven, terwijl onze kameraden zich rondom de Duitse bewakers verdrongen om hen te beletten te schieten. We bereikten levend de bosrand en renden verder totdat we diep in het bos waren doorgedrongen.'

'Wilt u er misschien even uit om te gaan lunchen? vroeg Viljoen. 'We hebben hier een cafetaria.'
'Zou het mogelijk zijn wat broodjes en koffie hierheen te laten brengen?' zei Preston.
'Vanzelfsprekend. Ik zal even bellen.' Preston boog zich weer over de levensbeschrijving van Jan Marais.

'Al spoedig ontdekten we dat we van de wal in de sloot terecht waren gekomen. Alleen was het geen sloot, maar een bevroren hel waarin de temperatuur 's nachts tot dertig graden onder het vriespunt daalde. We hadden onze voeten in krantepapier gewikkeld alvorens onze laarzen aan te trekken, maar deze maatregel kon de kou niet tegenhouden, evenmin als onze zware overjassen.

Na een dag of twee waren we zo verzwakt dat we op het punt stonden onszelf aan te geven. De tweede nacht probeerden we in een ingestorte boerenschuur wat te slapen, toen we ruw wakker werden geschud.

We meenden dat het de Duitsers moesten zijn, maar omdat ik Zuidafrikaans spreek kan ik wel wat Duitse woorden verstaan – en deze mannen spraken geen Duits. Het bleken Polen te zijn; we waren ontdekt door een groep Poolse partizanen. Het scheelde een haar of ze hadden ons als Duitse deserteurs doodgeschoten, maar ik schreeuwde dat we Engelsen waren, en gelukkig scheen een van hen het te begrijpen.

Ze maakten ons duidelijk dat de meeste inwoners van de steden Breslau (Wroclaw in het Pools) en Lamsdorff van oorsprong Duits waren, terwijl de boeren op het land eromheen van Poolse herkomst waren. Toen het Russische leger naderbij kwam waren veel van deze boeren de bossen ingetrokken om de terugtrekkende Duitsers lastig te vallen. Er waren twee soorten partizanen: communistische en katholieke. Wij hadden het geluk ontdekt te worden door een groep katholieke verzetsstrijders. *Zij* hielpen ons door de meedogenloos strenge winter, waarin we de Russische kanonnen in het oosten konden horen bulderen en het Rode Leger steeds dichterbij kwam. In januari kreeg mijn kameraad longontsteking; ik heb nog geprobeerd hem er doorheen te slepen, maar zonder antibiotica was hij gedoemd te sterven. We hebben hem in de bossen begraven.'

Preston kauwde peinzend op zijn sandwich en nam af en toe een slokje koffie. Er waren nog maar een paar pagina's over, zag hij.

'In maart 1945 had het Rode Leger ons plotseling bereikt. In de bossen konden we hun pantserwagens en tanks over de wegen naar het westen horen daveren. De Poolse partizanen gaven er de voorkeur aan in de bossen te blijven, maar ik hield het niet langer uit. Ze wezen me welke kant ik uit moest; en op een ochtend liep ik met mijn handen boven mijn hoofd struikelend het bos uit en gaf mezelf over aan een groep Russische soldaten. Aanvankelijk zagen ze mij voor een Duitser aan, zodat ze al aanstalten maakten op mij te schieten. De Polen hadden me echter gezegd dat ik "Angleeski" moest roepen, wat ik dan ook herhaaldelijk heb gedaan. Ze schouderden hun wapens en riepen er een officier bij. Hij sprak geen Engels, maar nadat hij mijn identiteitsplaatje had bestudeerd zei hij iets tegen zijn soldaten en begon iedereen te lachen. Ik had gehoopt dat ik nu spoedig naar huis zou kunnen gaan, maar daarin vergiste ik me deerlijk: ze leverden me over aan de NKVD.

Vijf lange, lange maanden bracht ik door in allerlei ijskoude, klamme cellen en was ik onderworpen aan een ronduit brute behandeling. Tijdens die maanden van eenzame opsluiting werd ik herhaaldelijk verhoord met behulp van derdegraads-technieken, in een poging mij te dwingen tot de bekentenis dat ik een spion zou zijn. Ik bleef weigeren en werd steeds poedelnaakt teruggestuurd naar mijn cel. Tegen het eind van dat voorjaar – toen de oorlog in Europa al ten einde liep zonder dat ik daarvan iets wist – was ik aan het eind van m'n krachten en werd ziek. Toen pas kreeg ik een strozak om op te slapen, en ook kreeg ik beter eten – hoewel het naar onze Zuidafrikaanse maatstaven nog altijd onverteerbaar was. Vermoedelijk is er toen eindelijk van hogerhand een beslissing genomen: in augustus 1945 werd ik, meer dood dan levend, in een legertruck gezet en over grote afstand naar Potsdam overgebracht, waar ik werd afgeleverd bij het Britse leger. Daar ondervond ik een vriendelijker behandeling dan in woorden is uit te drukken; en nadat ik een poosje in een militair hospitaal in de omgeving van Bielefeld had gelegen om aan te sterken werd ik teruggestuurd naar Engeland. Hier bracht ik nog eens drie maanden door in het EMS Hospitaal van Killearn, een plaatsje ten noorden van Glasgow; en eindelijk kon ik in december 1945 in Southampton aan boord stappen van de *Ile de France*, zodat ik eind januari 1946 in Kaapstad arriveerde. Daar vernam ik het nieuws van de dood van mijn vader, de enige bloedverwant die ik nog over had. Dit pakte me zo aan dat mijn gezondheid opnieuw een knauw kreeg en ik nog eens twee maanden moest doorbrengen in het Militaire Hospitaal Wijnberg in Kaapstad, waaruit ik thans, na gezond te zijn verklaard, ben ontslagen. Zodat ik nu in de gelegenheid ben te solliciteren bij het Zuidafrikaanse ministerie van Buitenlandse Zaken.'

Preston sloot de map en Viljoen keek dadelijk op. 'Wel,' zei de Zuidafrikaan, 'sindsdien heeft hij een onberispelijke, zij het weinig opvallende staat van dienst opgebouwd, heeft geregeld promotie gemaakt en is nu opgeklommen tot de rang van Eerste Secretaris. Hij is op acht verschillende posten in het buitenland gestationeerd geweest, maar steeds in uitgesproken pro-westerse landen. Dat is tamelijk veel, maar aan de andere kant is hij vrijgezel en dat kan het leven in de diplomatieke dienst er wat eenvoudiger op maken, behalve dan op het niveau van ambassadeur of minister – in die gevallen wordt er min of meer verwacht dat de kandidaat gehuwd is. Denkt u nóg dat hij ergens in zijn loopbaan in de fout is gegaan?'
Preston haalde zijn schouders op. Viljoen boog zich naar hem toe en tikte op de dossiermap. 'U hebt gelezen wat die Russische schoften hem hebben aangedaan. Dáárom denk ik dat u het bij 't verkeerde eind hebt, meneer Preston. De man houdt eenvoudig van ijs, en toevallig heeft-ie in Londen een verkeerd nummer gedraaid. Meer is het niet. Stom toeval.'
'Mogelijk,' zei Preston. 'Deze levensbeschrijving... er is iets vreemds aan.'
Kapitein Viljoen schudde het hoofd. 'We hebben dit dossier in ons bezit vanaf het moment dat sir Nigel Irvi-

ne contact had opgenomen met de generaal. We hebben het allemaal nagetrokken en alles klopt. Iedere naam, datum, plaats, legerkamp, militaire eenheid, troepenverplaatsing – tot op het allerkleinste detail. Zelfs de produkten die er voor de oorlog in het Mootseki-dal werden verbouwd, zoals de plaatselijke boeren ons hebben bevestigd. Tegenwoordig telen ze er tomaten en avocado's, maar in die tijd waren het voornamelijk aardappelen en tabak. Niemand zou een dergelijk verhaal hebben kunnen verzinnen. Nee, *als* hij inderdaad werd omgeturnd, wat ik ernstig betwijfel, moet dat ergens in het buitenland zijn gebeurd.'

Preston staarde somber voor zich uit. Buiten begon het al donker te worden.

'Dat was dan dat,' zei Viljoen. 'Maar ik ben hier om u te helpen. Waar wilde u nu beginnen?'

'Bij het begin,' zei Preston. 'Dat plaatsje – Duiwelskloof – is dat ver hiervandaan?'

'Ongeveer vier uur rijden. U wilde erhéén?'

'Graag, ja. Kunnen we er een vroegertje van maken, morgenochtend? Laten we zeggen, een uur of zes?'

'Ik zal een auto aanvragen. U kunt me om zes uur voor de ingang van uw hotel verwachten,' zei Viljoen.

Het is een flinke rit over de snelweg naar het noorden, richting Zimbabwe, maar het is een moderne autoweg en Viljoen had een Chevair zonder onderscheidingstekenen meegekregen – het soort auto dat in de regel door NIS-agenten wordt bestuurd. Binnen drie uur verslond de auto de vele kilometers tussen Johannesburg en Pietersburg, via Nijlstroom en Potgietersrus.

De rit stelde Preston in de gelegenheid kennis te maken met de schier eindeloze horizonten van het Afrikaanse continent die zo'n diepe indruk plegen te maken op de Europese bezoeker, gewend als hij is aan geringere dimensies.

Bij Pietersburg sloegen ze af naar het oosten en reden

over een afstand van ongeveer vijftig kilometer door een vlakte met opnieuw eindeloos verre horizonten onder het lichtblauwe hemelgewelf, totdat ze het voorgebergte hadden bereikt dat 'de Buffelberg' wordt genoemd en waar het 'Middelveld' begint te dalen langs de helling van het Mootseki-dal. Toen ze aan het kronkelende parcours omlaag begonnen hield Preston van verbazing de adem in. Daar diep beneden hem strekte het dal zich uit, weelderig begroeid en bezaaid met duizenden hutten met het uiterlijk van bijenkorven die 'rondavels' worden genoemd. Ze waren omgeven door kralen, omheiningen voor het vee en 'mealie-velden' waarop maïs werd verbouwd. Een deel van de rondavels klampte zich vast aan de helling van de Buffelberg, maar de meeste lagen toch verspreid op de dalbodem.

Uit de rookgaten in het midden van de daken kringelde de rook van houtvuurtjes omhoog, en zelfs vanaf deze hoogte en afstand kon hij de Bantoe-jongens onderscheiden die kleine groepjes runderen hoedden, of de vrouwen die in gebogen houding aan het werk waren in hun moestuintjes. 'Eindelijk het Afrikaanse Afrika,' dacht hij bij zichzelf. 'Zo moet 't er hier ongeveer hebben uitgezien toen de *impis* van Mzilikazi, de stichter van de natie der Matabeles, wegtrok naar het noorden om aan de wraak van de Tsjaka-Zoeloes te ontkomen, waarbij hij de Limpopo overstak en het koninkrijk stichtte van de "mannen met de langwerpige schilden".'

Slingerend en draaiend daalde de weg de Buffelberg af totdat de bodem van het Mootseki-dal was bereikt. Aan de overkant van het dal verhief zich een andere heuvelrug, in het midden gespleten door een diepe kloof waardoor de snelweg zich voorzette; de Duiwelskloof. Tien minuten later bevonden ze zich alweer in de kloof zelf en passeerden langzaam de nieuwe lagere school in de Botha Avenue, de hoofdstraat van het stadje.

'Waar wilde u precies naartoe?' vroeg Viljoen.

'Toen Marais senior overleed moet hij een testament

hebben achtergelaten,' zei Preston op peinzende toon. 'En aangezien een testament uitgevoerd moet worden zal er een executeur aan te pas zijn gekomen – vermoedelijk een notaris. Zou het op zaterdagochtend mogelijk zijn uit te vissen of er in Duiwelskloof een notaris is gevestigd en of hij thuis is?'

Viljoen reed de parkeerplaats voor Kirstens Garage op en wees naar de Imp Inn aan de overkant. 'Als u daar koffie gaat drinken en er alvast een voor mij bestelt, zal ik intussen gaan tanken en een paar vragen stellen.'

Nog geen vijf minuten later voegde hij zich weer bij Preston in de foyer van het hotel.

'Er is hier inderdaad een notaris,' zei hij, een slok nemend van zijn koffie. 'Van Engelse origine, naar z'n naam te oordelen: Benson. Hij woont hier recht tegenover, twee deuren verder dan de garage. En waarschijnlijk is hij zaterdagsmorgens thuis te vinden. Zullen we dan maar?'

Mr. Benson wás thuis. Viljoen liet een geplastificeerd legitimatiebewijs aan zijn secretaresse zien, een gebaar dat onmiddellijk effect sorteerde. Ze zei iets in het Zuidafrikaans in de richting van de intercom op haar bureau en bracht hen daarna zonder uitstel naar de werkkamer van mr. Benson, een vriendelijke blozende man in een lichtbruin kostuum. Hij begroette hen beiden in het Zuidafrikaans, waarna Viljoen hem in zijn sterk geaccentueerde Engels antwoordde: 'Dit is meneer Preston uit Londen. Hij wilde u graag een paar vragen stellen.'

Mr. Benson verzocht hen plaats te nemen en trok zich terug achter zijn bureau. 'Ga uw gang,' zei hij met een uitnodigend gebaar. 'Ik zal proberen ze zo goed mogelijk te beantwoorden.'

'Zoudt u me willen zeggen hoe oud u bent?' vroeg Preston. Benson staarde hem verbluft aan.

'U komt toch niet helemaal uit Londen om mij naar m'n leeftijd te vragen, hoop ik? Maar als u 't graag wilt weten: ik ben drieënvijftig.'

'Dan moet u in negentienzesenveertig dus twaalf jaar oud zijn geweest.'

'Dat klopt, ja.'

'Zoudt u me dan kunnen zeggen wie er destijds notaris was in Duiwelskloof?'

'Vanzelfsprekend. Mijn vader, Cedric Benson.'

'Leeft hij nog?'

'Inderdaad. Hij is nu over de tachtig en heeft de praktijk vijftien jaar geleden aan mij overgedaan. Maar hij is nog behoorlijk kras.'

'Is het mogelijk dat ik hem te spreken krijg?'

Bij wijze van antwoord stak Benson zijn hand uit naar de telefoon en draaide een nummer. Zijn vader scheen eigenhandig de telefoon op te hebben genomen, want zijn zoon legde uit dat er bezoek was van een meneer uit Londen die hem graag wilde spreken. Hij legde de hoorn op de haak. 'Hij woont een kilometer of tien verderop maar rijdt nog altijd zelf, ook al jaagt hij alle andere weggebruikers de stuipen op het lijf. Hij beloofde dat hij dadelijk hierheen zou komen.'

'Kunt u intussen,' vroeg Preston, 'een duik nemen in uw dossier uit negentienzesenveertig, om na te gaan of u – of, beter gezegd, uw vader – het testament van een van de boeren hier heeft behandeld, een zekere Laurens Marais, die in januari van dat jaar was overleden?'

'Ik zal het proberen,' zei Benson junior. 'Het *is* natuurlijk mogelijk dat deze meneer Marais een notaris uit Pietersburg in de arm heeft genomen. Maar de mensen uit deze omgeving waren destijds nog niet geneigd van huis te gaan. Ik moet de doos met zesenveertig ergens hiernaast hebben. Excuseert u mij even.' Hij verdween. Zijn secretaresse kwam koffie brengen. Tien minuten later hoorden ze stemmen in de aangrenzende kamer. De beide Bensons stapten binnen. Junior had een grote bestofte doos in zijn handen. De oude heer had een uitgedunde sneeuwwitte haardos en zag er even alert uit als een jonge torenvalk. Na het voorstellen legde Preston hem de moeilijkheid uit.

Zonder iets te zeggen ging Benson senior achter het bureau zitten, zodat zijn zoon genoodzaakt was een andere stoel bij te trekken. De oude heer plantte een leesbril op zijn neus en blikte zijn bezoekers over de halve glazen ervan aan. 'Ik kan me Laurens Marais nog heel goed herinneren, ja,' zei hij. 'En inderdaad hebben we na zijn dood zijn testament geëxecuteerd. Ik heb het persoonlijk afgehandeld.'

De zoon overhandigde hem een vergeeld document, met een roze lint eromheen. De oude heer blies het stof eraf, maakte het lint los en streek het papier glad. Zwijgend begon hij het door te lezen. Even later keek hij op. 'Ah, ja, nu herinner ik 't me weer. De man was weduwnaar en woonde alleen. Hij had één zoon – Jan. Een tragisch geval. Die jongen was net terug uit de oorlog. Laurens Marais was onderweg naar Kaapstad om hem te bezoeken toen hij stierf. Heel tragisch.'

'Wat kunt u me vertellen over de bepalingen van het testament?' vroeg Preston.

'Alles ging naar de zoon,' zei Benson senior. 'De boerderij, het land, alle landbouwwerktuigen en het meubilair. Afgezien van de gebruikelijke kleine legaten voor de inheemse arbeiders, de voorman en zo, natuurlijk.'

'Gingen er nog zaken van persoonlijke aard naar anderen?' drong Preston aan.

'Hmmm. Laat eens kijken… ja, toch: "… en aan mijn oude, goede vriend Joop van Rensberg mijn ivoren schaakspel, ter herinnering aan de vele genoeglijke avonden die wij met elkaar op de boerderij hebben doorgebracht met schaken." Dat is alles.'

'Was Marais junior al terug in Zuid-Afrika toen zijn vader overleed?' vroeg Preston.

'Dat moet wel, ja. De oude Laurens ging immers naar Kaapstad om hem op te zoeken? Dat was in die tijd een hele onderneming. Destijds waren er nog geen geregelde vliegverbindingen. Je had alleen de trein.'

'Hebt u zelf de verkoop van de boerderij en de overige nalatenschap geregeld, meneer Benson?'

'De boerderij is ter plaatse geveild. Hij werd gekocht door Van Zijl, meen ik. De Van Zijls hebben alles gekocht; al dat land is nu eigendom van Bertie van Zijl. Maar als executeur-testamentair ben ik er natuurlijk zelf bij geweest.'

'Zijn er nog persoonlijke bezittingen overgebleven waarvoor geen koper werd gevonden?' vroeg Preston. De oude heer fronste zijn voorhoofd.

'Och nee, niet veel. Alles ging weg. O, nu schiet me ineens te binnen dat er een fotoalbum was. Dat had geen enkele verkoopwaarde. Ik meen dat ik het aan meneer Van Rensburg heb gegeven.'

'Wie was dat?'

'De schoolmeester,' bracht junior in het midden. 'Van hem heb ik les gehad totdat ik naar het Merensky Gymnasium ging. Hij leidde de oude Boerenschool voor ze de lagere school bouwden. Hij is toen met pensioen gegaan, hier in Duiwelskloof.'

'Is hij nog in leven?'

'Nee. Hij is ongeveer tien jaar geleden gestorven,' zei de oude Benson. 'Ik ben nog bij de begrafenis geweest.'

'Maar hij had een dochter,' zei z'n zoon hulpvaardig. 'Cissy. Die zat samen met mij op het Merensky. Ze moet ongeveer even oud zijn als ik.'

'Weet u ook hoe het haar verder is vergaan?'

'Zeker. Ze is getrouwd, jaren terug. Met de eigenaar van een houtzagerij aan de weg naar Tzaneen.'

'Nog een laatste vraag.' Preston keek de oude heer aan. 'Waarom moest de nalatenschap te gelde worden gemaakt? Wilde de zoon de boerderij niet hebben?'

'Kennelijk niet,' zei Benson senior. 'Hij lag destijds in het Militaire Hospitaal Wijnberg. Hij heeft me een telegram gestuurd; zijn adres had ik van de militaire autoriteiten gekregen en die stonden in voor zijn identiteit. Hij verzocht me telegrafisch om de hele nalatenschap te verkopen en hem het geld over te maken.'

'Hij kwam niet over voor de begrafenis?'

'Geen tijd. Hier in Zuid-Afrika is het in januari hartje zomer. In die jaren waren er nog geen morgue-faciliteiten – lijken moesten meteen onder de grond worden gestopt. Feitelijk geloof ik niet dat hij hier nog ooit terug is geweest. Begrijpelijk. Na het overlijden van zijn vader was er hier niets meer waarvoor het de moeite loonde terug te komen.'

'Waar ligt Laurens Marais begraven?'

'Op het kerkhof op de berg,' zei Benson senior. 'Dit is alles? Dan kan ik er vandoor om te gaan lunchen.'

Het klimaat ten oosten van de bergen bij Duiwelskloof verschilt hemelsbreed van dat in het gebied ten westen ervan, waar in het Mootseki-dal slechts vijfentwintig centimeter neerslag per jaar valt. Ten oosten van de keten vormen zich enorme regenwolken als gevolg van de vochtige warme lucht die afkomstig is van boven de Indische Oceaan, regenwolken die over Mozambique en het Kruger Park heen drijven totdat ze worden gestuit door de bergketen: de hellingen aan de oostzijde krijgen per jaar zo'n slordige tweehonderd centimeter regen per jaar te verwerken. Aan deze kant van de bergen vertegenwoordigen de hier groeiende blauwe eucalyptusbomen de voornaamste bron van inkomsten. Toen ze tien kilometer hadden afgelegd over de weg naar Tzaneen bereikten Viljoen en Preston de houtzagerij van Du Plessis. Het was mevrouw Du Plessis zelf – de dochter van onderwijzer Van Rensburg – die hen opendeed: een mollig vrouwtje met appelwangen. Ze was een jaar of vijftig en haar handen en schort zaten onder de bloem. Ze was blijkbaar druk aan het bakken in de keuken.

Toen ze aandachtig naar hun probleem had geluisterd schudde ze haar hoofd. 'Ik herinner me dat ik als kleine meid wel meeging naar de boerderij, als vader met boer Marais ging schaken,' zei ze. 'Dat zal omstreeks vierenveertig en vijfenveertig zijn geweest. Dat ivoren schaakspel ken ik heel goed, maar van een fotoalbum weet ik niets.'

'Maar hebt u, toen uw vader overleed, dan niet zijn bezittingen geërfd?' vroeg Preston.

'Nee,' zei mevrouw Du Plessis. 'Ziet u, mijn moeder is in vijfenvijftig overleden, zodat mijn vader als weduwnaar alleen achterbleef. Ik heb zelf voor hem gezorgd totdat ik op m'n drieëntwintigste trouwde, in achtenvijftig. Daarna kon hij het niet meer aan; zijn huis was altijd één grote chaos. Ik heb zo goed en kwaad als dat ging geprobeerd voor hem te koken en de boel aan kant te houden. Maar toen de kinderen kwamen werd 't me allemaal te veel. In negentienzestig werd zijn zuster, mijn tante dus, weduwe. Ze woonde toen in Pietersburg, maar het was voor hen allebei praktischer dat ze bij mijn vader introk en voor hem ging zorgen. Zo is het ook gegaan. Toen hij stierf had ik hem al gevraagd háár alles na te laten – het huis, de meubeltjes, enzovoort.'

'Hoe is het verder gegaan met uw tante?' vroeg Preston.

'O, die woont er nog steeds. Het is een bescheiden bungalow in Duiwelskloof, vlak achter de Imp Inn.'

Ze was bereid hen erheen te vergezellen. Haar tante, mevrouw Winter, bleek thuis te zijn: een pienter en tenger oud vrouwtje met blauwspoeling in haar haar. Toen ze hun verhaal had aangehoord liep ze dadelijk naar een kast en haalde er een platte kartonnen doos uit. 'Die arme Joop heeft hier heel wat mee gespeeld,' zei ze. De doos bleek het ivoren schaakspel te bevatten. 'Was dit wat u zocht?'

'Dat niet precies,' zei Preston. 'We hadden voornamelijk belangstelling voor het fotoalbum.'

Ze keek hem niet-begrijpend aan. Toen zei ze langzaam: 'Ik weet wel dat er boven op zolder nog een doos met ouwe rommel staat. Er zitten wat paperassen in, spullen uit de jaren dat hij schoolmeester was.'

Andries Viljoen vertrok naar de zolder en kwam terug met de doos. Onder een stapel vergeelde schoolrapporten, helemaal op de bodem van de doos, ontdekten ze het fotoalbum van de familie Marais. Langzaam begon Preston erin te bladeren. Het was er allemaal: het broze maar knappe bruidje uit 1920; de trotse moeder met haar verlegen glimlach uit 1930; de jongen op de rug van een pony, met een gezicht dat vertrokken was van inspanning; de vader met een pijp tussen de tanden, proberend om niet al te trots te lijken met zijn zoon aan z'n zij en een stel konijnen voor hem in het gras. Helemaal achterin vonden ze een sepiakleurige foto van een jongen in cricket-uitmonstering, een knappe knul van een jaar of zeventien, poserend alsof hij onderweg was naar het wicket om te bowlen. Eronder stond geschreven: 'Jantje als aanvoerder van het cricketteam van het Merenski Gymnasium, 1943.' Het was de allerlaatste foto in het album.

'Zou ik dit mee mogen nemen?' vroeg Preston.

'Maar natuurlijk,' zei mevrouw Winter.

'Heeft wijlen uw broer ooit met u over de heer Marais gesproken?'

'Een enkele keer,' antwoordde ze. 'Ze zijn jaren lang dik met elkaar bevriend geweest.'

'Heeft uw broer u ooit verteld waaraan hij is gestorven?'

Ze fronste haar wenkbrauwen. 'Hebben ze u dat niet bij de notaris verteld? Vreemd. De ouwe Cedric begint zeker kinds te worden. Joop heeft me verteld dat Laurens Marais had moeten stoppen om een lekke band te repareren en geraakt werd door een passerende vrachtwagen die meteen was doorgereden, zoals ze aan de bandensporen hadden kunnen zien. Destijds kwamen ze tot de conclusie dat het een dronken kaffer – oei,' (haar hand vloog naar haar mond en ze keek Viljoen verlegen aan) 'dat woord mag ik tegenwoordig niet meer gebruiken – nou ja, hoe dan ook, ze zijn er nooit achter gekomen wie de bestuurder van die vrachtwagen was geweest.'

Toen ze langs de helling afdaalden, op weg naar de Botha Avenue, passeerden ze het kerkhof. Preston verzocht Viljoen om even te stoppen. Het was een rustige, vredige plek, hoog boven het stadje, helemaal omgeven door sparren en pijnbomen. Het kerkhof werd gedomineerd door een in het midden staande machtige mwataboom met een gespleten stam, omgeven door een poinsettia-haag. In de hoek van het kerkhof vonden ze een met mos begroeide zerk. Toen Preston het mos eraf had geschraapt kon hij de tekst die in het graniet was uitgebeiteld lezen:

Laurens Marais
1879 – 1946
Beloved husband of Mary and father
of Jan
Always with God
R.I.P.

Preston liep langzaam naar de bloeiende haag, plukte een paar takjes met de vlammende poinsettia-bloesem en legde ze op de zerk. Viljoen stond hem bevreemd gade te slaan. Preston zag hem kijken en zei verlegen: 'Dan nu maar naar Pretoria, lijkt me.'
Toen ze buiten Duiwelskloof het Mootseki-dal achter zich lieten en weer de helling van de Buffelberg bestegen, draaide Preston zich nog eenmaal om. Aan de overkant van het dal, achter de Duiwelskloof, hadden zich grauwe onweerswolken samengepakt. Terwijl hij keek vulden ze de kloof op en onttrokken het stadje aan het gezicht – een stadje met een macaber geheim dat alleen een Engelsman van middelbare leeftijd, gezeten in een zich snel verwijderende auto, meende te kennen.

Die avond werd Harold Philby uit de voor gasten bestemde suite gehaald en naar de zitkamer van de secretaris-generaal geëscorteerd, die al op hem zat te wachten. Philby legde de oude man een aantal documenten voor. De Sovjet-leider las ze een voor een door en richtte zich toen op. 'Je denkt het met wel heel weinig mensen af te kunnen,' zei hij.

'Staat u mij toe u op twee belangrijke punten attent te maken, kameraad secretaris-generaal. Vanwege de strikt vertrouwelijke aard van Plan Aurora oordeelde ik het verstandig het aantal medewerkers tot een absoluut minimum te beperken. Aangezien die ieder afzonderlijk niet meer te horen krijgen dan zij persoonlijk moeten weten om hun taak te kunnen uitvoeren, zal het aantal mensen dat op de hoogte moet worden gebracht van het eigenlijke doel nog kleiner zijn. Dat is het eerste punt.

Ten tweede zullen we, vanwege de uiterst beperkte tijd die ons nog rest, bepaalde onderdelen moeten comprimeren. We zullen de weken of zelfs maanden die normaal gesproken nodig zijn voor het voorbereiden van zo'n belangrijke ingreep moeten inkrimpen tot dagen.'

De secretaris-generaal knikte langzaam. 'Leg me dan nu maar eens uit waaróm je deze mannen nodig denkt te hebben.'

'De sleutel van de hele operatie,' hernam Philby, is de man die de ingreep zelf moet uitvoeren: hij zal naar Groot-Brittannië moeten reizen en daar weken achtereen als Brit moeten leven, om tenslotte Aurora ten uitvoer te leggen. Om hem de spullen te bezorgen die hij daar nodig heeft hebben we twaalf koeriers nodig, die in de wandeling "pakezels" worden genoemd. Dat zijn de mannen die de benodigdheden het land binnen zullen moeten smokkelen, hetzij via een douanecontrolepost of via een illegale grensoverschrijding. Ze zullen geen van allen weten wat ze precies bij zich hebben, of waarom; iedere man dient een ontmoetingspunt in zijn geheugen te griffen, naast een reservelokatie, voor het geval het rendez-vous mislukt. Een voor een zullen zij hun pakje aan de uitvoerder van het plan overhandigen, om vervolgens terug te keren naar ons eigen territorium en daar ogenblikkelijk in strikte afzondering te gaan. Afgezien van de planuitvoerder zal er slechts één andere medewerker zijn die nooit meer terugkeert uit Groot-Brittannië. Geen van beide mannen mag daar echter van op de hoogte worden gebracht.

Voor het dirigeren van de koeriers zal een coördinator nodig zijn, die ervoor verantwoordelijk is dat de zendingen de planuitvoerder in Groot-Brittannië ook inderdaad bereiken. Deze coördinator zal ondersteund worden door een fourier, iemand die belast wordt met het gereedmaken van de zendingen. De fourier krijgt vier ondergeschikten, ieder met een eigen specialiteit. De eerste van dit viertal zorgt ervoor dat de koeriers over de nodige documentatie beschikken en dat hun transport wordt geregeld; de tweede houdt zich bezig met het bijeengaren van de noodzakelijke zeer geavanceerde technologie; de derde moet ervoor zorgen dat de benodigde onderdelen met behulp van die technische kennis worden vervaardigd en beproefd; en de vierde man zal belast zijn met de zorg voor de verbindingen. Het zal van vitaal belang zijn dat de planuitvoerder ons op de hoogte kan houden van zijn vorderingen, eventuele moeilijkheden en vooral het moment waarop hij operationeel is. Bovendien dienen wij van onze kant in de gelegenheid te zijn om hem te melden of er soms een wijziging in de plannen is gekomen, of om hem te zeggen dat hij tot actie kan overgaan.

Over het thema verbindingen valt nog iets anders op te merken. Met het oog op de tijdsfactor zal het niet mogelijk zijn gebruik te maken van de gebruikelijke communicatiekanalen, zoals "brievenbussen" of persoonlijke contacten. Wél zullen we met de planuitvoerder kunnen communiceren met behulp van gecodeerde morseberichten, uitgezonden op de commerciële golflengten van Radio Moskou, waarbij we gebruik moeten maken van eenmalige codesleutels. Als hij ons echter dringend moet bereiken zal hij ergens in Groot-Brittannië de beschikking moeten hebben over een zender. Zeker, dat is ouderwets en riskant, en voornamelijk alleen bedoeld voor gebruik in oorlogstijd. Maar het zal niet anders gaan. U zult zien dat ik er melding van heb gemaakt.'

De secretaris-generaal bestudeerde opnieuw de paperassen die hij voor zich had, vooral aandacht schenkend aan de medewerkers die er voor de uitvoering van het plan nodig zouden zijn. Een hele poos later keek hij op. 'Je zult je mensen krijgen,' zei hij. 'Ik zal hen een voor een laten selecteren; de allerbesten die we hebben. Ze zullen te horen krijgen dat ze zich beschikbaar moeten stellen voor speciale taken.

Dan nog één ding. Ik wil niet dat een van de mensen die betrokken worden bij Plan Aurora ook maar enig contact onderhoudt met het KGB-personeel van de *rezidentoera* in onze Londense ambassade. Je weet maar nooit wie er wordt geschaduwd, of…'

Waarvoor hij nog meer bang was bleef onuitgesproken. 'Dat is alles.'

9

Preston en Viljoen ontmoeten elkaar op verzoek van de Engelsman de volgende ochtend weer in de kantoor dat Preston ter beschikking was gesteld op de derde verdieping van het Union Building. Het was zondag, dus ze hadden nagenoeg het rijk alleen in het kolossale gebouw.
'Nou, hoe pakken we het verder aan?' vroeg kapitein Viljoen.
'Ik heb de afgelopen nacht geen oog dicht gedaan,' zei Preston. 'Ik heb voortdurend liggen denken, want er is iets in de hele gang van zaken dat niet pluis is.'
'U hebt dan ook de hele weg terug liggen pitten,' merkte Viljoen grimmig op. 'En ik maar sturen.'
'Ja, maar u bent ook een stuk fitter dan ik,' zei Preston. Viljoen was duidelijk in z'n nopjes met die opmerking, want hij was trots op zijn conditie, die hij met veelvuldig trainen op peil hield. Hij draaide wat bij.
'Ik wil nu die andere soldaat opsporen,' zei Preston.
'Welke ander soldaat?'
'De man die samen met Marais ontsnapte. Nergens in zijn levensbeschrijving noemt hij de naam van die man. Hij omschrijft hem steeds als "die andere soldaat" of "mijn kameraad". Waarom noemt hij niet eenvoudig 's mans naam?'
Viljoen haalde zijn schouders op. 'Blijkbaar vond-ie dat niet nodig. Maar hij zal de naam beslist aan de mensen van het Wijnberghospitaal hebben doorgegeven, zodat zijn familie op de hoogte kon worden gesteld van zijn dood.'
'Dat zal dan wel niet schriftelijk zijn gegaan,' peinsde Preston hardop. 'De officieren die met hem gesproken

hebben zullen kort daarna weer zijn teruggekeerd in de burgermaatschappij en zich in alle windrichtingen hebben verspreid. Dit schriftelijke verslag is het enige dat werd vastgelegd; en hierin wordt de naam niet genoemd. Nee, ik wil de naam van die andere soldaat achterhalen.'

'Maar die is allang dood!' protesteerde Viljoen. 'De man ligt al tweeënveertig jaar lang in z'n graf, in een of ander bos in Polen.'

'Ik wil in ieder geval uitvissen wie hij was.'

'En wáár maken we daarmee een begin, verdomme?'

'Marais beweert dat ze in dat krijgsgevangenenkamp voornamelijk in leven konden blijven dank zij de voedselpakketten van het Rode Kruis,' zei Preston op een toon alsof hij hardop nadacht. 'Ook schrijft hij dat ze kort voor de kerst zijn gevlucht. Over zoiets zouden de Duitsers zich beslist hebben opgewonden. In zo'n geval hadden ze er een handje van om het hele blok te straffen, bijvoorbeeld door bepaalde privileges in te trekken – zoals het in ontvangst nemen van voedselpakketten. Hoogstwaarschijnlijk zal iedereen die toen in dat blok gevangen zat zich die kerst z'n leven lang blijven herinneren als de dag van gisteren. Kunnen we niet iemand opsporen die krijgsgevangene was in dat blok?'

In Zuid-Afrika bestaat geen vereniging van ex-krijgsgevangenen, maar wel een soort broederschap van oorlogsveteranen, een sociëteit waarvan uitsluitend oudstrijders lid kunnen zijn. Deze broederschap noemt zichzelf de 'Order of the Tin Hats' en de leden zijn bekend als 'moths''. De zalen waarin de afdelingen van moth plegen samen te komen worden door hen aangeduid als 'granaattrechters' en de oudst-aanwezige officier draagt de eretitel 'Oude Stier'. Preston en Viljoen namen ieder een telefoontoestel voor zich en begonnen aan de moeizame taak om iedere 'granaattrechter' in Zuid-Afrika op te bellen, in een poging iemand te vinden die gevangen had gezeten in Stalag 344. En het was inderdaad een moeizame taak. Van de circa 11 000 geallieerde krijgsgevangenen in dat kamp waren verreweg de meesten afkomstig geweest uit Groot-Brittannië, Canada, Australië, Nieuw-Zeeland of de Verenigde Staten. De Zuid-Afrikanen hadden slechts een kleine minderheid gevormd.

Bovendien waren er veel ex-krijgsgevangenen gedurende de tussenliggende jaren overleden. Veel MOTHS bleken trouwens op zondag niet thuis te zijn, omdat ze met hun gezin een uitstapje maakten of bezig waren aan een partijtje golf. Ze moesten de ene spijtbetuiging na de andere aanhoren, plus een hele massa hulpvaardige suggesties die telkens op niets bleken uit te lopen. Tegen zonsondergang vonden ze het welletjes voor die dag en hielden ermee op. Maandagmorgen begonnen ze opnieuw. En kort voor twaalven had Viljoen geluk, in de vorm van een gepensioneerde vleesinpakker. Viljoen, die het telefoongesprek in het Zuidafrikaans had gevoerd, legde zijn hand over het mondstuk. 'Deze man hier zegt dat hij in Stalag 344 heeft gezeten.'

Preston nam de hoorn van hem over. 'Meneer Anderson? Ja, mijn naam is Preston. Ik doe wat nasporingen over Stalag 344... Dank u, heel vriendelijk... Ja, ik geloof graag dat u er gevangen hebt gezeten. Kunt u zich nog iets herinneren van de kerst van negentienvierenveertig? Er zijn toen twee jonge Zuidafrikaanse soldaten ontsnapt tijdens hun transport naar een fabriek van synthetische benzine... Aha, u herinnert zich dat nog? Ja, ik ben ervan overtuigd dat het verschrikkelijk is geweest... Herinnert u zich misschien nog hoe ze heetten? O, u zat niet in hun barak... Maar misschien herinnert u zich nog de naam van de oudst-aanwezige Zuidafrikaanse officier of onderofficier? Adjudant Roberts, zegt u? Had de adjudant nog een voornaam?... Probeert u alstublieft of u zich die nog weet te herinneren. Wat? Wally? Daar bent u zeker van? Mag ik u dan hartelijk bedanken, meneer Anderson? We zijn u zeer verplicht.'

Preston legde de hoorn op de haak. 'Adjudant-onderofficier Wally Roberts. Vermoedelijk Walter. Kunnen we een bezoek afleggen bij het militair archief?'

Om de een of andere onduidelijke reden ressorteert het Militair Archief van Zuid-Afrika onder het ministerie van Onderwijs en Wetenschappen; en het is te vinden in de kelder van het ministerie op het adres Visagiestraat ZO, Pretoria. Het archief bevatte de namen van meer dan honderd Roberts'en, van wie er negentien voorzien waren van de initiaal W. Hiervan heetten er zeven inderdaad Walter. Ze waren geen van allen de bewuste adjudant-onderofficier. Ze werkten de resterende namen af. Niets. Preston begon met de dossiers van alle A. Roberts'en en schoot een vol uur later in de roos. James Walter Roberts was in de Tweede Wereldoorlog adjudant-onderofficier geweest, de Duitsers hadden hem bij Tobroek krijgsgevangen gemaakt en hij had achtereenvolgens gevangen gezeten in Noord-Afrika, Italië en tenslotte het oostelijk deel van Hitler-Duitsland. Na de oorlog was hij in het leger gebleven, was opgeklommen tot de rang van kolonel en was in 1972 met pensioen gegaan.

'Laten we hopen en bidden dat de man nog leeft,' zei Viljoen sceptisch.

'Als hij nog in leven is moeten ze hem iedere maand z'n pensioen overmaken,' zei Preston. 'Misschien hebben ze zijn naam en adres bij het pensioenfonds.'

Dat klopte. Kolonel b.d. Wally Roberts bracht zijn levensavond door in Orangeville, een stadje temidden van de meren en bossen op zo'n honderdzestig kilometer ten zuiden van Johannesburg. Toen ze eindelijk het gebouw in de Visagiestraat verlieten was het buiten al donker. Ze kwamen overeen de volgende ochtend naar Orangeville te rijden.

Het was mevrouw Roberts die de deur van de aantrekkelijk ogende bungalow opende en het legitimatiebewijs van kapitein Viljoen met een kleur van schrik bestudeerde. 'Hij is bij het meertje om de eenden te voeren,' zei ze, en wees hen de weg. Ze troffen de oude militair aan de waterkant, waar hij stukjes brood uitstrooide over het water, bevolkt door grote aantallen dankbare watervogels. Bij hun nadering richtte hij zich op en bekeek Viljoens legitimatiebewijs. Daarna knikte hij, alsof hij wilde zeggen: 'Ga jullie gang maar.'

Hij was in de zeventig, maar had nog een kaarsrecht postuur. Roberts droeg een tweed-jasje en zijn schoenen waren glimmend gepoetst, terwijl de witte borstel op zijn bovenlip hem tot het prototype van de klassieke kolonel maakte. Met een ernstig gezicht luisterde hij naar Prestons vraag.

'Natuurlijk herinner ik me dat. Ik moest op het matje komen bij de Duitse kampcommandant, die uitzinnig was van woede. De hele barak mocht die kerst en nog een hele tijd daarna geen voedselpakketten van het Rode Kruis in ontvangst nemen. Verdomd stelletje uilskuikens; maar gelukkig werden we op tweeëntwintig januari vijfenveertig naar het westen geëvacueerd, waar we eind april werden bevrijd.'

'Kunt u zich misschien nog de namen van die twee soldaten herinneren?'

'Zeker. Namen vergeet ik nooit! Ze waren allebei nog jong; nog geen twintig, schat ik. Allebei korporaal. De een heette Marais, de ander Brandt. Frikki Brandt. Twee Zuidafrikaners. Tot welk onderdeel ze behoorden weet ik niet meer precies. We droegen zoveel mogelijk kleding tegen de kou: korpsinsignes en onderscheidingstekenen kreeg je vrijwel niet te zien.'

Ze bedankten hem uitvoerig en reden terug naar Pretoria, voor een tweede bezoek aan de Visagiestraat. Ongelukkigerwijs is de naam Brandt een tamelijk veel voorkomende Nederlandse naam; en het archief bevatte de dossiers van honderden Brandts en Brands (de kolonel had zich niet kunnen herinneren of de bewuste korporaal zijn naam met of zonder t had geschreven). Tegen de avond hadden ze zes korporaals 'opgegraven' die allemaal Frederik Brandt hadden geheten en overleden waren. Twee hunner waren gesneuveld in Noord-Afrika, twee anderen in Italië en één was er omgekomen toen zijn landingsvaartuig kapseisde. Ze openden het zesde dossier. Kapitein Viljoen staarde er met grote ogen naar. 'Niet te geloven,' zei hij zacht. 'Wie kan zoiets hebben gedaan?'

'Wie zal het zeggen,' antwoordde Preston. 'Maar hoe dan ook, het moet al heel lang geleden zijn gebeurd.'

De map was volkomen leeg.

'Dit spijt me ontzettend,' zei Viljoen, toen hij Preston terugreed naar het Burgerspark Hotel. 'Maar het ziet ernaar uit dat dit spoor is doodgelopen.'

Diezelfde avond nog belde Preston vanuit zijn hotelkamer kolonel Roberts. 'Neemt u me niet kwalijk dat ik u nog even lastig val, kolonel. Maar kunt u zich toevallig nog herinneren of korporaal Brandt in de bewuste barak een speciale vriend had – z'n slapie, zogezegd? Uit eigen ervaring weet ik dat je in het leger meestal één goeie vriend hebt.'

'Daarin hebt u volkomen gelijk; meestal is dat zo. Maar zo voor de vuist weg kan ik u niet verder helpen. Laat me er een nachtje over slapen, goed? Als ik soms iemand kan bedenken zal ik u morgenochtend bellen.'

De hulpvaardige kolonel b.d. belde Preston op toen hij in de ontbijtzaal zat. Zijn afgemeten stem klonk alsof hij rapport uitbracht aan een commandopost-te-velde. 'Er is me iets te binnen geschoten,' meldde hij. 'De bewuste barakken waren bedoeld voor honderd man. Maar tegen het einde zaten we op elkaars lip, zo stampvol waren ze. Meer dan tweehonderd man per barak. Sommigen sliepen op de grond, anderen moesten hun brits met iemand delen. Daar stak niets achter, begrijpt u; het ging gewoon niet anders.'

'Dat begrijp ik, zei Preston. 'En Brandt?' 'Die deelde zijn brits met een andere korporaal. Een zekere Levinson. RLDI.'

'Pardon?'

'De Royal Durban Light Infantry. Dat was het onderdeel van Levinson.'

Deze keer leverde Visagiestraat hen het antwoord sneller. Levinson was niet bepaald een algemene naam, én ze wisten tot welk regiment hij had behoord. Binnen een kwartier kwam het betreffende dossier boven water. Hij heette Max Levinson en was in Durban geboren. Na afloop van de oorlog had hij het leger verlaten, dus ontving hij ook geen militair pensioen en konden ze zijn huidige adres niet bij het pensioenfonds achterhalen. Daar stond tegenover dat ze zijn leeftijd kenden: hij was vijfenzestig. Preston probeerde het met de telefoongids van Durban, terwijl Viljoen de gemeentepolitie van Durban vroeg de naam in te toetsen in de politiecomputer. Viljoen had sneller succes: er waren twee parkeerbonnen, dus ook een adres. Max Levinson was eigenaar van een klein hotel aan zee. Viljoen belde erheen en kreeg mevrouw Levinson aan de telefoon. Ze bevestigde dat haar man in Stalag 344 gevangen had gezeten. Momenteel was hij uit vissen.

Ze moesten met hun duimen zitten draaien totdat hij tegen het invallen van de avond terug was. Preston kreeg hem aan de lijn. De stem van de joviale hotelier klonk vrolijk. 'Natuurlijk herinner ik me Frikki. Die sufferd nam de kuierlatten naar het bos. Ik heb nooit meer iets van hem gehoord. Wat is er met hem?'

'Weet u waar hij vandaan kwam?' vroeg Preston.

'Uit East London* in Afrika,' zei Levinson zonder aarzelen.

'Wat kunt u me vertellen over zijn persoonlijke achtergrond?'

'Daar sprak-ie haast nooit over,' antwoordde Levinson. 'Zuidafrikaans, uiteraard. Hij sprak de taal vloeiend en het Engels maar matig. Ik denk dat-ie uit een arbeiders-

*East London: Oost Londen in het Afrikaans. Vert.

gezin kwam. O, nu herinner ik 't me weer: hij heeft me eens verteld dat zijn vader rangeerder was bij het spoor.' Preston bedankte hem, nam afscheid en wendde zich tot Viljoen. 'East London,' zei hij. 'Kunnen we erheen rijden?'

Viljoen slaakte een zucht. 'Dat zou ik niet willen aanraden. Het is een afstand van vele honderden kilometers. We wonen hier in een bijzonder uitgestrekt land, meneer Preston. Als u erop staat kunnen we er morgen per vliegtuig heen gaan. Ik zal zorgen dat we daarginds worden afgehaald door een politiewagen met chauffeur.' 'Dan graag een normale civiele auto,' zei Preston. 'En de bestuurder moet in burger zijn.'

Ofschoon het hoofdkwartier van de KGB bekend is als het 'Centrum' en gevestigd is aan het Dzerzjinski-plein, in het hart van Moskou, in een gebouw dat niet 'klein' mag worden genoemd, zou de beschikbare ruimte bij lange na niet toereikend zijn om er zelfs maar een deel van een van de hoofddirectoraten, directoraten of departementen te huisvesten die samen deze enorme organisatie vormen. De verschillende afdelingen van het hoofdkwartier zijn dan ook verspreid in alle richtingen. Het Eerste Hoofddirectoraat is te vinden in Jasjenevo, gelegen aan de buitenste ringweg rondom Moskou, bijna pal zuid ten opzichte van de stad. Vrijwel het hele EHD is ondergebracht in een moderne kantoorflat van beton, aluminium en glas ter hoogte van zeven verdiepingen. De plattegrond heeft de vorm van een driepuntige ster, naar het model van het bekende Mercedes-embleem. Het gebouw is door een Finse bouwonderneming uit de grond gestampt en was oorspronkelijk bedoeld voor het Internationale Departement van het Centraalcomité. Maar toen het klaar was kon het geen genade vinden in de ogen van deze instantie, die er de voorkeur aan gaf om dichter bij het centrum van Moskou te blijven. Om die reden werd het toegewezen aan het EHD. Voor dit orgaan van de KGB is het wat je noemt 'geknipt' – want het ligt ruim buiten de stadsgrenzen, buiten het blikveld van nieuwsgierige ogen.

Zelfs in hun eigen land leven alle stafleden van het EHD onder een aangenomen identiteit, in overeenstemming met de officiële voorschriften. Aangezien veel van deze stafleden naar het buitenland worden gestuurd om daar door te gaan voor 'diplomaat' (óf er al zijn geweest) is het laatste waaraan zij behoefte hebben wel gezien worden door een nieuwsgierige 'toerist' die de neiging heeft foto's te maken met een verborgen camera.

Er is echter binnen het EHD één directoraat dat zo geheim is dat het niet eens bij alle andere directoraten en departementen in Jasjenevo is gehuisvest. Als het EHD gekwalificeerd mag worden als 'geheim', moet het S-Directoraat – het 'Illegale Directoraat'- als 'supergeheim' worden omschreven. De S-agenten komen niet alleen nooit in aanraking met hun collega's van de overige EHD-afdelingen, maar zijn zelfs niet op de hoogte van het bestaan van hun eigen S-collega's. Zij worden altijd afzonderlijk en individueel opgeleid en geïnstrueerd, zodat de contacten beperkt blijven tot die tussen instructeurs en agent. Zij melden zich 's morgens niet op kantoor, om de eenvoudige reden dat ze elkaar dan zouden leren kennen. De achtergronden hiervan zijn niet moeilijk te begrijpen voor wie vertrouwd is met de geesteshouding die kenmerkend is voor de Sovjet-staat: Russen zijn nu eenmaal paranoïde met betrekking tot zaken als geheimhouding en verraad – en daar is niets exclusief-communistisch aan, want het is slechts de voortzetting van een in de tsarentijd ontstane traditie. De 'Illegalen' zijn stuk voor stuk mannen (en zo nu en dan vrouwen) die een rigoureuze opleiding hebben ontvangen en daarna over de grens werden gezet om daar onder een aangenomen identiteit hun taken te vervullen. Desondanks zijn er óók illegalen ontmaskerd, waarna ze met hun tegenstanders gingen samenwerken; anderen liepen vrijwillig over, om vervolgens alles te 'spuien' dat ze wisten. Daarom houdt het S-directoraat zich aan de gulden regel: hoe minder ze weten, hoe beter. Het is in het spionagewereldje een axioma dat niemand iets kan verraden dat hem niet bekend is.

Om die reden worden de Illegalen ondergebracht in allerlei kleine flatjes in het centrum van Moskou en melden ze zich altijd individueel voor het ontvangen van hun opleiding of instructies. Om dicht bij zijn 'jongens' te zijn houdt de directeur van het S-Directoraat nog altijd kantoor in het Centrum aan de Dzerszjinski-plein; en wel op de zesde verdieping, drie etages hoger dan hoofddirecteur of 'voorzitter' Tsjebrikov; en twee etages hoger dan diens Eerste Vice-voorzitters, de generaals Tsinev en Krjoetsjkov.

In dit onopvallende sanctuarium kwamen er die woensdagmiddag de achttiende maart twee mannen op bezoek bij de directeur van het S-Directoraat. (Op dat moment maakte John Preston in het Zuidafrikaanse East London een praatje met Levinson.) De directeur was een doorgewinterde oude veteraan, die vanaf het moment dat hij de kinderschoenen was ontgroeid groot was geworden in het handwerk dat 'spionage' heet. En wat de beide mannen hem voorlegden stond hem absoluut niet aan. 'Er is maar één enkele man die aan al deze voorwaarden voldoet,' gaf hij met nauwelijks verholen tegenzin toe. 'Hij is de beste die we hebben.'

Een van de twee leden van het Centraalcomité toonde hem een kaartje. 'Dan wil de kameraad generaal-majoor wel zo vriendelijk zijn hem met onmiddellijke ingang van zijn huidige plichten te ontslaan en hem opdracht te geven zich bij dit adres te melden.'

De directeur van 'S' knikte somber. Hij kende dat adres. Toen de beide mannen vertrokken waren herinnerde hij zich het gewaarmerkte briefie waarmee ze hun bevoegdheden hadden hard gemaakt. Het was beslist afkomstig van het Centraalcomité, en hoewel het er niet met zoveel woorden in had gestaan twijfelde hij geen moment van *wie* ze hun uitzonderlijke bevoegdheden hadden ontvangen. Hij loosde een zucht en berustte in de situatie. Het was een bittere pil om een van de allerbeste agenten die hij ooit had opgeleid kwijt te raken – de man was werkelijk uitzonderlijk goed – maar hij wist dat het geen zin had tegen de bierkaai te vechten. Hij was officier: het was niet aan hem om de juistheid van bevelen in twijfel te trekken. Hij drukte de knop van zijn intercom in. 'Zeg majoor Valeri Petrofski dat hij zich bij mij moet melden,' zei hij.

Het eerste lijntoestel uit Johannesburg naar East London landde keurig op tijd op de kleine maar goed-geoliede luchthaven (in de kleuren wit en blauw) die de luchtverbindingen met Zuid-Afrika's op drie na grootste overslaghaven en stad mogelijk maakte. De door de gemeentepolitie beschikbaar gestelde chauffeur wachtte hen op in de aankomsthal en ging hen voor naar een onopvallende Ford Granada op het parkeerterrein. 'Waarheen, kapitein?' vroeg hij.

Viljoen keek Preston aan en trok vragend een wenkbrauw op.

'Het hoofdkwartier van de Spoorwegen,' antwoordde Preston. 'Met name het gebouw waarin de administratie is te vinden.'

De chauffeur knikte en reed weg. Het moderne spoorwegstation van East London ligt aan Fleet street, recht tegenover een tamelijk haveloos en oud complex van lage gebouwen in de kleuren groen en crème: de spoorwegadministratie. Toen ze binnen waren gestapt verschafte Viljoens 'Sesam-open-u-legitimatie' hen dadelijk toegang tot de financieel directeur. Hij fluisterde belangstellend naar Prestons vraag. 'Inderdaad betalen we hier zelf de pensioenen uit aan alle gepensioneerde personeelsleden die in dit district wonen,' beaamde hij. 'Hoe is de naam?'

'Brandt,' zei Preston. 'Een voornaam kunnen we u niet noemen, vrees ik. Maar hij was een jaar of veertig geleden hier werkzaam als rangeerder.'

De financieel directeur liet een assistent opdraven, waarna ze gezamenlijk door de verwaarloosde gangen van het complex naar het archief wandelden. De assistent bleef een poosje onzichtbaar voor hij triomfantelijk zwaaiend met de pensioenkaart terugkwam. 'Hebbes,' zei hij. 'Drie jaar geleden gepensioneerd. Koos Brandt, zo heet hij.'

'Hoe oud is hij nu?' vroeg Preston.

'Drieënzestig,' antwoordde de assistent, na een blik op de pensioenkaart. John Preston schudde het hoofd. Als Frikki Brandt ongeveer even oud was geweest als Jan Marais, terwijl hij ervan uitging dat zijn vader een jaar of dertig ouder moest zijn, zou de oude heer nu boven de negentig zijn.

'De man die ik zoek zal momenteel de negentig al zijn gepasseerd, schat ik,' zei hij.

De directeur en zijn assistent waren niet van hun stuk te brengen. Er waren geen andere Brandts die van hun pensioen genoten. 'Kunt u dán misschien,' vroeg Preston, 'de drie oudste gepensioneerden die nog in leven zijn en wekelijks hun pensioen ontvangen voor me opduiken?'

'Maar de gepensioneerden zijn niet volgens hun leeftijd gerangschikt!' wierp de assistent tegen. 'We beschikken alleen over een alfabetisch-lexicografische lijst.'

Viljoen nam de directeur even apart en begon op dringende toon in het Zuidafrikaans tegen hem te mompelen. Wat hij precies zei kon Preston niet bepalen, maar het sorteerde effect. De directeur scheen diep onder de indruk te zijn. 'Doe toch maar een poging,' beval hij zijn assistent. 'Maakt niet uit wie, als hij maar vóór 1910 is geboren. Je kunt ons vinden in mijn kantoor.

Het duurde een uur. De assistent kwam terug met drie pensioenkaarten. 'Er is er één bij van negentig,' verklaarde hij, maar die was portier in het stationsgebouw. De tweede is tachtig jaar – een voormalig schoonmaker. En deze hier is eenentachtig: hij was rangeerder op het goederenemplacement.' Hij bleek Fourie te heten en woonde volgens de pensioenkaart in de wijk Quigney.

Tien minuten later reden ze door de oudste wijk van East London, waarvan de eerste huizen meer dan een halve eeuw geleden waren gebouwd. Sommige van de bescheiden bungalows hier waren opgeknapt, andere waren verwaarloosd en uitgewoond – de woningen van de armste laag van de blanke bevolking. Achter Moore Street hoorden ze de klinkhamers en andere geluiden van de daar gelegen werkplaatsen van de spoorwegen, vermengd met het kabaal van rangerende locomotieven op het goederenemplacement: hier worden de treinen samengesteld die het vrachtgoed uit de havens van East London via Pietermaritzburg naar de alleen over land bereikbare plaatsen in Transvaal moeten brengen. Een straat voorbij Moore Street vonden ze het bewuste huis. Een oude kleurlinge deed open; ze had een gezicht dat veel overeenkomst vertoonde met een walnoot die langdurig in azijn heeft gelegen, en haar witte haar werd op haar achterhoofd bijeengehouden door een knot. Viljoen sprak haar aan in het Zuidafrikaans. Het oudje wees naar de horizon en mompelde iets, voor ze de deur met een gedecideerd gebaar dicht deed. Viljoen wandelde met Preston terug naar de auto.

'Ze zei dat hij in het Instituut is,' zei Viljoen tegen de chauffeur. 'Weet u misschien wat ze daarmee bedoelde?' De politieman in burger knikte. 'Jawel, meneer. Het oude Spoorweginstituut. Tegenwoordig wordt het 't Turnbull Park genoemd. Het is de sociëteit voor spoorwegpersoneel in Paterson Street.' Het bleek een groot en laag gebouw te zijn, omgeven door een ommuurd parkeerterrein dat overging in drie bowling-gazons. Binnen moesten ze zich een weg zoeken door een paar grote *snooker*-biljarttafels en televisiehoekjes voor ze de druk beklante bar bereikten.

'Opa Fourie?' zei de man achter de tapkast. 'Die zal wel buiten naar het bowlen zitten kijken, denk ik.'

Ze vonden de oude man bij een van de gazons, waar hij in de warme zonneschijn genoot van een pintje bier. Preston legde hem zijn vraag voor. De oude man staarde hem een poosje aan alvorens langzaam te knikken. 'Ja, ik herinner me Joe Brandt nog wel. Maar die is al heel wat jaartjes dood.'

'Hij had een zoon – Frederik, of Frikki.'

'Dat is zo, ja. Goeie hemel, jongeman, wat is dat alweer lang geleden. Aardige knul. Hij kwam soms na schooltijd naar het emplacement, want dan mocht-ie van Joe mee-rijden op een van de rangeerloco's. Voor een avontuurlij-ke jongen van zijn leeftijd was dat destijds een hele bele-venis.'

'Was dat omstreeks negentienvijfendertig tot negentien-veertig?' vroeg Preston. De oude baas knikte. 'Zo onge-veer wel. Kort nadat Joe en zijn gezin hier waren komen wonen.'

'Omstreeks 1943 heeft die jongen, Frikki, dienst geno-men,' zei Preston. De reumatische oogjes van opa Fou-rie staarden hem opnieuw een tijdje aan, proberend meer dan vijftig jaar terug te blikken in een leven dat weinig ups en downs had gekend.

'Da's waar,' beaamde hij. 'Maar hij is niet teruggekomen uit de oorlog. Joe kreeg te horen dat-ie ergens in Duits-land de dood had gevonden. Dat was een zware slag voor Joe: hij aanbad dat joch en had grote plannen met hem. Na dat telegram, aan het eind van de oorlog, is-ie nooit meer helemaal de oude geworden. Hij stierf in negen-tienvijftig – en ik heb altijd de schuld gegeven aan een gebroken hart. Zijn vrouw heeft 'm niet lang overleefd; hooguit een paar jaar.'

'U zei zoëven "kort nadat Joe en zijn gezin hier waren komen wonen",' hielp Viljoen hem herinneren. 'Uit welk landstreek van Zuid-Afrika kwamen ze eigenlijk?'

Opa Fourie keek verbaasd op. 'Ze kwamen helemaal niet uit Zuid-Afrika,' zei hij resoluut.

'Het was een Zuidafrikaans gezin,' herhaalde Viljoen.

'Van wie heeft u die wijsheid?'

'Van het leger,' zei Viljoen.

De oude baas glimlachte. 'Ik veronderstel dat Frikki zich tegenover het leger wel als Zuidafrikaan zal hebben voorgedaan,' zei hij. 'Maar in werkelijkheid kwamen ze uit Duitsland. Het waren immigranten. Omstreeks vijfendertig. Joe heeft tot aan z'n dood nooit goed Zuidafrikaans leren spreken. De jongen natuurlijk wel – die hoorde op school niet anders.'

Terug in de geparkeerde auto draaide Viljoen zich om naar Preston en zei: 'Wat nu?'

'Waar worden in Zuid-Afrika de bescheiden over alle immigranten bewaard?'

'Drie keer raden,' zei Viljoen. 'Natuurlijk in de kelders van het Union Building, samen met de rest van het staatsarchief.'

'Kunnen we de archivarissen daar iets laten uitzoeken terwijl we hier wachten?'

'Geen probleem. Laten we maar naar het politiebureau rijden; daar vandaan is het gemakkelijker telefoneren.'

Het hoofdbureau van politie is eveneens in Fleet Street gevestigd, in een drie verdiepingen tellend gebouw van gele baksteen met het uiterlijk van een fort, waarvan de ramen ondoorzichtig zijn. Het gebouw staat naast de exercitiehal van de Kaffrarian Rifles. Ze maakten hun verzoek kenbaar en lunchten in de cafetaria, terwijl een archivaris in Pretoria zich beroofd zag van zijn lunchuurtje omdat hij voor een of andere onbekende snoeshaan iets moest natrekken. Gelukkig was het hele immigrantenarchief nu, in 1987, ingevoerd in de computer, zodat hij tamelijk snel het betreffende dossiernummer had gevonden. Hij lichtte het dossier, tikte er een samenvatting van uit en zette die op telex. Toen Preston en Viljoen toe waren aan de koffie werd de telex hun gebracht. Viljoen vertaalde hem woordelijk voor Preston. Toen hij klaar was zuchtte hij: 'Grote God, wie zou dat ooit hebben gedacht?'

Preston leek diep in gedachten verzonken te zijn. Toen stond hij op en liep naar het tafeltje aan de overzijde van de cafetaria, waar hun chauffeur was gezeten.

'Is er een synagoge in East London?'

'De sjoel, meneer? Jazeker! In Park Avenue. Nog geen twee minuten hier vandaan.'

De wit gekalkte synagoge met z'n zwarte koepel, bekroond door de davidster, was verlaten op woensdagmiddag, afgezien van de donkerhuidige koster. Hil was in een oude militaire overjas gehuld en had een wollen muts op. Hij gaf hun het adres van rabbi Blum, in het voorstadje Salbourne. Kort na drieën belden ze bij hem aan.

Hij deed zelf open: een man van een jaar of vijfenvijftig, met een indrukwekkende baard en staalgrijs haar. Een blik was voldoende om Preston duidelijk te maken dat hij te jong was. Hij stelde zich aan de rebbe voor. 'Zoudt u me kunnen zeggen wie hier rebbe was voordat u kwam?'

'Vanzelfsprekend. Rebbe Shapiro.'

'Heeft u enig idee of hij nog in leven is en zo ja, waar ik hem kan vinden?'

'Het lijkt me beter dat u binnenkomt,' zei rebbe Blum. Hij ging hen voor door de gang en opende de deur aan het eind. Ze blikten in een zit-slaapkamer, waarin een stokoude heer voor de gashaard een kop zwarte thee zat te drinken.

'Oom Sol, er is iemand die u graag wil spreken,' zei rebbe Blum.

Een uur later verliet Preston het huis en liep terug naar de auto, waarin Viljoen op hem zat te wachten. 'We gaan terug naar het vliegveld,' zei Preston tegen de bestuurder. Toen wendde hij zich tot Viljoen en zei: 'Zoudt u voor morgenochtend een afspraak kunnen regelen met de generaal?'

Diezelfde middag werden er nog twee andere mannen van hun post in het Rode Leger ontheven, met de opdracht zich te gaan melden voor speciale taken.

Ongeveer honderdzestig kilometer ten westen van Moskou, even opzij van de doorgaande route naar Minsk, ligt een complex van radiozendstations met de bijbehorende schotelantennes, verscholen in een dichtbebost gebied. Het is een van de 'luisterposten' waarover de Sovjet-Unie beschikt voor het opvangen van de radioboodschappen der militaire eenheden van de landen die tot het Warschaupact behoren (of andere buitenlandse zenders); maar natuurlijk kunnen er ook boodschappen worden afgeluisterd die buiten de grenzen van het Warschaupact worden gewisseld tussen andere zenders en ontvangers. Een deel van dit zender- en ontvangerpark is hermetisch afgegrendeld en uitsluitend bestemd voor gebruik door de KGB. Een van de twee mannen was een adjudant-telegrafist, afkomstig uit dit deel van het complex.

'Maar hij is de beste die we hebben!' klaagde de bevelvoerend kolonel tegen zijn plaatsvervanger, toen de twee mannen van het Centraalcomité vertrokken waren. 'Of ie goed was, vroegen ze. Nou, dat is hij zeker! Als je hem de goeie spullen geeft is-ie in staat om vast te stellen wanneer de een of andere kakkerlak in Californië zich aan z'n gat krabt!'

De tweede overgeplaatste was een kolonel van het Rode Leger; en als hij zijn uniform aan had – wat zelden gebeurde – bewezen zijn schouderpatjes dat hij tot de artillerie behoorde. In werkelijkheid was hij eerder een wetenschapsbeoefenaar dan een militair en werkte hij voor het Directoraat Materieel, afdeling Onderzoek en Ontwikkeling.

'Wel,' zei generaal Pienaar, toen ze in de leren fauteuils rond de koffietafel in zijn werkkamer hadden plaatsgenomen, 'hoe staat het met onze diplomaat Jan Marais? Is

de man schuldig of niet?'
'Zo schuldig als de pest,' zei Preston.
'Daar zou ik dan graag wat bewijzen voor willen horen,
meneer Preston. Waar is hij in de fout gegaan en wanneer?'
'Hij *is* nooit omgeturnd,' zei Preston. 'De brave borst
heeft nooit een misstap begaan. U heeft natuurlijk zijn
eigenhandig geschreven curriculum vitae gelezen?'
'Inderdaad. En zoals kapitein Viljoen u ongetwijfeld zal
hebben verzekerd hebben we zelf alles uit 's mans loopbaan onder de loep genomen – zo ongeveer vanaf het
moment dat hij ter wereld kwam tot op de huidige dag.
En we hebben niets onregelmatigs kunnen ontdekken.'
'Die zijn er dan ook niet, generaal,' zei Preston. 'Het
verhaal van zijn jeugd klopt tot in de allerkleinste details.
Ik geloof dat hij zelfs nu nog in staat zal zijn om desnoods vijf uur achtereen ondervraagd te worden over die
jeugdjaren zonder zich ook maar één enkele keer tegen
te spreken of te vergissen op een ondergeschikt punt.'
'Dan is zijn verhaal dus juist. Alles dat te controleren is
moet juist zijn,' zei Pienaar.
'Alles dat controleerbaar is, ja. Het klopt allemaal, tot op
het moment waarop die twee jonge soldaten in Neder-
Silezië uit de laadbak van die legertruck sprongen en het
op een lopen zetten. De rest is van A tot Z gelogen. Misschien mag ik u dit uitleggen door de andere kant van het
verhaal toe te lichten: het verhaal van de man die samen
met Jan Marais in de sneeuw sprong – Frikki Brandt.
Zoals u weet kwam Adolf Hitler in drieëndertig in
Duitsland aan de macht. In vijfendertig stapte een
spoorwegemployé die Josef Brandt heette naar het Zuidafrikaanse consulaat in Berlijn en vroeg daar om een im-
migratievisum, te verlenen om redenen van menslieven-
de aard: hij stond bloot aan persoonsvervolging, op
grond van zijn ras – hij was namelijk jood. Zijn verzoek
werd ingewilligd en hij kreeg toestemming om met zijn
jonge gezinnetje naar Zuid-Afrika te emigreren. Uw ei-

gen staatsarchief bevestigt dat hem een visum werd verleend.'

'Dat kan best kloppen,' knikte generaal Pienaar. 'In het Hitler-tijdperk hebben er zich veel joodse immigranten in Zuid-Afrika gevestigd. Op dat punt heeft ons land een uitstekend figuur geslagen – beter dan sommige andere landen,' voegde hij er met een vleugje sarcasme, bestemd voor zijn Britse bezoeker, aan toe.

'In september vijfendertig,' hernam Preston onverstoorbaar, 'scheepten Josef Brandt, zijn vrouw Ilse en hun tien jaar oude zoontje Friedrich zich te Bremerhaven in, om zes weken later in East London voet aan wal te zetten. Destijds was daar een grote Duitse gemeenschap, maar woonden er nog maar weinig joden. Toch besloot hij er te blijven en solliciteerde bij de spoorwegen. Een vriendelijke immigratie-ambtenaar stelde de plaatselijke rebbe op de hoogte van de aankomst van een nieuw joods gezin. De rebbe, een energieke jongeman die Solomon Shapiro heette, ging de nieuwkomers namens de Joodse gemeenschap verwelkomen en probeerde hen aan te moedigen tot deelname aan het gemeenschapsleven. Ze weigerden echter, en hij nam aan dat ze er de voorkeur aan gaven om te assimileren met de *gojs*. Dat stelde hem teleur maar verwekte geen argwaan bij hem. Maar in achtendertig werd de inmiddels verafrikaanste Friedrich, die nu door iedereen Frederik of Frikki werd genoemd, dertien jaar. Het was dus tijd voor zijn *bar-mitswa*, de plechtigheid die het man-worden van een joodse jongen markeert. Hoe graag de Brandts zich ook wilden aanpassen aan de nieuwe samenleving waarin ze terecht waren gekomen, toch was en bleef een *bar-mitswa* voor een joodse vader met maar één zoon een belangrijk gebeuren. En hoewel ze geen van drieën ooit de sjoel hadden bezocht kwam rebbe Shapiro informeren of de ouders er prijs op stelden dat hij de jongen ging voorbereiden. Hij kreeg echter meteen de wind van voren en rebbe Shapiro's vermoedens rijpten tot een zekerheid.'

'Zekerheid? Waarover?' vroeg de generaal verbaasd.

'De zekerheid dat de Brandts niet joods waren,' antwoordde Preston. 'Hij heeft 't me gisteravond zelf verteld. Bij de *bar-mitswa* wordt de jongen door de rebbe gezegend, maar dat kan pas gebeuren als de rebbe met zekerheid weet dat de jongen van joodse afkomst is. Volgens het joodse geloof loopt de bloedlijn via de moeder en niet via de vader. De moeder dient een bewijs te overleggen – een document dat *ketoeba* wordt genoemd – dat zij jodin is. Ilse Brandt had geen *ketoeba*. Er kon dus ook geen sprake zijn van een *bar-mitswa*.'

'Dus zijn ze onder valse voorwendsels het land binnengekomen,' merkte generaal Pienaar op. 'Het is anders wel verdomd lang geleden.'

'Er komt nog meer,' zei Preston. 'Bewijzen kan ik 't niet, maar ik denk wel dat ik het bij het rechte eind heb. Josef Brandt loog niet toen hij de Zuidafrikaanse consul vertelde dat de Gestapo het op hem voorzien had. Maar dat kwam niet omdat hij jood was, maar een uiterst actief aanhanger van de Kommunistische Partei Deutschlands, de KPD. Hij besefte heel goed dat hij nooit een visum zou krijgen als hij dit aan uw consul vertelde.'

'Ga door,' zei de generaal grimmig.

'Tegen de tijd dat Josef Brandts zoon Frikki achttien jaar oud was had zijn vader hem totaal weten te doordringen van zijn verborgen idealen en was hij opgevoed tot een toegewijd communist, bereid om te werken voor de Communistische Internationale – de Comintern. De rest laat zich raden: in drieënveertig meldden twee jonge kerels zich vrijwillig bij het Zuidafrikaanse leger: Jan Marais uit Duiwelskloof met de bedoeling, te vechten voor Zuid-Afrika en de Britse Commonwealth, en Frikki Brandt met het voornemen om zich in te zetten voor zijn ideologische bakermat, de Sovjet-Unie.

Ze hadden elkaar nooit eerder ontmoet: niet tijdens de opleiding noch tijdens het troepentransport naar Italië of gedurende de veldtocht van de Geallieerden naar Flo-

228

rence. Maar in Stalag 344 kruisten hun wegen elkaar. Het is me niet duidelijk of Brandt toen al zijn vlucht- plannen had uitgeknobbeld, maar vaststaat dat hij doel- bewust een jongeman tot medevluchter koos die even lang en blond was als hijzelf. Ik ben er van overtuigd dat *hij* het is geweest, en niet Jan Marais, die het initiatief nam tot die ren naar het bos, toen hun Duitse legertruck panne had gekregen.'

'Hoe zit 't dan met die longontsteking die hij opliep?' vroeg Vilioen.

'Er is helemaal geen sprake geweest van longontsteking, vermoedelijk,' zei Preston, 'noch zijn ze in handen ge- vallen van Poolse katholieke partizanen. Waarschijnlijk waren het communistische verzetsstrijders met wie Brandt vloeiend Duits kon spreken. Die zullen hem wel de weg hebben gewezen naar het Rode Leger, dat hem doorstuurde naar de NKVD – met de nietsvermoedende Jan Marais in zijn kielzog. De persoonsverwisseling zal tussen maart en augustus van negentienvijfenveertig tot stand zijn gekomen. Al dat geklaag over klamme, ijskou- de cellen was flauwekul! Ongetwijfeld heeft de NKVD Jan Marais zo lang uitgeperst totdat ze over alle bijzonder- heden van zijn jeugd en het onderwijs dat hij had geno- ten beschikten, waarna Brandt alles uit het hoofd heeft geleerd totdat hij, in weerwil van zijn onbeholpen En- gels, bij machte was om die levensbeschrijving met z'n ogen dicht neer te pennen. Waarschijnlijk heeft hij ook een stoomcursus Engels moeten volgen en hebben ze zijn uiterlijk iets veranderd. Uiteindelijk kreeg hij het identiteitsplaatje van Jan Marais om zijn nek en kon het spel beginnen. Jan Marais zelf zal, toen hij niet langer bruikbaar voor hen was, na afloop wel geliquideerd zijn. Ze bezorgden Brandt de nodige blauwe plekken, lieten hem tevoren een poosje op een hongerdieet staan en ga- ven hem een paar middeltjes in om hem zo realistisch mogelijk ziek te laten lijken. Toen pas brachten ze hem over naar Potsdam, naar het Engelse leger. Hij werd een poosje opgenomen in het militaire hospitaal in Bielefeld en daarna in Glasgow. Tegen de winter van vijfenveertig zouden alle Zuidafrikaanse soldaten al gerepatrieerd zijn, de kans dat hij iemand van het Witwatersrand/de la Rey Regiment tegen het lijf zou lopen was uiterst gering. In december vertrok hij per schip naar Kaapstad, waar hij in januari zesenveertig aankwam. Hij zat toen nog met één moeilijkheid: hij kon onmogelijk naar Duiwelskloof gaan. Dat was hij dan ook volstrekt niet van plan. Alleen stuurde iemand op het hoofdkwartier Defensie een telegrammetje naar de oude boer Marais om hem te melden dat zijn zoon, na als 'vermist, vermoedelijk gesneuveld' te boek te hebben gestaan, toch nog was teruggekomen. Tot grote schrik van Brandt werd hem toen een antwoordtelegram in handen geduwd – ik geef toe dat dit niet meer is dan een gissing, maar het lijkt me nogal voor de hand te liggen – waarin de oude heer erop aandrong dat hij naar huis zou komen.

Hij maakte zichzelf weer "ziek" en werd in het Wijnberg-hospitaal opgenomen.

De oude boer liet het er niet bij zitten. Hij telegrafeerde opnieuw, nu om te melden dat hij helemaal naar Kaapstad zou komen. Wanhopig deed Brandt een beroep op zijn vriendjes van de Com-intern. Die overreden de oude man op een eenzame weg in het Mootseki-dal, demonteerden een wiel van zijn auto en staken de band ervan lek en lieten het er uitzien alsof het een ongeluk was geweest en alsof de dader was doorgereden. Hierna was er geen vuiltje meer aan de lucht. De jongeman kon, zoals iedereen in Duiwelskloof wel begreep, onmogelijk op tijd thuis zijn voor de begrafenis; en notaris Benson had geen enkele reden tot achterdocht toen hij telegrafisch het verzoek kreeg de nalatenschap te verkopen en de opbrengst naar Kaapstad over te maken.'

Er heerste stilte in de werkkamer van de generaal, slechts verstoord door het zoemen van een bromvlieg tegen de ruit. Generaal Pienaar knikte een paar maal. 'Ja, het sluit als een bus,' gaf hij eindelijk toe. 'Maar we beschikken over geen enkel concreet bewijs. We kunnen onmogelijk aantonen dat de Brandts niet joods waren, laat staan dat ze aanhangers waren van de KPD. Kunt u me ook maar *iets* geven dat ieder restje twijfel uit de weg ruimt?'

Preston stak een hand in zijn binnenzak en diepte er de sepiakleurige foto uit op, die hij op het bureau van de generaal legde. 'Dit is de laatste foto van de echte Jan Marais. Zoals u ziet was hij in zijn jeugd een redelijk goeie bowler. Zijn vingers sluiten zich om de bal met de greep van iemand die weet hoe hij een bal effect moet meegeven. Bovendien bowlt hij met zijn *linker* hand. Ik heb een volle week gelegenheid gehad Jan Marais in Londen te bestuderen – van tamelijk dichtbij en met behulp van een kijker. De man rijdt, rookt, eet en drinkt *rechts*, generaal. Je kunt van alles doen om een man er anders te laten uitzien: je kunt z'n haardracht wijzigen, zijn spraak veranderen, zijn gezicht opereren, zijn manieren herzien. Maar het is godsonmogelijk om een linkshandige bowler te veranderen in een rechtshandige man.'

Generaal Pienaar, die z'n halve leven al cricket had gespeeld, staarde grimmig naar de foto. 'Dus wat hebben we daarginds in Londen, volgens u, meneer Preston?'

'Generaal, we hebben daar een toegewijde en door-de-wol-geverfde communistische spion die zich in de Zuidafrikaanse diplomatieke dienst een loopbaan heeft weten op te bouwen, terwijl hij meer dan veertig jaar lang voor de Sovjet-Unie heeft gewerkt.'

Generaal Pienaars blik maakte zich los van zijn bureau en dwaalde af naar het Voortrekkersmonument aan de overkant van het dal, achter de Kerkstraat. 'Ik zal hem de nek breken,' fluisterde hij. 'Ik hak hem aan mootjes en stamp hem even diep onder het bosjesveld als hij er nu boven staat.'

Preston schraapte zijn keel. 'Met het oog op het feit dat ook *wij* met een probleem zitten vanwege deze man, zou ik u willen verzoeken, generaal, om nog niet tot stampen over te gaan voordat u met sir Nigel hebt gesproken.'

'Goed, u uw zin, meneer Preston,' knikte Pienaar. 'Ik zal eerst met sir Nigel ruggespraak houden. Wat zijn uw verdere plannen?'

'Er gaat vanavond nog een toestel naar Londen, generaal. Ik zou dat toestel graag willen halen.'

Generaal Pienaar stond op en stak een van zijn grote handen uit. 'Goedendag, meneer Preston. Kapitein Viljoen zal u vergezellen naar het vliegveld. En nog bedankt voor uw hulp.'

Onder het pakken van zijn koffer belde Preston met Dennis Grey die meteen overkwam uit Johannesburg en een boodschap in ontvangst nam, bestemd om eerst gecodeerd en vervolgens naar Londen te worden geseind. Twee uur later had hij z'n antwoord binnen. Sir Bernard Hemmings zou de volgende dag, zaterdag, naar kantoor komen om hem te woord te staan.

Even voor achten stonden Preston en Viljoen in de vertrekhal toen de laatste oproep kwam, bestemd voor de passagiers die geboekt hadden voor de nachtvlucht van South African Airways naar Londen. Preston liet zijn ticket zien en Viljoen zijn wonderpasje. Samen liepen ze de koelere duisternis in.

'Eén ding moet ik je nageven, Engelsman,' zei Viljoen. 'Je bent een verdomd goeie Kaapse jachthond.'

'Merci,' zei Preston.

'Ken je het ras?' Eindelijk was er iets van vertrouwelijkheid tussen hen beiden ontstaan.

'Ik meen,' zei Preston behoedzaam, 'dat de Kaapse jachthond bekend staat om het feit dat hij tamelijk traag en eigenzinnig is, maar uiterst vasthoudend.'

Voor het eerst die week gooide kapitein Viljoen het hoofd in de nek en barstte in lachen uit. Maar even later werd hij weer ernstig. 'Mag ik je iets vragen?'

'Natuurlijk.'

'Waarom legde je bloemen op het graf van de oude Marais?'

Preston staarde naar het wachtende toestel, twintig meter verderop, waarvan de kleine raampjes helder verlicht waren in de omringende duisternis. De laatste passagiers klommen de vliegtuigtrap op. 'Omdat ze hem eerst zijn zoon hadden afgenomen,' zei hij, 'en daarna ook nog hém vermoordden om hem te beletten dat te ontdekken. Het leek me er het juiste gebaar toe.'

Viljoen stak hem zijn rechter hand toe. 'Vaarwel, John, en veel geluk verder.'

'Dank je wel, Andries. Het allerbeste.'

Enkele minuten later richtte de slanke springbok op de staartvin van het straalvliegtuig z'n neus naar de hemel en sprong weg naar het noorden, richting Europa.

10

Sir Bernard Hemmings, geflankeerd door Brian Harcourt-Smith, luisterde zwijgend naar Prestons relaas totdat hij was uitgesproken. 'Grote God,' zei hij met nadruk toen Preston zweeg, 'dus uiteindelijk blijkt Moskou er wel degelijk achter te zitten. Nu zullen we pas goed de poppen aan het dansen krijgen. De aangerichte schade moet onafzienbaar zijn. Brian, beide mannen worden nog steeds dag en nacht in het oog gehouden, naar ik hoop?'
'Vanzelfsprekend, sir Bernard.'
'Blijf dat zo houden gedurende het weekeinde. Doe geen enkele poging om actief iets te ondernemen voordat de Paragon-commissie de gelegenheid heeft gehad deze informatie aan te horen. John, ik besef dat je ontzettend moe moet zijn, maar is het mogelijk dat je voor zondagnacht je rapport gereed hebt?'
'Zeker, sir.'
'Zorg dan dat ik het maandagochtend op m'n bureau heb liggen. Ik zal de commissieleden thuis bellen en hen vragen om maandagochtend over te komen voor een spoedzitting.'

Toen majoor Valeri Petrofski door een bediende naar de zitkamer van de sobere *datsja* in Oesovo werd gebracht trilde hij op zijn benen van angst en spanning. Hij had de secretaris-generaal van de CPSU nog nooit ontmoet, of zelfs maar durven dromen dat hij dat ooit zou doen. Hij had drie verwarrende en zelfs angstaanjagende dagen achter de rug. Nadat zijn eigen directeur hem had gezegd dat hij zich beschikbaar diende te houden voor speciale taken had hij in zijn flatje in het centrum van Moskou in quarantaine gezeten, dag en nacht bewaakt door twee mannen van het Negende Directoraat, de beruchte Kremlingarde. Het was daarom maar al te begrijpelijk dat hij het ergste had gevreesd, ofschoon hij niet het flauwste benul had van wat hij zou kunnen hebben misdreven. Toen, zondagavond, had hij abrupt bevel gekregen om zijn beste burgerpak aan te trekken. Hij had de twee bewakers gevolgd naar een beneden wachtende Tsjaika, waarna hij onder stilzwijgen naar Oesovo was gereden. Zelfs de *datsja* waar ze hem brachten had hij niet herkend. Pas toen majoor Pavlov hem kwam zeggen: 'De kameraad secretaris-generaal zal u nu ontvangen,' had hij begrepen waar hij zich precies bevond. Hij had een droge keel toen hij de zitkamer binnenstapte. Manhaftig probeerde hij zich een houding te geven, zichzelf voorhoudend dat hij op iedere beschuldiging die hem voor de voeten zou worden geslingerd zo respectvol en waarheidsgetrouw mogelijk moest antwoorden.

Binnen bleef hij stram in de houding staan toen de oude man in de rolstoel hem een paar minuten zwijgend zat op te nemen, toen een hand opstak en hem beduidde nader bij te komen. Petrofski zette vier afgemeten passen en bleef staan, opnieuw in de houding. Maar toen de Sovjet-leider hem aansprak was er niets van een striemende, beschuldigende klank in zijn tamelijk zachte stem te bespeuren.

'Majoor Petrofski, u bent geen ledepop! Kom eens hier staan, in het licht, zodat ik u wat beter kan zien. En ga zitten.'

Petrofski was met stomheid geslagen. Gaan zitten in de aanwezigheid van de secretaris-generaal was ongehoord voor iemand die zo jong was als hij en slechts de majoorsrang bekleedde. Hij deed wat hem gezegd was, maar bleef op het puntje van de stoel zitten, met kaarsrechte rug en de knieën stijf tegen elkaar aan gedrukt.

'Hebt u enig idee waarom ik u heb laten komen?'

'Nee, kameraad secretaris-generaal.'

'Ik veronderstel van niet, nee. Het was noodzakelijk dat niemand het te weten kwam. Dan zal ik u nu maar op de hoogte brengen. Het gaat om het volgende: er moet een moeilijke opdracht worden uitgevoerd, waarvan het resultaat van onschatbare waarde zal zijn voor de Sovjet-Unie en de eindoverwinning van de revolutie. Als de taak tot een goed eind is gebracht zal ons land daar onnoemelijk veel bij winnen; als het mislukt zal dat rampzalige gevolgen voor ons hebben. Daarom heb ik u, Valeri Alexeivitsj, persoonlijk uitgekozen voor het volvoeren van deze eervolle taak.' Het duizelde Petrofski. Zijn angst dat hij in ongenade was gevallen en verbannen zou worden of erger, werd verdrongen door een welhaast onbedwingbare vreugde, zodat hij moeite had om niet in juichen uit te barsten. Vanaf het moment dat hij als briljant student aan de universiteit van Moskou, een student die rondliep met plannen om carrière te maken bij Buitenlandse Zaken, was geselecteerd door het Eerste Hoofddirectoraat om in dat KGB-orgaan te fungeren als een van de intelligente beloftes voor de toekomst, vanaf het moment dat hij zich vrijwillig had opgegeven voor overplaatsing naar het 'elitekorps' van het S-Directoraat; vanaf dat ogenblik had hij gedroomd van een belangrijke missie waarmee hij zijn waarde kon bewijzen. Maar zelfs in zijn stoutste dromen had hij iets als dit niet durven verwachten. Eindelijk waagde hij het de secretaris-generaal recht in de ogen te zien.

'Dank u wel, kameraad secretaris-generaal.'

'De bijzonderheden zult u van anderen te horen krijgen,' hernam de secretaris-generaal. 'Er zal u weinig tijd ter beschikking staan, maar daar staat tegenover dat u al getraind bent tot aan het plafond van uw mogelijkheden; en ook zult u alles dat u nodig hebt voor het volvoeren van uw missie ter beschikking krijgen. Er is een bepaalde reden waarom ik u persoonlijk wenste te spreken. Er is iets dat u op het hart moet worden gebonden en ik gaf er de voorkeur aan dat persoonlijk te doen. Als deze missie

slaagt – en ik twijfel er geen moment aan dát dat zal gebeuren – zult u na uw terugkeer hier worden gepromoveerd en zullen u eerbewijzen ten deel vallen waarvan u
zich nog geen voorstelling kunt maken. Daar zal ik persoonlijk op toezien. Maar als er ook maar iets mis mocht
gaan, als de politiediensten of militaire organen van het
land waarheen we u sturen lucht van uw aanwezigheid
mochten krijgen of aanstalten maken u te arresteren,
zult u zonder aarzelen maatregelen moeten nemen om te
voorkomen dat men u levend in de kraag vat. Begrijpt u
dat, Valeri Alexeivitsj?'
'Jazeker, kameraad secretaris-generaal.'
'Als ze u levend te pakken zouden krijgen, om u te onderwerpen aan de allerstrengste verhoortechnieken en u
de ruggegraat te breken – o ja, dat is tegenwoordig mogelijk: *hoeveel* reserves aan persoonlijke moed iemand
ook bezit, hij zal geen enkel verweer hebben tegen de
moderne farmaceutica die de psyche beïnvloeden –
waarna u mag opzitten en pootjes geven tijdens een internationale persconferentie – dat alles zou trouwens
toch een helse foltering voor u zijn. Maar de schade die
een dergelijk schandaal zou toebrengen aan uw vaderland, de Sovjet-Unie, *die* schade zou niet te overzien zijn,
en bovendien onherstelbaar.'
Majoor Petrofski schepte adem. 'Ik zal u niet teleurstellen en mijn missie tot een goed einde brengen,' zei hij.
'Maar als het erop aan mocht komen zullen ze mij nooit
levend te pakken krijgen.'
De secretaris-generaal drukte een knop onder het tafelblad in en de deur zwaaide open. In de deuropening
stond majoor Pavlov. 'Dan wens ik u succes, jongeman.
Hier, in dit huis, zal iemand die u misschien al eerder
hebt gezien u uitleggen waaruit uw opdracht bestaat.
Daarna zult u ergens anders heengaan om daar uitgebreid en intensief te worden geïnstrueerd. Wij zullen elkaar niet meer terugzien – niet voor u bent teruggekeerd.'

Nadat de deur achter de beide KGB-majoors was dichtge-
gaan bleef de secretaris-generaal van de CPSU peinzend
naar de knisterende vlammen van het houtvuur in de
grote open schouw staren. 'Zo'n gezonde, dappere jonge kerel,' dacht hij. 'Doodzonde.'

Toen Petrofski majoor Pavlov via twee lange gangen
volgde naar het gedeelte van de *datsja* dat voor gasten
was gereserveerd, had hij het gevoel alsof zijn ribbenkast
te klein was om alle heftige emoties – hoop, trots, blijdschap, verwachtingen – in zijn binnenste te bevatten.
Majoor Valeri Alexeivitsj Petrofski was in hart en nieren
een Russische militair en patriot. Hij had de Engelse taal
behoorlijk onder de knie en kende de frase '*to die for God,
King and Country*' en wist wat het zeggen wilde. Een God
erkende hij niet, maar de hoogste leider van zijn land had
hem een belangrijke missie toevertrouwd; en toen hij in
die *datsja* in Oesovo door die gang liep nam hij zich vast-
beraden voor om, als dat moment ooit mocht aanbreken,
niet terug te deinzen voor wat er gedaan moest worden.
Majoor Pavlov bleef staan voor een deur, klopte aan en
duwde hem open. Toen stapte hij opzij om majoor Petrofski door te laten. Daarna sloot hij de deur weer en
trok zich terug. Van een stoel bij een tafel die overdekt
was met paperassen en stafkaarten stond een oude man
met sneeuwwit haar op, die dadelijk naar hem toekwam.
'Dus u bent majoor Petrofski,' zei hij glimlachend, onder het uitsteken van zijn hand. Petrofski verbaasde zich
over het stotteren. Het gezicht kende hij, hoewel ze elkaar nooit hadden ontmoet. Bij het EHD was deze man
voor de jongere garde een levende legende, een van de
Vijf Sterren, een man die recht had op hun respect en de
belichaming was van een van de grootste triomfen die de
Sovjet-ideologie ooit op het kapitalisme had behaald.
'Jawel, kameraad-kolonel,' zei hij.
Philby had zijn dossier zo grondig doorgelezen dat hij er
volkomen vertrouwd mee was geraakt. Petrofski was pas

zesendertig en was al meer dan tien jaar opgeleid voor een bepaald doel: kunnen doorgaan voor een in Engeland geboren en getogen Brit. Hij was al twee keer in dat land geweest om zich daar onder een aangenomen identiteit met de omstandigheden vertrouwd te maken, zonder ook maar in de buurt te komen van Sovjet-Russische ambassade en zonder ook maar de kleinste opdracht uit te voeren. Dergelijke 'studiereisjes' waren eenvoudig bedoeld om een S-agent in de gelegenheid te stellen te acclimatiseren en gewoon te raken aan alles waarmee ze op een gegeven moment opnieuw te maken zouden krijgen: simpele dingen als het openen van een bankrekening; het veroorzaken van een aanrijdinkje met alleen wat blikschade, alleen om te weten wat er in zo'n geval gedaan diende te worden; gebruik maken van de Londense ondergrondse; en het uitbreiden en toepassen van moderne zinnetjes uit het Engelse idioom. Philby wist dat de jongeman tegenover hem niet alleen voortreffelijk Engels sprak, maar zich zonder een spoor van een accent vloeiend in vier verschillende streekdialecten kon uitdrukken, terwijl hij ook het Welsh en het Iers foutloos beheerste. Daarom greep hij dankbaar de kans aan om zelf weer eens Engels te kunnen spreken.

'Ga zitten,' zei hij. 'Ik zal u nu in grote trekken vertellen waaruit uw taak zal bestaan. De bijzonderheden krijgt u van uw instructeurs te horen. We zullen heel weinig tijd, wanhopig weinig tijd tot onze beschikking hebben, dus zult u alles dat u te horen krijgt sneller in u op moeten nemen dan u ooit hebt gedaan.'

Onder het spreken besefte Philby steeds duidelijker dat hijzelf degene was die, na dertig jaar afwezigheid uit zijn vaderland en ondanks het lezen van iedere Britse krant en ieder Brits tijdschrift waarop hij de hand had weten te leggen, moeite had met de taal en zich bezondigde aan een kromme zinsbouw en ronduit ouderwetse uitdrukkingen. De jonge Rus sprak het Engels dat iedere moderne Engelsman van zijn leeftijd tegenwoordig hanteerde. Het kostte Philby twee uur om de jonge majoor te schetsen wat Plan Aurora behelsde en wat er allemaal bij zou komen kijken. Petrofski nam alle bijzonderheden gretig in zich op, zich verbazend over de gedurfdheid van het plan, dat hem mateloos opwond.

'De eerstkomende paar dagen zult u geïnstrueerd worden door een team van slechts vier instructeurs; verder krijgt u niemand te zien. Zij zullen u vertrouwd maken met een hele massa namen, lokaties, datums, zendtijden en rendez-vous met de mensen die u ondersteuning zullen verlenen. Al die dingen dient u zich in het geheugen te griffen. Het enige dat u mee moet nemen is een blok eenmalige codesleutels. Nou, dat was het dan.'

Petrofski knikte en zei: 'Ik heb de kameraad secetarisgeneraal al gezegd dat ik hem niet zal teleurstellen. Het zal gebeuren volgens plan en op het geplande tijdstip. Wanneer de benodigdheden inderdaad aankomen zal het niet mislukken.'

Philby stond op. 'Mooi. Dan zal ik u nu terug laten brengen naar Moskou, naar de lokatie waar u de resterende tijd tot aan uw vertrek zult doorbrengen.' Terwijl Philby naar de huistelefoon liep werd Petrofski opgeschrikt door een luid koe-koe-roe, afkomstig uit een hoek van de kamer. Toen hij omkeek ontdekte hij een grote kooi met een fraaie postduif erin die hem met pientere oogjes zat op te nemen. Met een verontschuldigend lachje draaide Philby zich om. 'Ik noem hem Hopalong,' zei hij, terwijl hij het nummer van majoor Pavlov draaide. 'Ik vond hem van de winter op straat, met een gebroken vleugel en een gebroken pootje. De vleugel is inmiddels genezen, maar het pootje blijft hem last bezorgen.'

Petrofski liep naar de kooi en liet zijn duimnagel langs de tralies ritsen. De duif leek erdoor te worden afgeschrikt, want in plaats van naar hem toe te komen trok het dier zich zo ver mogelijk terug. Op dat moment ging de deur open en stapte majoor Pavlov binnen. Zoals gebruikelijk zei hij niets, maar beduidde Petrofski dat hij hem moest volgen. 'Tot ziens en veel geluk,' zei Philby.

De leden van de Paragon-commissie lazen in stilte Prestons rapport door en bleven zwijgen totdat de laatste ermee klaar was.

'Wel,' zei sir Anthony Plumb om de discussie te openen, 'nu weten we eindelijk wat, waar, wanneer en wie. Maar nog steeds niet waarom.'

'Noch weten we hoevéél,' vulde sir Patrick Strickland aan. 'We hebben nog steeds geen poging gedaan de schade te begroten; en dat terwijl we er eenvoudig niet langer aan ontkomen om onze bondgenoten op de hoogte te stellen, ook al is er – op één fictief geheim document na – sinds januari niets doorgespeeld naar Moskou.'

'Ik ben het met je eens,' zei sir Anthony. 'Goed, mijne heren, ik geloof dat we het erover eens kunnen zijn dat de tijd voor verdere nasporingen ontbreekt. Hoe pakken we deze man aan? Nog suggesties, Brian?'

Harcourt-Smith was zonder zijn directeur-generaal en vertegenwoordigde dus MI-5 alleen. Hij koos zijn woorden uiterst behoedzaam. 'Wij stellen ons op het standpunt dat de cirkel gesloten is met Berenson, Marais en hun tussenpersoon Benotti. De Veiligheidsdienst gaat ervan uit dat het onwaarschijnlijk is dat er door deze ene kring nog meer agenten worden gedirigeerd. Berenson was vermoedelijk zo belangrijk dat de hele kring naar alle waarschijnlijkheid alleen werd opgezet om de door hem verschafte informatie door te spelen.'

Er werd instemmend geknikt rondom de tafel.

'En hoe luiden je aanbevelingen?' vroeg sir Anthony.

'Dat we het hele stel inrekenen en de kring oprollen,' antwoordde Harcourt-Smith.

'Ja, maar er is een buitenlandse diplomaat bij betrokken,' wierp sir Hubert Villiers van Buitenlandse Zaken tegen. 'Naar mijn overtuiging zal Pretoria bereid zijn diens diplomatieke onschendbaarheid op te geven, in dit geval,' zei sir Patrick Strickland. 'Op dit moment zal generaal Pienaar het hele verhaal wel aan premier Botha hebben gerapporteerd. Zonder twijfel zullen zij Marais willen terughebben, als *wij* een babbeltje met hem hebben gemaakt.'

'Mooi. Dat lijkt me wel afdoende,' zei sir Anthony. 'Wat vind jij, Nigel?'

Sir Nigel Irvine had naar het plafond zitten staren alsof hij diep in gedachten was. Bij het horen van deze vraag scheen hij wakker te worden. 'Och, ik vroeg me alleen een paar dingen af,' zei hij. 'We rekenen het stel in. Maar hoe dan verder?'

'Ondervragingen,' zei Harcourt-Smith. 'We kunnen dan een begin maken met het vaststellen van de schade, terwijl we de pil voor onze bondgenoten wat kunnen vergulden met de melding dat inmiddels de hele kring is opgerold.'

'Ja,' zei sir Nigel. 'Tot zover was het me wel duidelijk. Maar daarna?'

Hij wendde zich nu tot de onderministers en de secretaris van de ministerrraad. 'Het lijkt me dat ons vier verschillende mogelijkheden openstaan. We kunnen Berenson arresteren en hem formeel in staat van beschuldiging stellen met een verwijzing naar dc Wet op de Staatsgeheimen – en *als* we hem arresteren zullen we daar niet onderuit kunnen. Maar… beschikken we wel over dusdanige bewijzen dat we hem ook veroordeeld kunnen krijgen? We weten dat we gelijk hebben, maar kunnen we ons gelijk ook hard maken tegenover een doorgewinterde strafpleiter? Nog afgezien daarvan moeten we bedenken dat een formele arrestatie en aanklacht een enorm schandaal zullen verwekken; en zo'n schandaal zou ongetwijfeld repercussies hebben voor de regering.'

Sir Martin Flannery, secretaris van de ministerraad, begreep de wenk. In tegenstelling tot alle overige aanwezigen in COBRA wist hij dat de Eerste Minister aanstuurde op vervroegde algemene verkiezingen in juni, eenvoudig omdat hem dat strikt vertrouwelijk was meegedeeld. Als iemand van de oude stempel die in de politiek was groot geworden, gold sir Martins loyaliteit uitsluitend de zittende regering, zoals hij ook de drie voorgaande regeringen (waarvan twee Labour-regeringen) onvoorwaardelijk had gesteund. Iedere democratisch gekozen nieuwe regering zou op diezelfde loyaliteit door dik en dun kunnen rekenen, wat hem betrof. Hij tuitte zijn lippen.

'Aan de andere kant,' hernam sir Nigel, 'zouden we Berenson en Marais ook ongemoeid kunnen laten, maar Berenson in het vervolg uitsluitend documenten met misleidende informatie geven. Dan mag hij daar Moskou blij mee maken. Hoewel die vlieger niet lang zal blijven opgaan: Berenson bekleedt een te hoge post en is té goed op de hoogte om zich lang op die manier om de tuin te laten leiden.'

Sir Peregrine Jones knikte. Hij wist als geen ander dat sir Nigel op dat punt gelijk had.

'De derde mogelijkheid is dat we Berenson inrekenen en een poging doen zijn volledige medewerking te verkrijgen bij het vaststellen van de schade, in ruil voor het achterwege blijven van strafvervolging. Persoonlijk verafschuw ik het om verraders ongestraft te laten. Je weet tenslotte nooit of ze je de hele waarheid hebben opgebiecht, óf je erin hebben laten lopen, zoals Blunt heeft gedaan. En uiteindelijk komt het toch in de openbaarheid, hoe dan ook – en dan is het schandaal des te groter.'

Sir Hubert Villiers, onder wiens ministerie de openbare aanklagers ressorteerden, knikte instemmend, maar met een diepe rimpel in zijn voorhoofd. Ook hij had er een hartgrondige hekel aan om het met misdadigers op een akkoordje te gooien; en hij wist dat de Eerste Minister er precies zo over zou denken.

'Dan rest alleen nog de vierde mogelijkheid,' vervolgde het hoofd van de Geheime Dienst. 'En wel detentie, strenge verhoren en een proces. Ofschoon ik nooit veel vertrouwen heb gesteld in derdegraads-verhoren – maar op dat punt ben ik wellicht wat ouderwets. Hij zal misschien toegeven dat hij vijftig documenten heeft doorgespeeld – ik noem maar een dwarsstraat – maar tot aan z'n dood zullen we nooit weten of het er vijftig waren of honderdvijftig.'

Het bleef een hele poos stil.

'Die alternatieven zijn geen van alle erg aanlokkelijk,' beaamde sir Anthony Plumb. 'Maar het komt me voor dat we het eens zullen moeten worden over Brians suggestie, als verder niemand voorstellen heeft op dat punt.'

'Er zou misschien toch nog iets te bedenken zijn,' zei sir Nigel vriendelijk. 'Het is namelijk niet onmogelijk, heren, dat het recruteren van Berenson onder valse vlag is gebeurd.'

Het merendeel van de aanwezigen wist wat hij bedoelde met 'recrutering onder valse vlag,' maar sir Hubert Villiers, secretaris van Binnenlandse Zaken fronste zijn wenkbrauwen, evenals sir Martin Flannery van de ministerrraad. Sir Nigel zag hun verbazing en lichtte zijn woorden toe.

'Daarmee bedoelen we de recrutering van een "informatiebron" door agenten die doen alsof ze voor een bepaald land werken – uiteraard een land waarmee de bewuste bron sympathiseert – terwijl ze in werkelijkheid in opdracht van een ander land werken. Vooral de Israëlische Mossad heeft daar een handje van. Aangezien Israël zonder moeite agenten kan ophoesten die zich kunnen uitgeven voor iedere denkbare nationaliteit, heeft de Mossad met de "valse-vlagtechniek" al heel wat opmerkelijke staaltjes laten zien. Laat me hiervan een voorbeeld geven: een loyale Westduitser die in het Midden-Oosten werkt wordt tijdens zijn verlof in de Bondsrepubliek benaderd door twee landgenoten die hem met behulp van niet in twijfel te trekken legitimaties aantonen dat zij de BND vertegenwoordigen, de Westduitse Geheime

Dienst. Ze dissen hem het verhaaltje op dat de Fransen, die in Irak aan hetzelfde project werken als hij, geheime technologie die van levensbelang is voor de NAVO doorspelen, alleen om nog meer kapitaalsintensieve opdrachten van Irak binnen te slepen. Zou de bewuste Westduitser bereid zijn z'n vaderland van dienst te zijn door de BND op de hoogte te houden van de gang van zaken? Als loyaal burger van de Bondsrepubliek stemt hij toe – om vervolgens jaren achtereen voor Tel Aviv te werken. Dat is al heel wat keertjes zo gegaan.

En het is ook in dit geval niet onmogelijk, heren,' vervolgde sir Nigel. 'We hebben allemaal Berensons dossier doorgenomen tot we er misselijk van werden. Maar als we kunnen afgaan op wat we momenteel weten, is het best mogelijk dat hij onder valse vlag is gerecruteerd.'

Hier en daar werd instemmend geknikt door degenen die zich de inhoud van Berensons dossier nog herinnerden. Hij was rechtstreeks vanaf de universiteit aan z'n loopbaan bij Buitenlandse Zaken begonnen. Daar had hij zich tamelijk goed ontwikkeld, terwijl hij drie diplomatieke posten in het buitenland had bekleed en gestaag, zij het niet bepaald spectaculair, carrière had gemaakt in het Corps Diplomatique. Omstreeks 1965 was hij in het huwelijk getreden met lady Fiona Glen, om kort daarna te worden benoemd in Pretoria. Samen met zijn jonge vrouw was hij erheen gegaan – en vermoedelijk had hij, aan alle kanten omringd door de traditionele en vrijwel onbegrensde Zuidafrikaanse gastvrijheid, daar grote bewondering en sympathie voor Zuid-Afrika opgevat. Maar aangezien er in die jaren een Labourregering aan de macht was die met een opstandig Rhodesië, was zijn uitgesproken bewondering voor Pretoria niet bepaald in goeie aarde gevallen. Bij z'n terugkeer in Groot-Brittannië, in 1969, was hem blijkbaar ingefluisterd dat hij een volgende keer waarschijnlijk op een minder controversiële post zou worden benoemd, bijvoorbeeld in Bolivia. De heren in COBRA konden er slechts naar raden, maar het lag nogal voor de hand dat lady Fiona, die best bereid was geweest zich in Pretoria te vestigen, zich krachtig had verzet tegen de gedachte om haar geliefkoosde paarden en al haar vrienden en kennissen te moeten achterlaten om drie jaar lang te worden weggestopt ergens in de Andes.

Wat de reden daarvoor ook mocht zijn geweest, het was een feit dat George Berenson overplaatsing naar Defensie had aangevraagd, wat algemeen als een degradatie werd beschouwd. Maar gezien het fortuin waarover zijn vrouw beschikte hoefde hij zich daarover geen al te grote zorgen te maken. En nu hij niet langer gebonden was aan de beperkingen die Buitenlandse Zaken aan z'n diplomaten pleegt op te leggen, was hij lid geworden van verscheidene pro-Zuidafrikaanse verenigingen en organisaties die in de regel het exclusieve domein waren van de vertegenwoordigers van politiek rechts. Zo wist op z'n minst sir Perry Jones dat Berensons rechtse sympathieën, die hij niet onder stoelen of banken stak, hem, Jones, hadden verhinderd Berenson voor te dragen voor verheffing in de adelstand; en Sir Perry realiseerde zich terdege dat dit heel goed voedsel had kunnen geven aan wrokgevoelens van Berensons kant.

Na het doorlezen van Prestons rapport, een uur eerder, hadden de meeste commissieleden als vanzelfsprekend aangenomen dat Berensons sympathie voor Zuid-Afrika slechts diende als dekmantel voor zijn verborgen communistische overtuiging. Maar sir Nigels uiteenzetting had opeens een heel ander licht op deze zaak geworpen. 'Valse vlag?' zei sir Paddy Strickland peinzend. 'Je bedoelt dat hij werkelijk in de waan verkeerde dat hij geheime informatie doorspeelde aan Zuid-Afrika?'

'Ik kan me maar niet onttrekken aan het raadselachtige van de hele kwestie,' antwoordde 'C'. 'Als de man werkelijk communistische sympathieën heeft of al die tijd communist is geweest, waarom heeft het Centrum – de KGB-centrale in Moskou – hem dan niet door een KGB-agent laten dirigeren? Ik kan er wel vijf van de Sovjet-Russische ambassade bedenken die dat werk minstens even goed, zo niet beter hadden kunnen doen.'

'Tja, ik moet je bekennen dat ik het ook niet goed begrijp...' gaf sir Anthony Plumb toe. Op dat moment keek hij op en kruiste zijn blik die van sir Nigel Irvine. In een flits zag hij Nigels rechter ooglid open en dicht gaan. Haastig dwong sir Anthony zichzelf om weer naar het Berenson-dossier te kijken dat hij voor zich had liggen. 'O, Nigel, jij sluwe vos,' dacht hij bij zichzelf. 'Jij *hoeft* er helemaal niet naar te raden; jij *wéét* het al.'

Inderdaad had Andrejev iets in deze trant gerapporteerd, twee dagen geleden. Veel was het niet, hoogstens wat geroddel onder het personeel van de Sovjet-Russische ambassade, maar tóch... Andrejev was een borrel gaan drinken met de Lijn-N-man en ze hadden samen wat over hun beroep zitten kletsen. Andrejev had langs z'n neus weg opgemerkt dat recrutering van een bron onder valse vlag onder bepaalde omstandigheden wel eens nuttig kon zijn; op dat moment was de vertegenwoordiger van het S-Directoraat in de lach geschoten, had hem een knipoog gegeven en zijn wijsvinger tegen zijn neus gelegd. Kortom, Andrejev had uit dat gebaar en de hele reactie van de Lijn-N-man afgeleid dat er op dat moment in Londen inderdaad een valse-vlagoperatie aan de gang was en dat de Lijn-N-man daarvan op de hoogte moest zijn. Toen Andrejev er met sir Nigel over sprak bleek die het met zijn conclusie eens te zijn.

Sir Anthony dacht bij zichzelf: 'Nee, Nigel, als jij hierover zekerheid hebt, ouwe vos die je bent, dan kan dat alleen omdat jij over een informant in de *rezidentoera* beschikt. Op dat moment kwam er nog een andere gedachte in hem op; en die was heel wat minder plezierig. Want als dat zo was, waarom *zei* Nigel dat dan niet gewoon? Iedereen die aan deze tafel zat was immers voor de hele honderd procent betrouwbaar, of niet soms? Er roerde zich iets kils in zijn binnenste, iets dat hem verontrustte. Hij keek op. 'Heren, ik ben van mening dat we Nigels suggestie ernstig dienen te nemen. Het klinkt logisch. Wat had je in gedachten, Nigel?'

'De man is een verrader, geen twijfel aan,' zei 'C'. 'Als we hem confronteren met de documenten die de onbekende ons heeft geretourneerd zal hij ontzettend schrikken, daar ben ik van overtuigd. Maar als hij daarna het rapport van Preston over Zuid-Afrika onder ogen krijgt en inderdaad in de waan verkeerde dat hij voor Pretoria werkte, denk ik niet dat hij bij machte zal zijn z'n masker op te houden. En als hij wél al die tijd in het verborgene communist is geweest zal de politieke overtuiging van Jan Marais geen verrassing voor hem zijn. Naar mijn oordeel zal een geoefend waarnemer in staat zijn verschil te ontdekken.'

'Goed, stel dat het inderdaad zo is dat hij onder valse vlag werd gerecruteerd. Wat doen we dan?' vroeg sir Perry Jones.

'Dan heb ik zo'n idee dat we hem zullen kunnen overhalen tot het verlenen van onvoorwaardelijke medewerking aan het vaststellen van de aangerichte schade. Ik geloof zelfs dat hij vrijwillig omgeturnd zal kunnen worden, zodat we een grootscheepse campagne op touw kunnen zetten, met het doel het Centrum flink wat misleidende informatie toe te spelen. En dát is iets dat onze bondgenoten zonder meer als groot pluspunt zullen beschouwen.'

Sir Paddy Strickland van Buitenlandse Zaken liet zijn laatste reserves varen. Ze kwamen overeen dat sir Nigels tactiek een kans verdiende.

'Nog één laatste punt,' zei sir Anthony. 'Wie confronteert hem met alles wat we weten?'

Sir Nigel kuchte. 'Tja, in feite ligt dat op de weg van MI-Five,' zei hij. 'Maar aan de andere kant zal MI-Six de taak toevallen om een misleidende operatie tegen Moskou op te zetten. Daar komt nog bij dat ik de man toevallig persoonlijk ken. We hebben zelfs nog op dezelfde kostschool gezeten.'

'Goeie genade,' riep Plumb uit. 'Ik dacht eigenlijk dat hij een stuk jonger was dan jij?'

'Vijf jaar, om precies te zijn. Hij moest mijn schoenen poetsen – je kent dat wel.'

'Akkoord. Zijn we het erover eens? Iemand tegen? Je krijgt je zin, Nigel. Neem jij hem voor je rekening. Maar hou ons op de hoogte van je vorderingen.'

Op dinsdag de vierentwintigste arriveerde een Zuidafrikaanse toerist uit Johannesburg op de Londense luchthaven Heathrow, waar hij zonder moeite en in recordtempo door de douane kwam. Toen hij met zijn koffer in z'n hand de aankomsthal binnenstapte werd hij benaderd door een jongeman, die hem mompelend een vraag stelde. De flink uit de kluiten gewassen Zuidafrikaan knikte bevestigend, waarop de jongeman zijn koffer overnam en hem voorging naar een buiten de hal wachtende auto.

In plaats van richting Londen te rijden nam de chauffeur de ringweg die aangeduid wordt als M25 en sloeg bij de afrit naar de M3 af naar Hampshire. Een uur later stopte de wagen voor een aardig landhuisje even buiten Basingstoke. Nadat de Zuidafrikaan uit zijn jas was geholpen ging men hem voor naar de bibliotheek. De in een tweed-jasje gehulde man bij de open haard stond op en verwelkomde hem met uitgestoken hand. Ze waren van ongeveer gelijke leeftijd. 'Henry Pienaar, prettig je weer eens te zien. Wat is dat lang geleden. Veel te lang, als je 't mij vraagt. Welkom in Engeland!'

'Nigel, hoe maak je het, kerel?'

De hoofden van twee geheime diensten hadden een uur de tijd voordat ze aan tafel zouden worden geroepen, dus na de gebruikelijke beleefdheden kwamen ze al spoedig ter zake en sneden het probleem aan dat de reden was van generaal Pienaars komst naar het landhuis dat de Britse Geheime Dienst aanhield voor het gastvrij ontvangen van aanzienlijke maar klandestiene gasten.

Tegen het invallen van de avond had sir Nigel Irvine de overeenkomst waarop hij aanstuurde: de Zuidafrikanen zouden Jan Marais rustig op z'n post laten zitten, teneinde Irvine in de gelegenheid te stellen via George Berenson een grootscheepse campagne ter misleiding van de Sovjet-Unie te leiden – vooropgesteld dat Berenson bereid was tot medewerking. De Britten zouden Marais dag en nacht in het oog blijven houden; *zij* waren er verantwoordelijk voor dat Marais niet de lengte zou krijgen om stiekem de wijk te nemen naar Moskou. Per slot van rekening zagen de Zuidafrikanen zich eveneens genoodzaakt om de aangerichte schade te begroten – de man had veertig jaar ongestoord z'n gang kunnen gaan. Verder werd overeengekomen dat Irvine, zodra de misleidingscampagne z'n beslag had gekregen, generaal Pienaar zou melden dat hij Marais niet langer nodig had. Hij zou worden teruggeroepen uit Londen en de Britten zouden hem escorteren naar het toestel van South African Airways, waarin hij door Pienaars mannen kon worden gearresteerd als het eenmaal was opgestegen: op dat moment bevond hij zich op het territorium van Zuid-Afrika.

Na het avondeten excuseerde sir Nigel zich: zijn auto stond gereed. Pienaar zou de nacht in het landhuis doorbrengen, de volgende dag wat inkopen doen in West End en 's avonds aan boord stappen van het lijntoestel naar huis. 'Laat hem in godsnaam niet door je vingers glippen,' zei Pienaar, toen hij sir Nigel naar deur vergezelde. 'Ik wil die schoft nog voor het eind van dit jaar thuisbezorgd krijgen.'

'Daar kun je op rekenen,' beloofde het hoofd van MI-6. 'Zolang jouw mensen hem maar met rust laten, zodat hij geen lont ruikt.'

Terwijl het hoofd van de Zuidafrikaanse NIS pogingen deed om in Londens meest exclusieve winkelstraat,

Bond Street, iets voor mevrouw Pienaar op de kop te tikken, had John Preston in 'Charles' een onderhoud met Brian Harcourt-Smith. De plaatsvervangend directeur-generaal liet zich van z'n meest beminnelijke kant zien. 'Nou, John, ik neem aan dat ik je mag feliciteren. De commissie was diep onder de indruk van je Zuid-Afrika-rapport.'

'Dank je, Brian.'

'Nee, werkelijk. De commissie zal nu de rest afwerken. Wát er gaat gebeuren mag ik je niet onthullen, maar Tony Plumb verzocht me zijn persoonlijke complimenten over te brengen. Wel…' – hij spreidde zijn vingers en legde zijn handen naast elkaar op zijn vloeiblad –'…dan is nu het moment aangebroken om over de toekomst te spreken.'

'De toekomst?'

'Zie je, ik verkeer een beetje in een dilemma. Je bent een week of acht met deze affaire bezig geweest: een deel van de tijd heb je op straat doorgebracht, bij de schaduwen, maar voornamelijk toch in de kelder van "Cork". En voor de rest zat je in Zuid-Afrika. En al die tijd heeft de jonge March, je plaatsvervanger, C-One (A) voor je gerund, en dat deed-ie bovendien helemaal niet slecht.

Dus vraag ik mezelf af: wat moet ik met hem aan? Ik geloof niet dat het helemaal fair zou zijn hem weer de tweede viool te laten spelen; per slot van rekening heeft hij de ronde langs alle ministeries gedaan en daar een paar uiterst nuttige suggesties laten vallen, waardoor er een paar dingen duidelijk zijn verbeterd.'

Dat verbaast me niks, dacht Preston. March was een jonge enthousiaste werker, en bovendien een van Harcourt-Smiths persoonlijke beschermelingen.

'Trouwens, ik weet dat je maar tien weken hoofd van C-One (A) bent geweest en dat is tamelijk kort, maar aangezien je jezelf desondanks in die korte tijd hebt voorzien van een heldenaureool lijkt me dit geen slecht moment om je op een wat zwaardere post te benoemen.

Ik heb een babbeltje met Personeel gemaakt; en het toeval wil dat Cranley van C-Five (C) eind deze week in de VUT gaat. Zoals je wel zult weten gaat het al een hele tijd niet best met zijn vrouw, zo dat hij de voorkeur gaf aan Vervroegde Uittreding om met haar naar het merendistrict te verhuizen, vanwege de zuivere lucht daar. Ik heb zo'n idee dat zijn post geknipt voor je is.'

Preston dacht na. C-5 (C)?

'Havens en luchthavens?' informeerde hij.

Harcourt-Smith knikte. Ook dit was een liaisonfunctie. Immigratiedienst, Douane, Bijzondere Zaken, Ernstige Misdrijven, Narcotica-brigade – allemaal overheidsorganen die belast waren met het bewaken van de Britse lucht- en zeehavens, op de uitkijk naar ongure individuen die pogingen deden om al dan niet met smokkelwaar illegaal het land in te komen. Preston vermoedde dat C-5 (C) tot taak had om alles wat niet tot de verantwoordelijkheden van een van de overige overheidsdiensten behoorde voor z'n rekening te nemen. Harcourt-Smith stak waarschuwend een wijsvinger op.

'Het is een belangrijke post, John. Het accent ligt uiteraard op het opsporen van illegale agenten en koeriers van de Sovjet-Unie of z'n satellieten – dat soort dingen. En het is niet bepaald een bureaufunctie, want je zult er om de haverklap op uit moeten. Precies het soort functie dat jou aanstaat.'

'En je bereikt ermee dat ik een flink eindje van het hoofdkwartier ben terwijl de strijd om de opvolging doorgaat,' dacht Preston. Hij wist dat hijzelf een protégé van sir Bernard Hemmings was, in laatste instantie; en hij was er zich van bewust dat Harcourt-Smith dat eveneens wist. Hij overwoog een protest, of moest hij proberen een onderhoud te krijgen met sir Bernard? Misschien zou hij hem genoeg argumenten kunnen voorleggen om hem te laten blijven waar hij was.

'Hoe dan ook, ik wil dat je het probeert,' zei Harcourt-Smith. 'Het is eveneens in "Gordon" – dus verhuizen is

niet nodig.'
Preston wist dat Harcourt-Smith hem te glad af was – de
man had een half mensenleven de tijd gehad om zich
vertrouwd te maken met het in het hoofdkwartier gehanteerde systeem. 'In ieder geval,' dacht Preston, 'is het
geen typische bureaupost, ook al blijft 't een smerisbaantje.'
'Dus ik zou willen voorstellen er maandag maar meteen
te beginnen,' zei Harcourt-Smith.

Die vrijdag glipte majoor Valeri Petrofski onopgemerkt
Groot-Brittannië binnen. Hij was met een Zweedse
identiteit uit Moskou naar Zürich gevlogen, had daar
alle paperassen die op z'n identiteit betrekking hadden
in een verzegelde enveloppe opgestuurd naar een KGB-
adres in de Zwitserse stad en had tevens de papieren van
een Zwitsers ingenieur (die in een andere enveloppe
naar het postkantoor van Zürich waren gestuurd, uiteraard poste restante) afgehaald. Vanuit Zürich vloog hij
door naar Dublin. In hetzelfde toestel bevond zich zijn
escorte, hoewel deze man niet wist wat zijn 'doel' uitvoerde, noch kon het hem iets schelen. Hij voerde eenvoudig zijn opdracht uit. Beide mannen ontmoetten elkaar in een hotel op de internationale luchthaven van
Dublin. Petrofski kleedde zich uit tot hij poedelnaakt
was en overhandigde zijn escorte de kleren van Europese stijl die hij aan had gehad. Daarna trok hij de kleding
aan die zijn escorte in diens koffer had meegebracht: kleren die van top tot teen door-en-door Brits waren. Verder kreeg hij een klein koffertje, met daarin de gebruikelijke benodigheden voor een verblijf in het buitenland:
een pyjama, een toilettas met scheerspullen, tandpasta,
tandenborstel en zeep, schoon ondergoed en een half
gelezen paperback. Zijn escorte had tevoren al een door
de Lijn-N-man van de Sovjet-Russische ambassade in
Dublin gereedgemaakte enveloppe (die op het mede-
lingenbord in de aankomsthal van het vliegveld was vast-

geprikt) opgehaald. Die enveloppe bevatte een afge-
scheurd toegangsbewijs voor een de avond tevoren in
het Eblana Theatre gegeven voorstelling, een nota van
het New Jury's Hotel voor de vorige nacht en gesteld op
de juiste naam, plus de retourhelft van een vliegticket
Londen-Dublin-Londen met Air Lingus.

Als laatste nam Petrofski zijn nieuwe paspoort in ontvangst. Toen hij terugging naar de luchthaven en zich
meldde voor de vlucht naar Londen werd er geen enkele
wenkbrauw opgetrokken: hij was gewoon een Engelsman die van een kort zakenreisje naar Dublin
terugkeerde. Tussen Dublin en Londen wordt nergens
paspoortencontrole gehouden; in Londen hoeven de
binnengekomen passagiers zich slechts te legitimeren
door hun boordpasje of ticket te tonen. Ook passeren zij
twee employé's van Bijzondere Zaken – mannen die
doen alsof ze niets zien, terwijl hun in werkelijkheid nauwelijks iets ontgaat. Geen van beiden hadden zij Petrofski's gezicht ooit eerder gezien, eenvoudig omdat hij nog
nooit via Heathrow Groot-Brittannië was binnengekomen. Als ze hem hadden aangesproken zou hij hun een
onberispelijk Brits paspoort hebben laten zien, gesteld
op de naam James Duncan Ross. Het was een paspoort
dat onmogelijk als vals kon worden herkend, om de
goeie en eenvoudige reden dat het door de dienst Paspoorten en Visa was uitgegeven. Nadat hij zonder te
worden gecontroleerd door de douane was gekomen
nam de Rus een taxi naar King's Cross, waar hij regelrecht naar de stationshal met de bagagekluizen liep. Hij
beschikte al over een sleutel: de betreffende kluis was
een van de kluizen die de Lijn-N-man van de ambassade
permanent in de Britse hoofdstad op verschillende stations aanhield en waarvan de sleutel al sinds lang was gekopieerd. Uit de bagagekluis nam de Rus een pakje dat
nog op precies dezelfde manier verzegeld was als toen
het in een diplomatieke postzak op de ambassade was
aangekomen, twee dagen eerder. De Lijn-N-man had de

inhoud ervan niet gezien, noch had hij daar behoefte toe gevoeld. Ook had hij zich niet afgevraagd waarom het pakje in die bagagekluis van het station King's Cross – het Centraal Station van Londen – moest worden gedeponeerd dat waren zijn zaken niet.

Petrofski liet het pakje ongeopend in zijn koffer glijden. Hij zou het later op zijn gemak kunnen openen. Hij wist al wat het bevatte. Bij King's Cross nam hij opnieuw een taxi, liet zich naar het station Liverpool Street rijden en stapte daar op de trein naar Ipswich in het graafschap Suffolk. Hij liet zich inschrijven in het register van Great White Horse Hotel – zo genoemd naar het mysterieuze Witte Paard dat vermoedelijk al sinds prehistorische tijden in de kalkhoudende heuvels is te vinden – en was nog juist op tijd voor het diner.

Als een nieuwsgierige opsporingsambtenaar er op zou hebben gestaan een blik te mogen werpen op de inhoud van het pakje dat zich in de koffer bevond van een jonge Engelsman aan boord van de trein naar Ipswich, zou hij verbaasd hebben opgekeken. Een deel ervan bestond uit een automatisch pistool van het Finse fabrikaat Sako, een pistool waarvan het magazijn was gevuld met patronen. De kegelvormige punten van deze kogels waren stuk voor stuk voorzien van x-vormige groeven, gevuld met een mengsel van gelatine en geconcentreerde kaliumcyanide. Deze kogels zouden niet alleen op het moment van inslag in een menselijk lichaam uiteenspatten, maar bovendien was het ondenkbaar dat de getroffene nog zou herstellen van de uitwerking van het gif.

Het resterende deel van de inhoud van het pakje bestond uit de attributen die de 'legende' van de man die zich James Duncan Ross noemde moesten substantiëren. In het vakjargon wordt onder een 'legende' het fictieve levensverhaal van een niet-bestaand persoon verstaan: een levensverhaal dat wordt ondersteund met behulp van een heel scala aan authentieke documenten van iedere denkbare soort. In de regel heeft de persoon waaromheen de 'legende' is opgebouwd ooit echt geleefd, maar is hij gestorven onder dusdanige omstandigheden dat er geen spoor van hem is overgebleven – *zonder* dat iemand zich daarover verwonderde. Zijn identiteit wordt dan overgenomen en belichaamd door iemand anders – alsof het geraamte van de dode opnieuw van vlees en bloed is voorzien – die zich kan beroepen op een documentatie die zijn bestaan ondubbelzinnig aantoont. De echte James Duncan Ross, of beter gezegd, het beetje dat er nog van hem over was, was in de ondoordringbare jungle van het stroomgebied van de Zambezi tot stof vergaan. Hij was in 1950 ter wereld gekomen als de zoon van Angus en Kirtie Ross uit Kilbride in Schotland. In 1951 was Angus Ross, die zijn bekomst had van het feit dat zo ongeveer alles in het naoorlogse Groot-Brittannië nog op de bon was, met vrouw en kind naar het zuiden van Rhodesië (zoals Zimbabwe nog werd genoemd) geëmigreerd. Als ingenieur had hij gemakkelijk een baan kunnen vinden, terwijl hij in 1960 zover was dat hij een eigen bedrijf, een fabriekje van landbouwwerktuigen, kon stichten. Het ging hem zo voor de wind dat hij de jonge James naar een goede kostschool in Michaelhouse kon zenden. In 1971 had de jongen zijn militaire dienst achter de rug en kwam bij zijn vader in de zaak. Maar inmiddels was Ian Smith in Rhodesië aan de regering gekomen en had hij de onafhankelijkheid van het land uitgeroepen, terwijl de strijd tegen de guerrilla's van Joshua Nkomo's ZIPRA en Robert Moegabes ZANLA steeds grimmiger begon te worden. Iedere man die 'recht van lijf en leden' was behoorde tot de militaire reserves, en de perioden waarin zij actieve dienst moesten doen werden langer en langer. In 1976 werd James Ross, dienend in de Rhodesische Lichte Infanterie, op de zuidelijke oever van de Zambezi tijdens een jungle-patrouille met zijn maats in een hinderlaag gelokt en vond hij de dood. De ZIPRA-guerrilla's hadden zijn lijk uitgekleed en waren teruggekeerd naar hun basis in Zambia, met medeneming van al zijn spullen. Formeel had hij niets bij zich mogen dragen dat kon dienen om zijn identiteit te achterhalen, maar kort voordat hij op patrouille ging had hij een brief van zijn meisje gekregen en die in een van de zakken van zijn gevechtstenue gestokcn. Dc brief was na aankomst in Zambia in handen van de KGB gekomen. Op dat tijdstip was een in het vak vergrijsde KGB-officier, Wassilji Solodovnikov, Sovjet-Russisch ambassadeur in Lusaka, vanwaar hij verscheidene inlichtingenkringen dirigeerde die zich door heel het zuidelijke deel van Afrika vertakten. Een van de agenten van dit netwerk kwam in het bezit van de brief, geadresseerd aan het ouderlijk huis van James Ross. Een eerste onderzoek naar de achtergrond van de gesneuvelde jonge officier leverde meteen een bonus op: hij was in Groot-Brittannië geboren en zijn vader, Angus Ross, had noch zijn eigen Britse paspoort, noch dat van zijn vrouw en zijn zoon laten verlopen. Dus zorgde de KGB voor de 'wederopstanding' van James Duncan Ross.

Toen Rhodesië veranderde in Zimbabwe trokken Angus en Kirstie Ross weg naar Zuid-Afrika. Hun zoon James scheen er de voorkeur aan te hebben gegeven terug te keren naar Groot-Brittannië. Anonieme handen lichtten een kopie van zijn geboortebewijs in Somerset House in Londen; andere anonieme banden vulden de aanvraagformulieren voor een nieuw paspoort in, dat na controle van het geboortebewijs op de post werd gedaan. Voor het in elkaar zetten van een goeie 'legende' zijn vele mensen nodig, die er duizenden arbeidsuren aan moeten spenderen. Het heeft de KGB nooit ontbroken aan de noodzakelijke mankracht, noch aan het vereiste geduld. Er worden bankrekeningen geopend en gesloten; rijbewijzen worden zorgvuldig hernieuwd voor ze aflopen; auto's worden gekocht en verkocht, zodat de namen netjes voorkomen in het computerbestand van het kentekenregistratiebureau. Er worden banen aangenomen en promoties verdiend; er worden referenties geschreven en zelfs pensioenpremies betaald. Het behoort tot taken van beginnende employé's van de Russische Geheime Dienst om al deze documentatiebestanden 'up to date' te houden. Andere teams onderzoeken het verleden van degene wiens identiteit wordt overgenomen. Welke scholen heeft hij of zij bezocht? Hoe luidde de bijnaam van het kind? Hoe plachten zijn klasgenoten de natuurkundeleraar achter diens rug te noemen? Hoe heette de hond uit het gezin?

Het kan jaren duren voordat een 'legende' is afgerond; en als de nieuwe drager van de identiteit zich alle gegevens in het hoofd heeft geprent zijn er weken en weken van zorgvuldig speurwerk nodig om de 'legende' als zodanig te ontmaskeren. *Als* dat al mogelijk is. En dit was precies wat Petrofski in zijn hoofd en zijn handkoffertje meedroeg – een 'legende' die sloot als de spreekwoordelijke bus. Hij was – en kon dat bewijzen óók – James Ross, die uit het westen van het land was overgekomen om de vertegenwoordiging van een in Zwitserland gevestigde producent van computer-software in Ipswich op zich te nemen. Hij kon beschikken over een aardig banksaldo bij Barclays Bank in Dorchester, in het graafschap Dorset, een banksaldo dat hij binnenkort zou laten overboeken naar een rekening, te openen bij een bankfiliaal in het op korte afstand gelegen Colchester. De handtekening van de echte James Ross had hij tot in de perfectie onder de knie gekregen. Bijna nergens ter wereld is iemands privacy zo goed beschermd als in Groot-Brittannië. De burgers van dat land hoeven geen enkel identiteitsbewijs bij zich te dragen. Als hierom wordt gevraagd zal het tonen van een aan jezelf gerichte brief in de regel voldoende zijn voor een rechtgeaarde Brit – alsof dat iets zou kunnen bewijzen. Een rijbewijs – hoewel Britse rijbewijzen niet voorzien zijn van een pasfoto – wordt als een onomstotelijk bewijs beschouwd voor iemands identiteit. Men gaat er van uit dat iemand inderdaad is wie hij zegt te zijn. Om die reden had Valeri

Alexeivitsj Petrofski er dan ook het volste vertrouwen in, toen hij die avond in Ipswich zat te dineren, dat niemand het feit dat hij James Duncan Ross was in twijfel zou trekken. En terecht. Na te hebben getafeld verzocht hij bij de receptie om de Gele Gids en sloeg die open bij de letter M, op zoek naar een makelaar in onroerend goed.

11

Terwijl majoor Petrofski in de Great White Horse te Ipswich zat te tafelen werd er gebeld aan de voordeur van een appartement op de achtste etage van Fontenoy House in Belgravia. De eigenaar, George Berenson, deed zelf open. Even staarde hij verbluft naar de gestalte van de man die voor de deur stond. 'Mijn hemel, sir Nigel...'

Ze kenden elkaar vluchtig, niet zozeer vanwege de tijd dat ze zoveel jaar geleden samen op kostschool hadden gezeten, maar doordat ze elkaar zo nu en dan in het 'Whitehall-circuit' tegen het lijf waren gelopen, voornamelijk bij officiële ontvangsten of interdepartementaal overleg. Het hoofd van MI-6 knikte Berenson beleefd maar afstandelijk toe.

'Goeieavond, Berenson. Vind je 't goed dat ik even binnenkom?'

'Vanzelfsprekend, vanzelfsprekend, kom vooral binnen...'

George Berenson was overrompeld en voelde zich onzeker, hoewel hij geen flauw idee had van het doel van sir Nigels bezoek. Uit de manier waarop zijn bezoeker alleen zijn achternaam had uitgesproken leidde hij af dat sir Nigel de beleefdheid in acht wilde nemen maar niet kwam om zo maar een praatje te maken. De informele ambiënce die voortvloeide uit het elkaar aanspreken met George en Nigel zou achterwege blijven.

'Is lady Fiona thuis?'

'Nee, die is naar een vergadering van een van haar liefdadigheidscomité's. We hebben het rijk alleen.'

Dat wist sir Nigel ook zónder dat het hem moest worden

verteld. Hij had, gezeten in zijn auto, Berensons vrouw zien vertrekken; pas daarna was hij het gebouw in gelopen. Sir Nigel werd uit zijn jas geholpen (zijn aktetas hield hij bij zich), waarna Berenson hem een leunstoel in de zitkamer wees, ongeveer drie meter van de inmiddels gerepareerde muurkluis achter de grote spiegel. Zelf kwam Berenson tegenover hem zitten. 'Wel, wat kan ik voor je doen?'

Sir Nigel opende zijn aktetas en legde met zorgvuldige bewegingen tien fotokopieën op de lage koffietafel met een bovenblad van dik spiegelglas. 'Het lijkt me dat je er verstandig aan zou doen deze kopieën even te bekijken.'

Berenson bekeek zwijgend de bovenste kopie, tilde hem op om de volgende op het stapeltje te bekijken, en deed hetzelfde met de derde. Toen hield hij op en trok zijn handen terug. Hij was heel bleek geworden, maar had zichzelf nog helemaal in de hand. Zijn blik bleef gericht op het stapeltje kopieën toen hij zei: 'Ik geloof niet dat ik hier iets op kan zeggen.'

'Niet veel, nee,' beaamde sir Nigel bedaard. 'Ze werden aan ons geretourneerd, een poosje geleden. We weten hoe je ze bent kwijtgeraakt – vanuit jouw standpunt bekeken tamelijk onfortuinlijk. Nadat we ze hadden teruggekregen hebben we je een paar weken achtereen in het oog gehouden en moesten constateren dat je je ontfermde over een kopie van dat vertrouwelijke document inzake Ascension Island, een kopie die werd doorgespeeld aan Benotti en via hem naar Marais. We hebben een tamelijk nauwkeurig beeld van de situatie, begrijp je.'

Van wat hij vertelde was maar heel weinig bewijsbaar en het meeste was zuivere bluf: hij voelde er niets voor Berenson te laten merken hoe zwak de bewijzen tegen hem waren, vanuit juridisch oogpunt bezien. Het plaatsvervangend hoofd van de afdeling Aanschaf Materieel van het ministerie van Defensie richtte zich op en keek hem aan. 'Nu hebben we het stadium van het tarten bereikt,' dacht Irvine, 'de fase waarin er een poging wordt gedaan tot zelfrechtvaardiging.' Gek, dat ze zich altijd aan het bekende patroon hielden. Berensons blik was duidelijk uitdagend. 'Nou,' zei hij, 'als jullie dan alles al weten – wat wilde je er dan aan doen?'

'Een paar vragen stellen,' antwoordde sir Nigel. 'Bijvoorbeeld hoe lang dit al aan de gang is en waarom je eraan bent begonnen.'

Ondanks alle moeite die hij deed om zijn houding te bewaren en zijn bezoeker te tarten, was Berenson nog voldoende van zijn stuk gebracht om zich niet te verwonderen over een heel eenvoudig punt: namelijk, dat het niet tot de plichten van het hoofd van MI-6 behoorde dergelijke confrontaties met verdachten aan te gaan. Iemand die voor een buitenlandse mogendheid had gespioneerd werd door de contraspionagedienst ingerekend. Maar zijn verlangen om zichzelf schoon te praten was sterker dan zijn vermogen tot het koelbloedig analyseren van de situatie. 'Om de eerste vraag te beantwoorden: iets langer dan twee jaar.'

'Dat had erger gekund,' dacht sir Nigel. Hij wist dat Marais al bijna drie jaar in Engeland was, maar ook voor die tijd had Berenson 'gerund' kunnen worden door een andere Zuidafrikaan met communistische sympathieën. Blijkbaar was dat niet het geval geweest.

'En wat de tweede vraag aangaat: ik zou zo denken dat het nogal voor de hand ligt.'

'Laten we er even van uitgaan dat ik wat traag ben van begrip,' opperde sir Nigel. 'Leg het me dus uit. Waarom?'

Berenson schepte diep adem. Misschien had hij, zoals veel spionnen voor hem, zijn verdediging al vaak genoeg gerepeteerd, door een pleidooi te houden in de rechtszaal van zijn eigen geweten of wat daarvoor moest doorgaan. 'Ik hang het standpunt aan, en dat doe ik al jaren, dat de enige strijd op dit ondermaanse waarvoor het de moeite loont je met hart en ziel in te zetten, die tegen het communisme en het Sovjet-imperialisme is,' begon hij.

'In die strijd vertegenwoordigt Zuid-Afrika een van de bolwerken. Waarschijnlijk het voornaamste, zo niet enige bolwerk van de westerse wereld ten zuiden van de Sahara. Al heel lang heb ik het als een dwaze struisvogelpolitiek van de westerse mogendheden beschouwd om Zuid-Afrika op grond van uiterst dubieuze morele overwegingen te behandelen als een melaatse en dat land z'n rechtmatige aandeel in onze gezamenlijke defensieplanning te onthouden – een verdediging die wereldomspannend dient te zijn en gericht is tegen de Sovjet-dreiging. Al vele jaren nu ben ik de overtuiging toegedaan dat Zuid-Afrika door de westerse mogendheden uiterst onheus wordt bejegend en dat het zowel verkeerd als dwaas is dat land onkundig te laten van de plannen van de NAVO.'

Sir Nigel knikte alsof die gedachte zelfs nog nooit bij hem op was gekomen. 'En dus vond jij het juist en gerechtvaardigd om de schaal weer in evenwicht te brengen?'

'Inderdaad. En in weerwil van de Wet op de Staatsgeheimen sta ik daar nog steeds achter.'

'De ijdelheid,' dacht sir Nigel. 'Altijd weer die ijdelheid: de monumentale zelfoverschatting van onbekwame lieden.' Nunn May, Pontecorvo, Fuchs, Prime – het was een rode draad die terug was te vinden in alle gevallen: het recht dat ze zich toeëigenden om voor Onze-Lieve-Heer te spelen, de rotsvaste overtuiging dat alleen de verrader het bij het rechte eind heeft en dat al zijn collega's uilskuikens zijn; in combinatie met de roesverwekkende hang naar macht, ontleend aan wat hijzelf als het manipuleren van het officiële politieke beleid beschouwt door middel van het doorgeven van geheimen. Om dát doel te bereiken waarin hijzelf gelooft; en daarbij tevens zijn vermeende tegenstanders binnen de eigen overheid, zij die hem bij een promotie hebben gepasseerd of verzuimd hebben hem voor te dragen voor een lintje, in verwarring en discrediet te brengen.

'Ahum,' zei sir Nigel. 'Zeg me eens, is het initiatief van jouzelf uitgegaan, of van Marais?'

Berenson dacht een poosje na. 'Jan Marais is diplomaat, dus hém kun je niets maken,' zei hij. 'Het kan daarom geen kwaad je dit te vertellen. Hij stelde het me voor. We hebben elkaar tijdens mijn periode in Pretoria nooit ontmoet. We hebben hier met elkaar kennis gemaakt, kort nadat hij hier was geaccrediteerd. We ontdekten toen dat we veel met elkaar gemeen hadden. Hij toonde me aan dat Zuid-Afrika, als het ooit tot een gewapend conflict met de Sovjet-Unie mocht komen, moederziel alleen zou staan op het zuidelijk halfrond, terwijl het land nota bene gelegen is op de strategisch vitale routes tussen de Indische en de Atlantische Oceaan, terwijl de Sovjet-Unie waarschijnlijk zal kunnen rekenen op een hele keten van militaire steunpunten overal in zwart Afrika. We waren allebei van mening dat Zuid-Afrika, als dat land over geen enkele indicatie beschikte inzake de manier waarop de NAVO in die gebieden denkt te opereren, totaal machteloos zou zijn, ook al is het onze trouwste bondgenoot in dat gebied.'

'Een overtuigend argument,' knikte sir Nigel met een spijtig gezicht. 'Weet je, toen wij hadden vastgesteld dat Marais je contactman was, heb ik het risico genomen generaal Pienaar rechtstreeks met die ontdekking te confronteren. Hij ontkende bij hoog en bij laag dat Marais ooit voor hem had gewerkt.'

'Dat was te verwachten.'

'Dat was te verwachten, ja. Maar we hebben er iemand heen gestuurd om Pienaars verzekering na te trekken. Misschien is het beter als je zijn rapport even doorleest.'

Hij diepte uit zijn aktetas het rapport op dat Preston na zijn terugkeer uit Pretoria had opgesteld en waaraan hij de sepiakleurige foto van Marais als jonge cricketer had toegevoegd. Schouderophalend begon Berenson de zeven pagina's van het rapport door te lezen. Op een gegeven moment zoog hij met een scherp sissend geluid lucht in zijn longen en begon op de knokkels van zijn wijsvinger te kauwen.

Toen hij de laatste pagina had omgeslagen sloeg hij beide handen voor zijn gezicht en begon zijn bovenlichaam zacht heen en weer te wiegelen.

'Grote God,' hijgde hij, 'wat heb ik gedaan?'

'Zoveel schade aangericht dat het nauwelijks valt te overzien,' zei sir Nigel droog. Hij wachtte geduldig totdat Berenson de volle omvang van de ellende waarin hij zich had ondergedompeld enigszins begon te beseffen. Zonder een greintje medelijden staarde hij naar de van zijn voetstuk gevallen topambtenaar. In sir Nigels ogen was hij niet meer dan de zoveelste landverrader die zonder blikken of blozen een dure eed had gezworen voor koningin en vaderland, om beide daarna zonder gewetensbezwaren te verraden. Een man die thuishoorde in dezelfde categorie als Donald Maclean, ook wat zijn geringe formaat betrof.

Berenson was nu niet langer bleek, maar asgrauw. Toen hij zijn handen liet zakken leek hij opeens jaren ouder. 'Is er ook maar iets dat ik kan doen?'

Sir Nigel haalde zijn schouders op, alsof hij te kennen wilde geven dat er maar heel weinig was dat wie dan ook zou kunnen doen. Hij besloot het mes nog een paar keer rond te draaien in de wond. 'Er is natuurlijk een groep mensen die voorstanders zijn van ogenblikkelijke arrestatie van jou en Marais. Pretoria heeft zijn diplomatieke onschendbaarheid al prijsgegeven. Jij kunt ervan uitgaan dat je een jury krijgt van mensen van middelbare leeftijd uit de middenstand – daar zal het Openbaar Ministerie op toezien. Eerlijke mensen, maar rechtlijnig. Die zullen waarschijnlijk geen moment geloven in recrutering onder valse vlag. We hebben het nu over levenslang, wat op jouw leeftijd inderdaad *levenslang* betekent, en wel in Parkhurst of Dartmoor.' Hij liet zijn woorden bezinken. Na een paar minuten vervolgde hij met: 'Nu wil het toeval dat ik kans heb gezien de voorstanders van de harde

lijn nog even zoet te houden. Er is een andere manier...'
'Sir Nigel, ik ben bereid alles te doen. Ik meen het, letterlijk *alles*...'
Zeg dat wel,' dacht het hoofd van MI-6, zeg dat verdomme wel. O, als je eens wist!
'... en daarbij gaat het om drie dingen,' zei hij hardop. 'Punt een: je moet eenvoudig iedere dag naar het ministerie blijven gaan alsof er nooit iets is gebeurd. Daarbij houd je de gebruikelijke schijn op, blijft je aan dezelfde dagelijkse routine houden en doet helemaal niets dat ook maar één rimpeling in het wateroppervlak kan veroorzaken.' Hij keek Berenson aan.
'Punt twee: Je dient ons hier in dit appartement, na het invallen van de duisternis, te helpen met het begroten van de door jou aangerichte schade. Zo nodig de hele nacht door. De enige manier waarop we reeds veroorzaakte schade kunnen minimaliseren is zorgen dat we weten welke informatie allemaal naar Moskou is gegaan, tot op het allerlaatste en kleinste detail. Als je ook maar een tittel of jota weglaat betekent dat water en brood en zakjes plakken totdat je je bedenkt.'
'Ja, ja, dat spreekt vanzelf. Dan kan ik doen. Ik herinner me nog ieder document dat ik heb doorgegeven. Ieder document... Eh, je zei zoëven dat er *drie* punten waren.'
'Ja,' zei sir Nigel, die zijn vingernagels zat te bestuderen. 'Het derde punt is nogal lastig. Je zult je relatie met Marais gewoon voort moeten zetten...'
'Ik... wat?'
'Je hoeft hem niet te ontmoeten; ik geef er zelfs de voorkeur aan dat je hem niet ontmoet. Ik geloof namelijk niet dat je goed genoeg kunt toneelspelen om in zijn gezelschap niet door de mand te vallen. Alleen maar de gebruikelijke contacten door middel van gecodeerde telefoontjes als je op het punt staat te leveren.'
'Te leveren? Wat dan?' Berenson kon er absoluut geen touw meer aan vastknopen.
'Materiaal dat mijn mensen in samenwerking met ande-

ren voor je zullen gereedmaken. Misleidende informatie, zo je wilt. Ik wil dat je, naast het verlenen van medewerking aan de mensen van Defensie om de schade nauwkeurig vast te stellen, onvoorwaardelijk doet wat wij je opdragen, met het doel de Sovjets op hun beurt flink wat schade toe te brengen.'

Berenson greep z'n laatste strohalm vast met de wanhoop van de drenkeling. Vijf minuten later stond sir Nigel op. Na het weekeinde zouden de mensen van Defensie beginnen met het begroten van de schade. Hij liet zichzelf uit en was tijdens de wandeling naar de lift tamelijk tevreden bij de gedachte aan de doodsbange en gebroken man die hij achter had gelaten. 'En van nu af aan, jij schoft, werk je voor *mij*,' dacht hij grimmig.

Het jonge meisje in het kantoor van makelaardij Osborrow keek op toen de vreemdeling binnenstapte. Waarderend monsterde ze zijn uiterlijk. Middelmatige lengte, stevig gebouwd en zo te zien in goeie fysieke conditie, een vlotte lach, hazelnootkleurige ogen en kastanjebruin haar... Ze had een uitgesproken zwak voor hazelnootkleurige ogen.

'Kan ik iets voor u doen?'

'Laten we het hopen. Ik ben nieuw in deze omgeving, maar er is me gezegd dat u gemeubileerde woningen verhuurt.'

'O. Ja. Dan zult u met meneer Knights moeten praten: die gaat over de verhuur. Wie kan ik hem zeggen dat er is?'

Hij lachte opnieuw. 'Ross,' zei hij. 'James Ross.'

Ze drukte de knop van haar intercom in. 'Er is hier een meneer Ross, meneer Knights. Het gaat over gemeubileerd huren. Kunt u hem te woord staan?'

Twee minuten later zat James Ross tegenover het bureau van meneer Knights. 'Ik ben zojuist vanuit Dorset hierheen gekomen om mijn firma hier in het oosten van Engeland te gaan vertegenwoordigen,' zei hij vriendelijk.

'Ik wil natuurlijk mijn vrouw en kinderen zo snel mogelijk over kunnen laten komen.'

'In dat geval bent u misschien ook geïnteresseerd in een koophuis?'

'Dat nog niet. Om te beginnen willen we op ons gemak kunnen uitkijken naar het juiste huis. Zoiets duurt meestal nog wel even. En ten tweede is het niet uitgesloten dat ik hier slechts gedurende een beperkte periode moet blijven. Het hangt er maar vanaf wat ze willen op het hoofdkantoor – u kent dat wel.'

'Natuurlijk, natuurlijk.' Meneer Knights was een en al begrip. 'Als u voor korte tijd een huis huurt kunt u op uw gemak rondkijken en tegelijkertijd afwachten of u zich wel of niet hier permanent moet vestigen,' opperde hij.

'U slaat de spijker op de kop,' zei Ross. 'Samengevat komt het daar wel zo ongeveer op neer, ja.'

'Gemeubileerd of ongemeubileerd?'

'Gemeubileerd, als u me daar tenminste aan kunt helpen. 'Ongemeubileerd lijkt me moeilijker.'

'Zegt u dat wel,' beaamde meneer Knights, zijn hand uitstekend naar een stapel gestencilde aanbiedingen. 'Leegstaande huizen worden vrijwel nooit meer in de verhuur gedaan, als je de mensen eruit wilt hebben kan dat jaren duren. Met gemeubileerd heb je die problemen niet. Juist ja. We hebben er momenteel vier in de boeken staan, zie ik.'

Hij reikte Ross de stencils aan. Twee van de aangeboden huizen waren veel te groot en te luxe om nog geloofwaardig te zijn als behuizing voor een vertegenwoordiger, terwijl er heel wat aan viel schoon te houden. De twee andere huizen waren zo te zien geschikt genoeg. Meneer Knights had een uurtje over en reed hem erheen, zodat hij ze allebei kon bekijken. De tweede woning was geknipt voor zijn doel: een klein rijtjeshuis in een onopvallende straat in een onopvallende buurt opzij van Belstead Road.

'Het is van een zekere ingenieur Johnson, meen ik,' zei Knights toen ze de trap afdaalden na het bezichtigen van de bovenverdieping. 'Hij zit voor een jaar in Saoedi-Arabië, waar zijn firma een opdracht uitvoert. Maar het huis kan nog maar voor een half jaar worden verhuurd.'

'Dat zal wel voldoende zijn,' zei meneer Ross.

Het adres was 12 Cherryhayes Close. Omdat alle omliggende straten namen hadden gekregen die eveneens op 'hayes' eindigden, was de buurt bekend als 'The Hayes'. De straatnaambordjes lieten aan duidelijkheid niets te wensen over: Brackenhayes, Gorsehayes, Almondhayes en Heatherhayes – hooi, hooi en nog eens hooi. Het huis op 12 Cherryhayes werd door een strook gras van twee meter gescheiden van de stoep en een tuinhek was er niet. Tussen het huis en dat ernaast bevond zich een garage – en Petrofski wist dat hij een garage nodig zou hebben. De achtertuin was klein en omgeven door een schutting, zodat je er alleen via de keukendeur kon komen. De begane grond bestond uit een smalle gang naast de trap die recht tegenover de van ruitjes voorziene voordeur was gelegen, een werkkast onder de trap, een kleine keuken, en een huiskamer, grenzend aan de smalle gang tussen de voordeur en keuken. Boven telde het huis twee slaapkamers (een voor en een achter), plus een badkamer met toilet. Het geheel was zo onopvallend als maar mogelijk was, want het huis onderscheidde zich in niets van alle overige bakstenen dozen in de straat, voornamelijk bewoond door jonge stelletjes: *hij* werkzaam in handel of industrie, *zij* belast met de zorg voor het huishouden en een of twee peuters. Precies het soort woning dat een man zou kiezen die moest wachten totdat het lopende schooljaar voorbij zou zijn alvorens zijn vrouw en kinderen in Dorset zich bij hem zouden voegen. Nee, hier zou niemand veel notitie van hem nemen.

'Ik neem 't,' zei hij.

'Misschien kunnen we dan nog even terug naar kantoor om de details te regelen,' zei meneer Knights. Aangezien het om gemeubileerde verhuur ging hadden die weinig om het lijf. Een huurcontract in duplo dat door beide partijen moest worden ondertekend, en door een onafhankelijke getuige, omdat de Engelse wet dat voorschrijft; en voorts een maand huur bij vooruitbetaling, plus een borgsom die overeenkwam met een maand huur. Meneer Ross toonde een referentie van zijn werkgevers uit Genève en verzocht Knights of deze maandagochtend zijn bank in Dorchester wilde bellen ter verificatie van de cheque die hij stante pede uitschreef. Meneer Knights schatte dat hij omstreeks maandagavond de administratieve rompslomp wel tot ieders tevredenheid zou hebben geregeld, mits natuurlijk de referenties en de cheque in orde waren bevonden. Ross moest glimlachen: hij wist dat het daar niet aan zou mankeren...

Die zaterdagochtend was ook Alan Fox op kantoor, speciaal op verzoek van zijn vriend sir Nigel Irvine, die hem had opgebeld met de mededeling dat hij hem dringend moest spreken. Kort na tienen werd de geridderde Engelsman door een ambassade-employé voorgegaan naar boven.
Alan Fox was het hoofd van de plaatselijke afdeling van het Amerikaanse CIA en liep al tamelijk lang mee in het vak. Hij kende sir Nigel Irvine al meer dan twintig jaar.
'Ik vrees dat we op een kleine moeilijkheid zijn gestuit,' zei sir Nigel, toen hij plaats had genomen. 'Het is ons gebleken dat een van onze ambtenaren op Defensie een koekoeksjong is.'
'O nee, in jezusnaam, Nigel, niet wéér een lek, hè,' riep Fox uit. Irvine deed z'n best er zo verontschuldigend mogelijk uit te zien. 'Ik ben bang dat we het toch zo zullen moeten noemen,' gaf hij toe. 'Zo op het oog komt het ongeveer overeen met die Harper-affaire bij jullie.'
Alan Fox kromp zichtbaar ineen: de klap had doel getroffen. In 1983 waren de Amerikanen door een gevoeli-

ge slag getroffen bij de ontdekking dat een in de Californische Silicon Valley* werkzame ingenieur op grote schaal supergeheime informatie over de Amerikaanse kruisraketten had doorgespeeld naar de Polen (en daarmee naar de Russen). Samen met het daaraan voorafgegane spionageschandaal 'Boyce' had de Harper-affaire de balans tussen Groot-Brittannië en de Verenigde Staten enigszins in evenwicht gebracht. De Britten hadden zich heel lang hatelijke toespelingen van de Amerikanen inzake Philby, Burgess en Maclean moeten laten welgevallen (om over Blake, Vassall, Blunt en Prime maar te zwijgen), en zelfs na al die jaren hadden ze zich nog steeds niet van dit stigma kunnen bevrijden. Zo kwam het dat de Britten zich bijna wat prettiger waren gaan voelen toen ook de Amerikanen met geruchtmakende spionnen als Boyce en Harper in hun maag bleken te zitten: nu wisten ze tenminste dat ook andere volken hun verraders hadden.

'Oef,' zei Fox. 'Dat bevalt me nou zo aan jou, Nigel. Jij kunt geen gordel zien zonder aanvechting te krijgen er een klap onder te geven.' In Londen stond Fox bekend om zijn bijtende humor. Al bij een van de eerste vergaderingen van de Commissie der Gezamenlijke Inlichtingendiensten die hij bijwoonde had hij z'n visitekaartje afgegeven. Sir Anthony Plump had zich beklaagd over het feit dat er voor zijn functie geen gemakkelijk te hanteren letterwoordje bestond: hij werd altijd omslachtig 'voorzitter van het Joint Intelligence Committee' – afgekort tot JIC – genoemd, of 'Coördinator Inlichtingendiensten'. Waarom kon er geen groepje letters worden gevonden die op zichzelf een kort woord of acroniem vormden?

* Silicon Valley: hier bevindt zich een van Amerika's snelst groeiende industrieën namelijk, de electronische industrie. De industrie fabriceert onder andere de bekende computerchips en fungeert als een der belangrijkste toeleveranciers van het Pentagon, ondermeer voor wat de levering van onderdelen van raketgeleidingssystemen betreft. Vert.

'Wat zou u denken,' zo teemde Fox van zijn kant van de tafel, 'van "Supreme Head of Intelligence Targetting"?'
Sir Anthony, die liever niet bekend zou worden als de SHIT van Whitehall, had het onderwerp haastig laten vallen.
'Nou, biecht eens op,' zei Fox. 'Hoe erg is het?'
'Niet zo erg als het had kunnen zijn,' zei sir Nigel, waarna hij Fox het hele verhaal vertelde, van het begin tot einde. Belangstellend boog de Amerikaan zich naar hem toe.
'Je bedoelt dat-ie werkelijk is omgeturnd? Dat hij bereid is om door te gaan geven wat wij hem voeren?'
'Hij heeft geen andere keus, als hij niet voor de rest van z'n leven in de nor wil zitten. Vanzelfsprekend zal hij onafgebroken onder surveillance blijven. Het is natuurlijk mogelijk dat hij en Marais een waarschuwingscode hebben afgesproken, maar ik denk van niet. De man behoort ideologisch gezien werkelijk tot extreem-rechts en werd onder valse vlag gerecruteerd, daar is geen twijfel aan.'
Fox dacht een poosje na. 'Hoe hoog schat het Centrum deze Berenson volgens jou in, Nigel?'
'We beginnen maandag met het vaststellen van de aangerichte schade,' antwoordde Irvine. 'Maar gelet op zijn belangrijke positie op het departement veronderstel ik dat ze in Moskou veel met 'm op zullen hebben. Misschien zelfs behandelen ze hem als een "hoofdzaak".'
'Zouden wij zelf ook wat misleidende informatie via deze route kunnen doorgeven?' vroeg Fox. Nu al zag hij een paar uiterst nuttige mogelijkheden voor zich tot het doorgeven van uiterst verwarrende inlichtingen naar Moskou. Langley zou er beslist voor te porren zijn.
'Ik wil het circuit liever niet overbelasten,' zei Nigel. 'We zullen het tot nu toe gebruikelijke ritme waarmee de informatie werd doorgespeeld moeten aanhouden, terwijl de informatie zelf van dezelfde soort dient te blijven – anders hebben ze het daarginds zo door. Maar desondanks... Ja, ik geloof wel dat er iets te regelen zou zijn.'

'En je wilt dat ik mijn mensen ervan overtuig dat ze Londen niet te hard moeten vallen?'

Sir Nigel haalde zijn schouders op. 'De schade is al aangericht. Voor je ego kan het heel prettig zijn een hoop heibel te maken. Maar het levert niets op. Ik geef er de voorkeur aan zoveel mogelijk schade te herstellen en zelf Moskou een gevoelig lesje te leren.'

'Oké, Nigel, je krijgt je zin. Ik zal onze mensen wel zeggen dat ze zich moeten beheersen. We krijgen natuurlijk wel een begroting van de schade – heet van de naald? Zelf zullen we een paar documenten over onze kernonderzeeërs in elkaar zetten, zodat het Centrum in de Atlantische en Indische Oceaan de verkeerde kant opkijkt. Ik hou contact met je.'

Maandagmorgen huurde Petrofski bij een autoverhuurbedrijf in Colchester een kleine en bescheiden auto, geschikt als gezinswagen. Hij legde uit dat hij uit Dorchester kwam en op zoek wilde naar een huis in Essex en Suffolk. Zijn vrouw had hun eigen auto in Dorset moeten houden om de kinderen naar school te kunnen brengen en daarom wilde hij voor zo'n korte periode geen auto kopen. Zijn rijbewijs was onberispelijk in orde en vermeldde een adres in Dorchester. De verhuurde auto was uit de aard der zaak verzekerd. Hij wilde de Escort tamelijk langdurig huren – tot maximaal drie maanden – en bedong daarom een wat lager tarief. Hij betaalde een week huur contant vooruit en schreef een cheque uit voor de maand erna.

Zijn volgende probleem zou lastiger op te lossen zijn en hij zou er de diensten van een verzekeringsagent bij nodig hebben. Hij bracht een bezoekje aan een makelaar in assurantiën in dezelfde stad en legde de man zijn probleem voor. Hij had enkele jaren in het buitenland gewerkt en had voor die tijd altijd in een bedrijfsauto gereden. Daardoor kwam het dat hij niet verzekerd was bij een Britse maatschappij. Hij had echter nu het besluit genomen om zich weer in het Verenigd Koninkrijk te vestigen en een vervoermiddel te kopen waarvoor hij een verzekering nodig zou hebben. Zou de makelaar hem kunnen helpen?

De makelaar zou hem dolgraag van dienst zijn. Hij overtuigde zich ervan dat zijn nieuwe cliënt een rijbewijs had waarop niets aan te merken viel en dat hij beschikte over een bankrekening – hij had zelfs deze ochtend zijn saldo vanuit Dorchester naar Colchester laten overboeken. Bovendien had de man een degelijk en betrouwbaar uiterlijk.

Wat voor vervoermiddel was hij van plan aan te schaffen? Een motorfiets. Inderdaad, ja, zo'n ding was op drukke wegen een stuk gemakkelijker. Hoewel het een stuk moeilijker was een motorfiets te verzekeren als het ding bereden werd door een opgeschoten jongen. Maar voor iemand met een gezin en een baan – geen enkel probleem. All-risk zou misschien wat lastig kunnen worden… ah, meneer vond WA voldoende? En het adres? O, meneer zocht momenteel juist een woning; heel begrijpelijk. Maar hij logeerde in de Great White Horse in Ipswich? Niets op aan te merken. Als meneer Ross dan zo vriendelijk wilde zijn hem even het kenteken van de motorfiets door te geven zodra hij er een had gekocht, en hem tevens op de hoogte te stellen van iedere eventuele adreswijziging, zou hij binnen een dag of twee de WA-verzekering in orde hebben.

In zijn huurauto reed Petrofski terug naar Ipswich. Hij had een drukke dag gehad, maar wist zeker dat niemand achterdocht tegen hem had opgevat, terwijl hij niettemin zelf geen enkel concreet spoor had achtergelaten. Zowel het autoverhuurbedrijf als het hotel hadden een adres in Dorchester opgekregen dat niet bestond. Makelaardij Oxborrow en de makelaar in assurantiën kenden alleen het hotel in Ipswich als tijdelijk adres, maar daarnaast waren ze bij Oxborrow op de hoogte van het adres 12 Cherryhayes. Ook het filiaal van Barclays Bank in Colchester kende alleen het hotel in Ipswich als tijdelijk onderkomen – omdat hij 'op de huizenjacht' was. De kamer in het hotel zou hij aanhouden totdat hij zijn verzekeringspolis had ontvangen; daarna kon hij vertrekken. De mogelijkheid dat een van de mensen of bedrijven waarmee hij zaken had gedaan ooit in contact met elkaar zouden komen was uiterst vergezocht. Afgezien van Oxborrow zou ieder spoor eindigen bij het hotel, of bij een niet-bestaand adres in Dorchester. Zo lang de huurtermijnen voor het huis en de auto netjes op tijd werden voldaan en de verzekeringsagent de jaarpremie voor de WA-verzekering op de motorfiets had ontvangen zou niemand iets bijzonders aan hem ontdekken. Bij Barclays had hij verzocht om ééns per kwartaal een overzicht van de af- en bijschrijvingen te krijgen, maar nog voor de maand juni om was zou hij allang vertrokken zijn. Hij reed terug naar makelaardij Oxborrow om daar het huurcontract te tekenen en zo de formaliteiten af te ronden.

Die maandagavond stapten de mannen die samen de 'speerpunt' vormden van het team dat de schade moest vaststellen het appartement van George Berenson in Belgravia binnen om een begin te maken met deze taak. Het was een kleine groep – experts van MI-5 en analitici van het ministerie van Defensie. Ze begonnen met het belangrijkste: de identificatie van ieder afzonderlijk document dat naar Moskou was doorgegeven. Ze hadden kopieën van de dossiermappen uit Registratie bij zich, plus een overzicht van alle opgevraagde en teruggebrachte documenten, voor het geval Berensons geheugen hem in de steek mocht laten.
In een later stadium zouden andere analitici, die hun onderzoek konden baseren op de lijst van doorgegeven documenten, een poging doen om de omvang en implicaties van de aangerichte schade te begroten, voorstellen te doen ten aanzien van die onderdelen die nog recht te trekken waren en aan te geven welke plannen geannu-

leerd dienden te worden: op die manier kon worden vastgesteld welke taktische en strategische maatregelen vervangen dienden te worden door andere, en welke gehandhaafd konden blijven. Ze werkten de hele nacht door en konden na afloop melden dat Berenson een toonbeeld van bereidheid tot medewerken was geweest. Wat ze persoonlijk van hem vonden stond niet in hun rapport, omdat dergelijke teksten nu eenmaal niet geschikt zijn om in druk te verschijnen.

Een ander team, mensen die diep in het hart van het ministerie werkten, zette zich aan de taak van het voorbereiden van de volgende documenten die Berenson moest doorgeven aan Jan Marais en diens 'dirigenten' van het Eerste Hoofddirectoraat te Jasjenevo bij Moskou.

Twee dagen later, woensdag, verhuisde John Preston naar zijn nieuwe kantoor. Het nieuwe hoofd van Sectie C-5 (C) bracht zijn persoonlijke archief mee. Gelukkig hoefde hij maar één verdieping omhoog, want zijn nieuwe werkkamer bevond zich op de derde verdieping van 'Gordon'. Toen hij achter zijn bureau plaats had genomen viel zijn oog op de kalender aan de wand: het was 1 april. Wat je noemt een aprilmop, dacht hij.

Het enige lichtstraaltje aan zijn horizon was de wetenschap dat zijn zoon Tommy over een week thuis zou zijn, vanwege de paasvakantie. Ze zouden een hele week met elkaar kunnen doorbrengen voordat Julia, die met haar rijke vriend was skiën in Verbier, terugkwam om hem voor de rest van de paasvakantie op te eisen. Maar een hele week lang zou zijn kleine flat in Kensington vibreren van de enthousiaste verhalen van een twaalfjarige jongen – verhalen over heldhaftige daden op het rugbyveld, grappen die uit waren gehaald met de leraar Frans, of over het belang van het aanschaffen van nieuwe voorraden cake en jam, bedoeld voor illegale consumptie na het doven van de lichten in de grote slaapzaal. John Preston glimlachte bij het vooruitzicht en nam zich voor op z'n minst vier dagen vrij te nemen. Hij had een paar prima vader-en-zoon expedities uitgeknobbeld en hoopte dat ze Tommy's goedkeuring zouden kunnen wegdragen. Jeff Bright, zijn plaatsvervanger in de sectie, kwam zijn mijmeringen verstoren. Zoals hij wist zou Bright beslist deze functie hebben gekregen als zijn jeugd dat niet had verhinderd. Ook hij behoorde tot de beschermelingen van Harcourt-Smith, iemand die al blij en gevleid was als de plaatsvervangend directeur-generaal hem zo nu en dan uitnodigde voor een drankje thuis, waarbij hij verslag uitbracht van alles dat er in zijn sectie was voorgevallen. Onder de nieuwe directeur-generaal Harcourt-Smith zou Bright het nog ver schoppen.

'Ik had zo'n idee dat je misschien wel belangstelling zou hebben voor een blik op de lijst van alle havens en vliegvelden waarop we een oogje moeten houden, John,' zei Bright.

Preston bestudeerde de lijsten die hem werden voorgelegd. Waren er werkelijk zo ontstellend veel vliegvelden waarop internationale vluchten werden uitgevoerd? En de lijst van havens die geschikt waren voor het binnenlopen van schepen uit alle mogelijke landen besloeg vele pagina's. Zuchtend begon hij de lijsten grondiger door te nemen.

De volgende dag vond Petrofski wat hij zocht. Hij had instructie gekregen om alles wat hij nodig had steeds in verschillende steden in het gebied Suffolk/Essex aan te kopen en was daarom naar Stowmarket gegaan. De motorfiets was een BMW-K 100 met cardanasaandrijving: niet nieuw, maar in voortreffelijke conditie en met een krachtig acceleratievermogen. Hoewel de motor drie jaar oud was stond er pas ruim 35 000 km op de teller. De accessoires kon hij in dezelfde zaak aanschaffen: een zwartleren broek en jasje, en handschoenen, hoge laarzen met ritssluitingen opzij, plus een valhelm met een rookkleurig vizier van plexiglas. Zijn uitrusting was daarmee compleet.

Een aanbetaling van twintig procent was voldoende om de knoop definitief te maken, maar niet om de motor mee te krijgen. Hij gaf opdracht aan weerskanten van het achterwiel bagagetassen te monteren, met een afsluitbare doos van polyestervezel erboven. De handelaar zei hem dat hij de motor binnen twee dagen kon komen afhalen. Vanuit een telefooncel belde hij naar de makelaar in assurantiën te Colchester en gaf de man het kenteken van de BMW door. Die beloofde hem dat hij de volgende dag de polis voor een WA-verzekering (met een voorlopige geldigheidsduur van dertig dagen) beslist zou klaarhebben en opsturen naar het Great White Horse in Ipswich. Vanuit Stowmarket reed Petrofski in zijn huurauto naar het noordelijker gelegen Thetford, even over de grens met het graafschap Norfolk. Thetford had op zichzelf niets bijzonders, maar lag eenvoudig ongeveer in de richting die hij gewenst achtte. Kort na lunchtijd vond hij precies wat hij zocht. In Magdalen Street ligt, tussen het pand op nummer 13 A en het gebouw van het Leger des Heils, een rechthoekig erf waaraan eenendertig afsluitbare garages grenzen. Op een van de garagedeuren was een stuk karton aangebracht, met de mededeling TE HUUR. Petrofski bracht een bezoek aan de eigenaar (die in de buurt woonde) en huurde de garage voor de duur van drie maanden; hij betaalde contant en kreeg meteen de sleutel mee. Het was een kleine en bedompte garage, maar geschikt voor zijn doel. De eigenaar had dankbaar gebruik gemaakt van de mogelijkheid om drie maanden huur belastingvrij op te strijken en had daarom niet om een legitimatie gevraagd, zodat Petrofski hem een fictieve naam en een niet-bestaand adres had kunnen opgeven. In de garage hing hij zijn motoruitrusting aan de muur, zette zijn laarzen en de helm eronder en ging er op uit om in twee verschillende winkels twee grote plastic jerrycans* aan te schaffen. Die liet hij bij verschillende

---

* Jerrycan: deze naam werd al in Wereldoorlog I bedacht voor de benzineblikken waarvan de Duitsers (Jerry's) gebruik maakten. Vert.

benzinestations vullen, waarna hij ze eveneens in de garage opsloeg. Tegen zonsondergang reed hij terug naar Ipswich, waar hij de receptioniste zei dat hij de volgende ochtend wilde afrekenen.

Preston besefte dat hij zich binnen de kortste keren stierlijk zou gaan vervelen. Hij was pas twee dagen in functie, maar had nog niets anders gedaan dan dossiers doorlezen. Tijdens de lunch in de cafetaria overwoog hij serieus ontslag te nemen. Dat zou hem voor twee problemen plaatsen: het zou ten eerste niet eenvoudig zijn voor een vent van vijfenveertig om nog aan een goeie baan te komen, te meer omdat zijn buitenissige ervaring niet bepaald behoorde tot het soort dat voor grote bedrijven een onweerstaanbare aantrekkingskracht bezat. De tweede moeilijkheid was zijn persoonlijke loyaliteit ten opzichte van sir Bernard Hemmings. Hij was dan wel zes jaar bij Inlichtingen, maar 'de Ouwe' had hem altijd goed behandeld. Hij mocht sir Bernard graag en wist dat sir Bernard Hemmings een moeilijke keuze stond te wachten.

De beslissing inzake de man die het vertrekkende hoofd van de Geheime Dienst, MI-6, of de vertrekkende directeur-generaal van de Veiligheidsdienst, MI-5, zal opvolgen, wordt in Groot-Brittannië uiteindelijk genomen door een zogeheten 'Commissie van Wijze Mannen'. In het laatste geval zou deze commissie bestaan uit de permanente onderminister van Defensie, de secretaris van de ministerraad alsmede de voorzitter van de Commissie der Gezamenlijke Inlichtingendiensten. Ze zouden een kandidaat die hun voorkeur genoot bij de minister van Binnenlandse Zaken en de Eerste Minister aanbevelen. Slechts in uitzonderingsgevallen zouden deze politici een dergelijke aanbeveling van de 'Wijze Mannen' naast zich neerleggen. Maar alvorens tot een benoeming over te gaan zouden zij op hun eigen onnavolgbare manier hun 'voelhorens uitsteken' – via discrete lunches in clubs, een drankje in een exclusieve bar of gefluisterde gesprekken tijdens het drinken van een kop koffie. Als het ging om de benoeming van een nieuwe directeur-generaal van mi-5 zouden ze beslist het hoofd van de Geheime Dienst, mi-6, consulteren; maar aangezien sir Nigel Irvine zelf binnen niet al te lange tijd met pensioen ging zou hij een heel goeie reden moeten hebben om negatief te adviseren over een serieuze kandidaat voor de hoogste post in de andere arm van het inlichtingenapparaat. Per slot van rekening zou hij niet zelf met de man hoeven samen te werken.

Een van de meest invloedrijke figuren wiens mening die beide ministers zouden peilen was natuurlijk de vertrekkende directeur-generaal van mi-5 zelf. Preston wist dat een integer man als sir Bernard Hemmings zich verplicht zou voelen zijn sectiehoofden over het 'profiel' van de gewenste kandidaat te polsen. Hun opinie zou zwaar meewegen bij zijn uiteindelijke advies, ongeacht zijn persoonlijke voorkeur. Niet voor niets had Harcourt-Smith handig gebruik gemaakt van het feit dat hij hoe langer hoe vaker werd belast met de dagelijkse leiding van de dienst, door zijn beschermelingen een voor een te benoemen tot hoofd van een van de talloze secties van mi-5. En Preston betwijfelde geen moment dat Harcourt-Smith het van harte zou toejuichen als *hij* nog voor de herfst zijn hielen zou lichten, in navolging van twee of drie andere sectiehoofden die het afgelopen jaar waren teruggekeerd naar de burgermaatschappij.

'Hij kan van mij het heen en weer krijgen,' merkte hij op tegen niemand in het bijzonder, in de vrijwel verlaten cafetaria. 'Ik blijf!'

Terwijl Preston zat te lunchen vertrok Petrofski uit het hotel. Zijn bagage was nu uitgebreid met een grote koffer vol kleding die hij ter plaatse had aangeschaft. Hij maakte de receptioniste wijs dat hij vertrok naar Norfolk en dat ze eventuele post voor hem moest vasthouden totdat hij die kwam afhalen.

Een telefoontje met de makelaar in assurantiën in Colchester leerde hem dat de tijdelijke WA-polis voor de motorfiets gereed was gekomen: hij vroeg de man om de polis niet op de post te doen, want hij zou hem zelf wel even komen ophalen. Hij liet er geen gras over groeien en haalde de polis meteen op, waarna hij 's middags zijn intrek nam in 12 Cherryhayes. Hier benutte hij het grootste deel van de avond voor het zorgvuldig samenstellen van een gecodeerd bericht dat door geen enkele computer kon worden ontcijferd. Het breken van een code, zo wist hij, berustte op het opsporen van patronen en herhalingen. *Altijd*, hoe geavanceerd de computer die voor het ontsluieren werd gebruikt ook mocht zijn. Als je voor ieder woord van een kort bericht een afzonderlijke geheime code gebruikte liet je geen sporen na en werd iedere vorm van herhaling vermeden. Op zaterdagochtend reed hij naar Thetford, stalde zijn auto in de gehuurde garage en nam een taxi naar Stowmarket. Hier betaalde hij met een gegarandeerde bankcheque het resterende deel van de overeengekomen prijs voor de BMW, kleedde zich in het toilet om in zijn leren uitrusting (samen met de helm meegebracht in een grote tas), propte de tas en zijn normale kleding in de zijtassen van de motor en reed weg.

Het was een lange rit en hij had er vele uren voor nodig. Pas laat op de avond was hij terug in Thetford, verkleedde zich in de garage, verwisselde motor voor gezinsauto en reed op z'n gemak terug naar Cherryhayes Close in Ipswich, waar hij omstreeks middernacht arriveerde. Zijn aankomst werd door niemand opgemerkt; maar als iemand hem wél had gezien zou hij voor zo iemand slechts 'die aardig en jonge meneer Ross' zijn geweest die vrijdags z'n intrek had genomen in nummer twaalf.

Op zaterdagavond zou de Amerikaanse sergeant Averell Cook er verreweg de voorkeur aan hebben gegeven om uit te gaan met zijn vriendin uit het dichtbij gelegen Bedford. Of zelfs om een partijtje te biljarten met zijn maats. In plaats daarvan moest hij tussen vier uur 's middags en twaalf uur 's nachts dienst doen in de gezamenlijke Brits-Amerikaanse 'luisterpost' Chicksands. Het 'hoofdkwartier' van het Britse orgaan dat belast is met het beluisteren van electronische boodschappen en het breken van codes bevindt zich in het hoofdkantoor van de dienst Verbindingen, gevestigd in Cheltenham, in het zuidelijke graafschap Gloucestershire. Maar deze dienst heeft in diverse delen van het Verenigd Koninkrijk dépendances; en een daarvan, Chicksands in Bedfordshire, wordt gezamenlijk bemand door employé's van de Britse dienst Verbindingen en de Amerikaanse contraspionagedienst.

De tijd dat waakzame mannen geconcentreerd zaten te luisteren naar de geluiden in hun koptelefoons, met het doel om de met de hand verzonden codeberichten van een in Groot-Brittannië seinende Duitse spion op te vangen en te registreren, is sinds lang voorbij. Daar waar het gaat om het beluisteren en analyseren van berichten, het onderscheiden van onschuldige en minder onschuldige boodschappen en het registreren en decoderen daarvan, hebben computers hun taken vrijwel volledig overgenomen. Om die reden vertrouwde sergeant Cook – en met het volste recht – erop dat, als een van de vele antennes in het woud van de masten boven zijn hoofd ook maar een electronisch gefluister zou opvangen, een dergelijke boodschap geregistreerd zou worden door een van de computergeheugens om hem heen. De computerbanden werden volautomatisch afgetast, en het registreren van ook maar het geringste signaal dat niet in de ether thuishoorde zou eveneens volautomatisch z'n beslag krijgen. Zodra een dergelijk signaal werd opgepikt zou de computer z'n eigen 'bingo-knop' in z'n veelkleurige inwendige 'indrukken' om de boodschap vast te leggen, de zender onmiddellijk te peilen en andere computers overal in het land te instrueren tot het verrichten van een kruispeiling – om vervolgens Cook te waarschuwen.

En om 23.43 uur die avond was er kennelijk iets dat de hoofdcomputer ertoe bracht z'n eigen 'bingo-knop' in te drukken. Iets of iemand had iets uitgezonden dat buiten het verwachtingspatroon viel; en uit de kaleidoscopische verscheidenheid aan electronische signalen waarvan de ether van deze planeet dag-en-nacht wordt vervuld had de hoofdcomputer dit signaal opgepikt en gepeild. Sergeant Cook nam notitie van het alarmsignaal en stak zijn hand uit naar de telefoon op zijn bureau. Wat de hoofdcomputer had opgepikt was niet meer dan een 'sputter' – een kortstondige aaneenschakeling van versneld uitgezonden signalen die hooguit een paar tellen duurt en waarvan de bestanddelen door geen enkel menselijk oor te onderscheiden zijn. Een *squirt* (hier vrij vertaald tot 'sputter') is het eindresultaat van een tamelijk bewerkelijke procedure voor het uitzenden van klandestiene boodschappen. Eerst wordt de tekst 'begrijpelijk' uitgeschreven; en wel zo beknopt mogelijk. Daarna wordt de boodschap pas gecodeerd, hoewel je dan nog steeds een hele lijst van letters of cijfers overhoudt. De gecodeerde boodschap wordt uitgetikt met behulp van een seinsleutel, die echter niet is aangesloten op een zender, maar op een bandrecorder. Het bandje wordt vervolgens met extreem lage snelheid overgespeeld op een met normale snelheid draaiend tweede bandje, zodat de 'punten' en 'strepen' als het ware 'in elkaar worden gedrukt' en gaan klinken als één enkele electronische gil die slechts enkele seconden duurt. Als de zender klaar is voor gebruik wordt het tweede, 'gecomprimeerde' bandje uitgezonden, waarna de agent zijn zender inpakt en als de bliksem maakt dat hij ergens anders komt.

Die zaterdagavond slaagden de kruispeilers er binnen tien minuten in de lokatie vanwaar de 'sputter' was uitgezonden nauwkeurig te bepalen. De peiling werd bevestigd door twee andere computers – een te Menwith Hill in Yorkshire en een te Brawdy in Wales – die eveneens de korte 'sputter' hadden opgevangen. Toen de plaatselijke politie er arriveerde bleek het slechts een parkeerhaven te zijn aan een eenzame weg, ergens hoog in de omgeving van Derbyshire Peak. De parkeerhaven was verlaten. Binnen de kortste keren werd de 'sputter' doorgegeven naar het hoofdkwartier in Cheltenham, waar de boodschap werd vertraagd tot een snelheid waarop de punten en strepen te herleiden waren tot letters en cijfers. Maar toen de electronische breinen van het hoofdkwartier die bekend staan als de 'codebrekers' er vierentwintig uur hun best op hadden gedaan was de boodschap nog altijd niet ontsluierd. 'Het is een slapende zender, vermoedelijk ergens in de Midlands, die nu actief is geworden,' meldde de chef-analist aan de directeur-generaal van het hoofdkwartier van Verbindingen. 'Het lijkt er echter op dat onze man voor ieder woord een afzonderlijke codering heeft gebruikt. Zolang we niet niet veel meer van hebben opgepikt zullen we de code niet kunnen breken.'

Er werd besloten het door de geheime zender gebruikte kanaal intensief te laten bewaken, hoewel ze vooruit wisten dat de man die hem bediende een volgende keer ongetwijfeld een ander kanaal zou gebruiken.

Een uiterst mager en beknopt rapportje van het incident belandde onder andere op het bureau van sir Bernard Hemmings en dat van sir Nigel Irvine.

De boodschap was inmiddels ook nog ergens anders opgevangen. Toen het bericht met behulp van een set eenmalige coderingen (die identiek waren met die welke op een eenzame plek in Ipswich waren gehanteerd) was ontcijferd, vertelde het de belangstellenden in Moskou, dat de 'man in het veld' alle inleidende taken ruim binnen het gestelde tijdschema had afgerond en zover was dat hij de eerste 'pakezel' kon ontvangen.

12

De lentedooi zou niet lang meer op zich laten wachten, maar voorlopig waren de takken van de berken en sparren ginds in de diepte nog beladen met een korst van bevroren sneeuw. Vanuit het van dubbel glas voorziene venster op de zevende en hoogste verdieping van het gebouw van het Eerste Hoofddirectoraat in Jasjenevo kon de man die uitstaarde over het grootse panorama nog juist aan de overkant van de zee van besneeuwde boomtoppen de verste punt zien van de westelijke uitloper van het meer, waar de buitenlandse diplomaten van Moskou zich zomers plachten te verpozen. Die zondagmorgen had luitenant-generaal Jevgeni Sergeivitsj Karpov veel liever bij vrouw en kinderen gezeten, knus in hun *datsja* in Peredelkino, maar zelfs als je in de Geheime Dienst zo hoog bent gestegen als Karpov zijn er bepaalde dingen die je eigenhandig moet doen. Het wachten op de komst van de koerier die vanuit Kopenhagen onderweg was naar huis was zo'n aangelegenheid.

Hij raadpleegde zijn horloge. Bijna twaalf uur: de man was laat. Zuchtend keerde hij het panorama de rug toe en liet zich in de draaistoel achter zijn bureau vallen. Op zijn zevenenvijftigste bevond Jevgeni Karpov zich op het toppunt van de macht en het aanzien die bereikbaar zijn voor een inlichtingenofficier van de KGB; althans, voor zover deze werkzaam is bij het Eerste Hoofddirectoraat. Fedortsjoek had het nóg verder geschopt, tot de positie van allerhoogste KGB-chef zelfs, vandaar naar de MVD – maar dat was logisch, met de secretaris-generaal van de CPSU als kruiwagen. Bovendien was Fedortsjoek niet afkomstig uit het EHD en had hij zelden of nooit de Sovjet-

Unie verlaten: *hij* had zijn sporen verdiend met het vermorzelen van dissidente groeperingen binnen de landsgrenzen.

Maar voor een man die jaren achtereen zijn vaderland over de grens had gediend (altijd een nadeel voor wat promotie naar de allerhoogste positie binnen de Sovjet-Unie zelf betrof) had Karpov het helemaal niet gek gedaan. Deze slanke, fit-ogende man in een gekleed pak van perfecte snit – een van de voordelen van een hoge positie binnen het EHD – had dan toch maar de rang van luitenant-generaal en de functie van eerste plaatsvervangend hoofd van het EHD weten te bereiken. Als zodanig was hij de oudst-aanwezige inlichtingenofficier bij de Geheime Dienst; met een status die ongeveer te vergelijken is met die van plaatsvervangende directeuren van de afdelingen Operaties en Inlichtingen van het Amerikaanse Central Intelligence Agency, of die van het hoofd van de Britse Geheime Dienst, sir Nigel Irvine.

Jaren geleden, toen hij zich eenmaal verzekerd had van de macht, had de secretaris-generaal de toenmalige KGB-chef, Fedortsjoek, op Binnenlandse Zaken benoemd, waarna generaal Tsjebrikov chef van de KGB was geworden. Op dat moment was er een stoel vrijgekomen – Tsjebrikov was een van de twee plaatsvervangende KGB-chefs geweest. Deze vacante positie was aan generaal-overste Krjoetsjkov aangeboden en gretig geaccepteerd. De moeilijkheid was alleen dat Krjoetsjkov op dat moment hoofd van het EHD was en er niets voor voelde die machtspositie prijs te geven. Hij wilde *beide* posities behouden; maar zelfs Krjoetsjov had ingezien – persoonlijk vond Karpov dat de man een enorm bord voor z'n kop had – dat hij onmogelijk op twee stoelen tegelijk kon zitten. Hij kon moeilijk achter het bureau van het Eerste Plaatsvervangend Hoofd in het Centrum aan het Dzerzjinski-plein tronen en tegelijkertijd als hoofd van het EHD de scepter zwaaien in Jasjenevo.

Dit leidde ertoe dat de positie van eerste plaatsvervangend hoofd van het EHD, een functie die al vele jaren had bestaan, nog aanzienlijk belangrijker werd. Het wás al een baan geweest voor een officier met grote operationele ervaring, en als zodanig de hoogste post die een inlichtingenman zich in het ehd kon wensen. Maar nu Krjoetsjkov niet meer in 'Het Dorp' zetelde – zoals Jasjenevo in het KGB-jargon werd genoemd – was de functie van (zijn) eerste plaatsvervanger nog veel zwaarder gaan wegen.

Toen de man die deze functie bezette, generaal B.S. Iwanov, met pensioen ging, waren er twee geschikte kandidaten voor zijn opvolging voorhanden: Karpov zelf, destijds nog wat jong, maar toen al hoofd van het belangrijke Derde Departement in Kamer 6013, een departement dat Groot-Brittannië, Australië, Nieuw-Zeeland en heel Scandinavië tot z'n werkterrein had; en Wadim Wassiljevitsj Kirpitsjenko, een stuk ouder en iets ervarener als hoofd van het S-Directoraat, het Illegale Directoraat. Kirpitsjenko had de baan gekregen. Bij wijze van troostprijs was Karpov gepromoveerd tot hoofd van het machtige S-Directoraat, een positie die hij gedurende twee fascinerende jaren had bekleed.

Totdat Kirpitjsenko in het vroege voorjaar van 1985 ruim baan had gemaakt: hij was met veel te hoge snelheid de Sadowaja Spasskaja afgeraasd, de ringweg rondom Moskou, waarbij zijn auto in een door een lekkende vrachtwagenmotor achtergelaten plas olie terecht was gekomen en volkomen onbestuurbaar werd. Een week later had er een stille plechtigheid plaatsgevonden in besloten kring, op het Novodewitjsii-kerkhof; en weer een week later had Karpov de baan gekregen en was hij van generaal-majoor tot generaal-overste bevorderd. Met alle genoegen had hij het S-Directoraat overgedragen aan de oude Borisov, die daar al zó lang de tweede viool had moeten spelen dat er nog maar weinigen waren die wisten hoeveel jaar dat was geweest. En trouwens, Borisov verdiende de functie zonder meer.

Het telefoontoestel op zijn bureau begon te rinkelen en hij griste de hoorn van de haak.

'Kameraad generaal-majoor Borisov voor u aan de lijn, kameraad.'

Als je over de duivel spreekt... dacht hij. Toen fronste hij zijn voorhoofd. Hij beschikte over een privé-lijn die niet via de centrale liep, maar zijn voormalige collega had die lijn blijkbaar niet gebruikt. Dus moest hij van buiten het gebouw bellen. Hij gaf zijn secretaris opdracht de koerier uit Kopenhagen ogenblikkelijk na diens komst naar hem door te sturen en drukte toen de knop in om Borisov te woord te staan. 'Pawel Petrovitsj, hoe maak je het op zo'n mooie dag als vandaag?'

'Ik heb eerst geprobeerd je thuis te bereiken, en toen het nummer van je *datsja* gedraaid. Loedmilla zei dat je moest werken.'

'Dat is zo. Iets dat voor sommige figuren de gewoonste zaak van de wereld is.'

Karpov nam z'n oudere collega op die manier een beetje op de hak: Borisov was weduwnaar, woonde alleen en was in de weekeinden vaker op kantoor te vinden dan wie ook.

'Jevgeni Sergeivitsj, ik moet je spreken.'

'Geen probleem! Je hoeft het trouwens niet formeel te vragen. Wilde je morgen hierheen komen of zal ik naar de stad rijden?'

'Zou je kans zien dat vandaag nog te doen?'

'Nog gekker,' dacht Karpov. De oude moest zich werkelijk zorgen maken over het een of ander – zijn stem klonk alsof hij stevig had gedronken. Hardop zei hij: 'Je hebt toch niet zitten zuipen, hoop ik, Pawel Petrovitsj?'

'Misschien heb ik dat wel,' zei de kribbige stem aan de andere kant van de lijn. 'Misschien heeft een man zo nu en dan een paar opkikkers nodig. Vooral als hij met problemen kampt.'

Karpov begreep dat het om een ernstige zaak moest gaan, wat het dan ook wezen mocht. Hij liet zijn gekscherende toon achterwege. 'Goed dan, *starets*,' zei hij op verzoenende toon. 'Waar zit je nu?'

'Je weet waar ik woon?'

'Vanzelfsprekend. Wil je dat ik daarheen kom?'

'Ja, daar zou ik je dankbaar voor zijn. 'Hoe laat zou je hier kunnen zijn?'

'Laten we zeggen omstreeks een uur of zes,' stelde Karpov voor.

'Ik zal een fles peperwodka koud zetten,' zei Borisov en legde op.

'Maar niet voor mij,' mompelde Karpov. Anders dan de meeste Russen dronk Karpov vrijwel nooit; en als hij zich eraan bezondigde gaf hij de voorkeur aan een goeie Armeense cognac of een Schotse malt-whisky (die hij zich via de postzak uit Londen liet toesturen). Wodka beschouwde hij als een ontsporing, en peperwodka als een verschrikking. 'Daar gáát m'n rustige zondag in Peredelkino,' dacht hij korzelig, alvorens Loedmilla te bellen om haar te zeggen dat hij niet kon komen. Hij sprak met geen woord over Borisov, maar legde haar alleen uit dat hij niet weg kon en om een uur of twaalf hoopte terug te zijn in hun appartement in het centrum van Moskou, waar ze elkaar weer zouden treffen. Maar de kribbigheid van de oudere man bleef hem dwars zitten, ook al kende hij Borisov veel te lang om zich eraan te storen. Hij vond het alleen maar vreemd voor iemand die anders altijd zo vriendelijk en flegmatiek placht te zijn.

Die zondagmiddag landde het lijntoestel uit Moskou even na vijven op de Londense luchthaven Heathrow. Zoals altijd telde de bemanning van het Aeroflot-toestel een lid dat twee heren diende: de luchtvaartmaatschappij van de communistische heilstaat én de KGB. Eerste piloot Romanov was weliswaar geen KGB-staflid, maar niettemin fungeerde hij als *agjent*, wat inhield dat hij de KGB op de hoogte hield van het doen en laten van zijn collega's en daarnaast zo nu en dan als boodschapper dienstdeed.

De bemanning verliet het vliegtuig, sloot het af en droeg het over aan de zorgen van het grondpersoneel: de volgende ochtend zouden ze ermee terugvliegen naar Moskou. Zoals gewoonlijk onderwierpen ze zich aan de voor vliegtuigbemanningen geldende *check-in*-procedures en controleerde de douane vluchtig hun schoudertassen en koffers. Sommige bemanningsleden hadden altijd hun eigen transistorradio bij zich, zodat niemand notitie nam van Romanovs Sony, bungelend aan een schouderriem. Westerse luxe-artikelen vertegenwoordigden een van de voordelen van reizen op het buitenland voor iedere Sovjet-burger, zoals iedereen wist; en hoewel het personeel van Aeroflot maar mondjesmaat buitenlandse valuta kreeg stonden cassetterecorders, bandjes, radio's en parfum – voor echtgenote of vriendin in Moskou – hoog op het verlanglijstje. Na het passeren van de douane en de paspoortencontrole stapte de hele bemanning aan boord van het minibusje dat hen naar het Green Park Hotel zou brengen, waar de bemanningen van Aeroflot gewoonlijk plegen te logeren. Degene die Romanov drie uur voor hun vertrek uit Moskou de transistorradio had meegegeven moest hebben geweten dat het personeel van Aeroflot zelden of nooit vanaf Heathrow wordt geschaduwd. De mensen van de Britse contraspionage schijnen het risico dat dit verzuim met zich meebrengt minder zwaar te laten wegen dan de noodzaak van een tamelijk grootscheepse bewakingsdienst.

Eenmaal op zijn hotelkamer staarde Romanov in weerwil van zichzelf nieuwsgierig naar de transistorradio. Toen haalde hij zijn schouders op, borg het toestel in zijn koffer op en ging naar beneden om samen met zijn collega's in de bar iets te gaan drinken. Hij wist precies wat hij er de volgende ochtend meteen na het ontbijt mee moest doen. Dat zou hij doen en daarna de hele kwestie eenvoudig uit zijn hoofd zetten. Op dat moment wist hij nog niet dat hij direct na zijn terugkeer in Moskou in quarantaine zou worden gehouden.

Karpovs auto reed even voor zessen met krakende wielen de bevroren sneeuw op de landweg op, en in stilte vervloekte hij de hardnekkigheid waarmee Borisov zijn weekeinden placht door te brengen in een landhuisje op zo'n eenzame plek. Iedereen in de dienst wist dat Borisov een typische eenling was. In een samenleving waarin iedere vorm van individualiteit of afwijking van de norm – om over excentriciteit maar niet te spreken – als hoogst verdacht wordt beschouwd, werd Borisov met rust gelaten omdat hij zo uitzonderlijk goed was in zijn vak. Hij zat al vanaf zijn jongensjaren in de inlichtingenbranche en sommige van de coups die hij tegen het Westen had ondernomen waren legendarisch in de kantines van de opleidingsscholen waar aankomende KGB-agenten hun maaltijden gebruikten.

Ongeveer een kilometer verder over de landweg onderscheidde Karpov de verlichte ramen van de blokhut of *izba* waar Borisov zijn vrije weekeinden doorbracht. Alle anderen stelden zich graag tevreden met een weekeindhuisje in de officieel daartoe bestemde zones, in overeenstemming met hun rang in de 'pikorde.' En al die zones bevonden zich ten westen van Moskou binnen de bocht van de rivier aan de overkant van de Oespenskojebrug. Zo niet Borisov! Hij trok zich zaterdags en zondags graag terug in de bossen (dat wil zeggen, de weekeinden dat hij het over z'n hart kon verkrijgen om zijn bureau in de steek te laten) om in zijn eenvoudige *izba* de ouderwetse Russische boer uit te kunnen hangen. De Tsjaika kwam voor de zware houten deur tot stilstand. 'Hier wachten,' beval Karpov zijn chauffeur.

'Dan kan ik maar beter vast omdraaien en een paar van die blokken hout daar onder de wielen leggen, anders vriezen we nog vast,' gromde Misja.

Karpov knikte instemmend en stapte uit. Hij had geen *galosjes* meegenomen, want hij had geen moment verwacht dat hij diezelfde dag nog tot aan z'n knieën door de sneeuw zou moeten waden. Struikelend bereikte hij de deur en bonkte er op met zijn vuist. De deur waaide open en maakte plaats voor een rechthoek van geel licht-schijnsel, verspreid door petroleumlampen. Dat licht omlijstte de gestalte van generaal-majoor Pawel Partro-vitsj Borisov, gehuld in het losse hemd, de met een koord opgehouden broek en de vilten laarzen van de Siberische boer.

'Je ziet eruit als een figuur uit een roman van Tolstoi!' merkte Karpov op toen hij de zitkamer binnenstapte, waar een stenen open haard de blokhut de geborgenheid en warmte van een moederschoot verleende.

'Dat is nog altijd beter dan een modepop uit een Bond-Street-etalage,' kaatste Borisov grommend terug, toen hij Karpov uit zijn jas hielp en het kledingstuk aan een houten pen ophing. Hij opende een fles wodka (die zo sterk en geconcentreerd was dat de vloeistof de consis-tentie bezat van stroop) en vulde twee forse glazen. Pas daarna gingen ze aan weerskanten van een lage tafel zit-ten.

'Proost!' zei Karpov als eerste, terwijl hij zijn glas tussen duim en wijsvinger nam; op z'n Russisch, met parmantig uitgestoken pink.

'Van hetzelfde,' antwoordde Borisov, waarna ze de in-houd van hun eerste glas in één teug naar binnen lieten klokken. Op dat moment kwam een oud boerenvrouwtje met de vormen van een ouderwets theemuts, een gerim-peld gezichtje en grijs, in een knotje gebonden haar, de kamer binnen, als een soort incarnatie van Moedertje Rusland. Ze kwakte een verzameling zwart boeren-brood, uien, *gherkins* en kaas op tafel en vertrok zonder een woord te hebben gezegd.

'Wel, wat is de moeilijkheid, *starets*?' vroeg Karpov.

Borisov was vijf jaar ouder dan hijzelf, en niet voor de eerste maal werd hij getroffen door de opvallende gelij-kenis van de generaal-majoor met wijlen Dwight Eisen-hower. Karpov wist dat hij, in tegenstelling tot veel hoge KGB-officieren, erg bemind was onder zijn collega's en dat zijn jongere agenten eenvoudig met hem dweepten. Lang geleden hadden zij hem de koosnaam *'starets'* gegeven, oorspronkelijk de benaming voor een Russisch dorpshoofd uit de tsarentijd, maar nu had het meer de betekenis van de 'de Ouwe' of 'de Baas'. Met een somber gezicht staarde Borisov hem over de tafel heen aan.

'Jevgeni Sergeivitsj, hoe lang kennen we elkaar nu al?'

'Meer jaren dan ik me graag wil herinneren,' zei Karpov.

'En heb ik al die jaren ooit tegen jou gelogen?'

'Laten we hopen van niet,' zei Karpov voorzichtig. Wat hád de oude toch?

'Dan wil ik weten wat jij verdomme mijn afdeling aandoet!' eiste Borisov luidkeels.

Karpov overwoog de vraag zorgvuldig.

'Waarom vertel je me eerst niet wát jouw departement precies wordt aangedaan?' repliceerde hij.

'De hele zaak wordt uitgekleed!' snauwde Borisov. 'En jij moet erachter zitten. *Of* ervan op de hoogte zijn. Hoe wil je van mij verlangen dat ik het S-Directoraat op een behoorlijke manier leidt, als je me mijn beste mensen, mijn beste documentatie en mijn beste faciliteiten afneemt? Het heeft me verdomme jaren gekost om dat allemaal op te bouwen... en nu is het me binnen een paar dagen afgenomen!'

Nu had hij eindelijk zijn hart kunnen luchten, alle woede die hij tot nu toe in z'n binnenste had opgekropt had zich kunnen ontladen. Karpov leunde achterover, diep in gedachten, terwijl Borisov de glazen nog eens bijschonk. Hij had in de doolhofachtige KGB-hiërarchie nooit zo hoog kunnen klimmen als hij geen zesde zintuig had bezeten voor gevaar. Borisov was geen paniekzaaier, dus moest er inderdaad iets aan de hand zijn. Maar Karpov kon met de hand op het hart verklaren dat hij er niets van wist. Hij boog zich voorover. 'Pal Petrovitsj,' zei hij, z'n toevlucht nemend tot de zeer vertrouwelijke afkorting van Pawel, 'zoals je zegt kennen we elkaar al heel wat jaartjes. Geloof me, ik weet niet waarover je het hebt. Zou je alsjeblieft willen ophouden met je geschreeuw en het me rustig uitleggen?'

Borisov werd er milder door gestemd, hoewel hij niets begreep van Karpovs verzekering dat *hij* er niets van wist.

'Goed dan,' zei hij, op een toon alsof hij iets moest uitleggen aan een kind, 'het zit zo. Eerst duiken er twee figuren op van het Centraalcomité, die eisen dat ik hun mijn allerbeste illegale agent ter beschikking stel; een man waarin ik jaren van persoonlijke training heb geïnvesteerd en van wie ik hoge verwachtingen koester. Ze zeiden me dat hij zich moest gaan melden voor "speciale taken" – wat dat dan ook moge betekenen. Goed, ik gééf ze mijn allerbeste agent. Het staat me niet aan, maar toch – ik doe het. Twee dagen later staan ze weer voor m'n neus. Deze keer eisen ze mijn allerbeste "legende" – en het had tien jaar gekost om die in elkaar te steken. Sinds die vervloekte Iran-affaire ben ik niet meer op deze manier behandeld! Herinner je je die kwestie Iran nog? Ik ben er nog steeds niet overheen.'

Karpov knikte. Hij had toen nog niet bij het S-Directoraat gezeten, maar Borisov had hem er gedurende de twee jaar dat hij de leiding van het S-Directoraat in handen had gehad alles over verteld. Tijdens de laatste dagen van de regering van de sjah had het Internationale Departement van het Centraalcomité besloten dat het wel een aardig idee zou zijn om het hele Politbureau van de Iraanse Toedeh-partij (de communistische partij van Iran) in het geheim het land uit te smokkelen. Het Centraalcomité had Borisovs met monnikengeduld verzamelde dossiers uitgekamd en tweeëntwintig onberispelijke Iraanse 'legenden' opgeëist: *cover-story's* die Borisov had samengesteld en bewaard om mensen Iran *binnen* te smokkelen, in plaats van eruit. 'Helemaal uitgekaand!' had hij destijds woedend uitgeroepen. 'En dat alleen om dat stel van luizen vergeven armoedzaaiers in veiligheid te brengen!'

Later had hij zich tegenover Karpov nog meer beklaagd: 'En uit eindelijk hebben ze er geen barst aan gehad. De *ayatollah* heeft de macht in handen, de Toedeh is nog altijd verboden en we kunnen daarginds nog nauwelijks een operatie op touw zetten.' Karpov wist dat die kwestie nog altijd stof liet opwaaien; maar deze nieuwe aangelegenheid leek hem nóg eigenaardiger toe. Zo had, om maar iets te noemen, de vraag om mensen en faciliteiten via *hem* moeten lopen.

'Wie heb je hun gegeven?' vroeg hij.

'Petrofski,' zei Borisov berustend. 'Ik moest wel. Ze vroegen om de allerbeste en hij is de anderen een straatlengte voor. Je herinnert je Petrofski nog?'

Karpov knikte. Hij mocht dan slechts twee jaar hoofd van het S-Directoraat zijn geweest, maar hij herinnerde zich alle namen van de beste agenten en wist precies welke operaties er liepen. Op zijn huidige post had hij trouwens toegang tot *alle* beschikbare informa

'Op wiens gezag werden deze verzoeken je voorgelegd?'

'Tja, formeel door het Centraalcomité, maar als ik moet afgaan op de gegeven volmachten...' Borisovs wijsvinger wees naar het plafond en daarmee naar de hemel.

'God Zelf?' vroeg Karpov ironisch.

'Bijna. Dus onze geliefde secretaris-generaal. Dat vermoed ik tenminste.'

'Is er daarna nog meer gebeurd?'

Reken maar. Kort na het opeisen van die "legende" duikt dat stel clowns opnieuw op. Deze keer vertrokken ze met de zendkristallen van de slapende zenders die jij vier jaar geleden hebt laten uitzetten in Engeland. Daarom trok ik de conclusie dat jij erachter moest zitten.'

Karpovs ogen vernauwden zich. Toen hij hoofd van het S-Directoraat was waren de NAVO-landen bezig geweest met het opstellen van *Pershing-Two*-raketten en kruisraketten. Washington was overal ter wereld op diplomatiek niveau uiterst actief geweest en het Politbureau had zich grote zorgen gemaakt. Karpov had opdracht gekregen om de plannen voor grootscheepse sabotage-operaties in West-Europa van het S-Directoraat aanzienlijk uit te breiden, om voorbereid te zijn op het eventueel uitbreken van een gewapend conflict. Een van de maatregelen die hij daartoe had genomen was het 'uitzaaien' van een aantal klandestiene radiozenders in West-Europa, waarvan hij er ook drie in Groot-Brittannië had laten uitzetten. De mannen die deze zenders onder hun berusting kregen en werden opgeleid om ze te bedienen waren zonder uitzondering 'mollen' – 'slapende agenten' die opdracht hadden om te wachten op het moment dat zij door een agent met de juiste identificatiecode zouden worden 'geactiveerd'. Het betrof hypermoderne radiozenders, uitgerust met omvormers voor het onherkenbaar verminken van de uitgezonden boodschappen; en voor het opnieuw omvormen van de berichten diende de ontvanger te worden voorzien van een geprogrammeerde kristaleenheid. Dergelijke assemblages lagen opgeslagen in de kluizen van het S-Directoraat.

'Welke zender?' vroeg Karpov.

'Die zender die jij de bijnaam Populier had gegeven.' Karpov knikte opnieuw; hij was vertrouwd met de codenamen van alle agenten en hun hulpmiddelen. Maar daarnaast was hij zó lang specialist in Groot-Brittannië geweest en kende hij Londen zó goed dat hij de gewoonte had aangenomen zelf speciale codenamen aan zijn eigen 'operaties' te geven, bijnamen die afgeleid waren van Londense voorsteden waarvan de naam slechts twee lettergrepen telde. De drie zenders die hij in het Verenigd Koninkrijk had laten uitzetten noemde hij zelf altijd *Hackney*, *Shoreditch* en *Poplar* (Populier).

'En verder, Pal Petrovitsj?'

'Die lui zijn nooit tevreden, zoals je weet. Het laatste dat ze kwamen opeisen was Igor Wolkov.' Majoor Wolkov, vroeger verbonden aan het Departement Actie-uitvoeringen, totdat het Politburo tot de conclusie was gekomen dat regelrechte ingrepen de goede naam van de

Sovjet-Unie teveel schaadden, waarna de Bulgaren en Oostduitsers opdracht hadden gekregen voortaan het vuile werk op te knappen. Departement V – Actie-uitvoeringen – was zich gaan toeleggen op sabotage.

'Wat is zijn specialiteit ook alweer?'

'Het over de grens brengen van klandestiene zendingen, met name in West-Europa.'

'Zeg maar gerust smokkelen.'

'Goed, jij je zin. Smokkelen. En hij is erg goed in z'n vak. Hij weet meer over de gang van zaken bij de grenzen in dat deel van de wereld – over de douaneformaliteiten en paspoortcontroles en dergelijke, en over de manier om ze te omzeilen – dan wie ook van mijn directoraat. Althans, zo wás het tot voor kort. Want nu ben ik hem kwijt.'

Karpov stond op, boog zich voorover en legde beide handen op de schouders van de oudere man. 'Luister, *starets*, ik zweer je dat dit geen operatie van mij is. Ik was er niet eens van op de hoogte. Maar nu weten wij allebei dat het ontzettend belangrijk moet zijn en dat betekent dat het uiterst gevaarlijk kan zijn als we onze neus erin steken. Dus raad ik je aan om het hoofd koel te houden, op je tanden te bijten en je verlies te nemen. Intussen zal ik proberen stilletjes uit te vissen wat ze in hun schild voeren en of en wanneer je je spullen terugkrijgt. Maar hou in hemelsnaam zelf je mond dicht; nog dichter dan een Georgische portemonnee. Afgesproken?'

Borisov hief beide handen op, met de palmen naar boven gericht, om zijn onschuld te onderstrepen. 'Je kent me, Jevgeni Sergeivitsj; ik ben van plan om als oudste man van Rusland dood te gaan.'

Karpov schoot in de lach. Hij trok zijn jas aan en liep naar de deur. Borisov volgde hem om hem uitgeleide te doen. 'Zal ik je eens wat zeggen? Volgens mij zal dat nog gebeuren ook.'

Toen de deur achter hem dicht was gegaan tikte Karpov tegen het zijraampje van de Tsjaiko.

'Rijd achter me aan totdat ik in wil stappen,' zei hij tegen zijn chauffeur. Hij begon de besneeuwde landweg af te lopen, zonder aandacht te schenken aan de bevroren sneeuw die zich aan zijn stadsschoenen en broek hechtte. De vrieskoude nachtlucht verfriste zijn gezicht en verdreef iets van de uitwerking van de peperwodka. En dat was precies waarom het hem was begonnen: hij wilde een helder hoofd hebben om te kunnen nadenken. Wat hij te horen had gekregen had zijn toorn gewekt. Iemand – en hij koesterde nauwelijks twijfel aan de identiteit van die 'iemand' – was bezig met het opzetten van een privé-operatie in het Verenigd Koninkrijk. Afgezien van het feit dat hij zich als eerste plaatsvervangend hoofd van het Eerste Hoofddirectoraat duidelijk gepasseerd voelde, ervoer hij het om nog een andere reden als een smadelijke belediging: tenslotte was hij, Karpov, vele jaren werkzaam in Groot-Brittannië geweest en had hij er zoveel agenten gedirigeerd dat hij dat land als zijn particuliere domein beschouwde.

Terwijl generaal Karpov diep in gedachten verzonken die landweg bij Moskou afwandelde, begon er in een kleine flat in de Londense wijk Highgate, nog geen vijfhonderd meter van de graftombe van Karl Marx, een telefoon te rinkelen.
'Ben je binnen, Barry?' riep een vrouwenstem vanuit de keuken. De man die zich in de huiskamer bevond riep terug: 'Ja, rustig maar, ik neem 't wel aan.'
De man wandelde naar de gang en nam de hoorn van de haak, terwijl zijn vrouw verder ging met het bereiden van hun zondagse avondeten.
'Met Barry?'
'Ah, m'n excuus dat ik je op zondagavond kom storen. Met "C".'
'O. Goedenavond, sir.'
Barry Banks verbaasde zich. Het was niet ongehoord, maar toch kwam het zelden voor dat de baas een van zijn

mensen thuis belde.

'Luister, Barry, hoe laat kom jij in de regel aan in Charles Street, 's morgens?'

'Ongeveer om tien uur, sir.'

'Zou je dan morgen misschien een uurtje eerder van huis kunnen gaan en even bij me binnen willen wippen, in Sentinel?'

'Vanzelfsprekend.'

'Mooi. Dan zien we elkaar om negen uur.'

Barry Banks was verbonden aan Sectie K-7, gehuisvest in het hoofdkwartier van MI-5 in Charles Street; maar eigenlijk was hij een employé van de Geheime dienst, MI-6, en fungeerde hij als sir Nigel Irvines liaison-officier met de Veiligheidsdienst, MI-5. Tevergeefs vroeg hij zich die avond aan tafel af wat sir Nigel Irvine van hem wilde en waarom hij de moeite had genomen hem 'buiten werktijd' op te bellen.

Jevgeni Karpov betwijfelde geen moment dat er een geheime operatie aan de gang was en dat deze op Groot-Brittannië betrekking moest hebben. Petrofski, zo wist hij, was gespecialiseerd in het aannemen van de identiteit van een Engelsman in de Britse samenleving; bovendien was de 'legende' die het Centraalcomité van Borisov had opgeëist er een die Petrofski als het ware 'op het lijf was geschreven'; en ook wist Karpov dat de zender die hij altijd aan had geduid als 'de Populier' ergens in het noordelijk deel van de Engelse streek 'de Midlands' verborgen was. En als er een beroep op Wolkov was gedaan vanwege zijn specialisatie in het smokkelen van zendingen over Westeuropese grenzen (zeg maar, de grens van Groot-Brittannië) moesten er ongetwijfeld nog meer specialisten uit andere directoraten zijn 'geplukt' – directoraten waarmee Borisov geen voeling had. Om die reden zou hij ook niets van dergelijke overplaatsingen weten. Nee, al deze factoren wezen met aan zekerheid grenzende waarschijnlijkheid uit dat Petrofski een uiterst geheime missie in Engeland zou gaan vervullen, of daar al mee bezig was. Op zichzelf was dat niets bijzonders – tenslotte was hij speciaal daarvoor opgeleid. Het vreemde was echter dat het Eerste Hoofddirectoraat van de KGB, *in casu* hijzelf, Jevgeni Karpov, strikt buiten de hele operatie werd gehouden. Dat leek volstrekt onlogisch, mede gezien zijn eigen deskundigheid ten aanzien van Groot-Brittannië en Britse aangelegenheden.

Zijn bemoeienissen met dat land waren al twintig jaar geleden begonnen, sinds die avond in september 1967, toen hij een kroegentocht had gemaakt langs de bars in West-Berlijn die gefrequenteerd werden door Britse militairen die op dat moment geen dienst hadden. Hij had dat destijds gedaan in zijn hoedanigheid van schrandere en getalenteerde S-agent, wiens ster rijzende was. In een van die kroegen had hij een sombere, boos kijkende jongeman in het oog gekregen, die, te oordelen naar zijn burgerkleding en haardracht, vermoedelijk deel uitmaakte van het Britse leger. Hij had contact gezocht met de eenzame drinker aan de bar en ontdekt dat hij een negenentwintigjarige marconist was, verbonden aan een Britse 'luisterpost' in Gatow. Deze jonge marconist was uiterst ontevreden met zijn lot. Tussen september en januari 1968 was Karpov blijven werken aan deze RAF-marconist. Aanvankelijk had hij zich tegenover hem voorgedaan als Duitser, in overeenstemming met zijn aangenomen identiteit, maar later had hij tegenover hem toegegeven Rus te zijn. Het was een zacht eitje geweest, zo eenvoudig dat het bijna verdacht was. Maar er bleek achteraf toch geen addertje onder het gras te schuilen: de Engelsman was ronduit gevleid geweest met de belangstelling die de KGB voor hem aan de dag legde en bovendien koesterde hij de haat van de mislukkeling tegen zijn land en zijn werk, zodat hij erin had toegestemd voor Moskou te gaan werken. Gedurende de zomer van 1968 had Karpov hem persoonlijk in Oost-Berlijn opgeleid, waarbij hij hem steeds beter had leren kennen en hoe langer hoe meer minachting voor hem was gaan koesteren. De diensttijd van de RAF-marconist in Berlijn en zijn dienstverband met de RAF zelf zouden er allebei binnenkort opzitten, in september '68 zou hij teruggaan naar Groot-Brittannië en afzwaaien. Hij kreeg van Karpov het verzoek te solliciteren naar een baan bij het hoofdkwartier van Verbindingen in Cheltenham. De marconist had dit in september '68 inderdaad gedaan. Hij heette Geoffrey Prime.

Om hem in staat te stellen Prime te 'dirigeren' werd Karpov overgeplaatst naar een diplomatieke functie in de Sovjet-Russische ambassade in Londen; onder dekking van zijn diplomatieke onschendbaarheid had hij daar drie jaar lang Prime 'gerund' alvorens terug te gaan naar Moskou en het contact met de verbindingsemployé over te dragen aan zijn opvolger. Intussen had hij dank zij deze affaire veel goodwill voor zichzelf in Moskou gekweekt en werd hij bevorderd tot de rang van majoor, waarbij hij weer werd overgeplaatst naar het Derde Departement. Gedurende de eerstvolgende jaren had hij in die functie het door de 'bron' Prime doorgegeven materiaal zelf behandeld. In iedere geheime dienst geldt het axioma dat een 'operatie' die eersteklas materiaal oplevert wordt opgemerkt en geprezen – lof die natuurlijk ook ten deel valt aan de officier die de betreffende operatie leidt.

In 1977 had Prime z'n ontslag genomen bij Verbindingen; de Engelsen hadden er lucht van gekregen dat er ergens een lek moest zijn en probeerden dat lek op het spoor te komen. In 1978 keerde Karpov terug naar Londen: deze keer als hoofd van de hele *rezidentoera*, en met de rang van kolonel. Hoewel Prime niet meer bij Verbindingen werkte was hij nog altijd een Russisch agent, en Karpov deed z'n uiterste best om hem te waarschuwen dat hij zich 'gedrukt' moest blijven houden. Hij wees hem erop dat er met betrekking tot zijn activiteiten van vóór 1977 geen schijntje van een bewijs tegen hem was en dat Prime uitsluitend gepakt kon worden als hij zichzelf zou blootgeven.

'En hij zou tot op de dag van vandaag op vrije voeten zijn gebleven, als de sukkel met z'n smerige klauwen van kleine meisjes af was gebleven,' dacht Karpov woest. Want hij was al in een vroeg stadium op de hoogte gekomen van Primes zwakheid; en uiteindelijk was hij dan toch als gevolg van de misselijk-makende aanranding van een klein kind in aanraking gekomen met de Britse politie – waarna hij prompt door was geslagen. Hij kreeg 35 jaar op te knappen, op grond van zeven aanklachten wegens spionage. Karpovs stationering in Londen leverde echter twee keer een bonus op – extraatjes die de tegenslag van de zaak Prime meer dan goedmaakten. Tijdens een cocktailparty werd hij voorgesteld aan een ambtenaar van het Britse ministerie van Defensie. De man bleek Karpovs naam niet goed te hebben verstaan, en pas nadat ze een paar minuten een beleefd gesprekje hadden gevoerd kreeg hij door dat zijn gesprekspartner een Rus was. Zodra hij dit besefte veranderde zijn houding als bij toverslag. Onder de ijzige beleefdheid die hij toen aan de dag legde bespeurde Karpov dat de man van hem walgde – ofwel als Rus, óf in zijn hoedanigheid van communist.

Hij stoorde er zich echter niet aan, maar werd erdoor geïntrigeerd. Hij had zelf de naam van de man goed verstaan – George Berenson; en de nasporingen die hij gedurende de weken daarop had gedaan hadden aan het licht gebracht dat de man een hartstochtelijk tegenstander was van het communisme én een al even hartstochtelijk bewonderaar van Zuid-Afrika. Hij prentte zich in het hoofd dat Berenson een 'geschikte kandidaat' was voor recrutering onder valse vlag. Later, in mei 1981, was hij teruggeroepen naar Moskou om daar zelf het Derde Departement te gaan leiden; en kort daarna was hij op zoek gegaan naar een geschikte 'slaper' met een degelijke communistische achtergrond die afkomstig was uit Zuid-Afrika. Van het S-Directoraat vernam hij dat ze twee geschikte 'mollen' hadden: een officier in de Zuidafrikaanse marine die Gerhardt heette; en een diplomaat met de naam Marais. Deze Marais was echter net na drie jaar in Bonn teruggeroepen naar Pretoria.

In het voorjaar van 1983 werd Karpov bevorderd tot generaal-majoor en hoofd van het Illegale Directoraat, waaronder Marais ressorteerde. Hij gaf de Zuidafrikaan opdracht overplaatsing aan te vragen naar Londen, als bekroning van een langdurige diplomatieke carrière; en in 1984 kreeg Marais zijn zin. Karpov vloog in eigen persoon onder een aangenomen identiteit naar Parijs om Marais te instrueren: Marais diende George Berenson 'het hof te maken' met de bedoeling hem te recruteren, zogenaamd voor Zuid-Afrika. Na Kirpitsjenko's dood, in 1985, volgde Karpov hem op op zijn hoge post; en al een maand later rapporteerde Marais dat Berenson in het aas had gehapt. Diezelfde maand nog kwam het eerste materiaal dat Berenson had geleverd binnen: en het was door-en-door vierentwintig karaats. Sindsdien had hij de Marais/Berenson-operatie persoonlijk 'gerund' en er zodoende de status van een 'hoofdzaak' aan gegeven, mede doordat hij twee keer per jaar een ontmoeting met Marais in een of andere Europese stad arrangeerde om hem mondeling verslag te laten uitbrengen en hem te feliciteren met zijn succes. De koerier op wie hij 's middags had zitten wachten had hem de laatste zending van door Berenson geleverd materiaal gebracht, materiaal dat Marais had verzonden naar een KGB-adres in Kopenhagen.

Maar zoals gezegd had Karpovs tweede periode in Londen, tussen 1978 en 1981, nog een tweede extraatje opgeleverd. Gewoontegetrouw had hij Prime en Berenson zelfbedachte codenamen gegeven: Prime noemde hij altijd Knightsbridge, Berenson was voor hem Hampstead. En verder was er Chelsea... De laatste had zijn respect verworven, terwijl hij Prime en Berenson verachtte. Anders dan zij was Chelsea geen agent, maar een 'contact' – een man die in de gevestigde orde van z'n eigen land een hoge positie bekleedde en evenals Karpov zelf een uitgesproken pragmatische instelling had, als een man die verknocht was aan de realiteiten van zijn baan, zijn land en de omringende wereld. Nooit hield Karpov op zich te verbazen over de journalistieke beweringen in westerse landen dat zij die in het inlichtingenwerk zaten in een fantasiewereld leefden; in zijn ogen waren het juist de politici die in een droomwereld verkeerden, verleid en op een dwaalspoor gebracht door hun eigen propaganda. Inlichtingenmensen mochten dan genoodzaakt zijn om duistere paden te bewandelen en te liegen en te bedriegen om hun zending te vervullen, maar als zij *ooit* zouden afdwalen naar het rijk van de fantasie (zoals de illegale agenten van de CIA zo dikwijls hadden gedaan) moesten ze onherroepelijk en onwrikbaar vastlopen.

'Chelsea' had hem twee keer de tip gegeven dat, indien de USSR een bepaalde koers bleef varen, er een vreselijke chaos zou ontstaan die *zij* dan weer zouden mogen opruimen, en beide keren had hij het bij het rechte eind gehad. Karpov, die dank zij de tip in staat was geweest zijn eigen mensen voor het dreigende gevaar te waarschuwen, had telkens flink wat punten in zijn voordeel gescoord toen achteraf bleek dat hij gelijk had gehad. Hij maakte zich los van zijn overpeinzingen en dwong zijn geest zich bezig te gaan houden met het huidige probleem. Borisov had gelijk: het moest wel de secretarisgeneraal zijn die erachter zat. Nota bene vlak onder *zijn*, Karpovs, neus had hij een privé-operatie in Groot-Brittannië opgezet en er alles aan gedaan om de KGB er helemaal buiten te houden. Karpov bespeurde gevaar: de oude man was nu eenmaal geen inlichtingenman van professie, in weerwil van de jaren die hij aan het hoofd had gestaan van de KGB. Best mogelijk dat Karpovs eigen carrière op het spel zou komen te staan; en desondanks was het van essentieel belang om uit te zoeken wat de oude man in hemelsnaam in z'n schild voerde. Maar hij zou behoedzaam te werk moeten gaan; uiterst behoedzaam. Hij keek op zijn horloge. Half twaalf alweer. Hij wenkte zijn chauffeur, stapte in en liet zich terugrijden naar Moskou.

Barry Banks stapte die maandagochtend om tien minuten voor negen het hoofdkwartier van MI-6 binnen. Sentinel House is een groot, massief en verrassend opvallend gebouw op de zuidelijke oever van de Theems, dat door de gemeenteraad van Groot-Londen aan een zeker ministerie is verhuurd. De liften gedragen er zich tamelijk eigenzinnig en grillig en het tegelmozaïek waarmee de wanden van de lagere verdiepingen zijn bekleed laat voortdurend tegeltjes vallen, als een soort keramische roosschilfers. Banks legitimeerde zich bij de receptie en ging meteen naar boven. 'C' ontving hem dadelijk en was op en top de joviale, welwillende baas die veel op had met zijn ambitieuze ondergeschikten.

'Ken je toevallig een knaap bij MI-Five die John Preston heet?' vroeg hij Banks.

'Inderdaad, sir. Niet goed, maar ik heb hem verscheidene malen ontmoet. In de regel in de bar van "Gordon" als ik daar een borrel ging drinken.'

'Hij is hoofd van C-One (A), nietwaar, Barry?'

'Nu niet meer. Ze hebben hem overgeplaatst naar C-five (C), vorige week.'

'Nee maar. Da's wel wat plotseling. Ik had begrepen dat hij het nogal goed had gedaan op C-One (A).'

Sir Nigel had er geen enkele behoefte aan Banks te laten merken dat hij Preston enkele malen had ontmoet tijdens vergaderingen van de Paragon-commissie en hem zelfs persoonlijk een onderzoek had laten instellen in Zuid-Afrika. Banks wist niets van de Berenson-affaire, noch hoefde hij daar iets van te weten. Intussen vroeg Banks zich af wat 'de baas' met hem voorhad. Voor zover hij wist had Preston niets te maken met MI-6. 'Inderdaad, sir, heel erg plotseling. In feite heeft-ie maar een paar weken op C-One (A) gezeten. Want tot een januari was hij nog hoofd van F-One (D). Maar kennelijk heeft-ie toen iets gedaan waarmee hij sir Bernard tegen de haren instreek, of, wat waarschijnlijker is, Harcourt-Smith. In ieder geval werd-ie eruit geschopt en hoofd gemaakt van C-One (A); en daar kon hij op 1 april alwéér vertrekken.' Aha, dacht sir Nigel. Harcourt-Smith tegen de haren in gestreken, hè? Dacht ik 't niet? Ik vraag me af waarmee. Hardop zei hij: 'Enig idee wat hij kan hebben gedaan, dat Harcourt-Smith hem weg wilde hebben?'

'Ik meen iets te hebben gehoord, sir. Van Preston zelf. Hij had het weliswaar niet tegen mij, maar ik zat er dicht genoeg bij om het te kunnen horen. Dat was in de bar van "Gordon", een weekje of twee geleden. Hij scheen zelf nogal nijdig te zijn. Naar het schijnt had hij jaren besteed aan een onderzoek, waarover hij even voor de kerst schriftelijk rapport had uitgebracht. *Hij* vond dat het aandacht verdiende, maar Harcourt-Smith heeft er de aantekening Geen Verdere Actie op gezet en het naar Registratie laten brengen om te worden opgeborgen.'

'Mmmm. F-One (D)… is dat niet de sectie die zich bezighoudt met de activiteiten van extreem-links? Kijk eens, Barry, ik zou graag willen dat je iets voor mij deed. Maar het is niet nodig er ophef over te maken. Doe het dus stilletjes. Zoek jij eens uit welk dossiernummer dat bewuste rapport heeft en vraag het dan op bij Registratie, wil je? Stop het maar in de Zak en laat het hierheen brengen, ter attentie van mij persoonlijk.'

Even voor tienen stond Banks weer op straat en liep hij in noordelijke richting terug naar 'Charles'.

De bemanning van het Aeroflot-toestel had op dat moment al op haar gemak ontbeten. Om een minuut voor half tien had eerste piloot Romanov op zijn horloge gekeken en was hij naar het herentoilet gelopen. Hij was er al eerder geweest om zich ervan te overtuigen welk toilet hij moest hebben; de op één na de laatste deur. De laatste deur, helemaal aan het eind, was al gesloten en op *Bezet* gedraaid. Hij stapte het hokje ernaast binnen en sloot de deur. Om precies half tien legde hij een klein kaartjc op de grond onder het tussenschot, een kaartje waarop hij de voorgeschreven zes cijfers had genoteerd. Er verscheen een hand onder het tussenschot. De hand pakte het kaartje op, schreef er iets op en legde het weer op de grond. Romanov raapte het op. Op de achterkant vond hij de zes cijfers die hij had verwacht.

Nu de identificatie achter de rug was zette hij de transistorradio op de grond en zag dat de hand het toestelletje geruisloos liet verdwijnen. Buiten stond iemand voor een van de urinoirs. Romanov trok het toilet door, opende de deur en ging zijn handen wassen, een handeling die hij volhield totdat de gebruiker van het urinoir vertrokken was. Daarna volgde hij de man naar buiten. Voor de ingang van het hotel stond het minibusje naar Heathrow al te wachten. Niemand van zijn collega's merkte op dat hij de Sony niet langer bij zich had; *als* het hen al was opgevallen zouden ze hebben gedacht dat hij hem in zijn koffer had. Koerier Een had zijn zending afgeleverd.

Even voor twaalven belde Barry Banks naar sir Nigel Irvine, via een huislijn die volkomen veilig was. 'Het is heel vreemd, sir Nigel,' zei hij. 'Ik heb het dossiernummer van dat rapport voor u achterhaald en ging toen naar Registratie om het op te halen. Ik ken de archivaris tamelijk goed. Die bevestigde me dat het is opgeborgen in de afdeling GVA. Maar toen ik erom vroeg bleek het uitgeleend te zijn.'

'Uitgeleend?'

'Uitgeleend, ja. Opgevraagd.'

'Door wie?'

'Een zekere Swanson. Die ken ik wel. Het gekke is alleen dat hij op Financiën zit. Dus vroeg ik hem of ik het van hem mocht lenen. En nu komt er alweer iets geks: hij weigerde, met de bewering dat hij er nog niet klaar mee was. Volgens Registratie heeft-ie het al twee weken in z'n bezit. En voor die tijd heeft iemand anders het opgevraagd.'

'De toiletjuffrouw zeker?' zei sir Nigel.

'Veel scheelt het niet. Iemand op Administratie.'

Sir Nigel dacht een poosje na. De beste manier om een dossier permanent uit de circulatie te nemen was het voortdurend te laten opvragen door een van je beschermelingen, of het zelf onder je berusting te houden. Hij twijfelde er nauwelijks aan dat Swanson en de andere man allebei protegé's van Harcourt-Smith zouden zijn. 'Barry, ga jij eens na waar Preston woont. En kom dan om vijf uur weer hierheen.'

Die middag zat generaal Karpov in Jasjenevo achter zijn bureau zijn stijve nek te masseren. Hij had geen rustige nacht achter de rug, maar had bijna geen oog dicht gedaan terwijl Loedmilla naast hem lag te slapen. Tegen het krieken van de dag was hij tot een bepaalde conclusie gekomen; en ook toen hij er in de schaarse ogenblikken dat zijn werk hem even met rust liet over had nagedacht was hij niet meer van mening veranderd. Het was de secretaris-generaal zelf die de motor was achter de geheimzinnige operatie in Groot-Brittanme; maar ook al deed hij nog zo z'n best om de indruk te wekken dat hij Engels kon lezen en schrijven, toch wist Karpov dat hij hoegenaamd niets wist van dat land. Dus moest hij zijn afgegaan op de raadgevingen van iemand die dat wél deed. Er waren er heel wat die daarvoor in aanmerking kwamen – op Buitenlandse Zaken, in het Internationale Departement van het Centraalcomité, in de GRU en in de KGB. Maar als de secretaris de KGB erbuiten wenste te houden, waarom zou hij dan anders handelen met betrekking tot die andere organen?

Het moest dus een persoonlijke adviseur zijn. En hoe

meer hij erover nadacht, hoe sterker de naam van zijn persoonlijke *bête noir* zich aan hem bleef opdringen. Jaren geleden, toen hij als jongeman carrière wilde maken bij de KGB, had hij bewondering voor Philby gekoesterd. Zij allemáál, trouwens. Maar met het verstrijken van de jaren was *hij* steeds hoger geklommen, terwijl Philby was afgegleden. Hij had met eigen ogen kunnen zien hoe de Engelse renegaat veranderde in een zuiplap en wrak. Feitelijk had Philby geen enkel geheim Brits document meer in de vingers gehad (behalve dan die documenten die de KGB hem sinds 1951 beleefdheidshalve had laten doornemen). In 1955 was hij uit Groot-Brittannië naar Beiroet gegaan; en sinds hij in 1963 was overgelopen was hij zelfs niet meer in het Westen geweest. Vierentwintig jaar. Karpov had zo'n idee dat *hij* momenteel Groot-Brittannië beter kende dan Philby zelf. En er was nóg iets. Hij wist dat de secretaris-generaal tijdens diens KGB-periode in zekere zin onder de indruk was geraakt van Philby, met diens uit de Oude Wereld meegebrachte manieren en voorkeuren, de manier waarop hij de Engelse gentleman uithing, zijn afschuw van de moderne wereld met z'n popmuziek, motorfietsen en spijkerbroeken – een geesteshouding die een afspiegeling was van die van de secretaris-generaal zelf. Karpov wist met zekerheid dat de secretaris-generaal verscheidene malen zijn toevlucht had genomen tot Philby's adviezen, die hij gebruikte als een soort toetsing van de raadgevingen die hij ontving van het Eerste Hoofddirectoraat. Dus waarom ook deze keer niet?

Verder kon Karpov zich maar niet losmaken van iets dat hij in z'n herinnering had bewaard; de tip dat Philby zich een keer – één keertje maar – iets had laten ontvallen dat uiterst belangwekkend kon worden genoemd: hij wilde naar huis. Om die reden, alleen al om die reden, vertrouwde Karpov hem voor geen cent. Hij herinnerde zich dat doorgroefde, glimlachende gezicht dat hij tijdens dat diner bij Krjoetsjkov aan de andere kant van de tafel tegenover zich had gezien, kort voor nieuwjaar. Wat had hij toen ook al weer over Groot-Brittannië gezegd? Was het niet iets geweest in de trant van dat de KGB de politieke stabiliteit van dat land te hoog inschatte? Het waren stukjes van een legpuzzel die langzamerhand in elkaar begonnen te passen. Hij besloot een nader onderzoek in te laten stellen naar meneer Harold Adrian Russell Philby. Maar hij wist dat zelfs op zijn niveau notitie werd genomen van bepaalde zaken, zoals het opvragen van dossiers, officiële verzoeken om nadere informatie, telefoontjes, memoranda. Het moest informeel gebeuren, persoonlijk; en vóór alles mondeling. Het was uiterst riskant om de secretaris-generaal tegen te werken...

John Preston was al in zijn eigen straat aangekomen en bevond zich nog maar honderd meter van de ingang van zijn flat toen hij de stem hoorde roepen. Toen hij zich omdraaide zag hij Barry Banks de straat oversteken, op weg naar hem toe. 'Hé, dag, Barry – wat is de wereld toch klein. Wat voer jij hier uit?'

Hij wist dat de liaison-man van K-7 in de omgeving van Highgate woonde, dus veel noordelijker. Misschien was hij onderweg naar een concert in Albert Hall.

'Ik stond op jou te wachten, eerlijk gezegd,' zei Banks met een vriendelijke grijns. 'Luister, een collega van me zou je graag willen spreken. Vind je 't erg?'

Preston werd door die vraag geïntrigeerd, maar hij koesterde geen argwaan. Hij wist dat Banks in feite voor MI-6 werkte, maar had geen flauw benul van de identiteit van de 'collega' die hem zo nodig moest spreken. Hij liet zich door Banks meetronen naar de overkant. Honderd meter verderop bleef Banks naast een geparkeerde Ford Granada staan, opende het achterportier en beduidde Preston dat hij in de auto moest kijken. Hij bukte zich.

'Goeienavond, John. Heb je misschien even tijd voor me?'

Verrast nam Preston plaats naast de man in overjas op de achterbank. Banks drukte het portier dicht en wandelde weg. 'Kijk eens, ik ben me ervan bewust dat het een wat eigenaardige manier is om je te ontmoeten. Maar zo liggen de kaarten – ik wil namelijk geen opzien baren, begrijp je? Ik vond alleen dat ik nog niet behoorlijk in de gelegenheid ben geweest je te bedanken voor het werk dat je in Zuid-Afrika voor me hebt gedaan. Je hebt je daar voortreffelijk geweerd. Henry Pienaar was behoorlijk onder de indruk. Net als ikzelf.'

'Dank u, sir Nigel.' Waar wilde die sluwe ouwe vos eigenlijk heen? Dit was in geen geval de reden voor dit gesprek! Maar 'C' scheen in gedachten verzonken te zijn.

Eindelijk keek hij op en zei: 'Er is natuurlijk nog iets anders.' Het werd uitgesproken op een toon alsof hij hardop nadacht. 'Barry vertelde me dat hij had gehoord dat jij kort voor de kerst een uiterst belangwekkend rapport over extreem-links in dit land hebt ingediend. Ik kan er heel goed naast zitten, maar het is mogelijk dat alle fondsen die deze lui ter beschikking hebben uit het buitenland komen, als je begrijpt wat ik bedoel. De kwestie is dat jouw rapport niet naar ons in de Firma is doorgezonden. Erg jammer.'

'Het werd opgeborgen in het archief, met de aantekening GVA,' zei Preston vlug.

'Ja, ja, dat zei Barry me ook. Erg jammer, werkelijk. Ik had het graag even doorgenomen. Is er geen mogelijkheid om alsnog aan een kopie te komen?'

'Het is momenteel bij Registratie,' zei Preston verbaasd. Er mag GVA op staan, maar het bevindt zich gewoon in het archief. Barry hoeft het alleen maar op te vragen en naar u toe te sturen met de postzak.'

'Daar gaat 't nu juist om,' zei sir Nigel. 'Het is namelijk al opgevraagd. Door Swanson. En die zegt dat hij er nog niet klaar mee is. Dus weigert hij het door te geven.'

'Swanson? Maar die zit toch op Financiën?'

'Precies,' mompelde sir Nigel spijtig. 'En voor die tijd heeft iemand op Administratie het onder z'n berusting gehad. Je zou bijna gaan denken dat het uit het zicht wordt gehouden.'

Preston was met stomheid geslagen. Door de voorruit zag hij Banks terug komen slenteren.

'Er is nóg een kopie van,' zei hij. 'Die van mezelf. Ik heb 'm in mijn kluis op kantoor bewaard.'

Banks reed hen erheen. In de avondspits raakten ze vast in de traag voortkruipende file tussen Kensington en Gordon Street. Een uur later bukte Preston zich weer naast het raampje van het achterportier van de Granada om sir Nigel zijn eigen kopie van het rapport te over-handigen.

13

Generaal Jevgeni Karpov beklom de laatste trap naar de derde verdieping van het flatgebouw aan de Prospekt Mira en drukte op de knop van de zoemer. Het duurde een paar minuten voor de deur werd geopend. Philby's echtgenote stond in de deuropening. Binnen hoorde Karpov de kleine jongens praten. Hij had doelbewust gekozen voor het tijdstip van zes uur, in de hoop dat ze dan wel thuis zouden zijn uit school.

'Dag Erita.'

Ze hield haar hoofd een tikje achterover, als een klein afwerend gebaar. Een vrouwtje dat een sterk ontwikkeld instinct tot beschermen bezat. Misschien wist ze dat Karpov geen bewonderaar was van haar man. 'Kameraad-generaal?'

'Is Kim thuis?'

'Nee. Hij is weg.'

'Niet *uit*, maar *weg*,' dacht Karpov. Hij reageerde met gespeelde verbazing. 'O! Ik had gehoopt hem te zullen treffen. Weet je misschien wanneer hij terug is?'

'Nee. Als hij terug is merken we dat vanzelf wel.'

'Enig idee waar ik hem kan bereiken?'

'Niet in het minst.'

Karpov fronste zijn voorhoofd. Er was nóg iets dat Philby tijdens dat etentje bij Krjoetsjkov had gezegd. Iets over niet mogen autorijden na een beroerte. Hij had al een kijkje genomen op de parkeerplaats beneden. Philby's Wolga stond op z'n vaste stek.

'Ik dacht eigenlijk dat jij hem tegenwoordig rondreed, Erita?'

Om haar mond ontdekte hij een vage glimlach. Dit was

niet het gezicht van een vrouw wier echtgenoot haar in de steek heeft gelaten. Eerder het gezicht van de echtgenote van een man die zojuist promotie heeft gemaakt.

'Tegenwoordig niet meer. Hij heeft een chauffeur.'

'Ik ben onder de indruk. Tja, dan spijt het me dat ik hem heb gemist. Ik zal proberen hem te pakken te krijgen als hij terug is.' Diep in gedachten daalde hij de trappen af. Kolonels buiten dienst hadden geen recht op een privéchauffeur. Toen hij terug was in zijn eigen flat, twee straten achter het Oekraïne-hotel, belde hij het 'verhuurbedrijf' van de KGB en verlangde de hoofdadministrateur aan de telefoon. Nadat hij z'n naam had genoemd bleek diens reactie er een van gepaste eerbied. Zelf sloeg hij een luchthartige, joviale toon aan.

'Het is m'n gewoonte niet om met complimentjes te strooien, maar als ik zie dat iemand goed werk heeft geleverd mag hij dat gerust eens van mij horen.'

'Dank u wel, generaal.'

'De chauffeur die mijn vriend, kameraad-kolonel Philby rondrijdt – hij is bijzonder over hem te spreken. Een uitstekend chauffeur, zei hij me. Als m'n eigen chauffeur ooit ziek mocht worden zal ik zelf naar hem vragen.'

'Dank u, kameraad-generaal. Ik zal het Gregoriev persoonlijk doorgeven.'

Karpov hing op. Gregoriev, zo heette de man dus. Nooit van gehoord. Maar een rustig babbeltje met deze chauffeur zou best eens nuttig kunnen zijn.

De volgende ochtend, op de achtste april, voer de *Akademik Komarov* stilletjes langs Gteenock en begon de Clyde stroomopwaarts te volgen naar de haven van Glasgow. Bij Greenock kwam hij heel even stil te liggen om de loods en twee douaniers aan boord te nemen. Ze dronken het gebruikelijke glaasje in de kapiteinshut en overtuigden zich ervan dat het schip inderdaad uit Leningrad kwam en in ballast voer, terwijl het Glasgow aan moest doen om een lading aan boord te nemen, bestaande uit zwaar pompmateriaal dat gefabriceerd was door Cathcart Limited in Weir. De douaniers controleerden ook de monsterrol, maar zonder speciale aandacht te schenken aan de namen. Later werd geconstateerd dat ook matroos Konstantin Scmjonov op de rol had gestaan...

Als agenten van het S-Directoraat een land per schip binnenkomen is het gebruikelijk dat zij *niet* op de monsterrol voorkomen. Ze worden het land binnengesmokkeld als verstekeling, weggemoffeld in een listig in de constructie van het schip opgenomen holle ruimte – een zogenaamde 'dode hoek' die zo goed verborgen is dat zelfs de meest grondige doorzoekingen van het schip in kwestie niets opleveren. Dit heeft het voordeel dat, indien de bewuste 'illegaal' om een of andere reden niet kan terugkeren met hetzelfde schip, er geen onregelmatigheden optreden in de monsterrol – er ontbreekt immers niemand. Maar het betrof hier een spoedoperatie. Er was geen tijd geweest voor het wijzigen van de scheepsconstructie. Het extra 'bemanningslid' was met de heren uit Moskou aan boord verschenen, vlak voordat de *Komarov* uit Leningrad zou vertrekken voor een ruim van tevoren geplande reis naar Glasgow. Zodoende hadden de kapitein en de meevarende politiek commissaris geen anderen keus gehad dan hem op de monsterrol te plaatsen. Zijn gageboekje was in orde en hij zou mee terugvaren, zo was hun verzekerd. Desondanks had de man een hele hut voor zichzelf opgeëist en had hij zich gedurende de hele overtocht niet één keer aan dek laten zien. De beide matrozen die normaal gesproken deze hut ter beschikking zouden hebben gehad hadden meer dan hun bekomst gekregen van het slapen in slaapzakken op de banken in de mess. Tegen de tijd dat de Schotse loods aan boord kwam hadden ze opdracht gekregen hun slaapzakken weg te bergen. En beneden, in zijn hut, wachtte Koerier Twee, die om begrijpelijke redenen in spanning verkeerde, ongeduldig op middernacht.

Terwijl de loods op de brug van de *Komarov* stond om dat schip via de Clyde Glasgow binnen te brengen en hij de golvende weiden van Strathclyde voorbij zag glijden, kauwend op een meegebrachte ochtendboterham, was het in Moskou al twaalf uur. Karpov belde opnieuw naar het autoverhuurbedrijf van de KGB. Er was nu een andere hoofdadministrateur aanwezig, zoals hij tevoren had geweten.

'Ik ben bang dat mijn chauffeur op het punt staat griep te krijgen,' zei hij. 'Vandaag zal hij het nog wel volhouden, maar morgen krijgt hij ziekteverlof van me.'

'Ik zal voor een vervanger zorgen, generaal.'

'Ik heb het liefst chauffeur Gregoriev. Is hij beschikbaar? Ik heb voortreffelijke berichten over hem gehoord.' Hij hoorde de hoofdadministrateur met zijn paperassen ritselen.

'Inderdaad, generaal. Hij is een tijdje bezet geweest, maar is momenteel vrij.'

'Mooi. Laat hem morgenochtend om acht uur naar mijn flat komen; ik zal zorgen dat ik de sleuteltjes heb, en de Tsjaika zal beneden in de parkeergarage staan.'

Het wordt hoe langer hoe eigenaardiger, dacht hij, onder het neerleggen van de hoorn. Deze Gregoriev had opdracht gekregen om Philby een poosje rond te rijden. Waarom? Omdat er *zoveel* gereden moest worden dat het Erita teveel zou zijn geweest? Of om ervoor te zorgen dat Erita niet te weten kwam waar hij naartoe moest? En nu was die chauffeur weer gewoon beschikbaar. Wat betekende dat? Vermoedelijk dat Philby nu ergens anders uithing en geen chauffeur nodig had; althans, niet in het kader van de operatie waar hij bij betrokken was.

Die avond zei Karpov zijn dankbare vaste chauffeur dat hij de volgende dag vrij kon nemen om er met zijn gezin op uit te trekken.

Diezelfde woensdag had sir Nigel Irvine een afspraak voor een etentje met een vriend in Oxford. Een van de charmes van Saint Antony's College in Oxford is het feit dat deze invloedrijke Britse instelling – zoals zoveel soortgelijke Britse onderwijsinstellingen – voor het grote publiek feitelijk niet bestaat. Toch bestaat deze kleine exclusieve instelling wel degelijk, maar ze is zó klein en functioneert zo discreet dat iemand die zich verdiept in het labyrint van het academische leven op de Britse eilanden haar vermoedelijk over het hoofd zou zien als hij ook maar even met zijn ogen knipperde. Het gebouw waarin de instelling is ondergebracht is klein en elegant en is weggestopt in een onopvallend hoekje; maar er komen geen studenten naartoe om er colleges te lopen; en er worden dan ook geen graden of buls behaald. Er zijn enkele hoogleraren en docenten aan verbonden. Een enkele keer dineren zij gezamenlijk in de 'de Hall', zoals het gebouw in de wandeling wordt genoemd, maar ze wonen overal in de stad verspreid op 'kamers'. Andere stafleden wonen buiten de stad en brengen af en toe een bezoek aan de Hall. Zo nu en dan worden er buitenstaanders uitgenodigd om de stafleden toe te spreken – een uitzonderlijk hoge eer – en af en toe schrijven de professoren en andere stafleden 'verhandelingen' die bestemd zijn voor de hogere echelons van het Brits establishment, waar ze uiterst serieus worden genomen. De fondsen waarmee de instelling in stand wordt gehouden zijn afkomstig uit bronnen die even discreet zijn als de manier waarop St. Antony's College functioneert.

In feite is het een zogenaamde 'denktank' waar het hier bijeengebrachte intellect, vaak mensen met een grote niet-academische ervaring, zich bezighouden met één enkele discipline: het zich verdiepen in actuele zaken. Die avond dineerde sir Nigel samen met zijn gastheer, prof. Jeremy Sweeting, in de Hall; en na voortreffelijk te hebben getafeld nam de professor 'C' mee naar zijn 'kamers'– een heel aardig huis in een buitenwijk van Ox-

ford, waar ze achtereenvolgens koffie en port dronken.
'Zo, Nigel,' zei prof. Sweeting toen ze een fles Taylor
hadden opengetrokken en in zijn studeerkamer genoeg-
lijk voor de open haard zaten, 'wat kan ik voor je doen?'
'Wel, Jeremy, heb jij toevallig ooit gehoord over iets dat
wordt aangeduid als het MBR?'
Het glas port van prof. Sweeting kwam niet verder dan
halverwege de tafel en zijn mond. Hij bleef er langdurig
naar staren. 'Weet je, Nigel, je hebt er werkelijk een
handje van om iemands avond grondig te verpesten, als
je hoofd daar toevallig naar staat. Waar heb je die drie
letters in hemelsnaam gehoord?'
Bij wijze van antwoord reikte sir Nigel hem het Preston-
rapport aan. Prof. Sweeting las het grondig door en had
er een vol uur voor nodig. Irvine wist dat de hoogleraar,
in tegenstelling tot John Preston, geen man van actie
was; dat hij niet geneigd was er zelf op uit te trekken.
Maar hij beschikte over een encyclopedische kennis van
de marxistische theorie en praktijk, van het dialectisch
materialisme en de leerstellingen van Lenin inzake de
toepasbaarheid van de theorie over het praktische streven naar de macht. Dat was zijn vak: lezen, studeren, samenhangen ontdekken en analyseren.
'Zeer opmerkelijk,' zei Sweeting, toen hij sir Nigel het
rapport teruggaf. 'Een andere benadering; een andere
geesteshouding, vanzelfsprekend; én een totaal andere
methode. Maar de conclusies die we trekken zijn vrijwel
identiek.'
'Zou je me willen vertellen hoe jouw gevolgtrekkingen
er uitzien?' vroeg sir Nigel vriendelijk.
'Het *is* natuurlijk niet meer dan een hypothese,' zei prof.
Sweeting verontschuldigend. 'In feite niet meer dan dui-
zend strohalmen in de wind, strohalmen die samen misschien wel of misschien ook niet een baal hooi zullen opleveren. Hoe dat ook zij, dat waarmee ik me sinds juni
negentiendrieëntachtig mee bezig heb gehouden is het
volgende...' Hij bleef twee uur lang aan het woord; en

toen sir Nigel zijn huis verliet om zich in de kleine uurtjes van de nacht naar huis te laten rijden was hij in diep gepeins verzonken.

De *Akademik Komarov* werd afgemeerd aan de Finnieston Quay, in het hartje van Glasgow, waar de gigantische portaalkraan in de loop van de ochtend de zware motorpompen aan boord kon hijsen. Er wordt hier niet gecontroleerd door douaniers, noch wordt er naar paspoorten of visa gevraagd: buitenlandse zeelui kunnen eenvoudig hun schip verlaten, de kade oversteken en in de straten van Glasgow verdwijnen.

Omstreeks middernacht, toen prof. Sweeting in Oxford nog steeds aan het woord was, daalde matroos Semjonov de loopplank af, volgde de kade over een afstand van ongeveer honderd meter (waarbij hij Betty's Bar – waarvoor op dat moment een paar dronken zeelui luidkeels de mening verkondigden dat ze recht hadden op nog een borrel – links liet liggen) en sloeg af naar Finnieston Street. Hij zag er heel opvallend uit, gekleed als hij was in een ribfluwelen broek, een dikke trui met wolkraag, een anorak en een stel versleten zwarte schoenen. Onder zijn ene arm droeg hij een zeildoeken zak, dichtgetrokken met een koord. Toen hij het viaduct van de Clydeside Expressway door was en Argyle Street had bereikt, sloeg hij linksaf en bleef deze straat volgen tot Partick Cross. Zonder een plattegrond te raadplegen vervolgde hij zonder aarzelen zijn weg via Hyndland Road. Hij had dagen de tijd gehad om zich de juiste route in het hoofd te prenten.

Hij keek op zijn horloge; het vertelde hem dat hij nog een half uur over had, terwijl de lokatie voor het rendez-vous hoogstens nog tien minuten lopen verder kon liggen. Hij sloeg opnieuw linksaf en wandelde verder in de richting van het Pond-hotel, naast het recreatiemeertje en honderd meter voorbij het BP-station waarvan hij het schelle neonlicht in de verte duidelijk kon zien. Hij was al bijna bij de bushalte, op het kruispunt tussen de Great Western Road en de Hughenden Road, toen hij ze zag. Ze hingen rond in het passagiershuisje van de bushalte. Het was half een 's nachts en ze waren met z'n vijven. Elders in Europa worden ze 'punks' genoemd, of 'skinheads', maar hier in Glasgow heten ze 'Neds'. Hij overwoog nog of hij zou oversteken, maar het was al te laat: een hunner riep hem iets toe en meteen zag hij ze met z'n allen naar buiten komen. Hij sprak een mondje Engels, maar hun zware, door de drank vervormde Glasgowse accent speelde hem parten. Ze versperden hem de weg, zodat hij genoodzaakt was van de stoep te gaan. Een van de vijf greep zijn arm vast en schreeuwde hem iets onverstaanbaars toe: *'Wha' ha' ya got in ya wee sack then?'* Hij begreep echter niet dat hem werd gevraagd wat hij daar in de kleine zak had, dus schudde hij z'n hoofd en probeerde door te lopen. Meteen stortten ze zich met z'n vijven op hem en onthaalden hem op een regen van vuistslagen en stompen. Hij zakte ineen en belandde in de goot; en toen begon het schoppen. Vaag voelde hij handen aan zijn zeildoeken zak trekken, dus drukte hij die met beide handen tegen zijn buik en rolde zich om, zijn hoofd en nieren blootstellend aan de schoppende punks.

Vanuit de rij degelijke, vier verdiepingen hoge herenhuizen aan Devonshire Terrace hebben de bewoners een onbelemmerd uitzicht op de bewuste kruising. De bewoonster van de bovenste verdieping van een van die uit grijze zandsteen opgetrokken huizen, de oude en door jicht geplaagde weduwe Sylvester, kon de slaap maar niet vatten. Ze hoorde beneden op straat geschreeuw en strompelde vanuit haar bed naar het raam. Wat ze zag maakte dat ze dadelijk naar de overkant van de kamer hinkte, het nummer 999 draaide en de politieman die haar te woord stond zei waarheen hij een patrouillewagen moest sturen; maar toen hij haar naam en adres wilde weten legde ze op. Fatsoenlijke mensen – en de bewoners van Devonshire Terrace beschouwen zichzelf als fatsoenlijke, oppassende burgers – willen niet graag betrokken raken bij zoiets. De agenten Alistair Craig en Hugh McBain bevonden zich in hun patrouillewagen twee kilometer verder op de Great Western Road, richting Hillhead, toen de centrale hen opriep. Er was vrijwel geen verkeer en ze bereikten het kruispunt binnen anderhalve minuut. De Neds herkenden de auto aan de loeiende sirene en staakten bij het zien van de koplampen hun pogingen om hun slachtoffer de zak te ontrukken: ze gaven er onder deze omstandigheden de voorkeur aan om via de hoge, met gras begroeide berm die de Hughenden Road van de Great Western Road scheidt een goed heenkomen te zoeken, zodat de patrouillewagen hen niet kon volgen. Op het moment dat agent Craig uit de wagen kon springen waren ze niet meer dan verdwijnende schaduwen en was iedere poging tot achtervolging zinloos geworden. In ieder geval moesten ze zich toch eerst met het slachtoffer bezighouden.

Craig boog zich over de man heen. Hij had zich zo klein mogelijk gemaakt, met opgetrokken knieën, en was buiten bewustzijn. 'Ambulance, Hughie!' riep hij McBain toe, maar de bestuurder van de patrouillewagen was al bezig met het doorgeven van het bericht. Zes minuten later was de ambulance ter plaatse. Al die tijd lieten de agenten de gewonde man zorgvuldig met rust, zoals hen op het hart was gebonden; alleen bedekten ze hem zorgzaam met een deken. De ziekendragers legden het slappe lichaam op een draagbaar en schoven hem de ambulance in. Terwijl ze hem warm instopten raapte Craig de zeildoeken zak op en legde die in de laadruimte van de ambulance.

'Rij jij maar met hem mee, dan kom ik er wel achteraan,' riep McBain. Craig klom de ambulance in en in minder dan vijf minuten stonden ze voor de ingang van de afdeling Spoedgevallen van het Western Infirmary. Vlug reden de ziekendragers de gewonde door de dubbele zwaaideuren de gang in. Omdat het een spoedgeval betrof hoefden ze niet de grote wachtruimte in, waar de gebruikelijke verzameling beschonkenen wachtten op het moment dat hun in de kleine uurtjes ontstane schrammen en builen, die ze hadden opgelopen als gevolg van onzachte aanrakingen met voorwerpen die niet wilden meegeven, zouden worden verzorgd. Craig wachtte bij de ingang totdat McBain de patrouillewagen had geparkeerd. 'Zorg jij even voor de opname-formulieren, Hughie, dan zal ik eens kijken of ik een naam en adres te pakken kan krijgen.'

McBain slaakte een zucht. Hij wist dat er aan dat gedoe met opnameformulieren haast geen einde zou komen. Craig tilde de zeildoeken zak van de grond en volgde de rijdende brancard door de gang naar de behandelruimte van Spoedgevallen: een brede 'gang' die aan voor – en achterzijde was afgesloten met dubbele zwaaideuren en aan weerskanten werd geflankeerd door zes met gordijnen afgeschoten onderzoekruimten, twaalf in totaal. In feite worden er maar elf gebruikt voor het verrichten van lichamelijke onderzoeken, want de twaalfde fungeert als verpleegsterskamer. Deze séparé ligt het dichtst bij de achteringang waardoor de brancards naar binnen worden gereden. De deuren aan het andere uiteinde zijn voorzien van aan één zijde doorzichtige spiegels die uitkijken op de grote wachtruimte, waar de lopende patiënten op hun beurt zitten te wachten.

Nadat hij McBain bij de portiersbalie had achtergelaten met een stapeltje voorbedrukte formulieren, stapte Craig door de van spiegels voorziene deuren de behandelruimte in en zag dat de brancard met de bewusteloze man erop aan het andere uiteinde was geparkeerd, waar de dienstdoende verpleegster hem aan het gebruikelijke visuele onderzoek onderwierp alvorens de ziekendragers te vragen de man op een van de behandeltafels in een onderzoekruimte te leggen, zodat de brancard terug kon naar de ambulance. Ze kozen de séparé die recht tegenover de 'verpleegsterskamer' was gelegen. De co-assistent die erbij werd gehaald, een jeugdige Indiër, liet de ziekendragers de man tot op het middel uitkleden – dr. Mehta kon nergens bloedvlekken in 's mans broek ontdekken – en begon de bewusteloze grondiger tc onderzoeken. Daarna gaf hij opdracht tot het maken van röntgenfoto's en verdween om zich te gaan wijden aan een ander spoedgeval, een zojuist binnengebracht slachtoffer van een autobotsing. De dienstdoende verpleegster belde naar de röntgenafdeling, maar kreeg te horen dat ze zou moeten wachten totdat de röntgenkamer vrij was. Ze zouden haar meteen waarschuwen. Ze zette een ketel water op om thee te gaan zetten. Agent Craig nam, na te hebben gezien dat zijn anonieme beschermeling nog altijd bewusteloos op de behandeltafel aan de overkant van de gang lag, diens anorak, stapte haar séparé binnen en legde anorak en zeildoeken tas op haar tafel.

'Kunt u misschien een kop van dat brouwsel missen?' vroeg hij de verpleegster op de familiaire toon die algemeen gebruikt wordt door hen die gewoon zijn tijdens hun nachtdienst de rommel van een grote stad op te ruimen.

'Missen wel,' antwoordde ze gekscherend. 'Alleen zie ik niet in waarom ik dat kostelijke nat zou verspillen aan iemand van jouw soort.'

Craig moest grinniken. Hij begon de borstzakken van de anorak te doorzoeken en vond het monsterboekje van een zeeman. Het bevatte een pasfoto van de man die aan de overkant van de gang in de onderzoekruimte lag en was in twee talen gesteld: Russisch en Frans. Hij beheerste ze geen van beide. Het cyrillische schrift kon hij niet lezen, maar de naam werd ook in Romeinse letters vermeld, in het Franstalige gedeelte.

'En, wie is onze grote onbekende?' vroeg de verpleegster terwijl ze twee koppen thee inschonk.

'Een zeeman, zo te zien; en nog wel een Rus ook,' zei Craig geïrriteerd. Dat er een burger van Glasgow door een stelletje Neds werd afgetuigd was nog tot daar aan toe; maar als datzelfde gebeurde met een buitenlander die op de koop toe nog Rus was óók, kon dat moeilijkheden veroorzaken. In de hoop te zullen ontdekken van welk schip de man afkomstig was, maakte Craig de zeildoeken zak open om de inhoud te onderzoeken. De zak bevatte alleen maar een opgerolde dikke wollen trui, gewikkeld om een ronde tabaksdoos met schroefdeksel. De tabaksdoos bevatte echter geen tabak maar watten die kennelijk bedoeld waren om twee aluminium schijven te beschermen. Tussen die schijven bevond zich een derde schijf, vervaardigd van een dofgrijze metaallegering en met een diameter van circa vijf centimeter. Craig bekeek zonder veel belangstelling de drie schijven, legde ze terug in hun bed van watten, schroefde het deksel weer op de tabaksdoos en legde die op tafel, naast het monsterboekje. Wat hij niet wist was dat het slachtoffer van de Neds tot z'n positieven was gekomen en hem nu via een kier in de gordijnen stond te beloeren. Maar hij wist wel dat het hoog tijd werd om het bericht door te geven dat hij opgescheept zat met een gewonde Rus.

'Mag ik je telefoon gebruiken, schatje?' vroeg hij de verpleegster, zijn hand uitstekend naar het toestel.

'Ja, en noem me geen schatje, want daar ben je nog veel te jong voor,' zei de zuster, die hooguit een jaartje ouder was dan de vierentwintigjarige Craig. Hij begon te draaien. Wat er op dat moment omging in het hoofd van Konstantin Semjonov zal niemand ooit weten. Nog half verdoofd en duizelig, vermoedelijk kampend met een hersenschudding, ontwaarde hij het onmiskenbare zwarte uniform van een Brits politieman die met zijn rug naar hem toestond. Hij zag ook zijn eigen monsterboekje op tafel liggen, met de zending die hij had moeten afleveren aan de S-agent bij het recreatiemeertje. En dat alles lag binnen het bereik van de hand van deze politieman! Hij had gezien hoe deze de inhoud van de zak onderzocht – zelf had hij het niet gewaagd de tabaksdoos open te maken – en aanstalten maakte om te gaan telefoneren. Misschien had hij een visioen van een eindeloos derdegraads-verhoor ergens in een muffe kelder onder het hoofdbureau van politie in Strathclyde...

Voor agent Craig goed en wel besefte wat er gebeurde werd hij ruw opzij geduwd, een handeling die hem volkomen overrompelde. Een blote mannenarm schoot langs hem heen, strekte zich uit naar de tabaksdoos en griste die van tafel. Craig reageerde echter razendsnel door de hoorn van de telefoon los te laten en de uitgestrekte arm beet te pakken.

'Wat gaan we verdomme nou krijgen, makker...' riep hij uit; toen, in de veronderstelling dat de man hallucineerde, greep hij hem met beide handen vast en probeerde hem tegen te houden. De tabaksdoos viel de Rus uit handen en belandde op de grond. Heel even staarde Semjonov de Schotse agent aan, raakte in paniek en zette het op een lopen. Agent Craig rende hem met dreunende stappen door de gang achterna en riep telkens: 'Hé, makker, kom terug...' Maar zelfs als Semjonov het zou hebben verstaan zou zijn geschreeuw geen enkele uitwerking hebben gehad.

'Shortie' Patterson was een onverbeterlijke alcoholist. Na een mensenleven lang de produkten van Speyside te hebben gekeurd was hij werkloos en zelfs niet tot werken in staat. Hij was echter geen gewone dronkaard: Shortie had het proces dat bekend staat als alcoholvergiftiging tot een vorm van kunst verheven. Nadat hij de vorige dag zijn uitkering van de sociale dienst had opgehaald was hij regelrecht naar de dichtstbijzijnde kroeg gestapt; en tegen middernacht was hij ladderzat. Na twaalven had hij zich ernstig gestoord aan de beledigende houding van een straatlantaarn, die vierkant de hem aangeboden slok uit de fles had geweigerd, waarop hij het mormel een opstopper had verkocht. Nu was hij zojuist met zijn gebroken hand op de röntgenafdeling geweest, en door de gang op de terugweg naar de behandelkamer,

toen een man met een naakt en zwaar gehavend bovenlijf en een bebloede kop de gang op stormde, achtervolgd door een politieman. Shortie wist wat hij moreel
verplicht was tegenover een medeslachtoffer. Hij had
niets op met politiemannen, die blijkbaar niets beters te
doen hadden dan hem telkens opnieuw uit een gerieflijke goot te plukken om hem uit te leveren aan mensen die
hem dwongen een bad te nemen. Hij liet de hardlopen-
de man passeren en stak toen een been uit.

'Jij stomme zuiplap!' brulde Craig toen hij voorover
smakte. Tegen de tijd dat hij weer op de been was ge-
krabbeld had hij tien meter verspeeld op de Rus. Semjonov schoot door de van spiegels voorziene zwaaideuren de grote wachtruimte in, zag de smalle deur naar
buiten aan zijn linker kant over het hoofd en stormde
verder door de bredere dubbele deuren aan zijn rechter
hand. Hierdoor belandde hij in dezelfde gang waar hij
een half uur eerder per brancard doorheen was gekomen. Hij sloeg opnieuw rechtsaf en stuitte op een naderende brancard, omringd door een dokter en twee ver-
pleegsters met infuusflessen in hun handen – het
verkeersslachtoffer dat dokter Mehta's aandacht had opgeëist. De brancard blokkeerde de hele gang en achter
zich hoorde hij het geluid van rennende voeten. Aan zijn
linker kant ontdekte hij een vierkante hal met twee liftdeuren. Een van die deuren gleed juist dicht voor een
lege lift. Hij wrong zich door een spleet en meteen
daarop sloot de deur zich. Toen de lift begon te stijgen
hoorde hij de politieman machteloos op de stalen deur
bonzen. Hij leunde achterover en sloot zijn ogen, weg-
zinkend in een poel van ellende. Intussen stormde agent
Craig de trappen op. Op iedere verdieping controleerde
hij het lichtje van de verdiepingenindicator. De lift klom
nog steeds verder. Toen hij de tiende en bovenste verdieping had bereikt was Craig woest, transpireerde hij als
een otter en snakte hij naar adem.

Semjonov was op de tiende uit de lift gestapt. Hij rukte

de eerste de beste deur die hij zag open, maar zag dat de deur toegang gaf tot een slaapzaal vol patiënten. Er was nog een andere deur, met een korte trap erachter. Hij rende de trap op en merkte dat hij in weer een andere gang stond, maar dit keer met aan weerskanten douchecellen, een linnenkamer en voorraadmagazijnen. Helemaal aan het einde bevond zich de laatste deur, die in de warme vochtige nacht open was gezet. Achter de deur strekte zich het platte dak van de ziekenhuisvleugel uit. Craig had weliswaar terrein verloren, maar uiteindelijk bereikte ook hij de laatste deur en liep naar buiten, de nachtlucht in. Toen zijn ogen zich aan het duister hadden aangepast zag hij de gedaante van een man bij de noordelijke borstwering. Zijn ergernis ebde weg. Waarschijnlijk zou ik zelf ook in paniek raken als ik onverwachts wakker werd in een Moskous ziekenhuis, dacht hij. Hij begon in de richting van de gedaante te lopen en hield zijn armen uitgestrekt, met de handpalmen naar boven, om te laten zien dat hij ongewapend was. 'Nou, kom op, Jozef, of Iwan, of hoe je ook heten mag. Het komt allemaal dik voor mekaar. Je hebt alleen een dreun op je kop gehad, dat is alles. Kom nou maar netjes met me naar beneden.'

Z'n ogen hadden zich nu volledig aangepast. In de gloed van de stad, beneden hen, kon hij het gezicht van de Rus duidelijk onderscheiden. De man sloeg zijn nadering gade totdat de afstand tussen hen nog maar een meter of zes bedroeg. Op dat moment keek hij over de borstwering, wipte erop, zoog zijn longen vol lucht en sprong. Craig kon verscheidene seconden lang zijn ogen niet geloven, zelfs niet nadat hij de misselijkmakende bons van het lichaam dat dertig meter lager op het asfalt van het parkeerterrein smakte had gehoord.

'O, nee, Jezus,' hijgde hij, 'nou zit ik in de nesten!' Met trillende vingers tastte hij naar zijn portofoon en meldde zich bij de centrale.

Honderd meter voorbij het servicestation van BP, ruim achthonderd meter van de bushalte, ligt het recreatiemeertje achter het Pond-hotel. Vanaf de stoep leidt een stenen trapje naar het voetpad rondom het meertje; en aan de voet van de trap bevindt zich links en rechts een houten bank. De stille gedaante in zwarte motorkleding wierp een blik op zijn horloge. Drie uur. Het rendezvous had om twee uur plaats moeten vinden. Een uur uitstel was het maximum. Er was nog een tweede rendez-vous overeengekomen; vierentwintig uur later en op een andere plaats. Hij zou er zijn. Als de 'pakezel' niet kwam opdagen zou hij z'n zender opnieuw moeten gebruiken. Hij stond op en vertrok.

Agent Hugh McBain was op het moment dat Semjonov door de wachtruimte stormde, achtervolgd door zijn collega, juist even weg geweest van de portiersbalie: hij was naar de patrouillewagen gelopen om in hun 'logboek' de exacte tijdstippen van de overval op het slachtoffer en het oproepen van de ambulance na te zien. Nu zag hij zijn 'buurman' (de in Glasgow gebruikelijke benaming voor een medesurveillant) met een lijkbleek gezicht de wachtruimte binnenlopen, duidelijk van streek. 'Alistair, heb je de naam en het adres van die man al?' vroeg hij.
'Hij is… hij was… een Russische zeeman…' zei Craig moeizaam.
'Ach nee, verdomme – nét waarop we zaten te wachten. Hoe spel je z'n naam?'
'Hughie… die vent is zoëven van het dak gesprongen!'
McBain legde zijn balpen neer en staarde zijn 'buurman' vol ongeloof aan. Totdat zijn opleiding zich liet gelden. Als er iets fout loopt, zo weet ieder politieman, dan zorg je dat je in de rug bent gedekt door je strikt aan de voorgeschreven procedures te houden – géén cowboy-staaltjes, geen slimme initiatieven. 'Heb je het bureau al gewaarschuwd?' vroeg hij.

'Ja. Ze zijn al onderweg.'

'Laten we de dokter er maar bij gaan halen,' zei McBain. Dr. Mehta was al op van vermoeidheid toen ze hem vonden; het was een drukke nacht op de afdeling Spoedgevallen. Hij volgde hen naar de parkeerplaats, had niet meer dan twee minuten nodig voor het onderzoeken van het ernstig verminkte lijk, verklaarde dat de man dood was en voegde eraan toe dat voor hém daarmee de kous af was: hij had werk te doen. Twee ziekendragers brachten een deken om het lijk te bedekken; en een half uur later werd het stoffelijk overschot per ambulance overgebracht naar het stadsmortuarium aan Jocelyn Square, vlak bij Salt Market. Hier zouden andere handen het lijk ontdoen van de resterende kleding – schoenen, sokken, broek, onderbroek, broekriem en polshorloge, artikelen die stuk voor stuk in een plastic zak werden gestopt die voorzien werd van een label, voor als er later iemand om zou komen. In het ziekenhuis zelf moesten er weer ander formulieren worden ingevuld (de opnamepapieren werden bewaard als bewijsmateriaal, hoewel ze voor hun eigenlijke doel nu nutteloos waren geworden) en de beide politiemannen belastten zich met het verpakken en 'labellen' van de overige bezittingen van de dode. Ze werden genoteerd als: anorak, 1; trui met rolkraag, 1; zeildoeken zak, 1; dikke wollen trui (opgerold), 1; en ronde tabakstrommel, 1.

Nog voor ze hiermee klaar waren, een kwartier na Craigs eerste melding, arriveerden er een adjudant en een hoofdagent in uniform in het ziekenhuis. Op hun verzoek om een kamer werd hun een op dat moment verlaten kamer op de afdeling Administratie ter beschikking gesteld en konden ze beginnen met het noteren van de verklaringen van de twee agenten. Al na tien minuten stuurde de adjudant de hoofdagent naar zijn auto om te gaan vragen of de dienstdoende hoofdinspecteur wilde komen. Op dat moment was het die donderdagochtend van de negende april precies vier uur, maar wees de klok in Moskou acht uur.

Generaal Jevgeni Karpov wachtte totdat ze uit de verkeersdrukte van Moskou-Zuid waren en de vrijwel verlaten weg naar Jasjenevo hadden bereikt voor hij het gesprek met chauffeur Gregoriev opende. Kennelijk wist de dertigjarige KGB-chauffeur dat de generaal speciaal om hem had gevraagd en wilde hij het hem graag naar de zin maken.

'Bevalt het je om voor ons te werken?'

'O ja, heel goed, kameraad-generaal.'

'Tja, ik veronderstel dat je op deze manier nog eens ergens komt. Beter dan de hele dag achter een bureau zitten.'

'Zeker, generaal.'

'Ik hoor dat je de laatste tijd mijn vriend kolonel Philby hebt mogen rijden.'

Een korte pauze. Verdomme, ze hebben hem op het hart gebonden er niet over te praten, dacht Karpov al. 'Eh, inderdaad, kameraad-generaal.'

'Hij reed vroeger altijd zelf, voor hij die lichte beroerte kreeg.'

'Dat heeft hij me verteld, generaal.'

Misschien was de rechtstreekse benadering de beste. 'Waar moest je hem heenbrengen?'

Deze keer duurde de pauze langer. Karpov kon het gezicht van de chauffeur in het spiegeltje zien; hij was duidelijk in tweestrijd, zich geen raad wetend met de situatie. Toen zei hij: 'Och, gewoon, hier en daar in Moskou, generaal.'

'Geen speciale adressen in Moskou, Gregoriev?'

'Nee, generaal. Gewoon maar wat heen en weer.'

'Zet de auto eens even stil, Gregoriev.'

De Tsjaika verliet de middelste rijstrook voor functionarissen met privileges en ging naar de kant, om even later op een parkeerhaven tot stilstand te komen. Karpov boog zich voorover. 'Je weet wie ik ben, chauffeur?'

'Zeker, kameraad-generaal.'

'En je weet welke rang ik bij de KGB heb?'

'Jazeker, generaal. Generaal-overste.'

'Probeer dan niet met mij verstoppertje te spelen, jongeman. Waar moest je hem precies heen rijden?'

Gregoriev slikte moeizaam. Karpov zag dat hij het heel moeilijk had met zichzelf. De kwestie was: *wie* had hem opdracht gegeven om zijn mond te houden over het doen en laten van Philby? Als het Philby zelf was geweest zou Karpovs woord meer gewicht in de schaal werpen. Maar als het iemand was geweest met een hogere positie… In werkelijkheid was het majoor Pavlov geweest; en die had Gregoriev de stuipen op het lijf gejaagd. Zeker, hij was 'maar' majoor, maar voor iedere Rus zijn de employé's van het Eerste Hoofddirectoraat een onbekende factor, terwijl een *majoor van de Kremlingarde*… Dat nam allemaal niet weg dat een generaal een generaal was.

'Voornamelijk naar vergaderingen, kameraad-generaal. Soms in bepaalde appartementen in het centrum van Moskou, maar omdat ik nooit binnen ben geweest heb ik nooit kunnen zien welk appartement het precies was.'

In het centrum van Moskou… 'En verder?'

'Meestal, nee, ik geloof *altijd*, generaal, naar een *datsja* helemaal in Oesova.'

'Het domein van de leden van het Centraalcomité, of de Opperste Sovjet,' dacht Karpov.

'Weet je ook wiens *datsja*?'

'Nee, generaal. Eerlijk niet. Hij zei me alleen hoe ik erheen moest rijden; en dan moest ik in de auto blijven wachten.'

'Wie bezochten deze vergaderingen nog meer?'

'Ik heb één keer nog een tweede auto zien aankomen, generaal. De man die erin zat stapte uit en verdween ook in de *datsja*…'

'En heb je die man herkend?'

'Jawel, generaal. Voor ik bij de KGB kwam heb ik als chauffeur bij het leger gezeten. In negentienvijfentachtig moest ik altijd een kolonel van de GRU rijden. We zaten toen op een basis in Afghanistan – Kandahar. En deze officier heeft een keer naast mijn kolonel op de achterbank gezeten. Het was... generaal Martsjenko.'

Wel, wel, wel, dacht Karpov. M'n ouwe vriend Pjotr Martsjenko, specialist op het gebied van maatschappelijke ontwrichting.

'Verder nog iemand gezien bij die vergaderingen?'

'Maar één andere auto, generaal. Wij chauffeurs maken nog wel eens een praatje met elkaar, vanwege al dat wachten, begrijpt u. Maar de chauffeur van die wagen was een echte zuurpruim. Het enige wat-ie losliet was dat hij werkte voor een lid van de Academie van Wetenschappen. Eerlijk, kameraad-generaal, meer weet ik niet.'

'Rij maar door, Grigoriev.'

Karpov leunde achterover en staarde naar het voorbijglijdende bos. Ze waren dus op z'n minst met z'n vieren geweest en regelmatig bijeengekomen om iets voor de secretaris-generaal te bekokstoven. Hun gastheer was 'een lid' van het Centraalcomité of de Opperste Sovjet; en de andere drie waren Philby, Martsjenko en een lid van de Academie van Wetenschappen geweest. Morgen was het vrijdag, een dag waarop de *wlasti* altijd zorgden zo vroeg mogelijk klaar te zijn met hun werk, zodat ze naar hun *datsja's* konden vertrekken. Karpov wist dat Martsjenko's villa in Perelkino stond, niet te ver van die van hemzelf. Ook was hij op de hoogte van Martsjenko's zwakke punt en zuchtend nam hij zich voor een fles cognac mee te nemen. Het zou een zware dobber worden, dat gesprek.

Hoofdinspecteur Charlie Forbes hoorde het relaas van agenten Craig en McBain aandachtig aan en onthield zich, afgezien van zo nu en dan een zacht uitgesproken vraag, van commentaar. Hij betwijfelde niet dat ze hem de waarheid vertelden, maar liep inmiddels lang genoeg bij de politie mee om te weten dat de waarheid niet voldoende is om je hoofd van de strop te redden.

Dit was een kwalijk geintje. Formeel gesproken had de Rus onder politiebescherming gestaan, ook al vertoefde hij in een ziekenhuis om daar te worden behandeld. En behalve Graig was er verder niemand op dat dak aanwezig geweest. Er was geen enkele voor de hand liggende reden waarom die man had moeten springen. Persoonlijk kon hem het waarom ook niet schelen: evenals alle anderen nam hij voetstoots aan dat de man een flinke hersenschudding moest hebben opgelopen en vanwege een tijdelijke hallucinatie in paniek was geraakt. Hij brak zich eerst en vooral het hoofd over de mogelijke implicaties die dit geval voor de politie van Strathclyde zou kunnen hebben. Om te beginnen zouden ze het schip van de man moeten opsporen, een praatje maken met de kapitein, en het lijk laten identificeren. Daarna moest de Sovjet-Russische consul worden ingelicht, en vervolgens de pers, natuurlijk – de verdomde pers. En bepaalde elementen uit die pers zouden duistere toespelingen maken als ze weer eens hun stokpaardje gingen berijden: het geweldddadige optreden van de politie. Het ergste was dat hij, als die lui eenmaal hun stekelige vragen op hem af gingen vuren, met zijn mond vol tanden zou staan, eenvoudig omdat hij niet zou weten wat hij erop moest antwoorden. Want waarom moest die idioot zo nodig springen?

Om half vijf hadden ze in het ziekenhuis verder niets te zoeken. De raderen van het ambtelijk apparaat zouden pas gaan draaien als het dag was geworden. Hij gaf iedereen opdracht terug te gaan naar het hoofdbureau. Omstreeks een uur of zes waren de beide surveillanten klaar met hun lange verklaringen. Charlie Forbes zat in zijn kantoor en worstelde met de eisen die de procedurele voorschriften hem stelden. Er werd, vermoedelijk vergeefs, een onderzoek ingesteld naar de dame die de politie had gewaarschuwd door 999 te draaien. Er waren getuigeverklaringen genoteerd uit de mond van de beide ziekendragers van de ambulance die via de centrale op het hoofdbureau was opgeroepen, na het verzoek daartoe van McBain. In ieder geval zou niemand eraan twijfelen dat de man door een stel punks was afgetuigd. Verder had de verpleegster van Spoedgevallen haar lezing gegeven, had ook de uitgeputte dr. Mehta een verklaring afgelegd en had de portier van Spoedgevallen getuigd dat hij man met ontbloot bovenlijf door de wachtruimte had zien rennen, achtervolgd door agent Craig. Daarna had niemand hen meer gezien tijdens die fatale achtervolging tot op het dak.

Forbes had inmiddels weten te achterhalen dat het enige Russische schip dat momentcel in de haven lag de *Akademik Komarov* was. Hij had er een patrouillewagen heen gestuurd om de kapitein te vragen het lijk te komen identificeren. Ook had hij de Russische consul uit zijn bed gebeld, die hem had verzekerd dat hij om negen uur op zijn kantoor zou zijn – zonder twijfel om een krachtig protest te laten horen. Hij had zijn eigen korpschef gewaarschuwd, en de officier van justitie, een functionaris die in Scotland Yard ook het ambt van lijkschouwer vervult. Alle persoonlijke eigendommen van de dode waren in plastic zakken gedaan en voorzien van een label, waarna ze waren overgebracht naar het wijkbureau van Partick – daar was het slachtoffer door de punks in elkaar geslagen – om daar achter slot en grendel te worden bewaard, zodat de officier van justitie erover kon beschikken. Hij had beloofd om nog voor tien uur 's morgens toestemming te verlenen voor een post-mortem. Charlie Forbes rekte zich uit en belde naar de kantine om koffie en broodjes te laten brengen.

Terwijl hoofdinspecteur Forbes zich op het hoofdbureau van het district Strathclyde in Pitt Street bezig hield met het afhandelen van de administratieve beslommeringen, ondertekenden even verderop de agenten Craig en McBain hun schriftelijke verklaringen en retireerden naar de kantine om te gaan ontbijten. Ze maakten zich allebei grote zorgen en maakten een in de dienst vergrijsde adjudant van de criminele recherche, die aan hun tafeltje zat, daar deelgenoot van. Na hun bezoek aan de kantine vroegen en kregen ze permissie om naar huis te gaan en hun bed op te zoeken. Iets dat ze hem hadden verteld, maakte dat de adjudant in burger met wie ze hadden gesproken naar de telefoonautomaat buiten de kantine liep en een nummer draaide. De man die hij tijdens diens dagelijkse scheerbeurt stoorde, zodat hij met een gezicht vol scheerschuim aan de telefoon moest komen, was inspecteur Carmichael van de afdeling Bijzondere Zaken. Hij luisterde aandachtig naar wat hem werd verteld, hing de hoorn op de haak en ging in diep gepeins verder met scheren. Om half zeven had Carmichael achterhaald welke inspecteur van de geüniformeerde politie aanwezig zou zijn bij de lijkschouwing en belde hij hem op met de vraag of hij het erg vond als hij meekwam. 'Je komt maar gerust, collega,' zei de inspecteur. 'Tot tien uur in het stadsmortuarium dan maar.'

Twee uur eerder staarde de kapitein van de *Akademik Komarov*, in gezelschap van de onvermijdelijke politieke commissaris, naar het monitorscherm van het mortuarium, waarop even later het zwaar gehavende gezicht van matroos Semjonov verscheen. Hij knikte langzaam en mompelde iets in het Russisch.

'Dat is hem, ja,' bevestigde de politiek commissaris. 'We wensen onze consul te spreken.'

'Die treft u om negen uur precies in het hoofdbureau in Pitt Street,' verklaarde de geüniformeerde hoofdagent die hen begeleidde. Beide Russen maakten een geschokte indruk en ze gedroegen zich bedrukt. Het is dan ook een hele schrik om op deze manier een van je maats te verliezen, dacht de hoofdagent bij zichzelf.

Om negen uur werd de Russische consul door een adjudant naar het kantoor van hoofdinspecteur Forbes in Pitt Street gebracht. Hij sprak vloeiend Engels. Forbes verzocht hem plaats te nemen en stak meteen van wal met een beknopte samenvatting van het gebeurde van de afgelopen nacht. Nog voor hij was uitgesproken diende de consul hem van repliek.

'Dit is een grof schandaal!' begon hij. 'Ik zal zonder uitstel de Sovjet-Russische ambassade in Londen moeten inschakelen...'

Op dat moment werd er op de deur geklopt en kondigde een agent de kapitein en z'n politiek commissaris aan. Ze werden vergezeld door de hoofdagent in uniform, maar er was nóg iemand anders bij hen. Hij knikte Forbes toe. 'Môge, hoofdinspecteur. Is het goed dat ik erbij kom zitten?'

'Geen enkel bezwaar, Carmichael. Ik heb zo'n idee dat dit een netelige kwestie gaat worden.'

Hij had het mis. De politiek commissaris was nog geen tien seconden in het vertrek of hij nam de consul al apart en begon verwoed in zijn oor te fluisteren. De consul verontschuldigde zich en trok zich met de beide andere Russen terug op de gang. Drie minuten later waren ze terug. De consul gedroeg zich opeens heel formeel en correct. Vanzelfsprekend zou hij ruggespraak moeten houden met zijn ambassade. Hij sprak de overtuiging uit dat de politie van Strathclyde alles zou doen wat in haar vermogen lag om de schuldigen in de kraag te vatten. Was het misschien mogelijk dat het stoffelijk overschot van de zeeman en al zijn persoonlijke eigendommen met de *Akademik Komarov* terug konden naar Leningrad, die vandaag zou uitvaren?

Forbes weigerde beleefd maar resoluut. Het politie-onderzoek zou doorgaan, met het doel tot arrestatie van de aanvallers te komen. Gedurende die periode moest het lijk in het mortuarium blijven en zouden de eigendommen van de dode achter slot en grendel in het wijkbureau Partick worden bewaard. De consul knikte: ook *hij* had begrip voor voorgeschreven procedures. Ze vertrokken. Om tien uur stapte Carmichael het laboratorium van de patholoog-anatoom binnen, waar prof. Hartland zich gereedmaakte voor de lijkschouwing. Zoals gewoonlijk praatten ze wat over het weer, het komende golftournooi en andere alledaagse dingen. Een paar meter verderop lag het gehavende en misvormde lijk van Semjonov op een snijtafel.

'Is het goed als ik even een kijkje neem?' vroeg Carmichael. De patholoog-anatoom knikte. Carmichael trok er tien minuten voor uit om dat wat er van Semjonovs lichaam over was te bekijken. Toen hij wegging, juist toen de patholoog aan de sectie begon, begaf hij zich naar zijn kantoor in Pitt Street en belde naar Edinburgh: om precies te zijn, naar het 'Scottish Office'– het Schotse ministerie van Binnenlandse Zaken en Volksgezondheid, ondergebracht in Saint Andrew's House. Hij sprak met een gepensioneerd commissaris van politie die om één enkele reden was verbonden aan de staf van het Scottish Office; het onderhouden van de betrekkingen met MI-5 in Londen.

Om een uur of twaalf rinkelde de telefoon in de werkkamer van het hoofd van Sectie C-4 (C) in Gordon Street. Bright nam de hoorn van de haak, luisterde even en reikte hem toen Preston aan. 'Voor jou. Ze willen met niemand anders spreken.'

'Wie is het?'

'Het Scottisch Office in Edinburgh.'

Preston nam de hoorn van hem over.

'John Preston… Ja, ook goeiemorgen…'Hij luisterde verscheidene minuten met gefronst voorhoofd en noteerde de naam Carmichael op een notitieblok.

'Ja, het lijkt me beter dat ik overkom. Wilt u inspecteur Carmichael zeggen dat ik de pendelaar van drie uur neem? Misschien kan hij me komen afhalen van het vliegveld van Glasgow. Fijn, bedankt.'

'Glasgow?' vroeg Bright. 'Wat voeren die daar in hun schild?'

'O, een of andere Russische zeeman die van een dak gesprongen is en misschien niet helemaal was wat hij ge-

acht werd te zijn. Ik ben morgen terug. Het zal vermoedelijk loos alarm zijn. Dat neemt niet weg dat het voldoende reden is om er eens even uit te wippen.'

14

Glasgow Airport ligt ongeveer 11 kilometer ten zuidwesten van de stad en is via de autoweg M8 met Glasgow verbonden. Prestons toestel landde even na half vier; en aangezien hij alleen maar een kleine koffer bij zich droeg stond hij tien minuten later in de aankomsthal. Hij liep naar het informatieloket en verzocht het meisje achter de balie om 'meneer Carmichael' om te roepen. Even later verscheen de inspecteur van Bijzondere Zaken en stelden ze zich aan elkaar voor. Vijf minuten later zaten ze in de auto van de inspecteur en reden over de autoweg naar de stad terwijl het al donker begon te worden.

'Laten we de tijd die we rijden gebruiken om te praten,' stelde Preston voor. 'Misschien kunt u me het hele verhaal vertellen, vanaf het begin.'

Carmichael bezat de gave om de dingen kort en bondig te formuleren, en vooral accuraat. Er waren weliswaar leemten die hij niet kon opvullen, maar hij was in de gelegenheid geweest de verklaringen van de beide agenten door te nemen, waarbij hij de meeste aandacht had geschonken aan die van agent Craig. Vandaar dat hij het grootste deel van het verhaal kon weergeven. Zwijgend liet Preston hem uitspreken.

'Wat bracht u er eigenlijk toe om met het Scottish Office te telefoneren en aan te dringen op de overkomst van iemand uit Londen?' vroeg hij tenslotte.

'Tja, ik kán er natuurlijk naast zitten, maar het lijkt me niet onmogelijk dat deze man géén normale matroos was,' zei Carmichael.

'Ga door.'

'Het kwam door iets dat Craig vanmorgen in de kantine

van het hoofdbureau heeft gezegd,' vervolgde Carmichael. 'Ik ben er zelf niet bij geweest, maar iemand van de criminele recherche hoorde het toevallig en belde mij op. En McBain scheen het eens te zijn geweest met die opmerking van Craig. Alleen hebben ze er geen van beiden in hun officiële verklaring melding van gemaakt. Zoals u weet houden ook politiemannen zich alleen aan de feiten; en hier ging het om een gissing van deze agenten. Niettemin leek 't me de moeite waard om er wat dieper in te duiken.'

'Ik luister.'

'Craig zei dat die zeeman, toen ze hem aantroffen, in een soort foetus-houding lag, met opgetrokken knieën, en beide armen om die zeildoeken zak die hij bij zich had en krampachtig tegen z'n buik drukte. Craig zei dat hij die zak leek te beschermen alsof het een baby was.'

Preston begreep dadelijk het vreemde ervan. Als een vent half dood wordt geschopt zal hij zich instinctief zo klein mogelijk maken door zich op te rollen, zoals Semjonov; maar daarbij zal hij z'n handen gebruiken om zijn hoofd te beschermen. Waarom zou iemand zijn hoofd onbeschermd blootstellen aan harde trappen, alleen om een ogenschijnlijk waardeloze zak te beschermen?

'Toen ik dat hoorde,' hernam Carmichael, 'begon ik me te verwonderen over de tijd en de plaats. Een zeeman die net is binnengelopen in de haven van Glasgow gaat naar Betty's, of naar de Stable Bar. Deze man bevond zich maar liefst zeseneenhalve kilometer van de kade en liep in de richting Nergenshuizen; lang na sluitingstijd, en dát terwijl er daar in geen velden of wegen een kroeg is te bekennen. Daarom vraag ik me af wat hij daar verdomme uitvoerde, op dat tijdstip.'

'Goeie vraag,' zei Preston. 'En verder?'

'Vanmorgen om tien uur ben ik naar de lijkschouwing gegaan. Het lichaam was door die val ernstig verminkt, maar de voorkant van het gezicht zag er, afgezien van een stel builen en blauwe plekken, nog redelijk uit. De meeste schoppen en stompen van die punks hebben zijn lichaam en achterhoofd getroffen. Ik heb wel vaker gezichten van matrozen gezien. Zulke gezichten zijn verweerd door zon, wind en zout, en de huid is bruin en gegroefd. Deze man had een glad bleek gezicht. Kortom, het was het gezicht van een man die niet gewoon was op een scheepsdek te vertoeven. En dan zijn handen. Die hadden eelt moeten vertonen op de juiste plaatsen, terwijl de handrug bruin had behoren te zijn. Maar geen spoortje van eelt te bekennen: ze waren zacht en blank, als de handen van een kantoorman. Tenslotte viel het gebit me nog op. Van een matroos uit Leningrad zou ik verwachten dat hij amalgaam-vullingen heeft, en hoogstens stalen kronen, zoals ze in Rusland gewend zijn. Maar deze man had twee *gouden* kronen en verscheidene goudvullingen.'

Preston knikte waarderend: deze Carmichael was een scherp opmerker. Inmiddels waren ze aangekomen bij het parkeerterrein van het hotel waar Carmichael een kamer voor Preston voor de nacht had besproken. 'Er was trouwens nóg iets,' zei Carmichael. 'Een kleinigheid, maar toch zou het iets kunnen betekenen. Vóór de lijkschouwing bracht de Sovjet-Russische consul namelijk een bezoek aan onze hoofdinspecteur in Pitt Street. Ik was erbij. En ik kreeg de stellige indruk dat hij op het punt stond een krachtig protest te laten horen; maar op dat moment verscheen de kapitein van het schip, in gezelschap van zijn politiek commissaris. Die trok de consul mee naar de gang en stond een hele tijd met hem te fluisteren. Toen de consul terugkwam toonde hij zich een en al begrip en hoffelijkheid. Het leek alsof die politiek commissaris hem iets over de dode had verteld. Ik kreeg de indruk dat ze absoluut geen ophef wilden maken voor ze ruggespraak hadden gehouden met hun ambassade.'

'Hebt u iemand van de geüniformeerde politie gezegd dat ik zou komen?' vroeg Preston.

'Nog niet,' antwoordde Carmichael. 'Stelt u daar prijs op?'

Preston schudde het hoofd. 'Wacht maar tot morgenochtend. Dan zullen we nog eens kijken wat we doen. Misschien is er achteraf toch niets aan de hand.'

'Kan ik nog iets voor u doen?'

'Als u er de hand op kunt leggen, zou ik graag kopieën hebben van alle getuigenverklaringen. Plus een lijstje van de bezittingen van de dode. Tussen haakjes, waar zijn die eigenlijk?'

'Achter slot en grendel in het politiebureau van de wijk Partick. Ik zal zorgen dat ik die kopieën krijg en breng ze straks nog wel even langs.'

Generaal Karpov belde een relatie bij de GRU en hing het verhaal op dat een van zijn koeriers hem een paar flessen Franse cognac had bezorgd uit Parijs. Zelf raakte hij dat spul nooit aan, maar hij was Pjotr Martsjenko nog iets schuldig. Nu wilde hij die cognac in het weekeinde even aanreiken bij Martsjenko's *datsja*, alleen moest hij weten of er iemand thuis zou zijn om de flessen aan te nemen. Had zijn collega misschien Martsjenko's telefoonnummer in Peredelkino? Dat had de GRU-officier inderdaad. Hij noemde Karpov het nummer en zette de zaak verder uit zijn hoofd.

Gedurende de wintermaanden is er in de meeste *datsja's* van de Sovjet-elite wel een huishoudster of bediende aanwezig om de verwarming aan te houden, zodat de eigenaars gedurende de eerste uren van hun weekeinden niet vergaan van de kou. Karpov kreeg Martsjenko's huishoudster aan de lijn. Ja, ze verwachtte de generaal inderdaad de volgende dag; in de regel kwam hij vrijdags om een uur of zes aan. Karpov bedankte haar en legde op. Hij besloot zijn chauffeur naar huis te sturen en zelf te rijden. Om zeven uur zou hij de GRU-generaal overrompelen.

Preston lag in bed na te denken. Carmichael had hem inderdaad alle ooggetuigeverklaringen die op het hoofdbureau van politie en in het Western Infirmary waren opgenomen gebracht. Zoals ieder ambtelijk proces-verbaal waren ze stijf en formeel geformuleerd; heel anders dan de manier waarop mensen in de praktijk vertellen wat ze gezien en gehoord hebben. De feiten stonden erin, natuurlijk, maar niet de subjectieve indrukken. Wat Preston niet kon weten, eenvoudig omdat Craig er geen melding van had gemaakt en de verpleegster op Spoedgevallen het niet had gezien, was dat Semjonov, voordat hij door de gang tussen de onderzoek-séparé's de benen nam, een poging had gedaan om de tabakstrommel weg te grissen. Craig had alleen maar gezegd dat de gewonde man hem 'opzij had geduwd'.

Aan het lijstje van persoonlijke eigendommen had hij ook al niet veel gehad: het vermeldde een ronde tabakstrommel met inhoud – die waarschijnlijk wel uit tabak zou bestaan. Preston liet de verschillende mogelijkheden nog eens de revue passeren. Een: Semjonov was een 'illegaal agent' die was overgebracht naar Groot-Brittannië. Conclusie: uiterst onwaarschijnlijk. Hij stond tenslotte op de monsterrol van het schip, dus zou hij dadelijk worden gemist als het schip weer vertrok naar Leningrad.

Goed dan. Hij was dus met dat schip naar Glasgow gekomen en was donderdagnacht de wal op gegaan. Wat had hij dan uitgespookt in het holst van de nacht, daar halverwege de Great Western Road? Een 'zending' afleveren; óf een ontmoeting hebben met een Sovjet-agent? Mogelijk. Of misschien had hij zelfs een zending *opgehaald* om die naar Leningrad te brengen. Dat leek er meer op. Maar verder waren er weinig mogelijkheden. Want stel dat hij had afgeleverd wat hij moest afleveren, waarom had hij dan geprobeerd die zeildoeken zak te beschermen alsof zijn leven ervan afhing? Als hij geleverd had zou er immers niets in hebben gezeten.

En als hij naar Glasgow gekomen was om iets op te halen, maar daartoe nog niet in de gelegenheid was geweest, was dezelfde redenering van toepassing. Als hij al iets had opgehaald, hoe kwam het dan dat er niets op hem was aangetroffen dat opvallend interessant was?

Indien dat wat hij was komen afleveren of ophalen iets was dat hij gemakkelijk in zijn kleding had kunnen verstoppen, waarom had hij dan die zeildoeken zak bij zich gehad? Als er iets in de voering van zijn anorak of broek ingenaaid was, of in een hak van zijn schoenen was verborgen, waarom had hij dan die zak niet prijsgegeven aan de punks, als ze die zo graag wilden hebben? Dan had hij zichzelf een aframmeling kunnen besparen en zijn rendez-vous nakomen; of hij had gewoon terug kunnen gaan naar zijn schip (al naar gelang of hij op de heen- of terugweg was). Op die manier zou hij er met een paar schrammen en bullen afgekomen zijn.

Preston gooide er nog een paar 'mogelijkheden' tegenaan. De man was misschien inderdaad gekomen als koerier, met de opdracht een persoonlijke ontmoeting te hebben met een al in Groot-Brittannië aanwezige agent. Met het doel een mondelinge boodschap door te geven? Niet erg waarschijnlijk: er waren massa's betere manieren voor het doorgeven van gecodeerde berichten. Om een mondeling rapport aan te horen? Van hetzelfde laken een pak. Om van plaats te ruilen met een al aanwezige S-agent? Nee, de pasfoto in zijn monsterboekje was duidelijk een opname van Semjonov zelf. En als hij de plaats van een 'illegaal agent' had moeten innemen zou Moskou hem een duplicaat-monsterboekje met de juiste foto hebben meegegeven, zodat de man wiens plaats hij in moest nemen als matroos Semjonov terug had gekund met de *Komarov*. Zo'n duplicaat-monsterboekje had hij bij zich moeten hebben; tenzij het in de voering van... Ja, waarvan eigenlijk? Van zijn anorak? Waarom dan al die moeite om die zak te beschermen? In de bodem van die zeildoeken zak, misschien? Dat was heel wat waarschijnlijker.

Nee, het scheen allemaal om die verrekte zak te draaien. Kort voor middernacht belde Preston Carmichael thuis op. 'Zou u me om acht uur willen ophalen?' vroeg hij. 'Ik wilde naar Partick om de persoonlijke eigendommen van de dode eens te bekijken. Is dat te regelen?'

Die vrijdagochtend aan het ontbijt zei generaal Jevgeni Karpov tegen zijn vrouw Loedmilla: 'Kun jij de kinderen vanmiddag met de Wolga naar de *datsja* brengen?'
'Natuurlijk. Dan kom jij zeker rechtstreeks van kantoor naar ons toe?'
Hij knikte afwezig. 'Het kan laat worden. Ik moet een bezoekje afleggen bij iemand van de GRU.'
Loedmilla Karpova slaakte in gedachten een zucht. Ze wist dat hij ergens in een klein flatje in het district Arbat een maîtresse onderhield, een kleine, mollige secretaresse. Dat wist ze omdat echtgenotes nu eenmaal met elkaar praten; en in een samenleving met zo'n sterk gelaagde structuur als de hunne waren haar meeste kennissen de vrouwen van andere hoge officieren. Ze wist ook dat *hij* er niet van op de hoogte was dat *zij* het wist. Ze was nu vijftig, en ze waren al achtentwintig jaar met elkaar getrouwd. Het was een goed huwelijk geweest, het werk dat hij deed in aanmerking genomen. En ze was een goeie echtgenote voor hem geweest. Evenals zoveel andere vrouwen die met officieren van het EHD waren getrouwd was ze allang de tel kwijtgeraakt van het aantal avonden dat ze tot diep in de nacht was opgebleven, terwijl hij ergens begraven was in de decodeerkamer van een ambassade op vreemde bodem. Ze had haar ongeduld verbeten gedurende die schier eindeloze aaneenschakeling van diplomatieke ontvangsten waarbij ze zich op de achtergrond had moeten houden omdat ze geen vreemde talen sprak, terwijl haar echtgenoot zich met het gemak van de man van de grote wereld onder de gasten bewoog en vloeiend Duits, Frans en Engels met hen sprak om onder de dekmantel van de diplomaat zijn werk te doen.

Ze was de tel kwijtgeraakt van de weken die ze, toen de kinderen nog klein waren en hij als aankomend kgb-officier carrière probeerde te maken, in haar eentje had moeten doorbrengen in een veel te kleine flat, zonder hulp, als hij van huis was om een opleidingscursus te volgen of een missie te vervullen – misschien om in de schaduw van de Berlijnse Muur te wachten op een uit het Westen terugkerende koerier.

Ze kende uit eigen ervaring de paniek en de onuitsprekelijke angst die zelfs de onschuldigen in z'n greep hield, wanneer een van de collega's zijn buitenlandse post had benut om over te lopen naar het Westen, waarna de mensen van de KR (de Russische contraspionage) haar uren achtereen op de pijnbank hadden gelegd met het doel alles wat de man of zijn vrouw ooit binnen haar gehoorsafstand had gezegd uit haar te wringen. Vol medelijden had ze toegekeken als de echtgenote van de overloper, een vrouw die ze misschien goed kende maar nu met geen tang zou durven aanraken, tussen twee man in naar het wachtende Aeroflot-toestel werd geëscorteerd. Het hoorde bij het vak, had Jevgeni haar bij wijze van troost gezegd.

Maar dat lag al jaren achter haar. Nu was haar Jevgeni een heuse generaal, bewoonden ze een riant en ruim appartement in Moskou en was ze in de gelegenheid geweest om hun *datsja* knus te maken op de manier waarvan hij hield, zoals ze wist, met veel hout en dikke vloerkleden – gerieflijk maar rustiek. Aan de beide jongens beleefden ze veel plezier: ze studeerden allebei aan de universiteit – de een om dokter, de ander om natuurkundige te worden. Voor hen geen afschuwelijke, benauwde appartementjes in een of andere ambassade meer; en over een jaartje of drie zou hij zich met ere kunnen terugtrekken om van een goed pensioen te gaan genieten. En als hij eens per week zo nodig vreemd moest gaan, och, in dat opzicht verschilde hij niet van de meesten van zijn tijdgenoten. Misschien was dat nog altijd beter dan dat hij een dronken bruut was, zoals sommigen; of een telkens voor promotie gepasseerde majoor die ergens in een of andere, door God verlaten Aziatische republiek zijn carrière moest eindigen. Desondanks zuchtte ze inwendig.

Het politiebureau van Partick is niet bepaald een stralend juweel in de mooie stad Glasgow; en de persoonlijke bezittingen van de man die de vorige nacht het slachtoffer was geworden van een stel punks en vervolgens zelfmoord had gepleegd, waren als een onderdeel van de dagelijkse routinebezigheden eenvoudig opgeborgen in de daartoe bestemde ruimte. De dienstdoende wachtcommandant, een hoofdagent, liet zich vervangen door een agent en ging Carmichael en Preston voor naar achteren, waar hij een kale ruimte voor hen ontsloot, volgestouwd met stalen kasten. Zonder verbaasd op te kijken had hij Carmichaels legitimatiebewijs bekeken en geloof gehecht aan diens verklaring dat hij en zijn collega even de eigendommen van de dode moesten bekijken teneinde hun eigen rapporten te kunnen afmaken, vanwege het feit dat de dode een Russische zeeman was geweest, enzovoort. De hoofdagent wist alles van het schrijven van rapporten; hij had er z'n halve leven aan moeten besteden. Maar hij vertikte het zich terug te trekken toen ze de plastic zakjes open begonnen te maken om de inhoud te onderzoeken. Preston begon met de schoenen en onderzocht ze op holle hakken, verwijderbare zolen of valse neuzen. Niets. Met de sokken was hij vlugger klaar, evenals met de onderbroek. Hij verwijderde de achterkant van het polshorloge, maar het was niet meer dan dat: gewoon een polshorloge. De broek vergde meer tijd: hij bevoelde alle naden en de zomen, vooral lettend op bobbels die er niet in thuis hoorden. Ook niets. Met de trui met rolkraag die de man had gedragen had hij niet de minste moeite: die had geen naden, dus konden er ook geen verborgen documenten in zitten, of verdachte bobbels. Voor de onderzoeken van de anorak – een dikke duffelse jekker met capuchon – nam hij ruimschoots de tijd, maar ook dit leverde niets op. Tegen de tijd dat hij aan de zeildoeken zak toe was gekomen was hij er meer dan ooit van overtuigd dat, *als* de geheimzinnige kameraad Semjonov iets bij zich had gehad, dat in deze zak te vinden moest zijn. Hij begon met de opgerolde dikke trui die erin had gezeten; eerder om andere mogelijkheden te elimineren dan om andere redenen. De trui was volmaakt onschuldig. Toen kwam de zak zelf aan de beurt. Het duurde een half uur voor hij er eindelijk van overtuigd was dat de bodem niet meer was dan een dubbele laag zeildoek, dat er in de hengels aan de zijkanten geen miniatuurzenders verborgen waren, dat de wand enkelvoudig was en dat het koord geen listig geconstrueerde antenne bevatte.

Bleef alleen nog de tabakstrommel over. Het blik was van Russische makelij, met een normaal schroefdeksel. Toen Preston dat er af draaide kon hij nog vaag de doordringende tabaksgeur ruiken. De watten waren precies wat ze leken, en nu resteerden er alleen nog drie metalen schijven. Twee ervan glommen alsof ze van aluminium waren (ze wogen ook heel weinig) en de derde schijf was van een doffe metaalsoort, grijs en zwaar als lood. Hij staarde er een poosje naar toen hij ze op tafel had gelegd, Carmichael lette op zijn gezicht, en de hoofdagent keek naar de grond. Niet dat wat ze waren verbaasde hem; zijn verbazing kwam voort uit wat ze *niet* waren. Ze leken nergens naar. De aluminium schijven hadden boven en onder de zwaardere gezeten: de zware schijf had een diameter van ongeveer vijf centimeter, terwijl de twee lichtere een diameter van ieder zeveneneenhalve centimeter hadden. Hij probeerde zich voor te stellen waarvoor ze in hemelsnaam konden dienen – misschien in draadloze verbindingen, voor coderen en decoderen, in fotografische procédé's. Maar tevergeefs – hij kon absoluut niets bedenken. Het waren gewoon metalen schijven. Alleen was hij er nu meer dan ooit van overtuigd dat de man die volgens het monsterboekje Semjonov heette liever gestorven was, dan die schijven in handen te laten vallen van de punks (die ze trouwens meteen weggegooid zouden hebben) of zich bloot te stellen aan een ondervraging over deze dingen.

Preston richtte zich op en stelde voor te gaan lunchen. De hoofdagent, die sterk het gevoel had een hele ochtend te hebben verknoeid, stopte de spullen weer in hun plastic zakken en sloot ze weg in de stalen kast waaruit hij ze tevoorschijn had gehaald. Toen vergezelde hij hen naar de uitgang. Tijdens hun lunch in het Pond-hotel – Preston had Carmichael onderweg hierheen verzocht om even langs de plaats te rijden waar de man was afgetuigd – verontschuldigde hij zich en legde uit dat hij een telefoontje moest plegen. 'Het kan wel even duren,' zei hij tegen Carmichael. 'Neem een cognacje voor rekening van de firma.'

Carmichael had grinnikend geantwoord: 'Dat zal ik zeker doen. Beter van een stad dan van een dorp!'

Toen hij vanuit de eetzaal niet meer gezien kon worden verliet Preston het hotel en wandelde naar het servicestation van BP, waar hij verscheidene kleine artikelen kocht uit de rekken in het bijbehorende winkeltje. Hij liep terug naar het hotel en belde naar Londen, gaf zijn assistent, Brick, het telefoonnummer van het politiebureau in Partick en zei hem wanneer hij precies teruggebeld wilde worden. Een half uur later waren ze terug op het wijkbureau, waar de hoofdagent, die zich nu duidelijk aan het gedoe ergerde, hen opnieuw voorging naar de kamer waarin de eigendommen van de dode waren opgeslagen. Preston ging achter de tafel zitten, recht tegenover het telefoontoestel aan de andere muur. Op tafel spreidde hij de kledingstukken uit de verschillende plastic zakken uit. Exact om drie uur begon het toestel aan de muur te rinkelen; de centrale meldde de hoofdagent dat er telefoon was uit Londen.

'Het is voor u, meneer. Londen aan de lijn,' zei hij tegen Preston.

'Wilt u 't misschien even aannemen?' vroeg Preston Carmichael. 'Probeer te weten te komen of het dringend is.'

Carmichael stond op en liep naar de andere kant van de kamer, waar de hoofdagent de hoorn vasthield. Heel even waren de gezichten van beide Schotse politiemannen naar de muur gekeerd.

Tien minuten later rondde Preston zijn tweede minutieuze onderzoek van de spullen op tafel af. Carmichael reed hem terug naar het vliegveld. 'Ik zal natuurlijk een rapport schrijven,' zei Preston. 'Alleen begrijp ik nog steeds niet waarover die Rus zich zo verdomd druk maakte. Hoe lang zullen zijn spulletjes nog in Partick achter slot en grendel blijven?'

'O, dan kan nog weken duren. Dat hebben ze de Russische consul ook gezegd. Er wordt driftig naar die Neds gespeurd, maar dat is mijl op zeven. Misschien dat we een van die knapen toevallig vanwege iets anders in de kraag grijpen en hem aan het praten brengen.

Maar daar geloof ik zelf niet erg in.'

Preston meldde zich voor zijn vlucht en kreeg te horen dat hij meteen aan boord moest.

'Weet u,' zei Carmichael toen hij hem uitgeleide deed, 'het idiote is dat we, als die Rus het hoofd koel had gehouden, hem domweg terug hadden gebracht naar zijn schip, onder het prevelen van onze verontschuldigingen. Dan hadden we nooit iets geweten van dat eigenaardige speeltje dat-ie bij zich had.'

Toen het toestel in de lucht was trok Preston zich even terug in het toilet, waar niemand hem op de vingers kon kijken. Opnieuw bestudeerde hij de drie metalen schijven die hij in zijn zakdoek had gewikkeld. Ze hadden geen enkele betekenis voor hem. De drie grote sluitringen die hij in het BP-winkeltje op de kop had getikt, om ze vervolgens te verwisselen met het 'speeltje' van de

Rus, zouden voorlopig niemands argwaan opwekken. Intussen wilde hij de schijven door iemand die hij kende laten bekijken. Deze man werkte ergens buiten Londen en Bright had het verzoek gekregen hem op te bellen en te verzoeken op Prestons komst te blijven wachten.

Karpov bereikte de *datsja* van generaal Martsjenko toen het al donker was, even na zeven uur. De oppasser van de generaal, een gewoon soldaat, deed open en ging hem voor naar de huiskamer. Martsjenko stond hem daar op te wachten en wekte de indruk dat hij zowel verbaasd als verheugd was over de komst van zijn vriend, verbonden aan de tweede en grotere inlichtingendienst van zijn land.

'Nee maar, Jevgeni Sergeivitsj,' baste hij luid, 'wat voert jou naar mijn nederige stulp?'

Karpov had een koerierstas in zijn hand. Hij bracht hem omhoog en maakte de klep los. 'Een van mijn jongens is net terug uit Turkije, via Armenië,' zei hij. 'Een schrandere knaap, die tenminste weet dat hij niet met lege handen moet komen. Aangezien je in Anatolië van alles kunt krijgen is hij even langs Erevan gegaan – en daar heeft-ie deze in zijn tas gestopt.' Hij haalde een van de vier flessen die de koerierstas bevatte tevoorschijn en hield hem triomfantelijk omhoog: een fles van de allerbeste Armeense cognac. Hij zag dat Martsjenko's ogen begonnen te glinsteren.

'Achmatar?!' riep hij uit. 'Jullie bij het EHD weten precies waar Abraham de mosterd haalt, niet?'

'Och,' zei Karpov, 'ik was onderweg naar mijn eigen *datsja*, wat verderop, en toen dacht ik: wie lust er een glaasje Achmatar en kan me er doorheen helpen? En meteen vond ik de oplossing: wie anders dan die goeie ouwe Pjotr Martsjenko. Nou, toen heb ik even een kleine omweg gemaakt. Zullen we eens even keuren?'

Martsjenko bulderde van het lachen. 'Glazen, Sasja!' riep hij uit.

Kort voor vijven landde Prestons toestel. Hij wandelde naar zijn auto op het parkeerterrein en reed naar de M4 Maar in plaats van af te slaan naar het oosten, richting Londen, begon hij de M4 in westelijke richting af te rijden naar Berkshire. Na een half uurtje had hij z'n bestemming bereikt, een instituut aan de periferie van het plaatsje Aldermaston.

Het Atomic Weapons Research Establishment, in Groot-Brittannië beter bekend als 'Aldermaston' en een gewild doelwit van de organisatoren van vredesmarsen, is in feite een instelling waar meerdere disciplines worden beoefend. Er worden inderdaad nucleaire wapens ontwikkeld en gebouwd, maar ook verricht men er onderzoek op terreinen als de scheikunde, de fysica, conventionele explosieven, theoretische en toegepaste wiskunde, radiobiologie, geneeskunde, electronica en mechanica, terwijl daarnaast gestreefd wordt naar het vaststellen van maatstaven en normen op het gebied van de volksgezondheid en veiligheid. Er is voorts ook nog een uitstekend geoutilleerd metallurgisch laboratorium te vinden.

Jaren geleden had een van de aan Aldermaston verbonden geleerden een lezing gehouden voor een groep officieren van de Militaire Inlichtingendienst te Ulster: een voordracht over de soorten metalen en legeringen die de bommenmakers van de IRA bij voorkeur voor hun helse machines gebruikten. Preston had deze lezing destijds bijgewoond en de naam van de uit Wales afkomstige geleerde was hem bijgebleven.

Dr. Dafydd Wynne-Evans stond hem in de hal bij de ingang op te wachten. Preston stelde zich aan hem voor en herinnerde dr. Wynne-levans aan de lezing die hij zoveel jaren eerder in Ulster had gehouden. 'Wel, wel, u moet een geheugen hebben als een ijzeren pot,' zei hij met zijn zangerige Welsh-accent. 'Nou, meneer Preston, vertel eens wat ik voor u doen kan.'

Preston stak een hand in zijn broekzak, diepte er de zakdoek met inhoud uit op en liet hem de drie metalen schijven zien. 'Dit hebben we in Glasgow tussen iemands spullen aangetroffen,' zei hij. 'Ik kan er geen touw aan vastknopen. Maar ik zou dolgraag willen weten wat het voor dingen zijn en waarvoor ze zouden kunnen dienen.'

Dr. Wynne-Evans bekeek ze aandachtig. 'Bestemd voor duistere doeleinden, vermoedt u?'

'Best mogelijk.'

'Zonder die dingen te onderzoeken valt er moeilijk iets over te zeggen,' zei de metallurg. 'Luister, ik heb vanavond een etentje; en morgen trouwt m'n dochter. Is het goed als ik ze maandag aan wat proeven onderwerp en u dan opbel?'

'Maandag is uitstekend,' zei Preston. 'Om u de waarheid te zeggen neem ik zelf een paar dagen vrij. U kunt me echter thuis bereiken. Mag ik u mijn telefoonnummer in Kensington geven?'

Dr. Wynne-Evans haastte zich naar boven, sloot de drie schijven voor de nacht weg in zijn brandkast, nam afscheid van Preston en maakte dat hij naar zijn etentje kwam. Preston reed terug naar Londen. Terwijl hij onderweg was pikte het luisterstation Menwith Hill in Yorkshire één enkele 'sputter' op, afkomstig van een klandestiene zender. Menwith was het eerste station dat dit signaal oppikte, maar ook Brawdy in Wales en Chicksands in Bedfordshire registreerden het en verrichtten een kruispeiling. De zender moest zich ergens in de heuvels ten noorden van Sheffield bevinden. Toen de politie van Sheffield de bewuste plek bereikte bleek het een parkeerhaven aan een eenzame weg te zijn, tussen Barnsley en Pontefract. Er was niemand.

Later die avond nam een van de dienstdoende employé's van het hoofdkwartier Verbindingen in Cheltenham een glaasje aan van de dienstdoende directeur. 'Het is dezelfde operateur,' zei hij. 'Hij verplaatst zich met een auto en beschikt over een goeie installatie. Hij is hooguit vijf tellen in de lucht geweest, maar dat signaal ziet er ook nu weer uit alsof het onmogelijk te ontcijferen zal zijn. Eerst in het district Derbyshire Peak; en nu weer in de heuvels van Yorkshire. Het lijkt erop dat hij ergens in het noordelijk deel van de Midlands zit.'

'Blijf hem achter z'n vodden zitten,' zei de directeur. 'We hebben in geen eeuwen meegemaakt dat er een slapende zender actief werd. Ik vraag me af wat-ie te vertellen heeft.'

Wát majoor Valeri Petrofski te vertellen had, via een boodschap die uitgezonden werd lang nadat hij zelf niet meer ter plaatse was, kon als volgt worden samengevat: 'Koerier Twee is niet komen opdagen. Verzoeke te melden wanneer plaatsvervanger arriveert.'

De eerste fles Achmatar stond leeg op tafel en de tweede was al voor een flink gedeelte soldaat gemaakt. Martsjenko had een lichte blos op zijn wangen gekregen, maar als het zo uitpakte kon hij met gemak twee flessen op één dag aan. Hij had zichzelf dan ook nog steeds volledig in de hand. Karpov had, hoewel hij zelden voor z'n genoegen dronk, laat staan als hij alleen was, zijn maag jaren achtereen gehard in diplomatieke dienst. Hij was bijzonder drankbestendig als hij wist dat dit nodig was. Bovendien had hij voor zijn vertrek uit Jasjenevo een half pond boter door z'n keel gewrongen; en ofschoon hij er bijna in was gestikt was hij erin geslaagd zijn maagwand te bekleden met genoeg vet om de uitwerking van de alcohol aanzienlijk te vertragen.

'Wat heb jij de laatste tijd zo al in je schild gevoerd, Pjotr?' vroeg hij.

Martsjenko's ogen vernauwden zich. 'Waarom vraag je dat?'

'Kom nou toch, Pjotr, we lopen immers allebei lang genoeg mee. Ben je soms vergeten dat ik je uit de nesten heb geholpen, drie jaar geleden in Afghanistan? Je bent me iets schuldig. Wat is er aan de gang, momenteel?'

Martsjenko was het zeker niet vergeten en hij knikte ern-

stig. In 1984 had hij een omvangrijke GRU-operatie tegen de 'islamitische opstandelingen' geleid, in de omgeving van de Kyber-pas. Er was op dat moment een uitzonderlijk bekwame guerrilla-leider actief geweest, een vermetele kerel die vanuit de vluchtelingenkampen in Pakistan die hij als basis gebruikte strooptochten ondernam tot diep in Afghanistan. Martsjenko had op overijlde manier een commando-eenheid over de grens gestuurd om de man te pakken te nemen maar die eenheid was in grote moeilijkheden geraakt: de pro-Russische Afghanen waren door de Pathani ontmaskerd en op gruwelijke manier ter dood gebracht. De enige Rus in hun gezelschap was zo gelukkig geweest het te overleven: de Pathani hadden hem uitgeleverd aan het Pakistaanse gezag in het district langs de noordwestelijke grens met Afghanistan, in de hoop in ruil voor deze vangst wat wapens te krijgen. Martsjenko zat daardoor in een lastig parket. Hij had een beroep op Karpov gedaan, destijds nog hoofd van het S-Directoraat. Karpov had een van zijn beste illegale agenten in Pakistan, een in Islamabad wonende Pakistani, op het spel gezet om de Rus vrij te krijgen en hem terug te halen over de grens. Een opzienbarend internationaal schandaal zou Martsjenko de kop hebben gekost, want zonder enige twijfel zou ook zijn naam zijn toegevoegd aan de lange lijst van Sovjet-Russische officieren wier carrière voortijdig was afgebroken als gevolg van de tegenslagen die zij in dat ellendige land hadden gehad.
'Jazeker, inderdaad, ik *weet* dat ik bij jou in het krijt sta, Jevgeni, maar vraag me in hemelsnaam niet waarmee ik me de laatste paar weken bezig heb gehouden. Een bijzondere opdracht, heel dicht bij het vuur. Heel speciaal, je begrijpt me wel – geen namen noemen, geen Siberië.'
Hij tikte met zijn worstdikke wijsvinger tegen zijn neus en knikte plechtstatig. Karpov boog zich voorover en schonk het glas van de GRU-generaal vol tot aan de rand. Ze hadden inmiddels de derde fles aangesproken.
'Ach ja, natuurlijk, neem me niet kwalijk dat ik ernaar

vroeg,' zei hij op geruststellende toon. 'Zand erover. Ik zal geen woord meer vuil maken aan die operatie.'

Martsjenko stak waarschuwend zijn wijsvinger op. Zijn ogen waren bloeddoorlopen en hij deed Karpov denken aan een gewonde beer in een stel doornstruiken; alleen was zijn brein niet beneveld door pijn en bloedverlies, maar door alcohol. Maar gevaarlijk was hij nog steeds. 'Geen operatie, helemaal geen operatie... de hele zaak werd afgelast. We moesten geheimhouding zweren... wij allemaal. Het kwam van heel hoog... hoger dan jij je kunt voorstellen. Praat er nooit meer over, wil je?'

'Ik zal 't wel uit m'n hoofd laten,' zei Karpov, onder het bijvullen van de glazen. Hij maakte gebruik van Martsjenko's toestand om diens glas vaker bij te vullen dan dat van hemzelf, maar niettemin kostte het hem moeite om helder uit z'n ogen te blijven kijken.

Twee uur later was ook de laatste Achmatar aangesproken en voor een derde deel leeggedronken. Martsjenko was onderuit gezakt en zijn kin rustte op zijn borst. Karpov hief zijn glas voor de zoveelste heildronk in een eindeloze rij. 'Op de vergetelheid!'

'Vergetelheid?' zei Martsjenko met dikke tong. Langzaam schudde hij zijn hoofd. 'Niks vergetelheid... jullie KGB-hengsten zuip ik onder tafel wanneer ik maar wil! Niks vergetelheid!'

'Nee,' zei Karpov, 'zo bedoel ik 't ook niet. 'Vergetelheid ten opzichte van het grote plan. We vergeten het eenvoudig, waar of niet?'

'Aurora, bedoel je?... Goed zo, goed zo, dat vergeten we. Verdomd goed idee...'

Ze dronken. Karpov schonk de glazen vol. 'Ze kunnen allemáál het heen en weer krijgen!' zei hij. 'Iedereen... met inbegrip van Philby... en alle leden van de Academie erbij...'

Martsjenko knikte instemmend, waarbij de cognac die niet in zijn mond terecht was gekomen langs zijn kin droop. 'Zo is het! En Krilov erbij, die klootzak! We vergeten ze allemaal!'

Het was bijna middernacht toen Karpov naar zijn auto wankelde. Hij zocht steun bij een boom, stak twee vingers diep in zijn keel en braakte zijn hart uit zijn lijf, tot aan zijn enkels verzonken in de sneeuw. Daarna zoog hij de vrieskoude nachtlucht diep in zijn longen. Het hielp enigszins, maar de rit naar zijn *datsja* was een marteling. Hij kwam er vanaf met een lichtelijk verbogen voorbumper en een paar maal heftig schrikken. Loedmilla was nog niet naar bed en zat in haar peignoir op hem te wachten. Ze hielp hem naar bed, nog niet bekomen van de schrik dat hij in een dergelijke conditie de rit vanuit Moskou had aangedurfd.

Zaterdagochtend reed John Preston naar Tonbridge om zijn zoon Tommy af te halen. Zoals altijd als z'n vader hem van school kwam halen ratelde de jongen aan een stuk door: herinneringen aan dingen die er in het voorbije semester waren voorgevallen, projecten die op stapel stonden voor het komende semester; plannen voor de nu begonnen vakantie; lof voor zijn beste vrienden, wier deugden hij ophemelde; en hoon voor de schanddaden van de jongens aan wie hij een hekel had.

De koffer en de doos waarin Tommy zijn overige spullen had meegenomen bevonden zich in de kofferruimte en de rit naar Londen was voor John Preston pure gelukzaligheid. Hij vertelde zijn zoon een paar van de dingen die hij zich had voorgenomen voor hun weekje samen en constateerde tot z'n blijdschap dat ze Tommy's goedkeuring konden wegdragen. Het gezicht van de jongen betrok alleen toen hij zich realiseerde dat hij na afloop van die ene week terug zou moeten naar het kostbaar gemeubileerde appartement in Mayfair waar Julia, zijn moeder, met haar steenrijke confectionair woonde en waar alles zo keurig en precies was dat 'er geen speld scheef lag' – zoals Julia het placht te formuleren. De confectionair was oud genoeg om Tommy's grootvader te kunnen zijn; en Preston had zo'n vermoeden dat de sfeer ernstig zou bekoelen als de jongen ook maar iets kapot maakte.

'Paps,' zei Tommy, toen ze over de Vauxhall Bridge reden, 'waarom mag ik niet gewoon de hele tijd bij jou blijven?'

Preston zuchtte. Het was niet eenvoudig een twaalfjarige jongen uit te leggen waarom een huwelijk was gestrand en wat daarvan de consequenties waren. 'Omdat,' zei hij voorzichtig, 'je moeder en oom Archie niet echt getrouwd zijn. Als ik met alle geweld wilde dat mams zich van mij liet scheiden, zou ze van mij een maandelijkse toelage kunnen eisen – zoiets noemen ze alimentatie. En die zou ik haar niet kunnen geven; niet van *mijn* salaris. In ieder geval niet voldoende om jouw school te kunnen betalen, haar iedere maand dat geld te geven en zelf nog genoeg over te houden om van te leven. Daarvoor verdien ik eenvoudig niet genoeg. En als ik haar die alimentatie niet kan betalen zou de kinderrechter wel eens tot de conclusie kunnen komen dat jij beter af bent bij mams. In dat geval zouden we elkaar lang zo vaak niet meer te zien krijgen als nu.'

'Ik had nooit gedacht dat het een geldkwestie was,' zei de jongen triest.

'Uiteindelijk draait het bij de meeste dingen om geld, Tom. Droevig, maar waar. Als ik jaren geleden genoeg had verdiend om ons drietjes een beter leven te bezorgen, zouden je moeder en ik misschien niet uit elkaar zijn gegaan. Als officier bij het leger verdiende ik al weinig; en ook toen ik uit het leger ging om bij Binnenlandse Zaken te gaan werken was m'n salaris niet hoog genoeg.'

'Wat doe je eigenlijk precies bij Binnenlandse Zaken?' vroeg de jongen. Hij liet het onderwerp, de verwijdering tussen zijn ouders, pardoes vallen, op de manier die kinderen kunnen hanteren als ze een poging doen om hun ogen te sluiten voor iets dat hen pijn doet.

'Och, ik speel zo'n beetje voor ambtenaar,' zei Preston.

'Tjeetje. Wat moet dat stierlijk vervelend zijn.'
'Ja,' beaamde Preston. 'Ik veronderstel dat je gelijk hebt, eigenlijk.'

Jevgeni Karpov werd omstreeks een uur of twaalf wakker, met een enorme kater die zich zelfs met behulp van een stuk of zes asperientjes nauwelijks liet temmen. Nadat hij iets had gegeten (wat hem de grootste moeite kostte) voelde hij zich iets beter en besloot een wandeling te gaan maken. Er roerde zich iets in zijn achterhoofd, een herinnering, het vage idee dat hij ergens, in een niet al te ver verleden, de naam Krilov had horen noemen. Het zat hem dwars. Een van de referentieboeken (waarvan de uitgifte beperkt bleef tot alleen die personen wier namen op een zeer exclusieve lijst staan) in zijn *datsja* verschafte hem nadere bijzonderheden over prof. Krilov, voornamen Wladimir Iljitsj, historicus, hoogleraar aan de Universiteit van Moskou, levenslang lid van de Partij, lid van de Academie van Wetenschappen, lid van de Opperste Sovjet, enzovoort, enzovoort. Allemaal dingen die hij allang wist... maar er was nog iets anders.
Moeizaam en met gebogen hoofd waadde hij door de sneeuw, diep in gedachten. De beide jongens waren er met hun ski's op uit getrokken om hun voordeel te doen met de laatste laag poedersneeuw van deze winter, nog voor de naderende dooi alle pret zou bederven. Loedmilla Karpova drukte de voetsporen van haar man: ze kende zijn stemmingen en voelde er niets voor hem nu in z'n overpeinzingen te storen. De vorige avond was ze blij verrast geweest door de conditie waarin hij was thuisgekomen. Ze wist dat hij vrijwel nooit dronk, en zeker niet zwaar – dus was hij niet bij zijn maîtresse op bezoek geweest. Misschien had hij de avond werkelijk doorgebracht met een collega van de GRU, een van de zogenaamde 'buren'. Hoe dan ook, er was iets dat hem intensief bezighield; en dat 'iets' was beslist geen mollig

vrouwtje. Kort na drieën schoot hem eindelijk te binnen waarvoor hij al die tijd z'n hersens had afgepijnigd. Hij liep enkele meters voor haar, maar bleef onverwachts staan, zei: 'Verdomme, natuurlijk!' en richtte zich op. Hij nam haar arm, een en al glimlach, en wandelde samen met haar terug naar de *datsja*.

Generaal Karpov wist dat hij de volgende ochtend op kantoor stilletjes wat nasporingen had te doen; en ook wist hij dat hij maandagavond een bezoek zou brengen aan prof. Krilov in diens appartement in Moskou.

15

Het telefoontje kwam die maandagochtend juist op het moment dat John Preston met zijn zoon van huis wilde gaan.

'Meneer Preston? Met Dafydd Wynne-Evans.'

Heel even had de naam geen enkele betekenis voor hem, maar toen herinnerde hij zich het verzoek dat hij de metallurg vrijdagavond had gedaan.

'Ik heb die stukjes metaal van u onder de loep genomen. Heel interessant. Wilt u hierheen komen, zodat we er over kunnen praten?'

'Tja, eigenlijk heb ik een paar dagen vrij genomen,' zei Preston. 'Schikt 't u aan het eind van de week?'

Aan de andere kant van de lijn, in Aldermaston, bleef het even stil. Toen: 'Het lijkt me beter dat het eerder gebeurt, als u zich kunt vrijmaken.'

'Eh, o, wel, misschien kunt u me ongeveer zeggen waar het om draait?'

'Het is veel beter dat we dat *vis-à-vis* doen,' zei dr. Wynne-Evans.

Preston dacht even na. Hij wilde die dag Tommy meenemen naar het Windsor Safari Park; maar aan de andere kant lag dat eveneens in Berkshire.

'Zou ik het dan op vanmiddag mogen houden, laten we zeggen, om een uur of vijf?' vroeg hij.

'Afgesproken,' zei de geleerde. 'Vraagt u maar naar mij bij de receptie. Ik zal zorgen dat ze u verder brengen.'

Prof. Krilov woonde op de bovenste verdieping van een woonblok aan de Komsomolski Prospekt, met een prachtig uitzicht over de Moskwa. Bovendien bevond het blok zich op korte afstand van de universiteit, die iets zuidelijker was gelegen. Even na zessen drukte gen. Karpov op de deurbel en werd hem opengedaan door de academicus in eigen persoon. Hij nam zijn bezoeker op zonder hem te herkennen.

'Kameraad-professor Krilov?'

'Ja.'

'Mijn naam is Karpov, generaal Karpov. Kunnen we misschien even met elkaar praten?' Hij hield de hoogleraar zijn legitimatiebewijs onder de neus. Prof. Krilov bekeek het grondig en zag dat zijn bezoeker inderdaad generaal was, maar bovendien verbonden aan het Eerste Hoofddirectoraat van de KGB. Hij beduidde Karpov verder te komen en ging hem voor naar een grieflijk ingerichte zitkamer, waar hij zijn bezoeker uit z'n jas hielp en hem verzocht te gaan zitten.

'En, waaraan heb ik deze eer te danken?' vroeg hij, toen hij tegenover Karpov had plaatsgenomen. Hij was zelf een man van voldoende gewicht om niet onder de indruk te komen van een generaalsrang bij de KGB. En Karpov realiseerde zich dat. Erita Philby had hij er met een trucje toe kunnen brengen hem het bestaan van Philby's chauffeur te onthullen; Grigoriev had hij kunnen intimideren door op zijn strepen te gaan staan, en Martsjenko was iemand die hij als collega al heel lang kende, terwijl hij wist dat de man geneigd was teveel te drinken. Maar Krilov bekleedde een hoge functie in de partijtop, was lid van de Opperste Sovjet en lid van de Academie – en behoorde als zodanig tot de elite. Hij besloot geen tijd te verspillen, maar zijn troeven snel en genadeloos uit te spelen. Het was de enige manier.

'Professor Krilov, in het belang van de staat wil ik dat u mij iets vertelt. Ik wil dat u mij vertelt wat u afweet van Plan Aurora.'

De professor staarde hem aan alsof hij zojuist een klap in z'n gezicht had gekregen. Toen kreeg hij een kleur van woede. 'Generaal Karpov,' snauwde hij, 'u gaat uw boekje te buiten. Ik begrijp niet waarover u het heeft!'

'Ik denk juist dat u het heel goed begrijpt,' zei Karpov effen. 'En ik geloof dat u er verstandig aan doet mij te vertellen wat dat plan precies behelst.'

Bij wijze van antwoord hield prof. Krilov hem een geopende hand voor: eisend, gebiedend.

'Uw volmacht, graag.'

'Die ontleen ik aan mijn rang en mijn functie,' zei Karpov.

'Als u niet in het bezit bent van een door de secretaris-generaal persoonlijk ondertekende volmacht bezit u geen enkele bevoegdheid in dezen,' zei Krilov kil. Hij stond op en liep naar de telefoon. 'Ik acht het zelfs hoog tijd dat de vragen die u meent te moeten stellen onder de aandacht worden gebracht van iemand met aanzienlijk meer bevoegdheden dan uzelf.' Hij nam de hoorn op en maakte aanstalten een nummer te draaien.

'Dat is misschien niet zo'n goeie inval,' zei Karpov. 'Wist u dat een van uw mede-adviseurs, KGB-kolonel buiten dienst Philby, al wordt vermist?'

Krilov hield op met draaien. 'Hoe bedoelt u – vermist?' vroeg hij. Voor het eerst was er een spoor van aarzeling in zijn tot nu toe uiterst zelfverzekerde houding te bespeuren.

'Gaat u alstublieft zitten en laat me uitspreken,' zei Karpov. De academicus gehoorzaamde. Ergens anders in het appartement ging een deur open en dicht; gedurende het kortstondige moment van open staan waren er klanken van westerse jazz te horen, muziek die dadelijk weer onhoorbaar werd toen de deur dicht was gegaan.

'Met vermist bedoel ik verdwenen,' zei Karpov. 'Hij is niet aanwezig in z'n flat, zijn chauffeur is teruggestuurd en zijn vrouw heeft geen idee waar hij is en wanneer hij terug zal zijn, *als* hij tenminste nog terugkomt.' Het was een gok, een uiterst gewaagde gok. Maar er verscheen een zorgelijke trek op het gezicht van de hoogleraar. Totdat hij zich vermande.

'Er kan geen sprake van zijn dat ik staatszaken met u bespreek, generaal. Ik denk dat ik u zal moeten verzoeken te vertrekken.'

'Zo eenvoudig zal het niet gaan,' zei Karpov. 'Zegt u mij eens, professor. U hébt toch een zoon die Leonid heet, nietwaar?'

Die onverwachtse wending in het gesprek maakte dat de hoogleraar er geen touw meer aan kon vastknopen. 'Inderdaad,' zei hij weifelend. 'Dat klopt. Wat dan nog?'

'Laat me u de zaak uitleggen,' stelde Karpov voor.

Aan het andere uiteinde van West-Europa verlieten John Preston en zijn zoontje Tommy aan het eind van een warme voorjaarsdag het Windsor Safari Park. 'Ik moet voor we naar huis gaan nog even bij iemand langs,' zei Preston. 'Het is niet ver hier vandaan en het zal niet al te lang duren, denk ik. Ben je ooit in Aldermaston geweest?'

De jongen zette grote ogen op. 'Wat? Die bommenfabriek?' vroeg hij.

'Het is niet bepaald een bommenfabriek,' zei z'n vader. 'Het is een instelling waar aan wetenschappelijk onderzoek wordt gedaan.'

'Tjeetje, eerlijk? Gaan we dáárheen? En zullen ze ons echt binnenlaten?'

'Eh, nou nee, dat niet direct. Mij wel, maar jou niet. Jij zult in de auto moeten blijven wachten. maar het zal niet lang duren, dat beloof ik je.'

Hij sloeg af naar de M8 en begon die te volgen.

'Negen weken geleden kwam uw zoon thuis van een bezoek aan Canada, waar hij als tolk voor een handelsdelegatie had gefungeerd,' zei generaal Karpov zacht.

Krilov knikte. 'Wel?' vroeg hij.

'Tijdens zijn verblijf daar viel het mijn eigen KR-mensen op dat een aantrekkelijk jong iemand veel tijd besteedde – *teveel* tijd, zo oordeelde men – aan pogingen om in gesprek te komen met de leden van onze handelsdelegatie, met name de jongere leden – secretarissen, tolken, enzovoort. De bewuste persoon werd gefotografeerd en tenslotte herkend als een agent. Geen Canadese, maar een Amerikaanse agent, die hoogstwaarschijnlijk in dienst is van het Central Intelligence Agency. Dit leidde ertoe dat deze jonge agent onder surveillance werd geplaatst, waardoor mijn mensen konden vaststellen dat er een rendez-vous plaatsvond met uw zoon Leonid, in een of andere hotelkamer. Kortom, dat tweetal had een kortstondige maar stormachtige verhouding met elkaar.'

Het gezicht van prof. Krilov was vertrokken van woede. Het articuleren scheen hem grote moeite te kosten. 'Hoe waagt u het! Waar haalt u de onbeschaamdheid vandaan om hierheen te komen en mij, een lid van de Academie van Wetenschappen en de Opperste Sovjet, bloot te stellen aan de grofste vorm van chantage! Dit zal de Partij ter ore komen! U kent de regels: uitsluitend de Partij kan haar leden ter verantwoording roepen. U mag dan generaal zijn bij de KGB, generaal Karpov, maar u bent deze keer ernstig over de schreef gegaan!'

Jevgeni Karpov staarde strak naar de tafel, alsof hij diep vernederd was, terwijl de professor zijn tirade vervolgde. 'Goed, mijn zoon is dus tijdens zijn verblijf in Canada met een buitenlandse naar bed geweest. Dat dat meisje achteraf Amerikaanse bleek te zijn is iets waarvan hij volstrekt niet op de hoogte was. Hij heeft zich misschien wat indiscreet gedragen, ja, maar daar houdt het dan ook mee op. Werd hij door die CIA-agent gerecruteerd?'

'Nee,' gaf Karpov toe.

'Heeft hij ook maar één staatsgeheim verraden?'

'Nee.'

'Dan kunt u helemaal niets tegen hem aanvoeren, kameraad-generaal, behalve dan een jeugdige dwaasheid. Hij zal berispt worden. Maar uw mensen van de contraspionage staat een ernstiger berisping te wachten. *Zij* hadden hem moeten waarschuwen. En wat die slaapkamerepisode betreft, wij in de Sovjet-Unie zijn niet zo wereld-vreemd als u schijnt te denken. Gezonde jonge kerels zijn al met meisjes naar bed geweest sinds het allereerste begin van de mensheid…'

Karpov had zijn diplomatenkoffertje geopend en er een grote foto uitgehaald, afkomstig uit een heel stapeltje. Langzaam legde hij de foto op tafel. Prof. Krilov staarde ernaar en wat hij zag benam hem de adem. De rode kleur van woede verdween van zijn wangen en maakte plaats voor een kleur die in het lamplicht alleen maar omschreven kon worden als grijs. Verscheidene keren schudde hij totaal onthutst zijn hoofd.

'Het spijt me,' zei Karpov minzaam. 'Werkelijk, het spijt me. Het betrof namelijk geen vrouw, maar een man zoals u ziet. En we hadden alleen belangstelling voor *zijn* doen en laten, niet voor dat van uw zoon. Dat het hiertoe zou komen was door niemand voorzien.'

'Ik geloof m'n eigen ogen niet,' zei de hoogleraar schor.

'Ik heb zelf twee zoons,' zei Karpov. 'Ik geloof dat ik wel zo'n beetje kan begrijpen, of althans proberen te begrijpen, wat u nu doormaakt.'

De academicus zoog zijn longen vol lucht, stond op, mompelde een verontschuldiging en verliet de kamer. Zuchtend stopte Karpov de foto weer in zijn diplomatenkoffertje. Uit de gang hoorde hij het gebler van jazz-muziek toen er een deur werd geopend, waarna de jazz plotseling ophield en hij stemmen hoorde, twee stemmen die in toorn werden verheven. De eerste was de bulderbas van de vader, de tweede de lichte tenor van de jongeman. De woordenwisseling eindigde met een petsend geluid. Even later stapte prof. Krilov de kamer weer in. Toen hij weer tegenover Karpov kwam zitten stonden zijn ogen dof en liet hij z'n schouders hangen.

'Wat gaat u doen?' fluisterde hij.

Karpov zuchtte. 'Wat me te doen staat is duidelijk. Zoals u zei – alleen de Partij kan haar leden tuchtigen. Ik ben daarom gehouden dit rapport en de bijbehorende foto's te overhandigen aan het Centraalcomité. U kent de wet en weet wat er gebeurt met homoseksuelen. Dat wordt vijf jaar, zonder aftrek en onder een strenge tucht. Maar ik vrees dat het nieuws zich snel zal verbreiden, als hij eenmaal in de kampen is. Daarna zal de jongeman – hoe zal ik het onder woorden brengen – ieders voetveeg worden. Een knaap die uit een beschermde omgeving komt, zoals hij, zal weinig kans hebben iets dergelijks te overleven.'

'Maar…?' zei de professor.

'Maar… ik zou van mening kunnen zijn dat er kans bestaat dat het CIA dit contact wenst voort te zetten. Dat recht heb ik. Ik kan bijvoorbeeld van oordeel zijn dat de Amerikanen ongeduldig dreigen te worden en er gevaar is dat zij hun agent naar de Sovjet-Unie zullen sturen teneinde het contact met uw zoon Leonid te herstellen. Ik dat geval heb ik het recht om van oordeel te zijn dat het dilemma waarin uw zoon verkeert benut zou kunnen worden om via deze CIA-agent disinformatie te spuien, of deze CIA-agent voor ons te winnen. Terwijl ik de ontwikkelingen in die richting afwacht zou ik bij machte zijn het dossier in mijn kluis onder mijn berusting te houden, en zo'n wachtperiode kán erg lang gaan duren. Ik bezit die bevoegdheden in operationele aangelegenheden; jazeker, die bevoegdheid héb ik.'

'En de prijs?'

'Ik denk dat u die al kent.'

'Wat wilt u weten van Plan Aurora?'

'Ik zou zeggen – begin maar bij het begin.'

Preston reed de poort van Aldermaston in, ontdekte een leeg parkeervak op het terrein voor bezoekers en stapte uit. 'Het spijt me, Tommy, verder dan tot hier mag ik je niet meenemen. Ik hoop dat je niet al te lang hoeft te wachten.'

Hij liep door de invallende schemering naar de dubbele deuren van de ingang en meldde zich bij de receptie, bemand door twee geüniformeerde suppoosten. Ze bekeken zijn legitimatiebewijs uitvoerig en belden toen naar dr. Wynne-Evans, die verzocht om de bezoeker naar zijn werkkamer te escorteren. Een van de suppoosten bracht hem naar de derde verdieping, klopte aan bij dr. Wynne-Evans en opende de deur voor hem.

De geleerde beduidde hem plaats te nemen op de stoel tegenover zijn bureau en keek hem toen aan over de halve glazen van zijn leesbril. 'Mag ik u vragen hoe u aan dit uiterst bijzondere monster bent gekomen?' vroeg hij, wijzend naar de zware, loodachtige schijf, nu opgeborgen in een verzegelde glazen pot.

'Dat is iemand in de kleine uurtjes van de nacht afgenomen in Glasgow, in de nacht van woensdag op donderdag. Hoe staat 't met die twee andere schijven?'

'O, die zijn van doodgewoon aluminium, niets bijzonders. Ze dienden alleen om deze hier te beschermen. Mijn belangstelling gaat uitsluitend uit naar deze schijf.'

'Kunt u me zeggen wat het precies is?' vroeg Preston.

Dr. Wynne-Evans scheen zich te verbazen over zoveel naïviteit. 'Natuurlijk kan ik zeggen wat het is,' zei hij. 'Dat is tenslotte m'n vak! Het is een schijf van zuiver polonium.'

Preston fronste het voorhoofd. Hij had van een dergelijke metaalsoort nog nooit gehoord.

'Tja, het begon allemaal begin januari met een door Philby geschreven memorandum, gericht aan de secretaris-generaal. Hierin zette Philby uiteen dat er binnen de Britse Labour Partij een extreem-linkse vleugel bestond die inmiddels zoveel aan macht en invloed had gewonnen dat zij nu in staat was om min of meer op afroep het hele partij-apparaat over te nemen. Dit strookt overigens met mijn eigen opmie.'

'En met de mijne,' zei Karpov.

'Maar Philby ging verder. Hij verzekerde in zijn memo dat er binnen extreem-links een kerngroepering was van toegewijde marxistisch-leninisten, een harde kern die zich dit inderdaad ten doel had gesteld; maar niet voor er in Groot-Brittannië nieuwe algemene verkiezingen waren gehouden op het daartoe wettelijk voorgeschreven tijdstip. De machtsovername moest daarna plaatsvinden, in het kielzog van een verkiezingsoverwinning van Labour. Kortom: deze harde kern wilde rustig de verkiezing van de huidige partijleider, Neil Kinnock, afwachten, om hem daarna weg te stemmen en te vervangen door een eigen kandidaat – de eerste marxistisch-leninistische Eerste Minister van Groot-Brittannië. Deze zou een reeks politieke maatregelen uitvoeren die volledig stroken met de Sovjet-Russische belangen op het gebied van de buitenlandse politiek en de defensie. Maatregelen die met name betrekking zouden hebben op unilaterale nucleaire ontwapening en het wegsturen van alle Amerikaanse strijdkrachten.'

'Het klinkt aannemelijk genoeg,' knikte generaal Karpov. 'Dus werd er een commissie in het leven geroepen. Een commissie die uit u vieren bestond en tot taak kreeg advies uit te brengen over de beste manier om deze verkiezingsoverwinning te bewerkstelligen.'

Prof. Krilov keek verrast op. 'Ja, we waren inderdaad met z'n vieren: Philby, generaal Martsjenko, ikzelf en docter Rogov.'

'De schaakgrootmeester?'

'*En* fysicus,' vulde Krilov aan. 'Ons advies nam de vorm aan van Plan Aurora, gericht op het bewerkstelligen van een massale verschuiving in het Brits electoraat, door miljoenen kiezers zover te krijgen dat zij bereid waren om te stemmen voor unilaterale nucleaire ontwapening.'

'U spreekt in de verleden tijd. Dat wijst op een voorbehoud van uw kant.'

'Inderdaad, ja. Het plan was in feite afkomstig uit de koker van Rogov. Hij was er helemaal voor. Martsjenko ging met hem mee, onder enig voorbehoud. Philby; tja, we konden geen van allen goed bepalen hoe hij er over dacht. Hij bleef maar glimlachen en knikken, kennelijk om eerst de kat uit de boom te kijken.'

'Op en top Philby,' beaamde Karpov. 'En ze lieten het u zeker presenteren?'

'Precies. Op de twaalfde maart. Ik verklaarde me tegenstander van het plan. De secretaris-generaal onderschreef mijn mening. Hij liet geen spaan heel van het plan, gaf opdracht dat alle aantekeningen en documenten moesten worden vernietigd en liet ons alle vier zweren dat we onder geen voorwaarde ooit nog over dit onzalige plan zouden reppen.'

'Zegt u mij eens: waaróm was u ertegen?'

'Omdat het me roekeloos en gevaarlijk toescheen. Afgezien daarvan was het in flagrante tegenspraak met het Vierde Protocol. Als daar ooit inbreuk op wordt gemaakt – alleen God weet hoe het in de wereld dan zal vergaan.'

'Het Vierde Protocol?'

'Ja. Die beroemde clausule van het Internationale Verdrag tegen de Verspreiding van Kernwapens. Die herinnert u zich beslist.'

'We moeten tegenwoordig zo ontzettend veel onthouden,' zei Karpov. 'Frist u mijn geheugen eens op, professor.'

'Polonium? Nooit van gehoord,' zei Preston. Hij staarde dr. Wynne-Evans wat verbluft aan.

'Eh, nee, dat zal vermoedelijk wel niet,' antwoordde de geleerde. 'Ik bedoel, u zult het wel niet op uw werkbank in de garage hebben liggen. Het is uiterst zeldzaam.'

'En wat kun je ermee doen, doctor?'

'Nou, een heel enkele keer – uiterst zelden, begrijpt u – wordt het toegepast in de radiologie. Was die persoon in Glasgow soms onderweg naar een medisch congres, of een farmaceutische expositie?'

'Nee,' zei Preston resoluut. 'In geen geval.'

'Jammer. Want dat zou een mogelijke verklaring zijn geweest voor de kleine mogelijkheid dat het daarvoor be-

stemd was – voordat uw mensen hem ervan ontlastten. Aangezien hij niet naar een medisch congres of zo onderweg was, vrees ik dat alleen de tweede mogelijkheid overblijft – een mogelijkheid die trouwens toch al voor negentig procent de juiste moest zijn. Afgezien van deze twee gebruiksmogelijkheden wordt polonium op dit ondermaanse namelijk nergens voor benut.'
'Wat is die tweede gebruiksmogelijkheid?'
'Wel, een schijf polonium van dit formaat zal op zichzelf niets bewerkstelligen. Maar als de schijf dicht in de buurt komt van een schijf van een andere metaalsoort, bekend als lithium, vormen die twee samen een zogeheten initiator.'
'Een *wat?*'
'Een inleider, zogezegd.'
'En wat *is* – *excusez le môt* – verdomme een inleider?'

'Een juli negentienachtenzestig,' doceerde prof. Krilov, 'ondertekenden de toenmalige drie kernmogendheden van de wereld, de Verenigde Staten, Groot-Brittannië en de USSR, het zogeheten "nonproliferatieverdrag" – het Verdrag tegen Verspreiding van Kernwapens. Hierin verplichtten deze mogendheden zich om nooit aan landen die op dat moment niet in het bezit waren van kernwapens – of de daartoe benodigde technologische kennis – kernwapens of nucleaire technologie voor de vervaardiging van kernwapens ter beschikking te stellen. Dit herinnert u zich nog wel.'
'Zeker, zei Karpov. 'Zoveel weet ik er nog wel van.'
'Welnu, de ceremoniële ondertekening van dit verdrag in Washington, Londen en Moskou heeft gigantisch veel publiciteit gekregen, overal ter wereld. Maar de latere ondertekening van de vier geheime protocollen *bij* dat nonproliferatieverdrag kenmerkte zich door het volkomen achterwege blijven van iedere vorm van publiciteit. Ieder afzonderlijk protocol liep vooruit op de eventuele ontwikkeling van een toekomstig gevaar: een

mogelijkheid die op dat moment technisch nog niet te realiseren was, maar volgens de schattingen van deskundigen op zekere dag een haalbare kaart zou zijn, als de technologie ervoor beschikbaar was. In de loop der jaren bleek dat de eerste drie protocols van nul en gener waarde waren, ofwel omdat was komen vast te staan dat het erin beschreven gevaar volstrekt onmogelijk en onbestaanbaar was: óf omdat er dadelijk een afdoende bescherming tegen werd gevonden zodra de mogelijkheid zich technisch liet realiseren. Maar in het begin van de jaren tachtig werd het Vierde Protocol, het geheimste van alle vier, een regelrechte nachtmerrie.'

'Waarop liep dat Vierde Protocol nu eigenlijk vooruit?' vroeg Karpov geïntrigeerd.

Prof. Krilov slaakte een zucht. 'Voor *die* informatie moesten we bij dr. Rogov terecht. Zoals u weet is hij kernfysicus, dat is zijn eigenlijk discipline. Het Vierde Protocol liep vooruit op technologische ontwikkelingen in de vervaardiging van kernwapens, met name waar het hun vereenvoudiging en verkleining – zeg maar miniaturisering – betrof. Blijkbaar hebben die ontwikkelingen inmiddels hun beslag gekregen. Enerzijds zijn deze wapens oneindig veel krachtiger geworden, maar tegelijkertijd ingewikkelder van constructie en groter van formaat. Anderzijds is de ontwikkeling tevens de omgekeerde richting uitgegaan. De eenvoudige splijtingsbom – de atoombom die in vijfenveertig door een enorme Amerikaanse bommenwerper boven Japan werd gedropt – kan nu zo klein worden gemaakt dat hij in een normale koffer past; en de constructie is zo vereenvoudigd dat hij samen te stellen is uit een stuk of twaalf voorbewerkte en pasgemaakt componenten. De assemblage ervan is even simpel als een blokkendoos.'

'En de vervaardiging van dergelijke wapens en hun verspreiding moest voorkomen worden door dit Vierde Protocol?'

Prof. Krilov knikte. 'Ja, alleen gingen de bepalingen nog

een stap verder. Het Vierde Protocol verbiedt de onder-tekenaars van het nonproliferatieverdrag om langs hei-melijke weg een dergelijke helse machine over te bren-gen op het grondgebied van welke andere natie dan ook, al dan niet met het oogmerk om dit kernwapen tot ex-plosie te brengen in een pand – zeg een huurhuis of flat – in het hart van een stad.'

'Geen waarschuwingstijd van vier minuten,' peinsde Karpov hardop. 'Geen in aantocht zijnde kruisraketten die ontdekt kunnen worden op de radar, geen vergel-dingsaanval met behulp van kernraketten, geen identifi-catie van de aanvaller. Niet meer dan een explosie van een paar megaton vanuit een of andere kelder.'

'Zo is het precies,' knikte de hoogleraar. 'Daarom noem-de ik het zoëven een regelrechte nachtmerrie. De open samenlevingen van de westerse landen mogen dan kwetsbaarder zijn, maar niemand is geheel en al immuun voor binnengesmokkelde wapens van deze soort, die in onderdelen over de grens worden gebracht. Als er ooit inbreuk wordt gemaakt op het Vierde Protocol, zullen alle lanceerinrichtingen voor kernraketten, alle electro-nische beveiligingssystemen, ja, alle verdedigingsmidde-len waarover een land beschikt, volkomen nutteloos worden.'

'En toch was dit de bedoeling van Plan Aurora?'

Krilov knikte opnieuw. Hij scheen niet bereid verder nog iets te zeggen.

'Maar toen,' drong Karpov aan, 'werd de hele zaak stop-gezet en verboden en verdween het plan van tafel. Bij de dienst zeggen we in zo'n geval dat het "gearchiveerd" is.' Krilov scheen die term dadelijk te begrijpen. 'Ja, ja, zo is het. Het werd gearchiveerd.'

'Waarom vertelt u me niet wat er gebeurd zou zijn *als* de secretaris-generaal wél het groene licht zou hebben ge-geven.' Karpov was niet van plan los te laten.

'Goed dan! Plan Aurora had ten doel om een eersteklas Sovjet-agent in Groot-Brittannië te laten infiltreren, waar hij ergens in het land een woning moest huren en met de daadwerkelijke uitvoering een begin maken. Via een aantal koeriers zouden de ongeveer tien bestanddelen van een kleine draagbare atoombom met een explosieve kracht van ongeveer anderhalve kiloton bij hem worden afgeleverd.'

'Zo klein? De Hirosjima-bom had een kracht van tien kiloton!'

'Het was niet de bedoeling zoveel mogelijk schade te veroorzaken: daar zou alleen bereikt mee worden dat de verkiezingen in hun geheel werden afgelast. Nee, er moest alleen een zogenaamd "nucleair incident" worden gecreëerd, waarna de ongeveer tien of vijftien procent aan zwevende stemmen in een paniekreactie hun stem zouden geven aan de enige partij die naar eenzijdige ontwapening streefde: de Labour Party.'

'Neem me de onderbreking niet kwalijk,' zei Karpov. 'Gaat u verder.'

'De draagbare kernbom moest zes dagen voor de eigenlijke verkiezingsdatum exploderen,' hernam de hoogleraar. 'Het kiezen van de juiste lokatie was van essentieel belang. Gekozen werd voor de Amerikaanse luchtmachtbasis te Bentwaters, in het graafschap Suffolk. Blijkbaar zijn daar aanvalsbommenwerpers van het type F-Five gestationeerd, straaljagers die kleine tactische kernwapens tegen onze massale tankdivisies in het geweer moeten brengen, voor het geval wij West-Europa mochten binnenvallen.'

Karpov knikte: hij was vertrouwd met Bentwaters en wist dat deze informatie klopte.

'De planuitvoerder,' vervolgde Krilov, 'zou opdracht hebben gekregen het geassembleerde kernwapen per auto in het holst van de nacht naar de omheining van deze luchtmachtbasis te brengen. Het schijnt dat die hele basis zich in het hart van een bosgebied bevindt, bekend als het Rendlesham Forest. Kort voor dageraad moest hij daar het wapen laten detoneren. Vanwege het kleine formaat van de kernbom zou de schade beperkt blijven tot de luchtmachtbasis zelf: hij zou als het ware moeten "verdampen" – samen met het Rendlesham Forest, drie gehuchten, een dorp, een meertje en een vogelreservaat. Omdat de luchtmachtbasis vlak bij de kust van Suffolk is gelegen, zou de wolk van radioactieve deeltjes die door de explosie ontstond door de heersende wind daar zijn verspreid over de Noordzee. Tegen de tijd dat deze radioactieve deeltjes de Nederlandse kust bereikten zou vijfennegentig procent ervan al in zee zijn gevallen, of z'n werking hebben verloren. Het was niet de bedoeling een milieuramp te veroorzaken, maar een golf van angst en felle haat tegen Amerika op te roepen.'

'Misschien zouden ze er geen geloof aan hebben gehecht,' zei Karpov. 'Er had van alles en nog wat fout kunnen gaan. Ze hadden bijvoorbeeld de planuitvoerder levend te pakken kunnen krijgen.'

Prof. Krilov schudde ontkennend het hoofd. 'Daar had Rogov aan gedacht. Hij had het allemaal uitgeknobbeld alsof het een schaakwedstrijd betrof. De planuitvoerder zou zijn wijsgemaakt dat hij na het indrukken van de activatieknop nog twee uur de tijd had om zich uit de voeten te maken. In werkelijkheid zou het tijdmechanisme verzegeld zijn, en afgesteld op ogenblikkelijke detonatie.'

Arme Petrofski, dacht Karpov.

'Maar hoe wilde Rogov het allemaal aan de man brengen, zodat het werd geloofd?' vroeg hij.

'Op de avond van de dag waarop de kernbom moest detoneren,' zei Krilov, 'zou een man die zich voordeed als een Sovjet-agent onder dekmantel, naar Praag zijn gevlogen om daar een internationale persconferentie te geven. Een Israëlisch kernfysicus die dr. Nahoem Wisser heet. Hij schijnt voor ons te werken.'

Generaal Karpov vertrok geen spier van zijn poker-face. 'Daar kijk ik van op,' zei hij. Hij kende het dossier van dr. Wisser. De kernfysicus had vroeger een zoon die zijn oogappel was geweest. De jongen diende in '82 in het Israëlische leger en was als luitenant naar een eenheid in Beiroet gestuurd. Toen de Falangisten de Palestijnse vluchtelingenkampen Sabra en Sjatila in Libanon vernietigden had de jeugdige luitenant geprobeerd tussenbeide te komen. Een kogel had hem neergemaaid. De rouwende vader had zorgvuldig geconstrueerd bewijsmateriaal onder ogen gekregen, waarmee hem werd 'aangetoond' dat zijn zoon door een Israëlische kogel was gedood. In zijn verbittering en woede was dr. Wisser, tóch al een overtuigd aanhanger van de linkse Likoed-partij, nog wat verder doorgezwaaid naar links: hij stemde erin toe om voor de Sovjet-Unie te gaan werken. 'Deze doctor Wisser zou de hele wereld hebben verzekerd dat hij in het kader van een uitwisselingsprogramma jaren met de Amerikanen had samengewerkt bij de ontwikkeling van superkleine kernwapens. Dit laatste schijnt trouwens inderdaad zo te zijn. Voorts zou hij hebben gezegd dat hij de Amerikanen herhaaldelijk had gewaarschuwd dat deze superkleine kernwapens niet stabiel genoeg waren om ze zonder gevaar in voorraad te houden, klaar om ze in te zetten. Alleen waren de Amerikanen vol ongeduld geweest om deze nieuwe kernkoppen aan te maken en ze aan te wenden voor het vergroten van de actieradius van hun F-Fives, die door het geringere gewicht meer brandstof konden meenemen.

Er werd van uitgegaan dat deze verzekeringen, door doctor Nahoem Wisser op de dag van de explosie zelf uitgesproken, zes dagen voor de algemene verkiezingen in Groot-Brittannië, de anti-Amerikaanse bries in dat land zouden laten aanwakkeren tot een orkaan die zelfs de Conservatieven niet zouden kunnen bezweren.'

Karpov knikte. 'Ja, ik geloof wel dat dat het geval zou zijn geweest. Had het vruchtbare brein van doctor Rogov nog meer leuke dingen bedacht?'

'O, veel meer,' beaamde prof. Krilov somber. 'Hij beweerde dat de Amerikanen het allemaal heftig zouden ontkennen, in een huichelachtige reactie. En vier dagen voor de verkiezingen zou de secretaris-generaal de wereld verkondigen dat de Amerikanen, als zij zich dan zo graag als krankzinnigen wilden gedragen, wat hém betrof gerust hun gang mochten gaan – dat moesten ze helemaal zelf weten. Maar hij van zijn kant had, ter bescherming van het Russische volk, geen andere keuze dan al onze strijdkrachten in opperste staat van paraatheid te brengen. Diezelfde avond zou een van onze Britse vrienden, een naaste medewerker van Labour-voorzitter Kinnock, er bij hem op aandringen om naar Moskou te vliegen en bij de secretaris-generaal persoonlijk te bemiddelen met het doel de vrede te waarborgen. Als hij ook maar even had geaarzeld zou onze Russische ambassadeur hem hebben uitgenodigd om naar de ambassade te komen en daar de crisis in vriendschappelijke sfeer te bespreken. Als alle camera's op hem gericht waren zou het twijfelachtig zijn geweest dat hij zo'n uitnodiging naast zich had neergelegd. Binnen enkele minuten zou hem een visum zijn verstrekt, zodat hij de volgende ochtend bij het krieken van de dag per Aeroflot naar Moskou kon vliegen. De secretaris-generaal zou hem voor het oog van de camera's van de massamedia hebben ontvangen; en een paar uur later zouden ze met bijzonder ernstige gezichten uiteen zijn gegaan.'

'En zonder twijfel zou Kinnock meer dan genoeg redenen hebben gehad om zo ernstig te kijken,' opperde Karpov.

'Precies. Maar terwijl hij nog in het vliegtuig naar Londen zat, zou de secretaris-generaal een verklaring tegenover de wereldpers hebben afgegeven: uitsluitend en alleen als gevolg van het hartstochtelijke beroep dat de Britse Labour-leider op hem had gedaan had hij, de secretaris-generaal van de cpsu, opdracht gegeven om alle Sovjet-Russische strijdkrachten te melden dat Alarmfase Rood was opgeheven. Kinnock zou met het aureool van een groot staatsman in Londen zijn geland. En één dag voor de verkiezingen zou hij een klinkende toespraak hebben afgestoken voor de Britse natie, een toespraak waarin hij opriep tot het voor eens en voor al uitbannen van de nucleaire waanzin. Plan Aurora was gebaseerd op de berekening dat de gebeurtenissen van de voorgaande zes dagen een vernietigende uitwerking zouden hebben gehad op de traditionele alliantie met de Verenigde Staten: deze mogendheid zou alle sympathie in West-Europa hebben verspeeld en de tien procent, die zo essentiële tien procent aan zwevende stemmen van het Brits electoraat, zou Labour in het zadel helpen. Daarna zou extreem-links de teugels in handen nemen. Zo zag Plan Aurora er in grote trekken uit, generaal.'

Karpov stond op. 'U bent heel vriendelijk geweest, professor. *En* bijzonder verstandig. Zwijg hier verder over; dat zal ik ook doen. Zoals u zegt – het is nu toch al gearchiveerd. En het dossier van uw zoon zal nog heel lang in mijn kluis blijven. Ik wens u het beste; en ik denk niet dat ik u verder nog lastig zal hoeven vallen.'

Terwijl de Tsjaika hem via de Komsomolski Prospekt terugreed leunde hij achterover in de kussens. 'Inderdaad, briljant is het zeker,' dacht hij. 'Maar is er tijd genoeg?' Evenals de secretaris-generaal was hij op de hoogte met het voornemen van de Britse Eerste Minister om aan te sturen op vervroegde verkiezingen in juni – dus over zestig dagen. Per slot van rekening was die inlichting via de *rezidentoera* in de Sovjet- Russische ambassade te Londen doorgegeven aan het Eerste Hoofddirectoraat en pas daarna aan de secretaris-generaal. In gedachten liet hij de onderdelen van het plan telkens weer de revue passeren, op zoek naar zwakke punten. 'Nee, het sluit als een bus,' dacht hij tenslotte, 'alles past in elkaar. Als het lukt, dan...' Het alternatief zou rampzalig zijn.

'Een *inleider*, m'n beste, is een soort ontstekingsinrichting voor een bom,' zei dr. Wynne-Evans. 'Meestal wordt zoiets aangeduid als een initiator.'

'O,' zei Preston. Wat hij had gehoord had hem enigszins teleurgesteld. Er waren wel meer bommen in Groot-Brittannië aangetroffen. Een akelig probleem, maar van plaatselijke proporties. In Ierland had hij er vaak genoeg mee te maken gehad. Hij was vertrouwd met benamingen als 'detonator', 'primer', 'trigger' en 'ontsteker', maar de term 'initiator' was nieuw voor hem. Dat nam niet weg dat het er naar uitzag dat de Rus Semjonov een onderdeel van een bom het land had binnengesmokkeld, vermoedelijk bestemd voor een of andere terroristische groepering in Schotland. Welke groepering? De zogenaamde Tartan Army, een stel anarchisten of misschien een afdeling van de IRA? Het vreemde was alleen dat er een *Rus* in het spel was; alleen dat al was het reisje naar Glasgow meer dan waard geweest.

'Deze, eh, initiator of inleider, gemaakt van polonium en lithium – wordt zo'n ding gebruikt in een tegen personen gerichte bom?' vroeg hij.

'O, ja, ongetwijfeld, zo zou je het gerust mogen omschrijven,' antwoordde de Wehlsman. 'Want een initiator, ziet u, is de ontstekingsinrichting van een kernbom.'

DEEL DRIE

16

Brian Harcourt-Smith zat achterover geleund in zijn bureaustoel, de blik gericht op het plafond, aandachtig te luisteren, waarbij zijn vingers speelden met een slank vulpotlood van goud. 'Dat was het?' vroeg hij, toen Preston klaar was met zijn mondelinge rapport.

'Ja,' zei Preston.

'Deze doctor Wynne-Evans, is hij bereid om zijn gevolgtrekkingen op schrift te stellen en in te sturen?'

'Gevolgtrekkingen kun je het nauwelijks noemen, Brian. Het betreft hier een gedegen wetenschappelijke analyse van het metaal, waarbij verband wordt gelegd met de enige twee gebruiksmogelijkheden die momenteel bekend zijn. Overigens heeft hij toegezegd er een rapport over te schrijven. Ik zal het bij m'n eigen rapport voegen.

'En hoe luiden je eigen gevolgtrekkingen? Of moet ik "wetenschappelijke analyse" zeggen?'

Preston negeerde het neerbuigende sarcasme. 'Ik ben van mening dat we niet kunnen ontkomen aan de conclusie dat matroos Semjonov naar Glasgow was gekomen om zijn blik met inhoud op een bepaalde lokatie te deponeren, óf het persoonlijk te overhandigen aan een persoon die hem moest ontmoeten,' zei hij. 'In beide gevallen betekent dit dat er zich hier, binnen onze landsgrenzen, een illegaal agent moet bevinden. Ik vind dat we een poging moeten doen hem op te sporen.'

'Een aardig ideetje. De moeilijkheid is alleen dat we geen flauw idee hebben waar we moeten beginnen. Luister, John, laat me open kaart spelen. Zoals zo dikwijls plaats je mij in een uiterst netelig parket. Ik zie niet in hoe ik deze kwestie op hoger niveau moet aankaarten, tenzij jij me wat meer bewijsmateriaal kunt overleggen dan alleen een schijfje van een of ander zeldzaam metaal, gevonden op de persoon van een beklagenswaardige en morsdooie Russische zeeman.'

'Dat stukje metaal is met zekerheid herkend als de helft van het ontstekingsmechanisme van een kernbom!' protesteerde Preston. 'Zoiets kun je toch moeilijk afdoen als "een stukje metaal" zonder meer!'

'Goed, jij je zin – de helft van wat *eventueel* de ontsteking van *wellicht* een vernietigingswapen zou kunnen zijn; en *misschien* was het bestemd voor een illegaal Sovjet-agent die *eventueel* in het Verenigd Koninkrijk opereert. Geloof me, John, als je me eenmaal je volledige rapport hebt toegezonden zal ik het met de grootst mogelijke ernst in overweging nemen, zoals altijd.'

'En het vervolgens voorzien van de aantekening GVA, om het in het archief te laten verdwijnen?' vroeg Preston. Harcourt-Smiths glimlach bevroor en zag er gevaarlijk uit. 'Dat is nog niet gezegd. Ieder door jou ingediend rapport wordt op z'n merites beoordeeld en daarnaar behandeld, zoals de rapporten van wie dan ook. Ik zou je nu willen voorstellen pogingen in het werk te stellen om in ieder geval wat ondersteunend bewijsmateriaal in de vingers te krijgen, materiaal dat deze samenzweringstheorie van je kan staven. Geef er alle prioriteit aan.'

'Akkoord,' zei Preston, terwijl hij opstond. 'Ik zal me erin vastbijten.'

'Ja, doe dat,' zei Harcourt-Smith.

Zodra Preston z'n hielen had gelicht raadpleegde de plaatsvervangend directeur-generaal van F-5 een lijst van interne telefoonnummers en draaide dat van het hoofd Personeelszaken.

De volgende dag, woensdag de vijftiende, landde het toestel van British Midland Airways dat voor een lijnvlucht uit Parijs was vertrokken omstreeks het middaguur op het vliegveld West Midlands bij Birmingham.

Onder de passagiers bevond zich een jongeman met een Deens paspoort. Vanzelfsprekend was ook de naam in het paspoort Deens; en als een nieuwsgierig iemand hem in het Deens had aangesproken zou hij hem vloeiend in die taal van repliek hebben gediend. Feitelijk had hij zelf een Deense moeder: zij had hem de grondbeginselen van die taal bijgebracht, waarna zijn kennis van het Deens in verschillende linguïstische instituten en tijdens bezoeken aan Denemarken was vervolmaakt. Zijn vader had echter de Duitse nationaliteit; en de jongeman was ruim na de Tweede Wereldoorlog in Erfurt geboren en getogen, in Oost-Duitsland. Hij was nu stafofficier in de Oostduitse Geheime Dienst, de SSD.

Hij had geen benul van het belang van zijn missie in Groot-Brittannië, noch was hij er nieuwsgierig naar. Zijn instructies waren eenvoudig genoeg en hij hield zich er stipt aan. Nadae hij zonder moeilijkheden de douane was gepasseerd hield hij een taxi aan en gaf als bestemming het Midland Hotel in New Street op. Gedurende de hele vliegreis en de vaste formaliteiten had hij zorgvuldig zijn linker arm, voorzien van een gipsverband en opgehangen in een mitella, ontzien: er was hem -- eigenlijk totaal onnodig – op het hart gedrukt dat hij onder geen enkele voorwaarde een poging mocht doen om zijn koffer op te pakken met z'n 'gebroken' arm.

Toen hij eenmaal in zijn hotelkamer was sloot hij dadelijk de deur af en begon te werken aan het gips, gebruikmakend van de scherpe blikschaar die hij had verborgen op de bodem van zijn toilettas. Voorzichtig knipte hij het gipsverband langs de binnenzijde van zijn onderarm open, netjes langs de lijn van kleine putjes die speciaal waren aangebracht om hem de weg te wijzen. Toen het gipsverband helemaal door was geknipt wrong hij het een stukje open, ver genoeg om er zijn arm, pols en hand uit te trekken. Het gipsverband deponeerde hij in de plastic draagtas die hij mee had gebracht. Die hele middag bleef hij op zijn hotelkamer, om te voorkomen dat

iemand van de dagploeg bij Receptie hem zonder gipsverband zou zien; en pas laat op de avond, toen de receptie door andere mensen werd bemand, verliet hij het hotel.

Ze hadden hem gezegd dat hij naar de krantenkiosk bij
het station New Street moest gaan; en op het afgesproken tijdstip werd hij benaderd door een man die gehuld
was in motorkleding van zwart leer. Het mompelen van
de identificatiecode nam een paar seconden in beslag,
waarna de plastic zak in andere handen over ging en de
man in het leer verdween. Geen enkele voorbijganger
had een van beiden ook maar enige aandacht geschonken. Tegen het aanbreken van de dag, toen de nacht-
ploeg van het hotel nog dienst had, betaalde de Deen de
rekening, nam de eerste trein naar Manchester en stapte
op de luchthaven van die stad, waar niemand hem ooit
had gezien (met of zonder gipsverband), op het vliegtuig
naar Hamburg. Omstreeks zonsondergang was hij terug
in Berlijn, waar hij met behulp van zijn Deense paspoort
Checkpoint Charlie passeerde. Aan de andere kant werd
hij opgewacht door zijn eigen mensen, die hem rapport
lieten uitbrengen en in quarantaine zetten. Koerier Drie
had zijn zending geleverd.

John Preston ergerde zich en verkeerde in een niet al te
best humeur. Zijn zo zorgvuldig geplande week met
Tommy was definitief naar de knoppen. De dinsdag was
voor een deel verloren gegaan aan het uitbrengen van
rapport aan Harcourt-Smith, zodat Tommy de dag had
moeten zoet brengen met lezen en televisiekijken.
Woensdagochtend had Preston hardnekkig vastgehouden aan het plan voor een bezoek aan het Wassenbeel-
denmuseum van Madame Tussaud, maar 's middags had
hij naar kantoor gemoeten om zijn schriftelijke rapport
te voltooien. Op zijn bureau lag een brief van Crichton,
van Personeelszaken. Die brief had hij gelezen met iets
dat nauwelijks verschilde van volslagen ongeloof.

Het was verpakt in de meest minzame termen, zoals gewoonlijk. Een routinecontrole van de vakantiekaarten had duidelijk gemaakt dat Preston nog vier weken verlof tegoed had; en vanzelfsprekend was hij vertrouwd met de bij mi-5 geldende voorschriften, die behelsden dat het laten oplopen van verlofdagen om voor de hand liggende redenen niet werd aangemoedigd, het was beslist noodzakelijk dat verlofdagen tijdig werden opgenomen – bla, bla, bla. Kortom, er werd van hem verwacht dat hij per omgaande zijn tegoed aan verlofdagen zou opnemen, en wel met ingang van de volgende dag.

'Stomme idioten!' riep hij tegen niemand in het bijzonder. 'Er lopen er hier rond die nog niet eens de weg naar de pisbak kunnen vinden zonder hulp van een Sint Bernard!'

Hij belde naar Personeelszaken en eiste Crichton zelf te spreken. 'Tim, ik ben het, John Preston. Zeg, wat moet die brief op mijn bureau? Ik kan nu onmogelijk verlof opnemen; ik werk aan een zaak, ik zit er middenin... Ja, ik weet dat het belangrijk is geen verlofdagen te laten oplopen, maar deze zaak is zeker zo belangrijk, zo niet verdomd veel belangrijker, dus het spijt me, maar...'

Hij hoorde de uitleg van de bureaucraat over de ontwrichtende invloed van stafleden die hun verlofdagen maar tot in het oneindige lieten oplopen ongeduldig aan, totdat hij het niet langer kon opbrengen en Crichton in rede viel. 'Kijk eens, Tim laten we het kort houden. Het enige wat jij hoeft te doen is Harcourt-Smith bellen. Die zal je duidelijk maken hoe belangrijk de zaak is waaraan ik werk. Dat verlof kan ik van de zomer altijd nog opnemen.'

'John,' zei Tim Crichton vriendelijk, 'deze brief is je op uitdrukkelijk bevel van Harcourt-Smith zelf geschreven.'

Preston staarde een poosje sprakeloos naar de hoorn.

'O,' zei hij eindelijk. 'Ik begrijp het.' Hij legde op.

'Waar ga jij heen?' vroeg Bright, toen hij koers zette naar de deur.

'Een stevige borrel pakken,' zei Preston.

Het lunchuur was ruimschoots voorbij en de bar was vrijwel verlaten, maar de late lunchers hadden nog niet allemáál plaats gemaakt voor de dorstlessers van het eerste uur. In een van de hoeken zat een stel uit Charles Street met elkaar te fluisteren, de hoofden dicht bij elkaar, dus hees hij zich op een van de krukken voor de tapkast; hij had behoefte aan eenzaamheid.

'Whisky,' zei hij. 'En een flinke.'

'Voor mij van 't zelfde,' zei een stem ter hoogte van zijn elleboog. 'En zet ze allebei op mijn nota.' Preston draaide zich om en ontwaarde Barry Banks, van K-7.

'Middag, John,' zei Banks. 'Ik zag je net naar binnen schieten toen ik de foyer overstak. Ik wilde je even zeggen dat ik iets voor je heb. De grote baas was je uiterst dankbaar.

'O, ja, dat. Niets te danken.'

'Ik kom het je morgen op kantoor wel even aanreiken,' zei Banks.

'Doe vooral geen moeite,' zei Preston verbitterd. 'We zijn hier om mijn vier weken verlof te vieren. Met ingang van morgenochtend – *verplicht*. Proost.'

'Daar hoef je toch niet nijdig om te zijn,' zei Banks vriendelijk. 'De meeste mensen snakken ernaar om hier een poosje vandaan te kunnen.' Het was hem niet ontgaan dat Preston over het een of ander kwaad was en hij wilde nu proberen te weten te komen waarover zijn collega van MI-5 zich zo druk maakte. Hij kon Preston alleen moeilijk uitleggen dat sir Nigel Irvine, het hoofd van MI-6, hem had verzocht toenadering te zoeken tot het 'Zwarte Schaap' van Harcourt-Smith en hem te rapporteren wat hij te weten kwam.

Een uur en drie whisky's later verkeerde Preston nog altijd in een uiterst sombere stemming. 'Ik denk er hard over m'n ontslag in te dienen,' zei hij plotseling. Banks, een uitstekend luisteraar die alleen zo nu en dan iets in het midden bracht om wat meer aan de weet te kunnen komen, toonde zich bezorgd.

'Dat lijkt me nogal drastisch,' zei hij. 'Ligt de situatie zo beroerd?'

'Luister, Barry, ik zie er niet tegenop om vanaf een hoogte van twintigduizend voet een vrije val te maken. Ik neem het zelfs niemand kwalijk als ze me als schietschijf gaan gebruiken zodra de parachute zich heeft geopend. Maar ik krijg flink de pest in als de klap van m'n eigen kant komt. Is dat zo onredelijk?'

'Zo te horen een volkomen gerechtvaardigde reactie,' beaamde Banks. 'Dus welke kant neemt je momenteel onder vuur?'

'Die wijsneus van boven,' gromde Preston. 'Ik heb weer eens een rapport ingediend waarvan de inhoud hem niet bevalt.'

'Zeker weer in het archief gestopt?'

Preston haalde z'n schouders op. 'Dat zal nog wel gebeuren, denk ik.'

Op dat moment ging de deur van de bar open om een groepje 'van boven' door te laten: Brian Harcourt-Smith, omstuwd door een stel van zijn sectiehoofden. Preston leegde zijn glas.

'Nou, laat ik welwillend tegenover je zijn en wegwezen. Ik had m'n zoontje beloofd vanavond met hem naar de bioscoop te zullen gaan.'

Toen hij weg was dronk Barry Banks zijn glas leeg, vermeed zorgvuldig een invitatie van het groepie aan de bar om erbij te komen zitten en ging naar zijn kantoor. Van daaruit voerde hij een langdurig telefoongesprek met 'C' in Sentinel House, het hoofdkwartier van MI-6.

Pas in het holst van de nacht was majoor Petrofski terug in Cherryhayes Close. Zijn motorkleding en valhelm had hij bij de BMW achtergelaten in de garage die hij in Thetford had gehuurd. Toen hij stilletjes zijn kleine gehuurde Ford de korte oprit naar de garage opreed en naar binnen ging droeg hij een onopvallend pak en een lichte regenjas. Niemand nam notitie van hem, noch van de plastic draagtas in zijn linker hand. Nadat hij de voordeur achter zich op slot had gedraaid ging hij naar boven en trok de onderste lade van de commode open. De Sony transistorradio lag er al in; en het lege gipsverband uit de draagtas legde hij ernaast. Hij liet beide dingen met rust: hij wist niet wat ze precies bevatten en was niet van plan er een onderzoek naar in te stellen. Dat was de taak voor de assembleerder, die echter pas zou arriveren als alle benodigde componenten veilig en wel ter bestemde plaatse waren. Voor het slapen gaan zette hij thee. In totaal zouden er negen koeriers komen: dat betekende negen eerste ontmoetingen en, voor als de 'pakezel' de eerste keer niet kwam opdagen, negen reserve-trefpunten. Hij had ze allemaal in zijn hoofd geprent, plus de gegevens voor nog eens zes andere lokaties en tijdstippen die betrekking hadden op de drie extra koeriers die zo nodig de oorspronkelijk geplande 'pakezel' moesten vervangen. Een van die drie extra-koeriers zou nu in actie moeten komen, aangezien Koerier Twee niet was komen opdagen. Petrofski wist absoluut niet waarom deze koerier in gebreke was gebleven. Ver weg, in Moskou, was er iemand die dat wel wist: majoor Wolkov. Moskou had een volledig rapport ontvangen van de consul in Glasgow: deze had zijn overheid verzekerd dat de eigendommen van de dode matroos op het politiebureau van Partick werden bewaard en daar in verzekerde bewaring zouden blijven tot het onderzoek was afgesloten.

Petrofski ging de afzonderlijke punten van zijn gememoriseerde lijst nog eens na. Koerier Vier moest over vier dagen arriveren en zou zich melden op een lokatie in het Londense West-End. Tegen het krieken van de dag – de ochtend van de zestiende – sliep hij eindelijk in. Terwijl hij wegdoezelde hoorde hij het gegier van een electrisch melkwagentje dat de straat in reed om de eerste bestellingen van die dag af te leveren.

Ditmaal wond Banks er minder doekjes om. Hij wachtte Preston op in de ingangshal van zijn eigen flatgebouw, toen hij vrijdagmiddag met Tommy op de passagiersstoel naast zich kwam aanrijden. Ze hadden samen een bezoek gebracht aan het Hendon Aircraft Museum, waar de jongen, in geestdrift ontstoken door de gevechtsvliegtuigen uit een voorbij tijdperk, had aangekondigd dat hij later piloot wilde worden. Zijn vader wist dat hij voor die tijd al zeker vijf andere beroepen had uitverkoren en dat hij nog voor het jaar om was van gedachten zou veranderen. Het was een fijne middag geweest.

Banks scheen zich te verbazen toen hij de jongen in het oog kreeg; kennelijk had hij niet op diens aanwezigheid gerekend. Hij knikte Preston en zoon glimlachend toe, waarna John hem aan Tommy voorstelde met de woorden 'iemand van kantoor.'

'Waar gaat het deze keer om?' vroeg Preston.

'Een collega van me wil je graag nog even spreken,' zei Banks behoedzaam.

'Schikt het maandag?' vroeg Preston. Aanstaande zondag zou z'n weekje met Tommy om zijn en moest hij de jongen naar Mayfair rijden om hem daar over te dragen aan Julia.

'Om je de waarheid te zeggen zit hij op dit moment op je te wachten.'

'Alweer op de achterbank van een auto?'

'Eh, nee, dat niet. In een flatje dat we aanhouden in Chelsea.'

Preston zuchtte. 'Geef me het adres maar, dan ga ik erheen terwijl jij met Tommy even verderop een ijsje gaat eten.'

'Ik moet even ruggespraak houden,' zei Banks. Hij liep naar een telefooncel voor het gebouw en draaide een nummer. Preston en zoon bleven op de stoep wachten. Banks kwam even later terug en knikte hen toe. 'In orde,' zei hij, Preston een stukje papier overhandigend. Preston reed weg, terwijl Tommy Barry Banks de weg begon te wijzen naar zijn lievelings-ijssalon.

Het was een kleine, onopvallende flat in een modern gebouw opzij van Manor Street, in het district Chelsea. Sir Nigel deed zelf open – zoals gebruikelijk een en al hoffelijkheid.

'Ah, John, m'n beste, fijn dat je wilde komen.' Als ze hem iemand hadden gebracht die als een soort rollade in touw was gewikkeld en gedragen moest worden door vier potige kerels, zou hij vermoedelijk nog hebben gezegd: 'Ah, fijn dat je wilde komen.'

Nadat ze in de kleine zitkamer hadden plaatsgenomen hield 'C' het rapport omhoog dat Preston over het bestaan van het *Manifest for the British Revolution* had ingediend bij Harcourt-Smith. 'M'n oprechte dank. Buitengewoon belangwekkend.'

'Maar kennelijk ongeloofwaardig.'

Sir Nigel nam de jongere man tegenover hem scherp op, maar koos zijn woorden met zorg. 'Daar zou ik het niet zo een, twee, drie mee eens zijn, geloof ik.' Toen gleed er een vluchtige glimlach over zijn gezicht en veranderde bij van onderwerp. 'Luister, John, ik moet je vragen om niet té ongunstig over Barry te denken – ik heb hem zelf gevraagd een oogje op jou te houden. Het komt me voor dat je momenteel niet al te gelukkig bent met je werk.'

'Ik bén momenteel niet aan het werk, sir. Ik heb verplicht verlof moeten opnemen.'

'Zoiets had ik begrepen, ja. Vanwege iets dat in Glasgow was gebeurd, is 't niet?'

'Hebt u dan nog geen rapport over dat incident van vorige week in Glasgow ontvangen? Het ging om een Russische zeeman, een matroos die naar mijn overtuiging als koerier fungeerde. Een dergelijk voorval gaat MI-6 toch in ieder geval aan?'

'Ik twijfel er niet aan dat het binnen niet al te lange tijd op m'n bureau zal liggen,' zei sir Nigel voorzichtig. 'Zou je zo vriendelijk willen zijn mij alvast de zaak uit de doeken te doen?'

Preston begon bij het begin en deed hem het relaas zo volledig mogelijk, voor zover hij de feiten kende. Sir Nigel zat erbij alsof hij in gedachten was verzonken, wat inderdaad zo was: met een deel van zijn geest absorbeerde hij ieder woord, terwijl de rest van zijn brein probeerde samenhangen te ontdekken. 'Ze zullen het toch niet werkelijk durven proberen?' dacht hij. 'Inbreuk maken op het Vierde Protocol? Of toch?' Wanhopige mensen nemen soms wanhoopsmaatregelen; en hij kon voor de vuist weg een aantal redenen opnoemen waarom de USSR op verscheidene gebieden – voedselproduktie, economie, Afghanistan – in een wanhoopssituatie verkeerde. Hij realiseerde zich dat Preston zweeg.

'Neem me niet kwalijk,' zei hij vlug. 'Wat leid je uit dit alles af?'

'Dat Semjonov geen matroos bij de koopvaardij was, maar een koerier. Die conclusie lijkt me onontkoombaar. Ik geloof niet dat hij al die moeite had gedaan om dat wat hij bij zich had te beschermen, of er ook maar over had gepiekerd zelf een eind aan z'n leven te maken om aan een eventueel verhoor door ons te ontkomen, *tenzij* hem was ingeprent dat zijn missie van kardinaal belang was.'

'Klinkt logisch,' beaamde sir Nigel. 'Dus?'

'Dus geloof ik dat die schijf van polonium aan iemand ter hand moest worden gesteld, hetzij rechtstreeks in een rendez-vous, óf door hem achter te laten in een zogenaamde brievenbus. Dat houdt in dat er een agent binnen de grenzen actief moet zijn. En ik ben van mening dat we moeten proberen hem bij z'n kladden te grijpen.'

Sir Nigel perste zijn lippen opeen. 'Als het een eersteklas illegaal agent betreft komt dat overeen met het zoeken naar een naald in een hooiberg,' mompelde hij.

'Dat realiseer ik me, sir.'

'Stel dat je niet verplicht met verlof was gestuurd, welke volmachten zou je dan hebben gevraagd?'

'Ik heb zo'n idee, sir Nigel, dat niemand iets kan beginnen met alleen een schijf van polonium. Wat deze veronderstelde illegaal ook in z'n schild voert, hij zal er andere componenten bij nodig hebben. Nu heb ik de indruk dat degene die Semjonov hierheen stuurde weloverwogen heeft besloten geen gebruik te maken van de diensten van diplomatieke koeriers en hun verzegelde postzakken. Waaróm weet ik niet; alleen zou het een stuk eenvoudiger zijn geweest een klein, van een loodmantel voorzien pakje via de postzak van de ambassade Groot-Brittannië binnen te smokkelen om dat vervolgens door hun Lijn-N-man naar een brievenbus te laten brengen, waar de agent-te-velde het had kunnen oppikken. Ik vraag me daarom af waarom ze daar geen gebruik van wilden maken. En het korte antwoord moet luiden dat ik het niet weet.'

'Juist,' zei sir Nigel. 'Dus?'

'Dus als er één zending is gestuurd – die op zichzelf nutteloos is – moeten er nog meer komen. Sommige zijn misschien zelfs al gearriveerd. Als we af mogen gaan op de wet van het gemiddelde, kunnen we erop rekenen dat er nog meer onderweg zullen zijn. Blijkbaar via "pakezels" of koeriers die zich voordoen als onschuldige zeelui of Joost-mag-weten-wat-nog-meer.'

'En wat had je je nu voorgesteld te doen?' vroeg sir Nigel.

'Ik *zou* graag' – hij legde een onmiskenbare nadruk op het woordje – 'alle entrees vanuit de Sovjet-Unie gedurende de afgelopen veertig, vijftig of desnoods honderd dagen willen natrekken. We mogen er niet van uitgaan dat er nog een tweede koerier door punks is afgetuigd, maar de mogelijkheid van een ander incident is niet uitgesloten. Verder zou ik de controle op alle entrees uit het hele Oostblok aanzienlijk willen verscherpen, om te zien of we soms nog een tweede component kunnen onderscheppen. Als hoofd van sectie C-s (C) hád ik dat kunnen doen.'

'En je bent bang dat je daar nu de kans niet voor zult krijgen?'

Preston schudde het hoofd. 'Zelfs al zou ik toestemming krijgen morgen weer aan de slag te gaan, dan nóg ben ik ervan overtuigd dat ik van deze zaak zal worden ontlast. Kennelijk word ik als een soort paniekzaaier beschouwd; als iemand die veel te veel ophef maakt.'

Sir Nigel Irvine knikte peinzend. 'Elkaar vliegen afvangen wordt in het inlichtingenapparaat niet bepaald als *comme il faut* beschouwd,' zei hij, op een toon alsof hij hardop nadacht. 'Toen ik jou verzocht voor mij een onderzoek in te stellen in Zuid-Afrika, kreeg ik daarvoor de zegen van sir Bernard. Later ben ik te weten gekomen dat deze bemoeienis – hoe tijdelijk dan ook – in bepaalde kringen van Charles Street enige animositeit heeft veroorzaakt. En aan een openlijke ruzie met MI-5 heb ik als hoofd van MI-6 beslist geen behoefte. Anderzijds ben ik, evenals jij, van mening dat dit incident in Glasgow misschien slechts het topje van de spreekwoordelijke ijsberg is. Maar om een lang verhaal kort te maken: je hebt nog drie weken verlof. Zou je bereid zijn die weken te gebruiken om aan deze zaak verder te werken?'

'Namens wie?' vroeg Preston onthutst.

'Namens mij,' zei sir Nigel. 'Alleen kun je je niet in Sentinel laten zien; zulk nieuws verspreidt zich als een lopend vuurtje.'

'Van waaruit moet ik dan werken?'

'Vanuit deze flat,' zei sir Nigel. 'Ruim is hij niet, maar wel van alle gemakken voorzien. Ik ben zelf bevoegd om precies dezelfde informatie te vragen als jij wanneer je in functie bent. Ieder incident waarbij een persoon uit de Sovjet-Unie of het Oostblok betrokken is geweest zal geregistreerd zijn – ofwel zwart-op-wit, of per computer. Aangezien jij niet naar de dossiers of de computer kunt, zal ik de noodzakelijke dossiers en computerstaten hierheen laten brengen. Wel?'

'Als ze er in Charles ooit achter komen is het in F-Five

voorgoed met me gebeurd,' zei Preston, denkend aan zijn salaris, zijn pensioenrechten, de geringe kans om op zijn leeftijd nog ander werk te vinden. En aan Tommy.

'Hoeveel tijd denk je nog in Charles te hebben, onder de huidige leiding?' vroeg sir Nigel.

Preston liet een kort lachje horen. 'Niet veel,' zei hij. 'Goed, sir Nigel, ik doe het. Ik wil aan deze zaak verder werken. Er zit iets achter, daar ben ik van overtuigd.'

Sir Nigel knikte waarderend. 'Je bent een vasthouder, John. Ik stel daar prijs op. Vasthoudendheid levert in de regel uiteindelijk resultaat op. Zorg dat je hier maandag bent. Ik zal zorgen dat twee van mijn jongens hierheen komen. Je kunt hen vragen om wat je maar wilt; zij zullen ervoor zorgen.'

Op de maandagmorgen dat John Preston in dat flatje in Chelsea aan zijn taak begon arriveerde de internationaal vermaarde Tsjechische concertpianist vanuit Praag op Heathrow: hij zou de volgende avond een concert geven in Wigmore Hall. De luchthavenautoriteiten waren van tevoren verwittigd, en met het oog op zijn status werden de douaneformaliteiten zo kort mogelijk gehouden. De oude musicus werd in de aankomsthal opgewacht door een vertegenwoordiger van het Victor-Hochhauser-impresariaat, die hem met zijn kleine gevolg dadelijk naar zijn suite in het Cumberland-hotel loodste. Zijn gevolg bestond uit drie personen: zijn persoonlijke bediende, die belast was met de zorg voor zijn kleding en die taak met devote toewijding verrichtte; een secretaresse, die zijn fanmail voor hem behandelde en andere correspondentie voor hem verzorgde; en zijn rechter hand, een lange sombere man die Litsjka heette en de functie van manager vervulde: hij voerde de onderhandelingen met de theaterbureaus, zorgde voor financiële aangelegenheden en scheen te leven op een dieet van maagzuurtabletten.

Die maandag werkte Litsjka een abnormaal grote hoeveelheid van zijn pilletjes naar binnen. Eigenlijk had hij dat wat ze van hem eisten niet willen doen, maar de 'heren' van de STB waren met zeer krachtdadige argumenten voor de draad gekomen. Niemand die bij z'n volle verstand was zou de STB durven dwarsbomen, de Geheime Politie annex Geheime Dienst van Tsjechoslowakije, want dan liep hij of zij het risico voor een 'nader gesprek' te worden uitgenodigd op het hoofdkwartier van de STB – het zo gevreesde Klooster. En de 'heren' van de STB hadden er geen twijfel over laten bestaan dat de toelating van Litsjka's kleindochter op de universiteit aanmerkelijk gemakkelijker tot stand zou komen als hij bereid was hen te helpen; een vriendelijke manier om hem onder het oog te brengen dat het meisje geen schijn van kans zou maken als hij weigerde.

Toen ze hem z'n schoenen hadden teruggegeven had hij aan niets kunnen ontdekken dat eraan geknoeid was; en in overeenstemming met zijn instructies had hij ze gedurende de vlucht en de wandeling door de luchthaven Heathrow gedragen. Diezelfde avond meldde er zich een man bij de receptie van het Cumberland-hotel, een man die beleefd verzocht om het kamernummer van de heer Litsjka. Wat hem met evenveel beleefdheid werd gegeven. Vijf minuten later, precies op het tijdstip dat hem door zijn instructeurs was genoemd, werd er zacht op de kamerdeur van Litsjka geklopt. Even later werd er een strookje papier onder de deur door geschoven. Hij controleerde de identificatiecode, opende de deur op een kier en stak zijn hand er doorheen, mét de plastic zak waarin hij de schoenen had gestopt. De zak werd door een onzichtbare hand overgenomen en hij deed de deur weer dicht. Toen Litsjka het strookje papier door het toilet had gespoeld slaakte hij een zucht van opluchting: het was eenvoudiger geweest dan hij had verwacht. 'Zo,' dacht hij, 'nu kunnen we ons weer gaan bezighouden met het maken van muziek.'

Nog voor middernacht belandde het paar herenschoenen ergens in een achterafstraatje in Ipswich in de lade waarin ook de Sony transistorradio en het gipsverband al lagen te wachten. Koerier Vier had zijn zending afgeleverd.

Vrijdagmiddag kwam sir Nigel Irvine Preston opzoeken in het flatje in Chelsea. De man van MI-5 zag er uitgeput uit en overal in de flat lagen dossiers en computerstaten opgetast. Hij was nu vijf dagen achtereen bezig geweest zonder iets te vinden. Hij was begonnen met het natrekken van iedere entree vanuit de USSR gedurende de afgelopen zes weken. Dat bleken er honderden te zijn geweest. Leden van handels- en andere delegaties; industriële inkopers; journalisten; vakbondsvertegenwoordigers; een koor uit Georgië; een dansgroep, bestaande uit kozakken; tien atleten met hun hele entourage; plus een groepje dokters dat deel ging nemen aan een medisch congres in Manchester. En dat waren alleen de Russen nog maar.

Uit de Sovjet-Unie was voorts nog een aantal terugkerende toeristen gekomen; de cultuurverslinders die hun hart hadden kunnen ophalen in de Hermitage te Leningrad; of zelfs een groep schoolkinderen die in Kiev een aubade had gebracht aan de vrede – willige slachtoffers voor het Sovjet-Russische propaganda-apparaat, omdat ze op persconferenties in Moskou en Charkov de politiek van hun eigen land scherp hadden veroordeeld.

Maar zelfs deze lijst omvatte niet de Aeroflot-bemanningen die in het kader van het dagelijkse vliegverkeer heen en weer plachten te pendelen; vandaar dat eerste piloot Romanov nauwelijks een vermelding waard was geweest. Vanzelfsprekend was er ook nergens iets te vinden over de reis van een Deen die vanuit Parijs naar Birmingham was gevlogen en het land via het vliegveld van Manchester weer had verlaten. Toen het woensdag was geworden had Preston moeten kiezen: of wel doorgaan met uitsluitend de entrees vanuit de Sovjet-Unie, maar dan teruggaan tot zestig dagen; óf zijn voelhorens uitstrekken tot *alle* entrees vanuit ieder willekeurig land dat tot het Oostblok behoorde. Bij elkaar betrof dat duizenden en nog eens duizenden personen. Niettemin had hij voor het laatste gekozen, maar met de beperking dat hij niet verder terug zou gaan dan tot veertig dagen. De berg papier dreigde hem over het hoofd te groeien.

De douane had zich uiterst hulpvaardig getoond. Er was het een en ander geconfisqueerd, maar altijd omdat betrokkene meer had willen meenemen dan hij belastingvrij mocht invoeren. Er was niets bij geweest waarvan de aard onduidelijk was. De immigratiedienst had geen paspoorten ingenomen waaraan 'geknoeid' was – maar dat was te verwachten: de zonderlinge en soms monumentale staaltjes van documentair knoeiwerk waarmee mensen uit de Derde Wereld de paspoortencontrole zo nu en dan probeerden te verschalken werden nooit aangetroffen bij mensen uit een communistisch land. Zelfs geen verlopen paspoorten, de gebruikelijke reden waarom een bezoeker de toegang tot het land werd ontzegd. In communistische landen werd het paspoort van een vertrekkende reiziger zo grondig gecontroleerd dat er wel heel weinig kans bestond op een opgestoken hand bij het overschrijden van de grens met een westers land.

'En dat,' zei Preston triest, 'betekent dat de niet te controleren gevallen nog overblijven. Andere koopvaardijmatrozen die zonder welke vorm van controle dan ook via meer dan twintig havens het land binnen kunnen komen; de bemanningsleden van de fabrieksschepen die behoren tot de Russische trawler-vloot die momenteel voor de Schotse kust aan het vissen is; de bemanningen van commerciële lijnvluchten die nauwelijks of niet worden gecontroleerd; en dan al degenen met een diplomatiek paspoort nog.'

'Dat had ik wel gedacht,' zei sir Nigel. 'Zoiets is niet eenvoudig. Heb je eigenlijk enig idee waarnaar je moet zoeken?'

'Dat wel, sir. Ik heb een van uw mensen maandag naar Aldermaston gestuurd, waar hij de hele dag met een paar mensen van de nucleaire afdeling heeft gesproken. Het lijkt erop dat die poloniumschijf geschikt zou zijn voor een klein, simpel en niet al te krachtig kernwapen, voor zover je ooit een atoombom "niet al te krachtig" mag noemen.'

Hij reikte sir Nigel een lijstje aan waarop de benodigde componenten stonden aangegeven.

'Naar schatting van de deskundigen zijn dit zo ongeveer de spullen waarnaar we moeten zoeken.'

'C' bestudeerde het lijstje. 'Is dat alles wat je ervoor nodig hebt?' vroeg hij eindelijk.

'In geprefabriceerde vorm, ja. Ik had geen idee dat het allemaal zo simpel kon zijn. Afgezien van de kern van splijtstof en de metalen stamper zijn het stuk voor stuk dingen die je nagenoeg overal kunt verstoppen zonder dat het iemand opvalt.'

'Welnu, John, wat doen we nu verder?'

'Ik zoek naar een patroon, sir Nigel. Dat is zo'n beetje het enige dat me overblijft. Een patroon van entrees en exits op hetzelfde paspoortnummer. Als ze gebruik maken van een of twee koeriers zouden die regelmatig het land moeten binnenkomen en verlaten, uiteraard via verschillende lucht- of zeehavens; en waarschijnlijk zouden ze afkomstig zijn uit verschillende plaatsen overzee. Maar als er inderdaad een dergelijk patroon te ontdekken valt, kunnen we naar het hele land een waarschuwing laten uitgaan die betrekking heeft op een zeer beperkt groepje paspoortnummers. Veel is het niet, maar het is alles dat we hebben.'

Sir Nigel stond op. 'Ga door zo, John. 'Ik zal zorgen dat je over iedere informatie kunt beschikken waarom je vraagt. Laten we hopen en bidden dat degene met wie we te maken hebben een foutje maakt – één enkel foutje maar – door twee, drie keer gebruik te maken van dezelfde koerier.'

Maar majoor Wolkov was té bekwaam om dergelijke foutjes te maken. Hij was volkomen onkundig van de aard van de componenten, noch wist hij waarvoor ze zouden worden gebruikt. Hij wist alleen dat hem was opgedragen ervoor te zorgen dat ze tijdig in Groot-Brittannië zouden zijn, dat iedere koerier de gegevens van zijn eerste rendez-vous en de reserve-ontmoeting in z'n hoofd had geprent en dat er niets via de *redizentoera* in de ambassade te Londen mocht gaan.

Hij beschikte over twaalf 'pakezels' voor het overbrengen van negen zendingen. Sommige 'pakezels' waren geen beroepskoerier; maar aangezien hun dekmantel onberispelijk was en hun reis naar het Verenigd Koninkrijk al weken of soms maanden eerder was vastgesteld (nog voor er zoiets bestond als Plan Aurora) had hij ermee ingestemd dat zij zouden worden ingezet.

Om generaal-majoor Borisov niet achterdochtig te maken door hem nog eens twaalf 'legenden' en illegale agenten afhandig te maken, had hij zijn vangnet uitgebreid tot buiten de USSR door een beroep te doen op drie 'zusterorganisaties': de Tsjechoslowaakse STB; de Poolse SB; en vooral ook het volgzame Haupt Verwaltung Aufklarung of HVA van de niet tot het stellen van vragen geneigde Oostduitse Geheime Dienst, de SSD. Vooral hún agenten waren goed. Hoewel er in West-Duitsland, Frankrijk en Groot-Brittannië gemeenschappen van Polen en Tsjechen zijn gevestigd, kunnen de Oostduiters op één groot voordeel bogen. Vanwege de etnische overeenstemming tussen Oost- en Westduiters én vanwege het feit dat er al vele tienduizenden Oostduitsers naar de Bondsrepubliek zijn gevlucht, beschikte het HVA over verreweg het grootste aantal illegale agenten van alle landen behorend tot het Oostblok – agenten die voornamelijk geleid werden door de SSD-vestiging in Oost-Berlijn. Wolkov had besloten slechts twee Russen in te zetten en hen bovendien als eersten te sturen. Hij had onmogelijk kunnen weten dat een van de twee door een stel punks in elkaar geslagen zou worden; noch was hij ervan op de hoogte dat de zending van de zogenaamde matroos niet meer achter slot en grendel in een Glasgows wijkbureau werd bewaard. Hij nam alleen een aantal voorzorgsmaatregelen, eenvoudig omdat dit in zijn aard lag en omdat het behoorde tot de grondbeginselen van zijn vak. Voor de resterende zeven 'colli' benutte hij een door de Polen geleverde koerier, twee Tsjechische (onder wie Litsjka) en vier Oostduitse. De tiende koerier, de plaatsvervanger van Koerier Twee die zelfmoord had gepleegd, zou eveneens door de Poolse Geheime Dienst worden geleverd. Voor het wijzigen van de constructie van twee motorvoertuigen maakte Wolkov gebruik van een voor de SSD werkende garage in Brunswick, in Oost-Duitsland.

Alleen de beide Russen en de Tsjech Litsjka zouden vanuit het Oostblok naar Groot-Brittannië vertrekken; maar nu zou ook de tiende koerier moeten worden ingezet – en hij was werkzaam bij de Poolse staatsluchtvaartmaatschappij, de LOT. Nee, Wolkov zou niet toelaten dat ook maar een van de 'patronen' waarnaar Preston in zijn berg van paperassen in Chelsea op zoek was zich kon aftekenen.

Sir Nigel Irvine wilde, zoals zovelen die hun werkterrein hebben in het centrum van Londen, de weekeinden altijd zoveel mogelijk buiten de metropool doorbrengen, in de frisse lucht. Door-de-weeks woonden hij en lady Irvine in de stad; maar in het zuidoosten van het graafschap Dorset, op het eilandje Purbeck, bezaten ze een klein en rustiek buitenhuis in het dorp Langton Matravers.

Die zondag had 'C' een dikke tweed-jas aangetrokken, een hoed opgezet en een dikke wandelstok van essehout genomen: hij ging een wandeling maken langs de karresporen en landwegen rondom Langton Matravers en belandde tenslotte op de hoge klippen boven Chapman's

Pool, bij St. Alban's Head. Hoewel de zon volop scheen was de wind tamelijk kil. De stevige bries speelde met de zilvergrijze lokken die als kleine vleugeltjes boven zijn oren uitstaken en aan zijn hoed waren ontsnapt. Hij nam het voetpad naar boven en wandelde diep in gedachten verder, zo nu en dan stilhoudend om over de witgekuifde golven van het Kanaal in het oneindige te staren. Hij was met zijn gedachten bij de gevolgtrekkingen in het eerste rapport van Preston en de opmerkelijke manier waarop de conclusies van Sweeting uit Oxford ermee overeenstemden. Toeval? Strohalmen? Voldoende basis om een overtuiging op te laten stoelen? Of niet meer dan een massa nonsens, bedacht door een spionnenvanger met een overmaat aan fantasie en een wereldvreemde academicus?

Maar stél dat het allemaal waar was, kon er dan enig verband bestaan met een kleine schijf van polonium uit Leningrad die onuitgenodigd in een Glasgows wijkbureau was beland? Als die metalen schijf inderdaad datgene was waarvoor Wynne-Evans hem aanzag, wat kon dat dan te betekenen hebben? Was het mogelijk dat er, daarginds aan de andere kant van die schuimende golven, iemand was die daadwerkelijk bezig was inbreuk te maken op het Vierde Protocol? En *als* dat zo was, wie kon dat dan zijn? Tsjebrikov of Krjoetsjkov van de KGB? Die zouden zoiets nooit durven wagen, tenzij in opdracht van de secretaris-generaal van de CPSU. Maar als inderdaad de secretaris-generaal opdracht hiertoe had gegeven, waaróm dan?

En waarom niet via de diplomatieke koerier? Dat zou veel eenvoudiger, gemakkelijker en veiliger zijn geweest. Hij meende voor dit laatste wel een reden te kunnen bedenken. Als er gebruik was gemaakt van de diplomatieke post had de KGB-*rezidentoera* in de ambassade ingeschakeld moeten worden. Beter dan Tsjebrikov, Krjoetsjkov of de secretaris-generaal, beter dan wie dan ook, wist sir Nigel dat de *rezidentoera* was geïnfiltreerd. Zijn eigen 'bron' – Andrejev – maakte er deel van uit. Ja, dat leek logisch. Hij vermoedde dat de secretaris-generaal alle reden had om geschokt te zijn door de golf van overloopgevallen die zich de laatste tijd in de KGB-gelederen had voorgedaan. Alle informatie van de andere kant wees erop dat de teleurstelling die zich in Sovjet-Rusland op ieder niveau bestond zo hevig was dat zelfs de elite erdoor werd aangestoken. Afgezien van alle overlopers – een verschijnsel dat aan het eind van de jaren zeventig fikse proporties had aangenomen en in de loop van de daarop volgende jaren alleen maar groter was geworden – waren er ook nog de vele diplomaten die overal ter wereld door landen waren uitgewezen, deels omdat ze wanhopige pogingen in het werk stelden om agenten voor de Sovjet-Unie te recruteren. Dit had de al bestaande wanhoop nog verder aangewakkerd, omdat de opgebouwde netwerken in een toestand van volslagen chaos achterbleven als hun 'dirigenten' – de 'diplomaten' die hen moesten leiden – werden uitgewezen. Zelfs die landen uit de Derde Wereld die een tiental jaren geleden nog braaf naar de pijpen van de Sovjet-Unie hadden gedanst lieten zich tegenwoordig hoe langer hoe meer gelden en stuurden links en rechts Sovjet-Russische agenten 'wegens verregaande ondiplomatieke activiteiten' over hun grenzen.

Inderdaad, het was niet onlogisch dat er een grootscheepse operatie buiten de KGB om op touw was gezet. Uit welingelichte bron had hij vernomen dat de secretaris-generaal zelf symptomen van ernstige paranoia begon te vertonen met betrekking tot de westerse infiltraties in de KGB. Een van de gezegden binnen de inlichtingendiensten luidde, dat er voor iedere overgelopen verrader een tweede aanwezig is – die nog op z'n post zit. Er was daarginds dus iemand die koeriers met hun zendingen naar Groot-Brittannië stuurde; gevaarlijke zendingen die anarchie en chaos konden creëren – op een manier waarvan hij zich nog geen voorstelling kon maken, maar waaraan hij hoe langer hoe minder begon te twijfelen naarmate hij verder wandelde. En die 'iemand' werkte voor een ander iemand, iemand die een bijzonder hoge positie bekleedde en geen greintje liefde koesterde voor dit kleine eilandenrijk. 'Maar jij zult ze niet vinden, John,' prevelde hij tegen de frisse wind in. 'Jij bent verdomd goed, maar zij zijn net even beter. En zij houden alle troeven in handen.'

Sir Nigel Irvine was een van de laatsten van een uitstervend ras van mannen met *grandeur*, mannen die op ieder niveau van de samenleving plaats maakten voor mannen van een heel ander slag, zelfs in de allerhoogste top van het overheidsapparaat: daar waar de instandhouding van zaken als stijl en integriteit met welhaast religieuze ijver werd nagestreefd. Hij staarde uit over het Kanaal, zoals zoveel Engelsen voor hem, en nam zijn besluit. Hij was niet overtuigd van het bestaan van een serieuze dreiging voor het land van zijn voorvaderen; hoogstens van de *mogelijkheid* dat er een dergelijke dreiging kon bestaan. Maar het was genoeg.

Verderop langs de kust, op de heuvelhellingen boven de kleine zeehaven in Sussex die op de kaart staat aangegeven als Newhaven, staarde een andere man uit over de woelige golven van het Kanaal. Hij was gehuld in leren motorkleding en zijn valhelm rustte op de buddy-seat van zijn BMW-motorfiets. Een paar ouderparen met kinderen maakten een zondagse wandeling over de hellingen, maar niemand nam ook maar enige notitie van hem. Zelf sloeg hij de nadering van een veerboot gade, een schip dat al ruimschoots de horizon was gepasseerd en nu onderweg was naar de beschutting van de haven. De *Cornouailles* uit Dieppe zou over een half uur binnenlopen, met aan boord Koerier Vijf. In feite stond die op dat moment op de voorplecht naar de naderende Engelse kust te staren. Hij behoorde tot de passagiers zonder auto, maar hij was in het bezit van een kaartje voor de boottrein naar Londen. Volgens de in zijn paspoort vermelde naam heette hij Anton Zelewski; en dat paspoort loog niet. Het was een Westduits paspoort, zag de douanier die het controleerde, maar dat was niets bijzonders. Tenslotte zijn er honderdduizenden burgers van de Bondsrepubliek met een Pools klinkende naam. Hij mocht doorlopen: de controle van zijn koffer en reistas wees uit dat er geen smokkelwaar in zat – de belastingvrij op de veerboot gekochte fles gin en een ongeopend kistje met vijfentwintig sigaren bleven binnen de toegestane invoerlimieten. De douanier knikte hem toe en wijdde zijn aandacht aan de koffers van de volgende passagier.

Inderdaad had Zelewski een kistje van vijfentwintig goeie sigaren in de belastingvrije winkel op de *Cornouailles* gekocht. Daarna was hij met zijn aankoop in de toiletten verdwenen, had zichzelf ingesloten en daar de accijnszegels van het kistje voorzichtig losgepeuterd, om ze vervolgens met wat lijm te bevestigen op het identieke kistje dat hij al bij zich had. Het kistje met de goeie sigaren ging via een patrijspoort overboord. In de trein naar Londen begaf hij zich meteen naar het eerste eersteklasrijtuig, gerekend vanaf de locomotief, koos de hem genoemde zitplaats bij het raam en wachtte af. Kort voor de trein Lewes bereikte werd de deur van de coupé opengeschoven en ontwaarde hij een man in leren motorkleding. Met één blik overtuigde hij zich ervan dat de coupé verlaten was, op de Duitser na. 'Gaat deze trein rechtstreeks naar Londen?' vroeg hij in accentloos Engels.

'Ik meen dat hij ook in Lewes stopt,' antwoordde Zelewski.

De man in het leer stak zijn geopende hand uit. Zelewski overhandigde hem het platte sigarenkistje. Toen de trein langs het perron van Lewes begon op te trekken zag Zelewski de man nog heel even terug; hij stond op het tegenovergelegen perron, kennelijk op de terugweg naar Newhaven.

Nog voor middernacht belandden de 'sigaren' in de lade met de Sony-radio, het gipsverband en het paar herenschoenen. Koerier Vijf had zijn zending afgeleverd.

17

Sir Nigel had gelijk. De donderdag, de laatste dag van april, hadden de stapels computerstaten nog geen enkel spoor van een patroon onthuld in de entrees van inwoners van Oostblok-landen – mensen die, ongeacht hun vertrekpunt, gedurende de afgelopen veertig dagen herhaaldelijk Groot-Brittannië hadden bezocht. Hetzelfde kon gezegd worden over de entrees van mensen met een andere nationaliteit die gedurende diezelfde periode uit een Oostblokland in het Verenigd Koninkrijk waren aangekomen. Wel was er een aantal paspoorten boven water gekomen waaraan iets onregelmatigs was ontdekt, maar dat was niets bijzonders. Ieder afzonderlijk geval was nagetrokken en de eigenaar ervan was grondig gefouilleerd, maar dat alles had niets opgeleverd: nul komma nul. Er waren drie paspoorten bij waarvan het nummer voorkwam op de lijst van 'ongewenste personen': in twee gevallen had de eigenaar na te zijn uitgewezen geprobeerd opnieuw het land binnen te komen; en in het derde geval betrof het een Amerikaanse onderwereldfiguur die zich bezig placht te houden met de handel in verdovende middelen en belangen had in het gokwezen. Ook dit drietal werd grondig gefouilleerd alvorens op het eerstvolgende vliegtuig te worden gezet, maar er was geen spoortje van een aanwijzing gevonden dat zij als koerier voor Moskou hadden gefungeerd.

'Als de Russen gebruikmaken van inwoners van westerse landen, of van illegale agenten met een onberispelijk westerse dekmantel, vind ik ze nooit,' besefte Preston.

Sir Nigel had opnieuw een wissel getrokken op zijn langdurige vriendschappelijke verstandhouding met sir

Bernard Hemmings om de medewerking van F-5 te verkrijgen. 'Ik heb redenen om aan te nemen dat het Centrum binnen de komende paar weken zal proberen een belangrijke "illegaal" het land in te smokkelen,' had hij gezegd. 'De moeilijkheid is alleen, Bernard, dat ik zijn identiteit niet ken, niet weet waar hij zal proberen het land binnen te komen en zelfs niet over een signalement beschik. Daarom zou ik het bijzonder waarderen als jouw mensen op de entreepunten ons de helpende hand boden.'

Sir Bernard had het verzoek de status van een F-5-operatie gegeven; en ook de overige beveiligingsorganen van de staat – douane, immigratiedienst, Bijzondere Zaken van Scotland Yard en havenpolitie – hadden ermee ingestemd om meer dan gewoonlijk attent te zijn op iedere poging van een buitenlander om met een eigenaardig of onverklaarbaar ding in hun bagage door de controles te komen. De verklaring van sir Nigel was geloofwaardig genoeg, zodat zelfs Brian Harcourt-Smith het niet in verband had gebracht met het door John Preston ingediende rapport over de polonium-schijf – een rapport dat nog altijd in zijn bakje 'Lopende Zaken' lag omdat hij nog niet wist wat hij ermee moest aanvangen.

De kampeerauto arriveerde op de eerste mei. Hij had een Westduits kenteken en kwam met de veerboot uit Calais aan in Dover. De eigenaar en bestuurder, wiens papieren volmaakt in orde waren, heette Helmuth Dorn; en hij had zijn vrouw Lisa en hun beide kleine kinderen bij zich: Uwe, een vijfjarig joch met vlasblond haar, en Brigitte, hun dochtertje van zeven.

Nadat ze de paspoortencontrole waren gepasseerd reden ze naar de groene inklaringszone, bedoeld voor bezoekers die niets aan te geven hadden. Maar een van de daar geposteerde douaniers hield de kampeerauto aan. Na een tweede, uitvoeriger onderzoek van de papieren vroeg de douanier of hij even een kijkje mocht nemen in het kampeergedeelte. Helmuth Dorn stapte uit en liep om de wagen heen om het deurtje voor hem open te maken. De beide kinderen waren achterin aan het spelen en hielden daarmee op toen de man in uniform binnenstapte. Hij knikte hen glimlachend toe, waarop ze begonnen te giechelen. Hij keek om zich heen naar het netjes afgewerkte, keurig aan kant gehouden interieur van het woongedeelte en begon toen de kastjes te controleren. Als Herr Dorn al zenuwachtig was wist hij dat uitstekend te verbergen. De meeste kastjes bevatten de gebruikelijke spullen die een gezin dat een kampeervakantie gaat houden pleegt mee te nemen: kleding, kookgerei, etenswaren, enzovoort. De douanier tilde een voor een de zittingen van de zitbanken op, waarvan de ruimten eronder voor de opslag van beddegoed en dergelijke konden worden benut. Een ervan was in gebruik als speelgoedkast en bevatte twee poppen, een teddybeer en een verzameling zachte rubberballen, vrolijk beschilderd met grote rondjes in allerlei kleuren. De kleine meid overwon als eerste haar schuchterheid. Ze nam een duik in de speelgoedkast en diepte er een van de poppen uit op. Opgewonden begon ze in het Duits tegen de dounanier te praten. Hij verstond er niets van maar knikte en zei lachend: 'Heel mooi, liefje.' Toen draaide hij zich om naar Herr Dorn en stapte de kampeerauto uit. 'Uitstekend, meneer. Prettige vakantie.'

De kampeerauto reed samen met de rest van de kolonne overgezette voertuigen de douaneloods uit en begon de weg naar Dover af te rijden, op weg naar de autowegen die de rest van het graafschap Kent en Londen ontsloten.

'Gott sei dank,' fluisterde Dorn zijn vrouw toe, *'wir sind durchgekommen.'*

Zij nam het kaartlezen voor haar rekening, maar het was niet moeilijk. De hoofdweg, de M20 naar Londen, was zo duidelijk aangegeven dat niemand hem kon missen.

Dorn keek verscheidene keren op zijn horloge. Hij was wat aan de late kant, maar hij had uitdrukkelijk bevel om onder geen enkele voorwaarde de maximumsnelheid te overschrijden. Ze vonden zonder moeite het dorp Charing, even opzij van de M20; en even ten noorden ervan bevond zich de cafetaria The Happy Eater. Dorn draaide het parkeerterrein op en bracht de kampeerauto tot stilstand. Lisa liet de kinderen achter uitstappen en nam ze mee naar binnen om iets te eten. In overeenstemming met zijn instructies lichtte Dorn de motorkap op en stak zijn hoofd eronder. Een paar seconden later merkte hij dat er iemand naast hem stond en keek op. Het bleek een jonge Engelsman te zijn, gekleed in leren motorkleding.
'Panne?' vroeg hij.
'Ik denk dat het de carburateur is,' antwoordde hij.
'Nee,' zei de motorrijder ernstig, 'ik heb zo'n idee dat het de distributeur is. En bovendien dat u aan de late kant bent.'
'Het spijt me, dat kwam door de veerboot. En de douane. Het pakje heb ik achterin.'
In de kampeerwagen haalde de motorrijder een zeildoeken tas uit zijn leren jekker, terwijl Dorn kreunend van inspanning een van de 'rubberballen' van de kinderen uit de speelgoedkast tilde. Het ding had slechts een diameter van 12,5 centimeter, maar woog ruim twintig kilo. Zuiver uranium 235 is per slot van rekening twee maal zo zwaar als lood.
Toen Valeri Petrofski met de stevige tas het parkeerterrein overstak naar zijn motor, had hij zijn niet geringe spierkracht voor de volle honderd procent nodig om de tas te hanteren alsof er niets bijzonders in zat. Niemand die op hem lette, overigens. Dorn sloot zijn motorkap en voegde zich bij z'n gezin in de cafetaria. Nadat Petrofski de zware bol in de bagagedoos achter z'n buddyseat had opgeborgen reed hij met brullende motor weg richting Londen, waar hij via de Dartford-tunnel naar Suffolk zou gaan. Koerier Zes had zijn zending afgeleverd.

De vierde mei realiseerde Preston zich dat hij een doodlopende weg was ingeslagen. Hij was nu bijna drie weken
bezig, maar had met al zijn gewroet niets boven water
gebracht: het enige dat hij in handen had was de schijf
polonium en die was hem nog door zuiver geluk in de
schoot gevallen. Hij wist dat er geen sprake van kon zijn
de douane te verzoeken om het grondig fouilleren van
iedere bezoeker die Groot-Brittannië binnen wilde. Het
enige wat hij kon doen was vragen om een verscherping
van de controle op alle inwoners van het Oostblok die
het land binnenkwamen, en er op aandringen dat hij
ogenblikkelijk zou worden gewaarschuwd als er ergens
een verdacht paspoort werd ontdekt. Er was echter nog
één andere, laatste mogelijkheid.

Volgens het rapport van de experts op het gebied van nucleaire wapens in Aldermaston zouden drie van de onderdelen die voor zelfs de allereenvoudigste atoombom
nodig waren uitzonderlijk zwaar moeten zijn. Een van de
componenten was namelijk een blok zuiver uranium
235; een tweede component was een dubbele schaal met
een bolle vorm, vervaardigd van gehard chroomstaal ter
dikte van minstens 2,5 centimeter; en de derde zware
component moest de vorm hebben van een stalen buis,
eveneens vervaardigd van gehard chroomstaal, met een
diameter van tien centimeter en een lengte van circa 46
centimeter. Het gewicht ervan moest minstens veertien
tot vijftien kilogram bedragen. Preston veronderstelde
dat deze drie onderdelen althans per gemotoriseerd
voertuig het land zouden binnenkomen; reden waarom
hij verzocht om een verscherping van de controle op
buitenlandse motorvoertuigen, waarbij met name op
voorwerpen met het uiterlijk van een bol, een cilinder of
een pijp van uitzonderlijk gewicht moest worden gelet.
Preston besefte dat het een kans was van een op de zoveel miljoen: iedere dag van het jaar was er een aanhou-
dende stroom van voertuigen die het land binnenkwamen of verlieten. Alleen al een stringente controle van

het vrachtwagenverkeer, waarbij iedere vrachtwagen werd aangehouden en doorzocht, zou het economisch leven vrijwel geheel tot stilstand brengen. Het was zoals sir Nigel had gezegd: hij zocht naar de naald in de spreekwoordelijke hooiberg en beschikte niet eens over een magneet...

De spanningen begonnen hun sporen na te laten in het gezicht van George Berenson. Zijn vrouw had hem verlaten en was teruggegaan naar het statige buiten van haar broer in Yorkshire. Hij had nu twaalf séances met de deskundigen van het ministerie achter de rug en hun ieder afzonderlijk document dat hij ooit aan Jan Marais had doorgespeeld genoemd. Hij wist dat hij dag en nacht werd geschaduwd en ook dát was niet bevorderlijk voor zijn zenuwgestel. Al evenmin als de dagelijkse gang naar het departement, in het schrijnende besef dat zijn chef, de permanente onderminister van Defense, sir Peregrine Jones, op de hoogte was van zijn verraad. En als klap op de vuurpijl was er dan nog de belasting dat hij nog steeds zo nu en dan een aantal zogenaamd 'gestolen' documenten door moest geven aan Marais, die ze doorzond naar Moskou. Berenson had weliswaar kans gezien verdere ontmoetingen met Marais te vermijden, nadat hij te weten was gekomen dat de Zuidafrikaan een Sovjet-agent was. Maar aan de andere kant was hij genoodzaakt het materiaal dat hij doorgaf aan Marais zelf door te nemen, alleen voor het geval dat Marais hem zou bellen om iets dat al verzonden was nader toe te lichten.
Iedere keer dat hij een document dat doorgespeeld moest worden las kwam hij onder de indruk van de vakbekwaamheid van de mensen die deze documenten vervalsten. Stuk voor stuk waren de documenten gebaseerd op een authentiek stuk dat zijn bureau ooit was gepasseerd, maar de wijzigingen die in de *teneur* ervan waren aangebracht waren zo subtiel dat geen enkel afzonderlijk detail ook maar enige argwaan kon wekken. Maar alle

wijzigingen bij elkaar zorgden ervoor dat de Sovjets een totaal foutief beeld kregen van de kracht en paraatheid van de NAVO-strijdkrachten in het algemeen en de Britse marine in het bijzonder. Op woensdag de zesde mei ontving Berenson een partij van zeven documenten die teruggrepen op recente besluiten, voorstellen, instructies en vraagstellingen waarvan hij gedurende de afgelopen veertien dagen geacht werd kennis te hebben genomen. Alle documenten waren aangemerkt als TOP SECRET of COSMIC – en toen hij er een van had doorgelezen trok hij bevreemd zijn wenkbrauwen op. Diezelfde avond gaf hij ze door via de ijssalon van Benotti; en vierentwintig uur later kwam het gecodeerde telefoontje dat diende ter bevestiging van een goede ontvangst.

Die zondag, de tiende mei, boog Valeri Petrofski zich in de beslotenheid van zijn slaapkamer aan Cherryhayes Close over zijn krachtige wereldontvanger om te luisteren naar de stroom van morsesignalen via de commerciële golflengte van Radio Moskou. Het was géén combinatie van een zender met ontvanger: nooit zou Moskou een belangrijke illegaal zichzelf in gevaar laten brengen door zelf boodschappen uit te zenden – niet zolang de kruispeilingen van de westerse landen zo snel en accuraat bleven als ze waren. Daarom had hij een voortreffelijke wereldontvanger van het merk Braun aangeschaft, zoals ze in iedere goeie zaak in radio- en televisie-apparatuur te koop zijn en waarmee nagenoeg iedere golflengte kan worden beluisterd.

Petrofski verkeerde in spanning: het was nu al een maand geleden dat hij de speciale Populier-zender had gebruikt om Moskou te verwittigen dat hij een koerier had gemist, in de zekerheid dat er een vervanger zou worden gestuurd. Om de avond én de daarop volgende ochtend, als hij er niet op uit hoefde om een nieuwe zending in ontvangst te nemen, had hij naar de betreffende bevestiging geluisterd, die tot dusverre echter was uitgebleven. Maar die avond hoorde hij om tien over tien precies zijn eigen oproepsignaal op de bewuste bandbreedte. Pen en papier had hij al bij de hand, zodat hij, toen de eigenlijke boodschap na een korte pauze begon, meteen de morseseinen kon noteren: in de vorm van letters in een volstrekt onbegrijpelijke volgorde. Hij wist dat op hetzelfde moment op z'n minst de Duitse, Britse en Amerikaanse luisterposten diezelfde letters zouden noteren.

Toen de boodschap ten einde was schakelde hij de ontvanger uit, ging aan tafel zitten en zocht de daartoe bestemde eenmalige code uit de set die hij uit Rusland had meegebracht. Nu kon hij aan het ontcijferen beginnen. Binnen een kwartier was hij met dat karweitje klaar en lag de Engelse tekst voor hem: *Firebird Ten replacing Two RVT* . Deze boodschap was drie maal uitgezonden. Hij kende de gegevens van Rendez-vous T: dat was een van de 'reserve-ontmoetingen' die alleen van toepassing zouden zijn als de noodzaak daartoe zich aandiende, zoals in dit geval. De lokatie was een hotel op een luchthaven. Petrofski had zelf een voorkeur voor horeca-etablissementen langs een snelweg, of voor spoorwegstations. Maar hoewel hij wist dat hij de spil was waarom de hele operatie draaide, wist hij ook dat sommige koeriers om beroepsmatige redenen slechts enkele uren in Londen konden blijven en die stad niet konden verlaten voor het afleveren van hun zending. Daar kwam nog een ander probleem bij: ze voegden het rendez-vous met Koerier Tien tussen twee andere in; en de tijd die erna resteerde voor het rendez-vous met Koerier Zeven was gevaarlijk kort.

Koerier Tien verwachtte hem om exact acht uur 's morgens in het Post House Hotel op de luchthaven Heathrow; en diezelfde dag zou Koerier Zeven om elf uur 's morgens aanwezig zijn op het parkeerterrein van een hotel in Colchester. Hij zou flink door moeten rijden, maar het wás te doen.

Dinsdag twaalf mei brandde er 's avonds laat nog licht achter de ramen van 10 Downing Street, de officiële ambtswoning van de Britse Eerste Minister. Mevr. Margaret Thatcher had een strategische bespreking vastgesteld waaraan haar naaste adviseurs en enkele kabinetsleden zouden deelnemen. Het enige agendapunt was dat van de naderende algemene verkiezingen: het besluit daartoe moest formeel nog genomen worden en er moest gekozen worden voor het juiste tijdstip. Zoals gewoonlijk liet ze over haar eigen opinie van begin af aan geen enkele twijfel bestaan. Zij meende dat ze gerust kon aansturen op een derde ambtstermijn van vier jaar, ook al kon ze grondwettelijk nog gewoon aan de regering blijven tot juni van het volgend jaar, 1988. Er waren verscheidene deelnemers aan de bespreking die dadelijk in twijfel trokken of het wel zo verstandig was zo spoedig aan te sturen op nieuwe verkiezingen, hoewel ze wisten dat hun bezwaren weinig gewicht in de schaal zouden werpen. Als de Britse Eerste Minister eenmaal een ingeving had zouden er uiterst krachtige argumenten ter tafel moeten komen voor ze van een daarop stoelend voornemen afzag. De cijfers ondersteunden haar mening.

De voorzitter van de Conservative Party beschikte over de gegevens van de jongste opiniepeilingen. De alliantie van liberalen en sociaal-democraten scheen, zo zette hij uiteen, nog steeds op de steun van ongeveer twintig procent van het electoraat te kunnen rekenen. Dit betekende dat de alliantie op grond van het in Groot-Brittannië gehanteerde districtenstelsel tussen de vijftien en twintig zetels zou veroveren. De zeventien zetels van Noord-Ierland zouden als volgt verdeeld worden: twaalf ervan zouden bezet worden door de vertegenwoordigers van uiteenlopende unionistische groeperingen die in het parlement per traditie hun steun gaven aan de conservatieven; en vijf ervan zouden toevallen aan de nationalistische groeperingen die of wel Londen boycotten óf extreem-links plachten te stemmen. Dan bleven er 613 kiesdistricten over waarin de uitslag van de verkiezingen als vanouds bepaald zou worden door de rivaliteit tussen de Labour Party en de Conservative Party. Om een absolute meerderheid te krijgen had mevr. Thatcher op z'n minst 325 van die zetels nodig.

Verder wezen de opiniepeilingen uit, aldus de partijvoorzitter, die z'n gegevens achter-elkaar opdreunde, dat Labour nog maar vier punten achterstand had op de conservatieven. Na juli 1983 had de Labour Party, handig gebruik makend van het nieuwe imago van eenheid, verdraagzaamheid en gematigdheid, maar liefst tien punten van z'n electorale achterstand afgeknabbeld. Extreem-links hield zich koest, ultra-links was afgezworen, het partijprogramma was aanzienlijk gematigd en de leden van het schaduwkabinet die in de tussenliggende periode publiciteit hadden gekregen via de televisiezenders hadden steeds tot de 'centristische' vleugel behoord. Kortom, het Britse kiezersvolk had bijna weer evenveel vertrouwen in de Labour Party als een alternatieve regeringspartij gekregen als het gedurende de naoorlogse jaren had gehad.

De partijvoorzitter wees zijn ernstig kijkende collega's erop dat de voorsprong van de conservatieven ten opzichte van twee maanden geleden met twee volle punten was verminderd, en ook een punt lager was dan drie maanden geleden. De trend tekende zich duidelijk af en de partij-afdelingen in de afzonderlijke kiesdistricten meldden een nagenoeg gelijke ontwikkeling. Verder bleek uit de economische graadmeters dat zij, ofschoon de economie momenteel een opleving doormaakte en er een gunstig klimaat bestond aangezien de werkloosheidscijfers positief werden beïnvloed door de seizoensinvloeden, in de herfst moesten rekenen op grootscheepse stakingen in de openbare sector om nieuwe looneisen kracht bij te zetten. Als het tot een langdurige krachtmeting kwam zouden de conservatieven in de wintermaanden plotseling sterk aan populariteit kunnen inboeten – en in die situatie zou tot aan het volgend voorjaar waarschijnlijk geen verandering meer komen. Omstreeks middernacht was iedereen het erover eens dat het de zomer van '87 moest worden en dat ze niet konden wachten tot '88. Geen verkiezingen dus in de herfst, of in het vroege voorjaar van '88. In de kleine uurtjes na middernacht wist de Eerste Minister haar kabinet mee te krijgen. Over slechts één ondergeschikt punt ontstond er een verhitte discussie: de duur van de eigenlijke verkiezingscampagne. Het is in Groot-Brittannië traditie dat algemene verkiezingen op een donderdag hun beslag krijgen, na een campagne van vier weken. Hoewel het niet in strijd is met de grondwet, komt het zelden of nooit voor dat de duur van zo'n campagne wordt bekort tot drie weken. De intuïtie van de Eerste Minister vertelde haar dat het een campagne van hoogstens drie weken mocht worden: een bewuste poging om de oppositie te overrompelen en haar niet de tijd te geven zich afdoend op de verkiezingen voor te bereiden. Er was tenslotte tóch mee ingestemd: mevr. Thatcher zou voor donderdag 28 mei een audiëntie aanvragen bij de koningin en haar verzoeken het parlement te ontbinden. In overeenstemming met de traditie zou ze direct daarna terugkeren naar Downing Street, om daar een verklaring uit te spreken. Vanaf dat moment zou de verkiezingscampagne van start gaan. Als datum voor de verkiezingen werd gekozen voor donderdag de achttiende juni.

Terwijl de ministers in het uur dat voorafging aan het krieken van de dag nog lagen te slapen, was de BMW-motor al vanuit het noordoosten van het land onderweg naar Londen. Petrofski reed linea recta naar het Post House Hotel op Heathrow Airport, legde de motor aan de ketting, sloot zijn valhelm weg in de daartoe bestemde kist achter de buddyseat en begon zich te ontdoen van zijn leren jekker en broek, waarvan de pijpen over de hele lengte waren voorzien van ritssluitingen. Eronder droeg hij een gewone broek van grijs flanel – weliswaar wat gekreukt, maar het kon ermee door. Hij deponeerde zijn motorlaarzen in een van de zijtassen en trok de schoenen die erin hadden gezeten aan. De leren jekker en broek verdwenen in de tweede zijtas, die een onopvallend tweed-jasje en een verbleekte regenjas bevatte. Toen hij zich verwijderde van de motor zag hij eruit als een doodgewone man in een doodgewone regenjas die onderweg was naar de receptie van het hotel.

Karel Wosniak had niet best geslapen. Om te beginnen had hij de vorige avond de schrik van z'n leven gekregen. Normaal gesproken konden de bemanningsleden van de toestellen van de Poolse LOT als het ware 'zo doorlopen' bij de douane. Maar deze keer waren ze grondig gecontroleerd; en toen de douanier die zich met hem bezighield in zijn toilettas was gaan neuzen was hij bijna misselijk geworden van angst. En toen de douanier bovendien nog het electrische scheeraparaat dat de mensen van de SB hem hadden meegegeven – in Warschau, kort voordat zijn toestel zou opstijgen – uit de toilettas haalde, was Wosniak bijna flauwgevallen. Gelukkig was het geen type geweest dat op batterijen werkte. Er was geen stopcontact bij de hand, zodat de douanier het niet zo gauw had kunnen uitproberen. De man had het ding bekeken en toen weer in de toilettas gestopt, om daarna de rest van Wosniaks bagage te doorzoeken. Zonder iets te vinden, uiteraard. Wosniak had echter zo'n vermoeden dat het scheerapparaat, als iemand het had aangesloten op een stopcontact, niet zou hebben gewerkt. Tenslotte moest er iets bijzonders in zitten – vermoedelijk op de plaats van de motor. Waarom was het anders nodig dat hij het ding overbracht naar Londen?

Om acht uur precies stapte hij de herentoiletten achter de receptie op de begane grond binnen. Er stond een man in een onopvallende regenjas zijn handen te wassen. Verdomme, dacht Wosniak, als mijn contactman komt opdagen zullen we moeten wachten tot die Engelsman vertrokken is. Op hetzelfde moment sprak de man hem in het Engels aan.

'Môge! Is dat het uniform van de Joegoslavische luchtvaartmaatschappij?'

Wosniak zuchtte van opluchting. 'Nee, ik ben van de Poolse.'

'Prachtig land, Polen,' zei de onbekende, terwijl hij zijn handen stond af te drogen. Hij scheen volledig op z'n gemak te zijn. Voor Wosniak was dit alles nieuw – en het is de eerste en meteen de laatste keer, had hij zichzelf gezworen. Hij stond stil op de tegelvloer, met het scheerapparaat in zijn hand.

'Ik heb veel plezierige vakanties in uw land doorgebracht,' hernam de onbekende.

Dat is het, wist Wosniak. 'Veel plezierige vakanties... de afgesproken identificatiecode.

Hij reikte de man het scheerapparaat aan. De Engelsman fronste zijn voorhoofd en knikte naar de toiletdeuren. Met een schok drong het tot Wosniak door dat een van de deuren gesloten was; kennelijk was er iemand in het betreffende toilethokje. De vreemdeling knikte vervolgens naar de planchette boven de wastafels. Wosniak begreep het dadelijk en legde het apparaat erop. Toen de Engelsman nadrukkelijk naar de urinoirs knikte ritste hij haastig zijn gulp open en volvoerde het bijbehorende ritueel. 'Dank u,' mompelde hij nog, 'ik vind het zelf ook een mooi land.'

De man in de regenjas liet het scheerapparaat in zijn zak verdwijnen, stak vijf vingers op om Wosniak te beduiden dat hij nog minstens vijf minuten in de toiletten moest blijven en vertrok.

Een uur later liet Petrofski op zijn bmw de voorsteden van Londen, daar waar de metropool overgaat in het landschap van Essex, achter zich: voor hem strekte de M12-snelweg zich uit. Het was bij negenen.

Op dat tijdstip werd de veerboot van de DFDS-lijn van Tor Britannia, afkomstig uit Göteborg, afgemeerd aan de Parkstone Quay in Harwich, honderdertig kilometer verder aan de kust van Essex. De passagiers die de veerboot verlieten vormden de gebruikelijke heterogene verzameling van toeristen, studenten en zakelijke bezoekers. Tot de laatste categorie behoorde ook de heer Stig Lundquist, gezeten achter het stuur van zijn Saab. Volgens zijn papieren was hij een zakenman uit Zweden en dat strookte met de feiten: hij was inderdaad Zweed en was dat al zijn hele leven geweest. Alleen vermeldden zijn papieren er niet bij dat hij tevens al heel lang een communistisch agent was en evenals Herr Helmuth Dorn werkte voor de roemruchte generaal Markus Wolff, het Duits-joodse hoofd van de afdeling Buitenlandse Operaties van de Oostduitse HVA. Desondanks kreeg Lundquist het verzoek om uit te stappen en met zijn koffers naar de balie te komen om ze te laten doorzoeken. Met een beleefd glimlachje gaf hij gehoor aan dat verzoek. Intussen opende een tweede douanier de motorkap van de Saab en liet zijn blik door het motorcompartiment dwalen. Hij was op zoek naar een bol met het formaat van een kleine voetbal, of een heimelijk in het compartiment verborgen cilinder of buis. Hij keek zelfs onder het chassis van de auto en tenslotte in de lege kofferruimte. Hij zuchtte – de idiote eisen die Londen stelde hingen hem knap de keel uit. De lege kofferruimte bevatte niets anders dan het gebruikelijke gereedschap, een tegen de carrosserie bevestigde hydraulische krik en een brandblusser, eveneens met een riem aan het plaatwerk bevestigd. De Zweed stond naast hem toe te kijken, de beide koffers in zijn handen.

'Alles in orde?' vroeg hij.

'O, jawel, meneer, dank u. Een plezierig verblijf in Engeland.'

Een uur daarna – het was inmiddels bijna elf uur geworden – reed de Saab het parkeerterrein van het Kings

Ford Park Hotel in het dorp Layer de la Haye op, even ten zuiden van de stad Colchester. Lundquist stapte uit en strekte zijn benen. Op dit tijdstip werd er ook in Engeland alom koffie gedronken en er stonden verscheidene andere auto's op het parkeerterrein, maar er was verder niemand te zien. Lundquist keek op zijn horloge: nog vijf minuten over voor het afgesproken tijdstip was aangebroken. Krap genoeg, maar hij wist dat hij een uur extra zou hebben gehad als hij later was gekomen; en anders was er altijd nog het reserve-rendez-vous geweest. Nu vroeg hij zich af of zijn contactman wel zou komen opdagen, en wanneer. Er was verder niemand in de buurt, behalve dan een jongeman die aan de motor van zijn BMW zat te prutsen. Lundquist had geen idee hoe zijn contactman eruit zou zien. Hij stak een sigaret op, opende het portier van zijn Saab en stapte weer in. Om klokslag elf uur werd er op het zijraampje getikt. De motorrijder stond voor hem. Lundquist drukte op het knopje van de electrische bediening en het zijraam gleed zacht sissend omlaag.

'Ja?'

'Heeft de S boven uw achterbumper betrekking op Zwitserland, of op Zweden?' vroeg de jongeman hem in het Engels. Lundquist begon opgelucht te lachen. Onderweg hierheen had hij z'n wagen even stilgezet om de brandblusser uit de kofferruimte te halen. Hij bevond zich nu in een met koord dichtgetrokken zak op de zitting van de passagiersstoel.

'Op Zweden,' antwoordde hij. 'Ik ben zojuist overgekomen uit Göteborg.'

'Daar ben ik nooit geweest,' zei de motorrijder. En meteen, zonder ook maar iets aan de klank van zijn stem te veranderen, voegde hij eraan toe: 'U heeft iets voor me?'

'Inderdaad,' antwoordde de Zweed. 'Ik heb 't hier, in de zak naast me.'

'Dit hotel heeft ramen met uitzicht op het parkeerterrein,' zei de motorrijder. 'Rij een rondje over het parkeerterrein en laat, als u mijn motor passeert, de zak eenvoudig uit het raampje aan uw kant zakken, zodat de auto tussen mij en het raam blijft en niemand iets kan zien. Wacht vijf minuten.'

Hij slenterde terug naar zijn BMW en prutste verder. Vijf minuten later reed de Saab langzaam langs hem heen en liet de bestuurder de zak behoedzaam op de grond glijden; nog voor de Saab zover was doorgereden dat iemand hem vanuit het raam had kunnen zien raapte hij hem op en deponeerde hem in de geopende zijtas van zijn motor. De wegrijdende Saab keek hij niet na: hij wist dat hij hem nooit terug zou zien en had er ook niet de minste behoefte aan. Een uur later was hij terug in zijn gehuurde garage in Thetford om de motor te verwisselen voor de auto, na beide zendingen te hebben weggeborgen in de kofferruimte. Hij had geen idee waaruit ze bestonden – dat was zijn zaak niet. Kort na het begin van de middag was hij terug in Cherryhayes Close en kon hij de beide zendingen bij de rest opbergen. Koerier Tien en Koerier Zeven hadden hun spullen afgeleverd.

De dertiende mei zou John Preston weer aan de slag moeten in Gordon Street. 'Ik besef dat het frustrerend moet zijn, maar ik zou toch graag zien dat je hiermee doorging,' zei sir Nigel bij een van zijn bezoeken. 'Meld je maar ziek – als je een doktersverklaring nodig hebt laat je 't maar even weten. Ik ken er wel een paar die genegen zijn zoiets voor me te regelen.'

De zestiende mei was Preston er definitief van overtuigd dat hij niet op de ingeslagen weg voort kon gaan. De douane en vooral de dienst Paspoorten en Visa hadden zo ongeveer alles gedaan wat in hun vermogen lag zonder dat er een nationaal alarm was afgekondigd. Alleen al de enorme omvang van het in- en uitgaande verkeer van personen en voertuigen maakte het onmogelijk iedere bezoeker intensief te controleren. Er waren nu vijf weken verstreken sinds die Russische 'zeeman' in Glasgow was afgetuigd en Preston wist nu met zekerheid dat hij de overige koeriers had gemist. Maar misschien waren ze al allemaal in hét land geweest vóórdat Semjonov zijn zending kwam afleveren; hij kon evengoed de laatste zijn geweest. Misschien...

Met toenemende wanhoop had hij zich rekenschap gegeven van het feit dat hij absoluut niet wist of er sprake was van een naderend uur U, en, *als* er zo'n tijdstip was vastgesteld, wanneer dat zou zijn.

Donderdag eenentwintig mei meerde de veerboot uit Oostende af in Folkestone en braakte z'n gebruikelijke stroom aan toeristen – gemotoriseerd of te voet – en vrachtwagens van internationale expeditiebedrijven uit, bestuurd door de 'slaven van de weg' die onvermoeibaar de vrachtgoederen van de Europese Gemeenschap van het ene eind van Europa naar het andere verslepen. Zeven van de kolossale vrachtwagencombinaties hadden een Westduits kenteken: Oostende geniet als vertrekpunt voor de oversteek naar Groot-Brittannië de voorkeur van veel in het noorden van de Bondsrepubliek opererende expediteurs. De grote Hanomag-combinatie met z'n in een container verstouwde vracht verschilde in geen enkel opzicht van de andere. De dikke stapel cognossementen vergde een oponthoud van een uur voordat de hele zaak was ingeklaard. Alles was dik in orde en er was geen enkele reden om aan te nemen dat de chauffeur, behalve voor het expeditiebedrijf waarvan de naam met grote letters op de combinatie was aangebracht, ook nog voor iemand anders werkte. Noch was er ook maar enige reden om aan te nemen dat de truck nog iets anders bevatte dan de op de cognossementen vermelde koffiezetapparaten van Duitse makelij, bestemd voor Britse keukens. Achter de cabine wezen twee dikke uitlaatpijpen naar de hemel om de rookgassen van de zware dieselmotor rechtstandig omhoog te blazen, zodat de overige weggebruikers er geen hinder van ondervonden. Het was al avond, tergend langzaam liep de dienst van de leden van de dagploeg ten einde – en de chauffeur werd met een armzwaai te verstaan gegeven dat hij door kon rijden, op weg naar Ashford en vervolgens Londen. Niemand in Folkestone had kunnen weten dat een van die verticale uitlaatpijpen, waaruit een gestage stroom van dikke zwarte walm omhoog werd gestoten toen de combinatie de douaneloods uitreed, voorzien was van een binnenpijp voor het afvoeren van de uitlaatgassen. En vanwege het oorverdovende gebrul van zojuist gestarte vrachtwagenmotoren kon niemand horen dat de geluiddempende schotten in de knalpot zelf verwijderd waren om extra ruimte te creëren.

Lang na het invallen van de duisternis klom de chauffeur op het parkeerterrein van een groot wegrestaurant voor vrachtwagens bij Lenham in Kent naar het dak van zijn cabine, om de uitlaat te demonteren en een polsdik pak ter lengte van ongeveer een halve meter uit de knalpot op te hijsen, beschermd door een hittebestendig materiaal. De vrachtwagenchauffeur maakte het pak niet open, maar overhandigde het zonder meer aan een in zwarte leren motorkleding gestoken jongeman, die meteen met brullende motor wegstoof in de duisternis. Koerier Acht had zijn zending afgeleverd.

'Zo komen we niet verder, sir Nigel,' zei John Preston moedeloos tegen het hoofd van MI-6, de volgende avond. 'Ik heb verdomme geen flauw benul van wat ze in hun schild voeren. Ik vrees het ergste, maar bewijzen kan ik niets. Ik heb van alles en nog wat geprobeerd om nog een andere koerier te ontdekken van het hele stel dat volgens mij over de grens moet zijn gekomen, al was het er maar eentje; maar het is me niet gelukt. Ik geloof dat ik maandag maar beter terug kan gaan naar Gordon Street.'

'Ik begrijp hoe je je moet voelen, John,' zei sir Nigel. 'Maar alsjeblieft, gun me nog een weekje.'

'Ik zie er het nut niet van in,' zei Preston. 'Wat kunnen

we in hemelsnaam nog meer doen?'
'Bidden, veronderstel ik,' zei 'C' vriendelijk.
'Een klein gelukje,' zei Preston nijdig, 'da's alles wat we nodig hebben – één klein gelukje.'

18

John Preston kréég zijn gelukje – op maandagmiddag na het weekeinde. Kort na vieren landde er een lijntoestel van Austrian Airlines, afkomstig uit Wenen, op Heathrow. Een van de reizigers aan boord van dit toestel, iemand die zich meldde bij de paspoortencontrole voor niet uit Groot-Brittannië of de EEG afkomstige passagiers, toonde de controlerend ambtenaar een volkomen authentiek Oostenrijks paspoort op naam van een zekere Franz Winkler. De controleur bestudeerde de bekende groene, van een plastic omslag voorziene *Reisepass*, met op de voorzijde het embleem van de gouden adelaar, een taak die hij met de ogenschijnlijke onverschilligheid die bij z'n beroep lijkt te horen verrichtte. Het document was geldig, er waren een stuk of zes stempels van andere Europese landen in aangebracht en ook het visum voor een verblijf in Groot-Brittannië was kortgeleden afgegeven.

Onder de balie toetste de paspoortcontroleur het paspoortnummer – dat via perforaties in iedere bladzij van het dunne boekje was aangebracht – in op het toetsenbord van zijn computerterminal. Na een blik op het scherm klapte hij het paspoort dicht en gaf het met een vluchtige glimlach terug aan de eigenaar. 'Dank u, meneer. De volgende, alstublieft.'

Op het moment dat Herr Winkler zijn koffer oppakte en doorliep ging de blik van de paspoortcontroleur omhoog naar een klein venster dat zich recht tegenover hem bevond, op circa zes meter afstand. Op hetzelfde ogenblik drukte zijn voet de waarschuwingsknop onder de balie in. De dienstdoende medewerker van de afdeling Bijzondere Zaken achter het raampje ving zijn blik op, waarna de controleur zijn hoofd omdraaide naar de weglopende Oostenrijker en knikte. Het gezicht van de man van Bijzondere Zaken verdween van het venster en even later begonnen hij en een medesurveillant Herr Winkler te schaduwen. Intussen bracht een andere man zijn auto voor de uitgang van de aankomsthal tot stilstand. Winkler had geen gewichtige bagage bij zich, dus kon hij de bagagemolen in de hal negeren en regelrecht naar de groene douanezone lopen. Daarna was hij even doende in de grote hal om bij het loket van de Midland Bank wat traveller's cheques te verzilveren, een oponthoud waarvan een van de surveillanten van BZ gebruik maakte om een scherpe foto van hem te maken vanaf het balkon. Toen de Oostenrijker een van de taxi's uit de rij voor Terminal Two uitkoos en instapte doken de beide surveillanten in de gereedstaande auto voor de uitgang van de aankomsthal.

De team-leider gebruikte de mobilofoon om Scotland Yard te alarmeren: via Scotland Yard zou de informatie meteen worden doorgegeven aan Charles Street. Er was een tijdelijke instructie van kracht, van de strekking dat ook MI-Six belangstelling had voor iedere bezoeker met een paspoort waaraan 'geknoeid' was. Vandaar dat de tip vanuit de radiocentrale in Charles Street door werd gegeven naar Sentinel House.

De Oostenrijker bleef helemaal tot Bayswater Road in de taxi zitten en stapte pas uit op de kruising tussen Edgware Road en Sussex Gardens. Met zijn lichte koffer in de hand begon hij Sussex Gardens te volgen, waarvan één kant nagenoeg in z'n geheel bestaat uit bescheiden motels, logementen en hotelletjes van het soort dat de voorkeur geniet van handelsreizigers en laatkomers die via Paddington Station in Londen arriveren en slechts over een bescheiden portemonnee beschikken. De surveillanten van BZ kregen de indruk dat Herr Winkler geen kamer had gereserveerd, want hij wandelde door de

straat totdat hij een logement had bereikt met het bord-
je *Vacancies* voor een van de ramen. Hier verdween hij
naar binnen. Blijkbaar had hij er een kamer kunnen krijgen, want hij kwam niet meer naar buiten. Nadat Winklers taxi was vertrokken van Heathrow verstreek er een
uur voordat de telefoon in de kleine flat in Chelsea begon te rinkelen. Prestons contactpersoon in Sentinel
House, iemand die van sir Nigel opdracht had gekregen
als zijn liaison-officier te fungeren, was aan de lijn. 'Er is
zoëven een maatje via Heathrow binnengekomen,' zei
de employé van MI-6. 'Het zal misschien niets zijn, maar
z'n paspoortnummer maakte dat er een stel rooie lampjes van de computer begon te branden. Een zekere Franz
Winkler, een uit Wenen afkomstige Oostenrijker'
'Ze hebben hem toch niet in de kraag gevat, hoop ik?' zei
Preston. Zijn hersenen werkten op volle toeren: Oostenrijk is gemakkelijk dichtbij vanuit landen als Tsjechoslowakije en Hongarije. Een aangezien Oostenrijk neutraal
is, is dat land een prima springplank voor illegale agenten uit het Oostblok.
'Nee,' zei de man in Sentinel House. 'Ze hebben hem
geschaduwd, in overeenstemming met de geldende instructie... Wacht even...' Even later kwam hij weer aan
het toestel. 'Ze hebben hem zojuist een klein hotelletje
in Paddington zien binnengaan.'
'Kunt u me doorverbinden met "C"?' vroeg Preston.
Sir Nigel nam deel aan een vergadering, maar hij excuseerde zich en trok zich terug in zijn werkkamer. 'Ja,
John?'
In grote trekken bracht Preston het hoofd van MI-6 op
de hoogte van de stand van zaken – hij was nog niet door
zijn eigen mensen ingelicht.
'Denk je dat dit wel eens het mannetje zou kunnen zijn
waarop jij hebt zitten wachten?'
'Hij *zou* een koerier kunnen zijn,' zei Preston. 'Een betere tip hebben we de afgelopen zes weken niet gehad,
dacht ik zo.'

'Wat had je gedacht te doen, John?'

'Ik zou graag zien dat MI-Six verzoekt om de surveillance te laten overnemen door de schaduwen van Cork Street, maar op voorwaarde dat al hun surveillance-rapporten op het moment van binnenkomst door een van uw mensen worden doorgenomen, waarna ze onmiddellijk worden gekopieerd en doorgestuurd naar Sentinel en ondergetekende. Als hij iemand treft zouden natuurlijk beide personen gevolgd moeten worden.'

'Akkoord,' zei sir Nigel. 'Ik zal vragen of hij door de Schaduwdienst kan worden overgenomen. Barry Banks zal naar de radiokamer in Cork Street gaan en ons van daaruit voortdurend op de hoogte houden.'

'C' belde persoonlijk de directeur-generaal van afdeling K om zijn verzoek in te dienen. Deze nam contact op met zijn collega van afdeling A; en korte tijd later ging er een team schaduwen op weg naar het hotelletje aan Sussex Gardens in Paddington. Het toeval wilde dat de ploegleider Harry Burkinshaw heette.

Ten prooi aan frustratie liep Preston in de zitkamer van de kleine flat in Chelsea te ijsberen: hij wilde er op uit, de straat op – of althans ergens heen waar hij de spil kon zijn van de hele operatie, in plaats van zich in eigen land schuil te moeten houden als een ondergedoken illegaal. Op deze manier was hij slechts een machteloze pion in een spel van hogere machten, een spel dat over zijn hoofd werd gespeeld. Nog voor zeven uur 's avonds hadden de mannen van Harry Burkinshaw de surveillance overgenomen van de mannen van Bijzondere Zaken, die blij waren dat ze naar huis konden. Het was een aangename, warme avond. De vier schaduwen die samen de 'doos' vormden hadden ieder hun onopvallende posities rondom het hotel ingenomen: één een eindje verderop in de straat, een tweede een eindje terug in Sussex Gardens, een derde aan de overkant en de vierde aan de achterkant van het hotel. De twee auto's van het team hadden een plekje gevonden tussen de rijen geparkeerde wagens aan weerskanten van Sussex Gardens, klaar om in actie te komen als 'maatje' de kuierlatten wilde nemen. Alle zes stonden ze via hun portofoon rechtstreeks in verbinding met elkaar, terwijl Burkinshaw het contact onderhield met de radiokamer in Cork Street. Barry Banks had zich daar geïnstalleerd, aangezien het hier een operatie betrof op verzoek van MI-6; en nu wachtte iedereen op het moment dat Winkler een rendez-vous zou hebben met zijn contactman.

De moeilijkheid was alleen dat iedere vorm van contact uitbleef. Hij bleef eenvoudig op zijn hotelkamer achter de netvitrage hokken en hield zich koest. Om half negen kwam hij eindelijk naar buiten, wandelde op z'n dooie akkertje naar een restaurant aan Edgware Road, gebruikte daar een maaltijd en ging terug. Hij liet niets achter 'in een brievenbus', haalde nergens instructies op en wisselde op straat met niemand een woord. Maar... hij deed twee dingen die de belangstelling wekten. Onderweg naar het restaurant bleef hij onverwachts staan om verscheidene seconden naar een glimmende spiegelruit te staren, om daarna op zijn schreden terug te keren. Het is een van de alleroudste trucjes met het doel een eventuele schaduw te betrappen, en niet bepaald een effectieve maatregel.

En na het verlaten van het restaurant posteerde hij zich aan de stoeprand, wachtte op een leemte in de drukke verkeersstroom en sprintte onverhoeds naar de overkant. Daar bleef hij opnieuw staan en tuurde zorgvuldig aan weerskanten de straat af, kennelijk om te zien of hij soms door iemand achterna was gerend. Hij kon niemand ontdekken. Het enige wat Winkler ermee had bereikt was dat hij de afstand met Burkinshaws vierde schaduw had verkleind tot nagenoeg nul, aangezien deze al die tijd aan de overkant van Edgware Road op zijn post was gebleven. Terwijl Winkler het verkeer gadesloeg om te zien wie er lijf en leden zou riskeren om hem te volgen, stond de betreffende schaduw een paar meter verderop te doen alsof hij behoefte had aan een taxi.

'Maatje is beslist geen zuivere koffie,' meldde Burkinshaw aan Cork Street. 'Hij is attent op schaduwen, alleen is hij op dat gebied een knoeier.'

Even later bereikte Burkinshaws vakkundige oordeel Preston in diens schuilplaats in Chelsea. Hij knikte opgelucht – er gloorde een sprankje hoop aan de donkere horizon.

Na zijn merkwaardige escapades bij Edgware Road keerde Winkler terug naar zijn hotelletje om daar het restant van de avond door te brengen.

Inmiddels voltrok zich in de kelderverdieping van Sentinel House een andere, kleinere operatie. De foto's die de surveillanten van de afdeling Bijzondere Zaken van Scotland Yard van Winkler hadden gemaakt op Heathrow, aangevuld door op straat gemaakte opnamen, waren nu ontwikkeld en werden met de verschuldigde eerbied aan de legendarische miss Blodwyn voorgelegd om door haar te worden bekeken. De identificering van buitenlandse agenten of vreemdelingen die wellicht buitenlandse agenten zouden kunnen zijn is een van de voornaamste taken van iedere inlichtingendienst. Om die taak uitvoerbaar te maken worden er ieder jaar door dergelijke diensten honderdduizenden opnamen gemaakt van mensen die wellicht wel of misschien ook niet voor een rivaliserende organisatie werken. Zelfs het personeel van bondgenoten ontsnapt niet aan de kiekjesalbums. Buitenlandse diplomaten, de leden van wetenschappelijke, culturele of handelsdelegaties – allemaal worden zij in het kader van de vaste routine gefotografeerd, omdat dit eenvoudig voor zichzelf spreekt. Vooral als zij afkomstig zijn uit een communistisch land of een land dat daarmee sympathiseert. *Meestal.* Maar niet altijd.

De fotoarchieven groeien en groeien: van dezelfde man of vrouw worden soms wel twintig of meer kiekjes gemaakt, op verschillende tijdstippen en onder uiteenlopende omstandigheden. Nooit worden ze opgeruimd. Want ze worden gebruikt als 'referentie'. Als er bijvoorbeeld een Rus die Iwanov heet in Canada verschijnt, als lid van een Sovjet-Russische handelsdelegatie, zal zijn conterfeitsel vrijwel zeker door de Royal Canadian Mounted Police worden doorgegeven aan de collega's te Washington, Londen en andere inlichtingendiensten van de NAVO-bondgenoten. Het is namelijk heel goed mogelijk dat ditzelfde gezicht vijf jaar eerder onder de naam Kozlov werd gefotografeerd: als dat van een journalist die de onafhankelijkheidsviering van een of andere Afrikaanse republiek kwam verslaan. Als er ook maar enige twijfel heerst aan het echte beroep van de heer Iwanov, die op dat moment de ronde doet langs de bezienswaardigheden van Ottawa, zal een dergelijke 'referentie' die twijfel dadelijk wegnemen: het brandmerkt hem als een volbloed KGB'er. De uitwisseling van dergelijke foto's tussen de inlichtingendiensten van de NAVO-bondgenoten, met inbegrip van de briljante geheime dienst van Israël, de Mossad, vindt onophoudelijk plaats en omvat alle beschikbare 'referenties'. Er zijn maar heel weinig uit het Oostblok of zelfs 'derde-wereld-landen' afkomstige bezoekers van het Westen die uiteindelijk niet belanden in een van de kiekjes-albums van zo'n twintig verschillende democratische hoofdsteden. Omgekeerd ontkomt niemand die een bezoek brengt aan de Sovjet-Unie eraan dat ook zijn foto terechtkomt in de allesomvattende portrettengalerij van het Centrum.

Het zal misschien wat lachwekkend aandoen, maar toch is het absoluut waar: hoewel bijvoorbeeld de CIA-neven van de Britse Geheime Dienst gebruik maken van uitgebreide computergeheugens waarin vele miljoenen conterfeitsels zijn opgeslagen, eenvoudig om opgewassen te zijn tegen de aanwassende stroom van nieuwe foto's die dagelijks binnenkomen, maakt MI-6 gebruik van de diensten van juffrouw Blodwyn.

Deze oudere en dikwijls overbelaste dame, die door haar

jongere mannelijke collega's vaak wordt lastiggevallen om een in recordtijd te geven 'referentie', vervult deze taak al ruim veertig jaar: zij doet haar werk in de kelderverdieping van Sentinel House, waar ze presideert over het gigantische foto-archief dat bij MI-6 in de wandeling het 'tronieboek' wordt genoemd. Het is echter geen 'boek', maar een kolossale kluis waarin rijen en nog eens rijen foto-albums zijn opgeslagen. En zij als enige bezit een encyclopedische kennis van de gegevens die bij de daarin opgenomen portretten horen. Haar brein functioneert zo ongeveer als de computergeheugens van het CIA en af en toe is ze sneller dan die computer. In dat brein zijn niet de allerkleinste details van de Dertigjarige Oorlog opgeslagen, of zelfs de aandelenkoersen van Wall Street, maar betreft het louter gezichten. De vorm van ontelbare neuzen, kaaklijnen en lippen, de typische oogopslag van iemand, de manier waarop een glas of sigaret wordt gehanteerd, het glinsteren van een gouden kroon in een lachende mond, ooit gefotografeerd in een Australische kroeg en jaren later opgedoken in een Londense supermarkt – al deze dingen zijn koren op de molen van haar uiterst opmerkelijke geheugen.

Die nacht, toen de inwoners van het district Bayswater lagen te slapen en de mannen van Burkinshaw probeerden een te worden met de omringende schaduw, zat Blodwyn naar het gezicht van Franz Winkler te staren. Twee jongere employé's van MI-6 stonden in eerbiedig stilzwijgen te wachten. Na een uur zei ze alleen: 'Verre Oosten,' en begon langs de rijen albums te lopen. In de eerste uren van dinsdag de zesentwintigste mei vond ze haar 'referentie'. Het was geen beste foto en ook was die vijf jaar oud. Het haar was donkerder, destijds, en van een beginnend buikje was nog geen sprake. Hij stond naast zijn eigen ambassadeur, tijdens een ontvangst op de ambassade van India, met een respectvol lachje om zijn mond. Een van de jongere mannen staarde twijfelend naar de beide foto's. 'Ben je er zeker van, Blodwyn?'

Als blikken iemand hadden kunnen verlammen zou hij zijn spaarcentjes aan een rolstoel hebbcn moeten besteden. Hij retireerde haastig en ging op weg naar de dichtstbijzijnde telefoon. 'We hebben een referentie,' zei hij. 'De man is Tsjech. Vijf jaar geleden was hij een van de lagere goden aan de Tsjechoslowaakse ambassade in Tokio. Hij heet Jiri Hayek.'

Het telefoontje had Preston om drie uur 's nachts uit zijn bed gehaald. Hij luisterde, bedankte de man die hem had ingelicht en belde lachend af. 'Hebbes!' zei hij.

Om tien uur 's morgens bevond Winkler zich nog steeds in zijn hotel. De leiding over de operatie vanuit Cork Street was nu overgenomen door Simon Margery van к-2 (B), de sectie die zich bezighield met de Sovjet-satelliet Tsjechoslowakije (operaties). Per slot van rekening was het hún zaak als er een Tsjech in het spel was. Barry Banks, die ter plekke had geslapen, was aan zijn zijde en hield Sentinel House voortdurend van de ontwikkelingen op de hoogte.

Op dat moment zat John Preston 'voor eigen rekening' te bellen met de Juridisch Adviseur van de Amerikaanse ambassade – een persoonlijke relatie van hem. De Juridisch Adviseur van de VS-ambassade aan Grosvenor Square is altijd de Londense vertegenwoordiger van het Federal Bureau of Investigations. Nadat hij zijn verzoek aan hem had voorgelegd kreeg hij de verzekering dat hij zou worden teruggebeld zodra het antwoord uit Amerika binnen was, vermoedelijk over vijf tot zes uur, als er rekening werd gehouden met het tijdsverschil. En om elf uur kwam Winkler uit het hotelletje aan Sussex Gardens tevoorschijn. Hij wandelde opnieuw naar Edgware Road, hield een taxi aan en reed weg naar Park Lane. Bij Hyde Park Corner sloeg de taxi, die gevolgd werd door de beide auto's met de hele schaduwploeg erin, af naar Piccadilly. Hier stapte Winkler uit, op korte afstand van Piccadilly Circus; waarna hij z'n toevlucht nam tot opnieuw enkele oeroude manoeuvres voor het afschudden van volgers waarvan hij niet eens wist of ze bestonden, laat staan dat hij hen had opgemerkt.

'Daar gaan we weer,' mompelde Len Stewart tegen zijn revers. Hij had Burkinshaws 'logboek' doorgenomen en al half-en-half op iets dergelijks gerekend. Winkler begon onverwachts hard te lopen onder een arcade, dook aan het andere uiteinde weer op, bleef staan en draaide zich om – kijkend naar de route die hij zojuist had afgelegd. Niemand was hem gevolgd. Dat was ook volmaakt overbodig, want er stónd al een schaduw aan het zuidelijke uiteinde van de winkelarcade. De schaduwen kennen Londen beter dan welke politieman of taxichauffeur ook. Zij weten op hun duimpje hoeveel uitgangen ieder groot openbaar gebouw heeft, hoe de doorgangen en arcades lopen en waar ze eindigen, waar de smalle sluipwegen zijn te vinden en waar ze heen leiden. Waarheen een 'maatje' ook tracht te verdwijnen, altijd is er een mannetje vóór hem ter plaatse en wordt hij langzaam door een tweede gevolgd, terwijl hij aan weerskanten door een schaduw wordt geflankeerd. Zo'n 'doos' laat zich nooit uit z'n verband trekken; en het 'maatje' dat zijn schaduwen ontdekt moet wel een bijzondere opmerkingsgave bezitten.

Ervan overtuigd dat hij door niemand werd gevolgd, stapte Winkler het Travel Centre van de Britse Spoorwegen in Lower Regent Street binnen. Hier informeerde hij naar de vertrek- en aankomsttijden van de treinen naar Sheffield. De Schotse voetbalsupporter met clubdas stond anderhalve meter van hem af: hij was een van de schaduwen. Winkler betaalde zijn tweedeklas-retourtje naar Sheffield contant, kreeg te horen dat de laatste trein van de avond om vijf voor half tien uit het St. Pancras Station zou vertrekken, bedankte de lokettist en vertrok. De lunch gebruikte hij in een cafetaria in de buurt; toen keerde hij terug naar Sussex Gardens en bleef daar de hele middag. Even over enen hoorde Preston het nieuws over het treinkaartje naar Sheffield. Hij kreeg sir Nigel te pakken, juist op het moment dat 'C' op het punt stond te vertrekken naar zijn club om daar te gaan lunchen.

'Het is misschien een afleidingsmanoeuvre, maar het ziet ernaar uit dat hij van plan is de stad uit te gaan,' zei hij. 'Misschien gaat hij op weg naar zijn rendez-vous. Dat kan in de trein zelf plaatsvinden, of misschien in Sheffield. Misschien heeft hij de zaak zo lang gerekt omdat hij te vroeg in Londen was. De kwestie is, sir Nigel, dat we een operatieleider-te-velde nodig zullen hebben, iemand die met de schaduwploeg meegaat. Die man wil ik zijn.'

'Ja, John – ik begrijp wat je bedoelt. Het zal niet eenvoudig worden, maar ik zal zien wat ik voor je doen kan.' Sir Nigel loosde een zucht. 'Daar gáát m'n lunch,' dacht hij. Hij wenkte zijn rechterhand. 'Annuleer m'n lunch bij White's maar. En zorg dat m'n wagen klaarstaat. Daarna kom je een telegram opnemen – in die volgorde, goed?'

Terwijl sir Nigels rechterhand zich met de beide eerste instructies bezighield, draaide sir Nigel zelf het privé-nummer van sir Bernard Hemmings in Farnham, in het graafschap Surrey.

'Excuus dat ik je kom lastig vallen, Bernard. Er is iets aan de gang waarover ik je graag zou willen consulteren. Nee… een persoonlijk gesprek lijkt me beter. Vind je 't heel erg om hierheen te komen? Het is mooi weer, moet je maar denken. Ja, akkoord, om een uur of drie dus.'

'En het telegram?' vroeg sir Nigels secretaris.

'Aan wie?'

'Aan mezelf.'

'Zeker. Van wie?'

'Het afdelingshoofd in Wenen.'

'Moet ik hem erover inlichten, sir?'

'Och nee, hem lastig vallen is nu ook weer niet nodig. Regel alleen even dat Ontcijfering zorgt dat het telegram binnen drie minuten op m'n bureau ligt.'

'Komt in orde. De tekst?'

Sir Nigel begon te dicteren. Jezelf een dringend telegram sturen ter rechtvaardiging van iets dat je van plan was te doen, was een oud trucje dat hij had geleerd van zijn vroegere mentor, wijlen sir Maurice Oldfield. Toen de tekst hem vanuit Ontcijfering had bereikt (in de vorm die ze zou hebben gehad als er inderdaad een telegram uit Wenen binnen was gekomen) stak de oude vos het in zijn zak en begaf zich naar beneden, naar zijn auto.

Hij trof sir Bernard in de tuin van zijn woning in het district Tilford, waar hij, met een deken om zijn benen geslagen, van de zonneschijn zat te genieten. 'Ik had eigenlijk vandaag op kantoor willen zijn,' zei de directeur-generaal van MI-5 met goed gespeelde opgewektheid. 'Maar morgen zal het zeker wel lukken.'
'Allicht, allicht.'
'Nou, zeg me eens hoe ik je van dienst kan zijn.'
'Het gaat om een delicate kwestie,' zei sir Nigel. 'Er is gisteren iemand vanuit Wenen in Londen aangekomen. Ogenschijnlijk een Oostenrijks zakenman. Maar de man is niet écht. We hebben gisteravond een referentie op hem getrokken. Tsjechisch agent; een van die knapen van de STB. Vermoedelijk een koerier.'
Sir Bernard knikte. 'Ja, ze houden me op de hoogte, zelfs hier. Ik weet er alles van. Mijn mensen zitten hem op z'n nek, nietwaar?'
'Zo mag je 't wel stellen. Het ellendige is dat het er nu naar uitziet dat hij van plan is vanavond Londen te verlaten. Naar het noorden. Five zal een operatieleider-te-velde nodig hebben die met de schaduwploeg mee kan.'
'Vanzelfsprekend. We hebben mensen genoeg – Brian zal wel iemand aanwijzen.'
'Ja. Het *is* natuurlijk jullie operatie. Maar toch… Herinner je je nog die kwestie Berenson? Er zijn twee dingen die we nooit hebben kunnen achterhalen. Ten eerste: onderhoudt Marais het contact via de *rezidentoera* hier in Londen, óf maakt hij gebruik van speciale koeriers van

buiten? En ten tweede: Was Berenson de enige bron van Marais, of beschikt hij nog over andere informanten?'

'Ja, nu weet ik het weer. We waren van plan die punten zolang in de ijskast te zetten totdat we deze Marais aan de tand hebben gevoeld.'

'Zo is het. Nu heb ik vandaag dit telegram gekregen van mijn afdelingshoofd in Wenen.'

Hij hield sir Bernard het telegram onder de neus. Onder het lezen gingen diens wenkbrauwen omhoog. 'Verband tussen die twee? Is dat mogelijk?'

'In elk geval niet onmogelijk. Deze Winkler, alias Hayek, schijnt een soort koerier te zijn. Wenen bevestigt dat hij formeel bij de STB zit maar in werkelijkheid rechtstreeks voor de KGB werkt. We weten inmiddels dat Marais gedurende de laatste twee jaar tweemaal in Wenen is geweest als dirigent van Berenson. Beide keren zogenaamd met een culturele missie, maar...'

'De ontbrekende schakel, denk je?'

Sir Nigel haalde zijn schouders op: hij was er geen voorstander van om het er 'te dik op te leggen.'

'Maar waarvoor wil hij dan naar Sheffield?'

'Wie zal het zeggen, Bernard. Misschien is er nog een andere kring, daarginds in Yorkshire. Misschien ook is Winkler koerier voor meer dan één kring.'

'En wat verlang je nu van MI-Five? Meer schaduwen?'

'Nee. John Preston. Je weet nog wel dat hij de man was die Berenson op het spoor kwam, en daarna Marais. Zijn stijl bevalt me. Hij heeft een poosje verlof gehad en is daarna een tijdje ziek geweest – griep, werd me verteld. Maar hij zou morgen weer aan de slag gaan. En aangezien hij er zo lang uit is geweest zal hij wel geen lopende zaken om handen hebben. Formeel is hij sectiehoofd van C-Five (C) – Havens en Luchthavens. Maar niemand weet beter dan jij dat die jongens van afdeling K constant overbelast zijn. Als hij nu tijdelijk toegevoegd zou kunnen worden aan de K-Two (B), kun je hem voor dit geval tot operatieleider-te-velde benoemen...'

'Tja. Nigel, ik weet het eigenlijk niet. In feite is dit iets dat Brian zou moeten be...'

'Ik zou je ontzettend dankbaar zijn, Bernard. Laten we eerlijk zijn – Preston is vanaf het allereerste begin bij de jacht op Berenson betrokken geweest. Als deze Winkler een rol speelt in die hele affaire is het zelfs niet ondenkbaar dat die een gezicht ontdekt dat hij al eens eerder heeft gezien.'

'Goed, jij je zin,' zei sir Bernard. 'Ik zal van hieruit een instructie van die strekking doorgeven.'

'Als je wilt kan ik die wel voor je meenemen,' zei 'C' gedienstig. 'Gemakkelijker voor je. Ik stuur m'n chauffeur wel even door naar Charles Street.'

Toen hij uit Tilford vertrok had hij een schriftelijke opdracht van sir Bernard Hemmings bij zich, waarin John Preston opdracht kreeg zich tijdelijk ter beschikking te stellen van afdeling K, waar hij als operatieleider-te-velde de leiding op zich diende te nemen van de 'Winkleroperatie' zodra de Oostenrijker de metropool verliet. Sir Nigel liet er twee kopieën van maken: een voor hemzelf en een voor John Preston. Het origineel ging naar Charles Street. Aangezien Brian Harcourt-Smith niet op kantoor was belandde de schriftelijke opdracht op zijn bureau en bleef daar voorlopig onaangeroerd liggen.

Die avond verliet John Preston om zeven uur voor de laatste maal het flatje in Chelsea. Hij hoefde nu niet langer ondergedoken te zitten en genoot daarvan met volle teugen. In Sussex Gardens dook hij onverwachts op achter Harry Burkenshaw. 'Goeienavond, Harry.'

'Goeie genade, John Preston! Wat doe jij hier?'

'Een luchtje scheppen.'

'Nou ja, als je maar zorgt dat niemand je in het snotje krijgt. We hebben aan de overkant een maatje in de knip.'

'Weet ik. Ik heb begrepen dat hij met de trein van vijf voor half tien naar Sheffield wil vertrekken.'

'Hoe weet *jij* dat nou weet?' Preston liet hem de kopie

van de schriftelijke, door sir Bernard ondertekende op-
dracht zien. Burkinshaw las het stuk door en zei toen:
'Nee maar, van de DG in eigen persoon. Welkom bij de
club, dan maar. Maar blijf uit het zicht, John.'
'Heb je een reserve-portofoon?'
Burkinshaw knikte naar het uiteinde van de straat. 'Om
de hoek, op Radnor Place. Een bruine Cortina. In het
handschoenenvakje vind je een miniatuur-portofoon.
De microfoon kun je achter je revers spelden.'
'Ik wacht wel in de auto,' zei Preston.
Burkinshaw begreep het niet goed. Niemand had hem
gezegd dat Preston zijn operatieleider-te-velde zou worden. Hij had zelfs nooit geweten dat Preston de Tsjechoslowaakse sectie leidde. Maar de handtekening van
de DG zelf gaf nog altijd de doorslag. Hém maakte het
allemaal weinig uit; hij zou gewoon z'n werk doen.
Schouderophalend wipte hij een nieuw pepermuntje in
zijn mond en wijdde zich weer aan zijn taak.
Om half negen verliet Winkler zijn hotel, mét zijn
koffer. Hij hield een voorbijrijdende taxi aan en gaf de
chauffeur instructies. Zodra Burkinshaw hem naar buiten zag komen riep hij de leden van zijn ploeg op. Zelf
sprong hij in de eerste auto; en toen de taxi Edgware
Road overstak bedroeg de achterstand niet meer dan
honderd meter. Preston zat in de tweede volgauto. Binnen tien minuten wisten ze met zekerheid dat ze onderweg waren naar St. Pancras Station, dat oostelijker was
gelegen. Burkinshaw meldde dit aan Cork Street. De
stem die antwoord gaf was die van Simon Margery.
'Mooi zo, Harry. Onze operatieleider is onderweg.'
'We hébben al een operatieleider,' zei Burkinshaw. 'Hij
rijdt met ons mee.'
Dit was nieuw voor Margery. Hij informeerde naar de
naam van de operatieleider. Toen hij die te horen had gekregen dacht hij dat er een misverstand in het spel moest
zijn. 'En die is niet eens van sectie K-Two (B)!' protesteerde hij.

441

'Nu wel,' zei Burkinshaw bedaard. 'Ik heb zelf de schriftelijke instructie onder ogen gehad. Ondertekend door de DG zelf.'

Vanuit Cork Street belde Margery naar 'Charles'. Terwijl de stoet door de avondschemering Londen in oostelijke richting doorkruiste kwam er antwoord uit Charles Street. De instructie van sir Bernard Hemmings was gevonden en werd bij dezen bevestigd. Verbitterd hief Margery zijn handen op. 'Waarom blijven die zakken in Charles toch voortdurend omdraaien als een blad aan een boom?' riep hij uit tegen een onverschillige wereld. Daarna liet hij de operatieleider die hij zelf naar St. Pancras Station had gestuurd weten dat hij terug kon komen. En in aansluiting daarop probeerde hij Brian Harcourt-Smith op te sporen om zich tegenover hem te kunnen beklagen.

Voor het station rekende Winkler af met zijn taxichauffeur, wandelde onder de gemetselde boogpoort het overkoepelde Victoriaanse station binnen en raadpleegde het bord met de gegevens over vertrekkende treinen. In zijn omgeving gingen Preston en de vier schaduwen van de 'doos' geheel op in het gewemel van passagiers in de hoge hal van baksteen en staal. De trein van 21.25 uur stond langs Perron Twee en zou stoppen in Leicester, Derby, Chesterfield en tenslotte Sheffield. Nadat Winkler zijn trein had gevonden wandelde hij alle rijtuigen langs – de drie eersteklas rijtuigen, de restauratiewagon en de drie tweedeklas rijtuigen met blauwe bekleding achter de locomotief. Hij wandelde terug naar het middelste van deze drie, stapte in, tilde zijn koffer in het rek en wachtte geduldig het moment van vertrekken af. Het was een rijtuig zonder apatte coupés. Na een paar minuten kwam er een jongeman met een donkere huid binnen: hij had een Walkman-cassetterecorder aan zijn broekriem hangen en droeg een koptelefoon. Drie banken voorbij die van Winkler ging hij zitten, waarna hij voortdurend knikbeweginkjes maakte met zijn hoofd, ogenschijnlijk op de maat van de popmuziek die in zijn oren werd getoeterd. Hij kneep zijn ogen dicht en leek zich gelukzalig aan de muziek over te geven. In werkelijkheid hoorde hij helemaal geen muziek, maar de stem van Harry Burkinshaw, die op sterkte 5 instructies gaf aan zijn schaduwploeg.

Een van de leden van dit team koos positie in het voorste rijtuig en Harry en Preston namen plaats in het derde, zodat Winkler tussen twee vuren zat. De vierde schaduw had plaatsgenomen in een van de eersteklas-rijtuigen aan het eind van de trein, voor het geval dat Winkler in de trein aan de wandel ging in een poging een vermeende volger af te schudden.

Precies om vijf minuten voor half tien reed de Intercity 125 met sissend ontsnappende remlucht St. Pancras Station uit naar het noorden. Om half tien was Brian Harcourt-Smith opgespoord in de eetzaal van zijn club, waar hij aan de telefoon werd geroepen. Wat Simon Margery hem vertelde maakte dat de plaatsvervangend directeurgeneraal van F-5 zich hals-over-kop naar buiten haastte, een taxi aanhield en zich in vliegende vaart door West End liet rijden. Op zijn bureau in Charles Street vond hij de schriftelijke opdracht die sir Bernard Hemmings 's middags aan sir Nigel had meegegeven, en hij trok wit weg van woede. Brian Harcourt-Smith had zichzelf altijd uitstekend in de hand. Toen hij een paar minuten over de zaak had nagedacht nam hij de telefoon en verzocht de telefoniste met zijn gebruikelijke beleefdheid om hem door te verbinden met de woning van de aan de dienst verbonden Juridisch Adviseur. Deze functionaris is de man die het leeuwedeel van de liaison-werkzaamheden tussen de Veiligheidsdienst en de afdeling Bijzondere Zaken van Scotland Yard voor zijn rekening neemt. De Juridisch Adviseur zat op zijn gemak in z'n luie stoel televisie te kijken toen de telefoon in zijn woning in Camberley begon te rinkelen.

'Ik wil Bijzondere Zaken een arrestatie laten doen,' zei

Harcourt-Smith. 'Ik heb redenen om aan te nemen dat een illegale immigrant, een man die vermoedelijk een Sovjet-agent is, probeert aan onze surveillance te ontsnappen. De naam is Franz Winkler en hij geeft zich uit voor Oostenrijks staatsburger. De aanklacht luidt dat hij een vermoedelijk vervalst paspoort in z'n bezit heeft. Hij zal om een minuut voor twaalf in het station van Sheffield aankomen, met de trein van vijf voor half tien uit Londen. Ja, ik besef dat het kort dag is. Dat is de reden waarom dit een dringend verzoek is. Ja, neemt u alstublieft contact op met het hoofd van Bijzondere Zaken en dring er bij hem op aan dat hij zijn afdeling in Sheffield opjuint om deze man te arresteren zodra hij uit de trein stapt.'

Met een grimmig lachje legde hij de hoorn op de haak. Ze mochten hem dan opnieuw John Preston op z'n dak hebben geschoven, dit keer in de hoedanigheid van operatieleider-te-velde, maar de arrestatie van een verdachte was per slot van rekening een beleidskwestie en dat was *zijn* verantwoordelijkheid!

De trein was nagenoeg leeg: de zestig passagiers aan boord hadden gemakkelijk plaats kunnen vinden in twee, in plaats van zes rijtuigen. Barney, de schaduw in het voorste rijtuig, deelde de beschikbare ruimte met tien andere personen – allemaal onschuldige, nietsvermoedende passagiers. Hij zat met zijn rug naar de locomotief toe, zodat hij de kruin van Winklers hoofd via de glazen deur tussen de rijtuigen in het oog kon houden. Ginger, de jonge neger met de 'Walkman', zat samen met Winkler en nog vijf anderen in het volgende rijtuig; en Preston en Burkinshaw deelden zestig zitplaatsen met een stuk of twaalf andere passagiers in het derde rijtuig. Een uur en vijftien minuten lang deed Winkler helemaal niets; hij had geen lectuur bij zich en staarde alleen maar door het raam naar het donkere landschap buiten.

Om 22.45 uur minderde de trein snelheid voor Leicester

en kwam hij in actie. Hij trok zijn koffer uit het bagage-rek, liep het rijtuig door, passeerde de toiletdeur en trok het raampje van de deur aan de perronzijde omlaag. Ginger bracht de overigen op de hoogte, die meteen klaar waren om zo nodig ogenblikkelijk in beweging te komen.

Op dat moment dat de trein stopte wrong een andere passagier zich langs Winkler. 'Neemt u mij niet kwalijk, meneer. Is dit Sheffield?' vroeg Winkler.

'Nee, dit is Leicester,' zei de man, op het perron stappend.

'Ah, dank u,' zei Winkler. Hij zette zijn koffer neer, maar bleef bij het open raampje staan zolang het korte oponthoud duurde. Toen de trein het station uit reed ging hij terug naar zijn zitplaats en tilde z'n koffer weer in het rek.

Om 23.12 uur deed hij precies hetzelfde in Derby. Alleen stelde hij zijn vraag deze keer aan een kruier op het perron in het spelonkachtige betonnen gewelf dat het station van Derby overkoepelt. 'Derby,' riep de kruier terug. 'Sheffield komt na de volgende halte.'

Ook nu bleef Winkler de hele tijd uit het open raampje staan staren, totdat hij eindelijk terugging naar zijn plaats en de koffer weer in het rek tilde. Via de glazen tussendeur hield Preston hem scherp in het oog. Om 23.43 uur reed de trein het Victoriaanse station van Chesterfield binnen, een schitterend en goed onderhouden staaltje van de architectuur uit die periode, met in heldere kleuren geschilderd houtwerk en grote rieten manden met bloeiende planten. Ditmaal liet Winkler zijn koffer in het rek, maar ging hij wel weer uit het raampje staan leunen, terwijl twee, drie passagiers uit-stapten en zich door het tourniquet haastten. Het perron was helemaal verlaten toen de trein begon te rijden. Op hetzelfde moment kwakte Winkler de deur open, sprong op het voorbijglijdende beton en smeet met een achter-waartse beweging van zijn arm de deur dicht.

Burkinshaw werd zelden verrast door een onverhoedse manoeuvre van een 'maatje', maar ditmaal moest hij achteraf toegeven dat Winkler hem had overrompeld. Alle vier de schaduwen hadden nog met gemak de trein kunnen verlaten, maar op dat kale perron hadden ze geen enkele vorm van dekking en zouden ze zo ongeveer even opvallend aanwezig zijn geweest als een zeug in een synagoge. Preston en Burkinshaw renden naar voren, naar het instapgedeelte van het rijtuig, waar Ginger uit het voorste rijtuig zich bij hen voegde. Het raampje was nog open. Preston stak zijn hoofd naar buiten en keek achterom. Winkler, die er eindelijk van overtuigd scheen dat hij door niemand werd geschaduwd, beende met grote passen over het perron, met zijn rug naar de trein. 'Harry, kom per auto met de hele ploeg terug naar hier,' riep Preston. 'Roep me per portofoon op zodra je binnen zendbereik bent. Ginger, doe de deur achter me dicht.' Hij opende de deur, ging op de treeplank staan, dook ineen in de houding die parachutisten plegen aan te nemen tijdens hun landing, en sprong. Een parachustist komt met een snelheid van ongeveer achttien kilometer per uur in contact met het aardoppervlak; de zijwaartse snelheid is afhankelijk van de wind. De trein reed ruim achtenveertig kilometer per uur toen Preston op het talud belandde, biddend dat hij geen betonnen paal of een groot brok steen zou raken. Hij had geluk: met opgetrokken knieën, ingetrokken hoofd en tegen de zij gedrukte ellebogen. Harry vertelde hem later dat hij het niet had durven aanzien. Ginger beweerde dat hij stuiterend als een voetbal schuins langs het talud omlaag was gerold, weg van de rondmalende stalen wielen. Toen hij eindelijk tot stilstand kwam lag hij in de greppel tussen het gras en de rand van de weg. Hij krabbelde op de been, draaide zich om en begon terug te rennen naar de lichten van het station. Toen hij bij het tourniquet was gekomen was de controleur al aan het afsluiten. Verbaasd staarde hij naar de verfomfaaide verschijning in een gescheurde regenjas.

'De laatste passagier die hier doorheen is gekomen,' hijgde Preston. 'Klein en gezet, met een grijze regenjas. Welke kant ging-ie op?'

De controleur knikte naar het stationsplein en Preston rende verder. Te laat realiseerde de kaartjescontroleur dat hij het kaartje niet had ingenomen. Op het stationsplein zag Preston de achterlichten van een taxi nog juist de taxistandplaats afrijden, richting centrum. Het was de laatste taxi. Hij wist dat hij de gemeentepolitie in Chesterfield kon vragen om de betreffende taxichauffeur op te sporen en hem te vragen waar hij zijn laatste vrachtje van de avond had afgezet, maar hij betwijfelde geen seconde dat Winkler de taxi kort voor zijn bestemming zou verlaten om het resterende eindje lopend af te leggen. Een paar meter verderop was een stationskruier bezig zijn bromfiets aan de trappen.

'Ik moet uw bromfiets even lenen,' zei Preston.

'Lazer toch op, kerel,' zei de kruier. Er was geen tijd voor legitimatie of langdurige discussies; de achterlichten van de taxi verdwenen al onder het viaduct van de nieuwe ringweg uit het zicht. Dus sloeg Preston hem – één keertje maar – vol op de kaak. De kruier sloeg achterover. Preston ving de vallende bromfiets op, rukte hem tussen 's mans benen vandaan, sprong in het zadel en scheurde weg. Met de stoplichten had hij geluk. De taxi was Corporation Street ingereden en op zijn bromfiets had Preston hem nooit in kunnen halen, als de stoplichten ter hoogte van de stadsbibliotheek niet toevallig op rood hadden gestaan. Toen de taxi via Holywell Street afsloeg naar Saltergate bedroeg zijn achterstand een goeie honderd meter, maar verloor hij snel terrein over het rechte stuk van ruim een kilometer. Als Winkler zich naar het open land ten westen van Chesterfield had laten rijden was Preston nooit in staat geweest hem nog op te sporen. Gelukkig flitsten de remlichten van de taxi op toen de auto nog maar een puntje in de verte was: Winkler betaalde de chauffeur op het punt waar Satergate Road overgaat in Ashgate Road. Toen de afstand kleiner werd zag hij Winkler naast de taxi links en rechts de weg afkijken. Er was verder geen verkeer – er zat dus voor Preston niets anders op dan doorrijden. Hij pruttelde langs de stilstaande taxi alsof hij een late thuiskomer was die precies wist waar hij heen moest. Nadat hij was afgeslagen naar Foljambe Road stopte hij. Winkler stak de weg over; Preston begon hem lopend te volgen. De zogenaamde Oostenrijker keek nu niet één keer om, maar wandelde regelrecht naar de muur rondom het voetbalstadion van Chesterfield, volgde die een eind en belandde tenslotte in Compton Street. Hier begaf hij zich naar een huisdeur en belde aan. Preston, die steeds zorgvuldig in de schaduwen bleef, bereikte op dat moment de hoek van de straat en werd door een struik in de voortuin van het hoekhuis aan het oog onttrokken. Verderop in de straat zag hij de lichten in een huis waarvan de ramen donker waren aan gaan, waarna de voordeur openging. Er werden enkele woorden gewisseld, tot Winkler naar binnen stapte. Zuchtend bereidde Preston zich achter de struik voor op een langdurige nachtwake. Hij kon het nummer van het huis waarin Winkler was verdwenen niet lezen, noch kon hij de achterkant van het huis in het oog houden, maar wel zag hij de hoge muur rond het voetbalstadion achter het huis oprijzen en klampte zich vast aan de mogelijkheid dat er aan die kant misschien geen uitweg was. Om twee uur 's nachts hoorde hij een zacht geruis in het oorknopje van zijn portofoon; Burkinshaw was dus bezig binnen zendbereik te komen. Even later kon hij zich melden en zijn positie doorgeven. Om half drie hoorde hij de zachte tred van dikke crêpezolen en siste hij luid om aan te geven waar hij zich bevond. Burkinshaw voegde zich bij hem achter de struik.

'Alles oké, John?'

'Ja. Hij zit in dat huis daarginds, waar er achter dat gordijn licht brandt.

'Ik zie het. John, in Sheffield stuitten we op een ontvangstcomité. Twee van Bijzondere Zaken en drie agenten in uniform. Opgetrommeld door Londen. Had jij om arrestatie gevraagd?'

'Beslist niet! Winkler is koerier – en ik wil de grote vis aan de haak slaan. Misschien zit-ie wel in dat huis daar. Hoe ging het verder, daar in Sheffield?'

Burkinshaw schoot in de lach. 'We mogen God wel danken voor de Britse politie. Sheffield ligt in Yorkshire; en hier zitten we in Derbyshire. Morgenochtend gaan hun hoofdcommissarissen het samen uitvechten. Dat verschaft je een adempauze.

'Ja. Waar zijn de anderen?'

'Verderop in de straat. We hebben een taxi genomen en die teruggestuurd. John, we zitten zonder vervoer; en daar komt nog bij dat we in deze straat nergens dekking hebben als het licht wordt.'

'Zet twee man aan het andere einde en twee man hier,' zei Preston. 'Ik ga terug naar het centrum om een bezoekje te brengen aan het hoofdbureau van politie en ondersteuning te vragen. Als maatje 'm smeert wil ik dat meteen weten, afgesproken? Schaduw hem met twee man maar laat de andere twee dat huis in de gaten houden.'

Hij verliet de tuin op de hoek en wandelde terug naar het centrum. Het hoofdbureau vond hij in Beetwell Street. En onder het lopen was er één zinnetje dat voortdurend door zijn hoofd bleef malen. Er was iets in het gedrag van Winkler dat volstrekt onlogisch was.

19

Hoofdinspecteur Robin King vond het helemaal niet leuk dat hij in het holst van de nacht uit zijn bed werd gebeld. Maar toen hij om drie uur de telefonische melding kreeg dat er iemand van MI-5 uit Londen op het hoofdbureau was en om assistentie verzocht zei hij dat hij meteen zou komen; en twintig minuten later was hij, ongeschoren en met ongekamde haren, op zijn post. Aandachtig luisterde hij naar Preston, die hem in grote trekken de situatie uiteenzette: dat een buitenlander, vermoedelijk een Sovjetagent, vanuit Londen was geschaduwd, maar dat hij in Chesterfield onverwachts uit de trein was gesprongen en gevolgd was naar een huis in Compton Street, waarvan het huisnummer nog niet bekend was.

'Ik weet nog niet wie daar woont of waarom onze verdachte er een bezoek brengt. Dat wil ik natuurlijk graag weten, maar voorlopig wil ik de man nog niet arresteren. We willen dat huis in het oog houden. In de loop van de ochtend kunnen we via de hoofdcommissaris om meer bevoegdheden vragen, maar op dit moment zitten we met een dringender probleem. Ik heb daar in die straat vier man van onze Schaduwdienst, maar zodra het dag wordt zijn ze voor iedereen opvallend zichtbaar. Vandaar dat ik voor het moment behoefte heb aan uw hulp.'

'Wat kan ik precies voor u doen, meneer Preston?' vroeg de hoofdinspecteur.

'Beschikt u bijvoorbeeld over een civiel bestelbusje?'

'Nee. We hebben hier verscheidene politiewagens zonder politiekentekenen, plus een stel bestelbusjes, maar daarop is aan weerskanten het politie-embleem aangebracht.'

'Ziet u dan misschien kans aan een onopvallend busje te komen en dat in die straat te parkeren, met mijn mannen erin – bij wijze van voorlopige maatregel?'

De hoofdinspecteur draaide het nummer van de dienst-doende wachtcommandant. Hij legde hem dezelfde vraag voor en luisterde een poosje naar het antwoord. 'Bel 'm maar uit z'n bed en vraag of hij me nu meteen wil bellen,' zei hij. En tegen Preston: 'Een van onze agenten beschikt over een busje. Het is een tamelijk haveloos ge-val en hij wordt er voortdurend mee gejend.'

Een half uur later had de slaperige agent zijn busje naar de hoofdingang van het stadion gereden, waar hij werd opgewacht door Burkinshaws mannen. Ze stapten in en het busje werd tegenover het verdachte pand in Comp-ton Street geparkeerd. In overeenstemming met zijn in-structies stapte de in burger geklede agent uit, rekte zich uit en wandelde de straat uit, zodat iemand die hem zag in hem slechts een man zou zien die zojuist was thuisge-komen van z'n nachtdienst. Burkinshaw tuurde uit het achterraampje van de bus naar buiten en meldde zich via de portofoon bij Preston. 'Dit is beter,' zei hij. 'We heb-ben uitstekend zicht op het huis. Tussen haakjes, het nummer is negenenvijftig.'

'Hou je haaks,' zei Preston. 'Ik ga intussen proberen iets beters te arrangeren. Als Winkler lopend vertrekt volgen we hem met twee man en blijven de andere twee het huis bewaken. Als hij per auto weggaat kunnen we hem met dit busje volgen.'

Tegen de hoofdinspecteur zei Preston: 'Het is mogelijk dat we dat huis langdurig in het oog zullen moeten hou-den. Eventueel zullen we daarvoor de voorkamer van een woning aan de overkant moeten vorderen. Weet u misschien iemand in Compton Street die daar geen be-zwaar tegen zal hebben?'

De hoofdinspecteur dacht na. 'Toevallig ken ik iemand die in Compton Street woont,' zei hij. 'We zijn allebei lid van de vrijmetselaarsloge hier. Daar heb ik hem leren

451

kennen. Hij is vroeger schipper geweest bij de marine. Tegenwoordig gepensioneerd. Hij woont op nummer achtenzestig; alleen weet ik niet waar dat is in die straat.' Burkinshaw meldde dat nummer achtenzestig, twee huizen verderop, tegenover het te bewaken huis was gelegen. Via het raam aan de voorzijde – vrijwel zeker de grote slaapkamer op de tweede verdieping – zouden ze het pand uitstekend in het oog kunnen houden. Hoofdinspecteur belde zijn logebroeder uit bed. Op aanraden van Preston legde hij de slaperige bewoner, een zekere Sam Royston, uit dat het een politionele actie betrof: de gemeentepolitie wilde een verdachte die zich ophield in een woning aan de overkant in het oog houden. Zodra hij enigszins tot zijn positieven was gekomen begreep Sam Royston de bedoeling. Als oppassend burger was hij graag bereid de politie zijn voorkamer boven af te staan. Stilletjes werd het busje een blokje om gereden, naar West Street; hier konden Burkinshaw en zijn mannen tussen de huizen door en over de tuinhekken de achterzijde van Roystons huis in Compton Street ongezien bereiken. Kort voordat de zomerzon de straat begon te verlichten installeerde de schaduwploeg zich in Roystons nog niet aan kant gebrachte slaapkamer, waar ze van achter de kanten vitrage nummer negenenvijftig aan de overkant konden bespieden.

Royston zelf, keurig in de plooi, gehuld als hij was in een camelkleurige kamerjas, was op en top de zich belangrijk voelende vaderlandslievende burger die het verzoek heeft gekregen de overheid bij te staan. Met fonkelende ogen gluurde hij door het raam naar het huis schuin tegenover het zijne. 'Bankrovers zeker? Of handelaars in verdovende middelen?'

'Zoiets, ja,' zei Burkinshaw.

'Buitenlanders,' gromde Royston. 'Ik heb ze nooit gemogen. Ze hadden die lui nooit in het land moeten toelaten.' Ginger, wiens ouders afkomstig waren uit Jamaica, staarde stoïcijns door de vitrage. Mungo, een Schot van geboorte, sleepte een paar stoelen van beneden aan. Mevrouw Royston kwam als een muis tevoorschijn uit een soort schuilplaats, na de rollers en spelden uit haar haar te hebben verwijderd.

'Heeft iemand,' informeerde ze, 'misschien trek in een lekkere kop sterke thee?'

Barney, een jonge, knappe knul, toonde haar z'n meest wervende lach. 'Dat zou heerlijk zijn, mevrouw.'

Het maakte haar hele dag meteen goed. Ze vertrok om de eerste van een schier eindeloze reeks potten thee te gaan zetten, een brouwsel waarmee ze zich vrijwel geheel in leven scheen te houden, zonder ook maar de geringste behoefte te voelen aan vast voedsel, in welke vorm dan ook.

Op het hoofdbureau van politie had de wachtcommandant inmiddels ook de identiteit van de bewoners van de huis met nummer negenenvijftig in Compton Street weten te achterhalen.

'Twee Griekse Cyprioten, hoofdinspecteur,' meldde hij aan Robin King. 'Allebei vrijgezel. De gebroeders Andreas en Spiridon Stephanides. Volgens de wijkagent daar zijn ze hier al een jaar of vier. Het schijnt dat ze een soort Grieks eethuisje bij Holywell Cross hebben.'

Preston had een half uur lang met Londen gebeld. Om te beginnen had hij de dienstdoende liaison-man in Sentinel House gebeld, die hem had doorverbonden met Barry Banks.

'Barry, ik zou graag zien dat je "C" belt, onverschillig waar-ie zit, en hem vraagt mij terug te bellen.'

Vijf minuten later had hij sir Nigel aan de lijn gekregen, bedaard en bij de pinken alsof hij helemaal niet had geslapen. Preston bracht hem op de hoogte van de gang van zaken.

'Sir, in Sheffield werd de ploeg opgewacht door een ontvangstcomité. Twee man van Bijzondere Zaken en drie geüniformeerde agenten. Ze hadden een arrestatiebevel bij zich.'

'Ik dacht niet dat dit deel uitmaakte van de afspraak, John.'

'Wat *mij* betreft niet, sir.'

'Goed, John, dat regel ik hier wel. Je weet welk huis het is. Ga je nu tot actie over?'

'Sir, ik heb alleen een huis, meer niet,' corrigeerde Preston hem. 'En ik wil voorlopig nog de kat uit de boom blijven kijken, omdat ik niet geloof dat dit het eind van de rit is. O, en nog iets anders, sir. Als Winkler hier weggaat om terug te gaan naar huis, zou ik graag zien dat hij ongemoeid wordt gelaten. Als de man inderdaad koerier is, of ordonnans, of misschien alleen maar poolshoogte komt nemen, zullen zijn mensen in Wenen hem terug verwachten. Als hij wegblijft zullen ze alleen maar de hele planning omgooien.'

'Ja,' zei sir Nigel voorzichtig. 'Ik zal er met sir Bernard over praten. Wilde je daar blijven, bij de operatie, of terugkomen naar Londen?'

'Als het mogelijk is blijf ik liever hier.'

'Akkoord. Ik zal namens MI-Six dringend verzoeken dat je alle assistentie krijgt waarom je vraagt. Maar dek jezelf in de rug door je operationele rapport in te dienen in Charles Street.'

Toen hij de hoorn op de haak legde nam sir Nigel hem er meteen weer af, om het nummer van sir Bernard Hemmings' woning te draaien. De directeur-generaal beloofde dat hij om acht uur in de Guards Club zou zijn om samen met hem te ontbijten.

'Je ziet dus, Bernard, dat het heel goed mogelijk is dat het Centrum een belangrijke operatie op dit moment in dit land onderneemt,' zei 'C', onder het beboteren van een tweede stuk toast. Sir Bernard Hemmings was diep geschokt en zat aan tafel zonder iets te eten.

'Brian had mij moeten inlichten over dat incident in Glasgow,' zei hij. 'Waarom houdt hij verdorie dat rapport achter op zijn bureau?'

'Och, we maken allemaal zo nu en dan beoordelingsfouten. *Errare humanum est*, en zo,' zei sir Nigel zacht. 'Per slot van rekening dachten mijn mensen in Wenen dat Winkler koerier was voor een reeds lang bestaande kring van agenten; en daaruit heb ik abusievelijk de conclusie getrokken dat Jan Marais deel uitmaakte van die bewuste kring. Nu lijkt het er veel op dat het uiteindelijk toch om twee verschillende operaties gaat.' Hij zag er maar vanaf te onthullen dat hij het 'telegram uit Wenen' eigenhandig had geschreven om iets van zijn collega gedaan te krijgen – de aanstelling van Preston tot operatieleider-te-velde. Voor 'C' was er een tijd van openhartigheid en een tijd van discreet stilzwijgen.

'Maar die tweede operatie, die te maken heeft met die onderschepping in Glasgow?' vroeg sir Bernard.

Sir Nigel haalde zijn schouders op. 'Ik weet 't eenvoudig niet, Bernard. We tasten allemaal in het duister. Brian gelooft er kennelijk niet in. Hij kán gelijk hebben. In dat geval ben ik degene die voor joker staat. Maar tóch – die Glasgow-geschiedenis, dan die geheimzinnige zender ergens in de Midlands, en daarna de overkomst van deze Winkler. Heus, die Winkler is een gelukje voor ons, misschien wel het laatste waarop we mogen rekenen.'

'Wat zijn dan jouw conclusies, Nigel?'

Sir Nigel glimlachte verontschuldigend; dit was de vraag waarop hij had zitten wachten.

'Geen conclusies, Bernard. Een paar voorzichtige vermoedens. *Als* Winkler koerier is kan ik er van uitgaan dat hij een rendez-vous zal hebben voor het overhandigen van een zending, of voor het in ontvangst nemen van het een of ander – waarschijnlijk op een voor het publiek toegankelijke lokatie. Een parkeerterrein, een kade, een bank in een park of bij een vijver. En wanneer het inderdaad om een belangrijke operatie gaat zal er hier ongetwijfeld een eersteklas illegaal actief zijn – de man die aan de touwtjes trekt. Als jij in zijn schoenen stond, zou jij dan willen dat je koeriers bij jou komen aanbellen? Natuurlijk niet. Je zou een ontmoetingsplaats afspreken, of misschien zelfs *twee* lokaties en tijdstippen. Neem een kop koffie.'

'Goed, goed, ik ben 't met je eens.' Sir Bernard wachtte totdat zijn collega hem had ingeschonken en zijn betoog zou vervolgen.

'Daarom, Bernard, komt het mij voor dat Winkler niet de grote man kan zijn. Hij is iemand voor het kruimelwerk, een koerier of iets dergelijks. Hetzelfde geldt voor die twee Cyprioten in dat huisje in Chesterfield. Mollen, volgens mij. Ben je 't met me eens?'

'Ja,' zei sir Bernard. 'Slapende agenten van het derde garnituur.'

'Het begint er dus op te lijken dat die woning in Chesterfield wellicht een brievenbus is voor het in ontvangst nemen van zendingen, – of misschien een wijkplaats, of wellicht ook de basis voor die geheimzinnige zender, voor mijn part. Per slot van rekening staat dat huis in het juiste gebied, de twee "sputters" die Verbindingen met z'n luisterposten heeft opgepikt kwamen uit het Peak District in Derbyshire en de heuvels ten noorden van Sheffield, dat gemakkelijk vanuit Chesterfield te bereiken is.'

'En Winkler?'

'Wat moeten we van hem denken, Bernard? Een radiotechnicus voor het repareren van de zender als die kuren mocht gaan vertonen, of misschien iemand die komt kijken of er vorderingen worden gemaakt? Hoe dan ook, ik ben van mening dat we hem rustig moeten laten rapporteren dat alles dik in orde is.'

'En de grote man; denk je dat die *persoonlijk* z'n neus zal laten zien?'

Sir Nigel haalde opnieuw zijn schouders op. Persoonlijk was hij bang dat Brian Harcourt-Smith, gedwarsboomd in zijn arrestatieplannen te Sheffield, een poging zou laten doen om de woning in Chesterfield te laten bestormen. En dat was in sir Nigels ogen veel te voorbarig. 'Ik zou denken dat er wel ergens een contact tot stand zal komen. Ofwel *hij* komt naar dat stel Cyprioten, of ze gaan naar hem toe,' zei hij.

'Zal ik je eens wat zeggen, Nigel? Ik vind dat we die woning in Chesterfield voorlopig maar in het snotje moesten blijven houden.'

Het hoofd van MI-6 keek hem ernstig aan. 'Bernard, oude vriend, ik ben het roerend met je eens. Alleen schijnt die Brian van jou, dat jonge heethoofd, vastbesloten te zijn om in actie te komen en een paar lui te arresteren. Dat heeft-ie gisteravond ook al geprobeerd, in Sheffield. Natuurlijk is een arrestatie nooit weg en maakt het een poosje een goeie indruk, maar...'

'Laat Brian Harcourt-Smith maar aan mij over,' zei sir Bernard grimmig. 'Ik mag dan op m'n laatste benen lopen, maar deze ouwe hond kan nog aardig blaffen. Weet je wat, ik zal persoonlijk de leiding van deze operatie op me nemen.'

Sir Nigel boog zich naar hem toe en legde zijn hand op de onderarm van sir Bernard.

'Dat zou ik werkelijk toejuichen, Bernard,' zei hij.

Om half tien verliet Winkler het huis in Compton Street: te voet. Mungo en Barney vertrokken via de achterdeur uit het huis van Sam Royston, renden de tuinen door en begonnen de Tsjech op de hoek van Ashgate Road te volgen. Hij ging linea recta terug naar het station, nam de trein naar Londen en werd in St. Pancras Station overgenomen door een verse schaduwploeg. Mungo en Barney gingen terug naar Chesterfield. Winkler keerde echter niet terug naar zijn hotelletje aan Sussex Gardens: wat hij daar eventueel achter had gelaten gaf hij met hetzelfde gemak prijs als de avond tevoren die koffer met zijn pyjama en een stel overhemden. Vanuit St. Pancras Station ging hij rechtstreeks door naar de luchthaven Heathrow, waar hij de middagvlucht naar Wenen nam. Irvines afdelinghoofd in die stad rapporteerde later dat hij door twee man van de Russische ambassade werd opgewacht.

De rest van die dag bleef Preston op het hoofdbureau van politie om zich te wijden aan de afwerking van de enorme administratieve rompslomp die te pas kwam aan een surveillance-operatie in de provincie. De molens van de bureaucratie kwamen krakend op gang: Charles Street nam contact op met Binnenlandse Zaken, welk departement de hoofdcommissaris van Derbyshire toestemming verleende om hoofdinspecteur King van Chesterfield op te dragen Preston en zijn ploeg alle mogelijke medewerking te verlenen. Hoofdinspecteur King was ook zonder die opdracht daar gaarne toe bereid, maar de papieren moesten in orde zijn.

Er arriveerde een tweede schaduwploeg onder leiding van Len Stewart, die in kamers voor ongehuwde politie-agenten werd ingekwartierd. Met behulp van een telelens werden er van de gebroeders uit Cyprus foto's gemaakt, op het moment dat ze hun huis in Compton Street verlieten, even voor twaalven die ochtend – ze gingen op weg naar hun eethuisje aan Holywell Cross. De opnamen werden per motorordonnans naar Londen overgebracht. Uit Manchester kwamen andere experts, die zich bij de telefooncentrale van Chesterfield meldden en daar de telefoonaansluitingen van de beide Cyprioten, thuis en in het eethuisje, aftapten. Hun auto werd voorzien van een magnetisch zendertje dat met z'n bliep-bliep voortdurend hun positie zou verraden. Tegen het eind van de middag beschikte Londen over een 'referentie' met betrekking tot de twee Griekse Cyprioten. Het bleek dat ze oorspronkelijk niet afkomstig waren uit Cyprus, maar wél waren ze broers: Griekse communisten die al heel lang lid waren van de partij en actief waren geweest in de ELLAS-beweging. Twintig jaar geleden waren ze van het Griekse vasteland overgestoken naar Cyprus. Athene was zo vriendelijk geweest Londen daarvan op de hoogte te stellen. Hun werkelijke naam was Costapopoulos. Volgens de informatie die Nicosia verstrekte waren ze acht jaar geleden spoorloos uit Cyprus verdwenen. Het archief van Immigratie in Croydon wees uit dat de gebroeders 'Stephanides' vijf jaar terug Groot-Brittannië waren binnengekomen in de hoedanigheid van legitieme bewoners van Cyprus en dus een verblijfsvergunning hadden gekregen. Het bevolkingsregister van Chesterfield leverde het gegeven op dat ze drieëneenhalf jaar geleden uit Londen waren overgekomen, een kleine woning in Compton Street hadden gekocht en een huurcontract hadden gesloten voor een pand aan Holywell Cross, waar ze een eethuisje hadden geopend. Sindsdien hadden ze het leven van brave, oppassende burgers geleid. Hun eethuisje was zes dagen per week geopend: vanaf hun lunchuur (een tijdstip dat hen weinig klandizie scheen op te leveren) tot laat op de avond (als ze hun handen vol hadden aan het klaarmaken van afhaalgerechten).

Behalve hoofdinspecteur King kreeg niemand op het hoofdbureau van politie te horen wat de ware reden was voor de bewaking van het huis in Compton Street: bij elkaar waren er maar zes mensen volledig op de hoogte. De overigen was verteld dat het een onderdeel was van een op landelijke schaal uitgevoerde actie tegen de handel in verdovende middelen. De mensen van Londen waren er alleen bijgehaald omdat zij de 'gezichten' kenden.

Kort na zonsondergang verliet Preston het hoofdbureau om zich bij Burkinshaw en zijn ploeg te voegen. Maar voor hij wegging bedankte hij de hoofdinspecteur uitvoerig voor alle assistentie die hij had verleend.

'Bent u van plan zelf ook dat huis in het oog te gaan houden?' vroeg de hoofdinspecteur.

'Ja, dat is wel de bedoeling,' zei Preston. 'Hoe dat zo?'

King glimlachte triest. 'De halve nacht hebben we hier beneden heel wat te stellen gehad met een buitenge-

woon boze stationskruier. Het schijnt dat iemand hem
op het stationsplein had neergeslagen, om er vervolgens
met zijn brommer vandoor te gaan. We hebben dat ding
teruggevonden bij Foljambe Road – volmaakt onbescha-
digd, overigens. De man gaf ons niettemin een uitstekend signalement van zijn aanvaller. U bent toch niet
van zins om veel uit te gaan, naar ik hoop?'
'Nee, dat denk ik niet.'
'Heel verstandig,' opperde hoofdinspecteur Robin King.
In zijn woning in Compton Street had de heer Royston
het dringende verzoek gekregen zich aan zijn normale
dagindeling te houden, met inbegrip van zijn vaste bezoekjes aan de buurtwinkels, 's morgens. 's Middags ging
hij altijd op het gazon in het stadspark *jeu de boule* spelen.
Na het invallen van de duisternis zou er pas extra leef-
tocht worden aangevoerd, dit voor het geval dat de buren zich begonnen af te vragen waar Roystons plotseling
toegenomen eetlust vandaan kwam. Er werd een klein
televisietoestel gebracht voor 'de jongens boven', zoals
Sam Royston hen noemde; en nu beperkten ze zich verder tot wachten en toekijken.
De Roystons waren verhuisd naar de slaapkamer achter,
en het eenpersoons bed uit die kamer was naar voren
overgebracht: de schaduwen zouden er om beurten gebruik van kunnen maken. Verder was er ook een uiterst
krachtige kijker en een statief binnengebracht, plus een
fototoestel met telelens en een infrarood-lens, zodat er
dag en nacht foto's konden worden gemaakt. Op korte
afstand stonden twee afgetankte auto's geparkeerd en de
mannen van Len Stewart hadden zich belast met de zorg
voor de verbindingen: vanuit de radiokamer in het
hoofdbureau van politie onderhielden zij de verbindingen met de portofoons in Compton Street en de centrale in Londen. Toen Preston verscheen kreeg hij de indruk dat de vier schaduwen zich in Compton Street
uitstekend thuis voelden. Barney en Mungo lagen te pitten: de eerste op het bed, de tweede op de grond. Ginger

zat in een leunstoel een vers gezette kop thee leeg te slurpen en Harry Burkinshaw zat als een soort boeddhabeeld in een rechte stoel met armleuningen via de kanten vitrage naar het verlaten huis aan de overkant te staren. Als iemand die z'n halve leven in de regen heeft moeten staan was hij heel tevreden met de situatie. Hij was warm en droog, beschikte over voldoende pepermuntjes en had zijn schoenen uitgedaan. Het had slechter gekund, zoals hij als geen ander wist. Het te bewaken pand was aan de achterzijde afgeschermd door een 4,5 meter hoge betonnen muur, wat betekende dat niemand de nacht gehurkt in de bosjes hoefde door te brengen. Preston nam de lege stoel naast hem, achter het statief met het fototoestel, en liet zich door Ginger een kop thee aanreiken.

'Doet u nog een beroep op de insluipploeg?' vroeg Harry, doelend op de vakbekwame 'inbrekers' van de sectie Technische Ondersteuning.

'Nee,' zei Preston. 'Om te beginnen weten we niet of er binnen toch niet iemand aanwezig is. En ten tweede kan het huis beveiligd zijn met een heel stel electronische grapjes, die de heren kunnen verraden of er iemand binnen is geweest – snufjes die we misschien niet eens ontdekken. En ten derde wacht ik hier in de hoop dat er een maatje komt opduiken. Als dat gebeurt pakken we de auto's en volgen hem. Len kan dan de bewaking van dit huis overnemen.' Ze staarden in broederlijk zwijgen naar de overkant. Barney werd wakker.

'Is er niks leuks op de tv?' vroeg hij.

'Niet veel,' zei Ginger. 'Het journaal; en verder de gebruikelijke rommel.'

Vierentwintig uur daarna, op donderdagavond op exact hetzelfde tijdstip, bleek het journaal uiterst interessant te zijn. Op hun kleine schermpje zagen ze de Eerste Minister op het trapje van 10 Downing Street staan, gekleed in een donkerblauw mantelpakje van onberispelijke snit. Ze zag zich geconfronteerd met een horde journalisten, cameralieden en persfotografen. Ze maakte bekend dat ze zojuist was teruggekeerd uit Buckingham Palace, waar ze het staatshoofd had verzocht om ontbinding van het parlement. Het land diende zich daarom voor te bereiden op algemene verkiezingen, te houden op achttien juni aanstaande.

De rest van de televisieavond stond helemaal in het teken van deze politieke sensatie, want alle partijleiders en politieke coryfeeën lieten het kiezersvolk weten dat zij het volste vertrouwen hadden in de overwinning van hún partij. 'Ze zijn er allemaal als de kippen bij,' zei Burkinshaw tegen Preston. Het antwoord bleef uit: Preston staarde naar het scherm zonder iets te zien. Eindelijk mompelde hij: 'Ik geloof dat ik het heb.'

'Dat geeft vlekken,' zei Mungo.

'Wat bedoelde je eigenlijk, John?' vroeg Harry toen het algemene gelach was weggeëbd.

'De tijdslimiet,' zei Preston. Maar hij weigerde er verder over uit te weiden.

In 1987 hadden nog maar heel weinig automodellen van Europese makelij ronde koplampen, maar in ieder geval behoorde de onverwoestbare Mini van Austin daartoe. En het was een auto van dit type die deel uitmaakte van de vele voertuigen die op de avond van de tweede juni uit het inwendige van de veerboot rolden die vanuit Cherbourg in Southampton was gearriveerd. De Mini was vier weken eerder in Oostenrijk gekocht, naar de klandestiene garage in Brunswick gereden, daar gemodificeerd en teruggebracht naar Salzburg. Bij de auto behoorden Oostenrijkse papieren waarop niets aan te merken viel; en ook de toerist die hem bestuurde had een onberispelijk Oostenrijks paspoort, hoewel hij in werkelijkheid een Tsjech was: de tweede en laatste 'bijdrage' van de Tsjechoslowaakse STB aan het plan van majoor Wolkov voor het naar Groot-Brittannië overbrengen van de componenten die Valeri Petrofski nodig had. De

douane doorzocht de Mini, maar er werd niets onregelmatigs ontdekt. Na het verlaten van de haven van Southampton volgde de bestuurder de borden naar Londen
totdat hij in de noordelijke buitenwijken van de haven-
stad de weg verliet en een groot parkeerterrein opreed.
Het was inmiddels al tamelijk donker geworden en op
het achterste deel van het parkeerterrein was hij onzichtbaar voor de automobilisten die zich over de snelweg
verder haastten. Hij stapte uit en begon aan de koplampen te schroeven.

Allereerst verwijderde hij de verchroomde ring waarmee
de naad tussen koplamp en carrosserie was afgedekt.
Vervolgens demonteerde hij met een grote schroeve-
draaier de koplamp zelf door de schroeven die hem stevig op z'n plaats hielden los te draaien. Voorzicht trok hij
de koplamp uit z'n zitting, maakte de electrische bedrading los en stopte de koplamp, die uitzonderlijk zwaar
leek te zijn, in een zeildoeken zak die hij op de grond had
klaargelegd. Het kostte hem bijna een uur om beide
koplampen te demonteren. Toen hij klaar was staarde de
Mini blind voor zich uit, met holle 'oogkassen'. De volgende ochtend, zo wist de agent, zou hij uit Southampton terugkomen met twee nieuwe koplampen, die hij op
z'n gemak kon monteren alvorens weg te rijden.

Hij tilde de zware zak op, liep terug naar de snelweg en
wandelde over een afstand van driehonderd meter terug
naar het centrum. De bushalte bleek zich inderdaad daar
te bevinden waar hij volgens zijn instructies moest zijn.
Hij raadpleegde zijn horloge: nog tien minuten over
voor het tijdstip van het rendez-vous. Precies tien minuten later slenterde een man in zwartleren motorkleding
naar de bushalte. Er waren geen andere passagiers. De
nieuwkomer staarde de weg af en merkte op: 'Als je op de
laatste bus staat te wachten lijkt het altijd alsof het veel
langer duurt dan normaal.'

De Tsjech zuchtte van opluchting. 'Ja,' antwoordde hij,
'maar goddank zal ik om een uur of twaalf thuis zijn.'

Zwijgend wachtten ze totdat de bus naar Southampton kwam aanrijden. De Tsjech liet de tas op de grond liggen en stapte in. Toen de achterlichten van de bus zich verwijderden tilde de motorrijder de zak op en wandelde ermee weg naar de plaats waar hij zijn BMW had achtergelaten. Tegen het ochtendgloren kwam hij, na eerst in Thetford te zijn geweest om zich om te kleden en van voertuig te verwisselen, thuis in Cherryhayes Close, in Ipswich, met bij zich de laatste component van de lijst – een onderdeel waarop hij al die eindeloze weken had gewacht. Koerier Negen had zijn zending afgeleverd.

Twee dagen later was het een week geleden dat de schaduwploeg z'n post tegenover de woning in Compton Street had betrokken, maar nog steeds had Preston in Chesterfield niets te melden. De beide broers uit Griekenland leidden een volmaakt onopvallend leven. Ze stonden iedere morgen om een uur of negen op en wijdden zich aan hun huishoudelijke taken (ze schenen alle karweitjes als koken, wassen, stof afnemen en dergelijke zelf te doen) en vertrokken tegen het middaguur in hun vijf jaar oude gezinsauto naar hun eethuisje. Daar bleven ze tot een uur of twaalf 's nachts, waarna ze naar huis gingen om te slapen. Er kwamen geen bezoekers en vrijwel geen telefoontjes. Als ze zelf iemand belden was dat om bestellingen voor vlees, groenten en andere onschuldige zaken op te geven. Len Stewart, die de wacht had betrokken bij het eethuisje aan Holywell Cross, diende rapporten van vrijwel gelijke strekking in. Hier werd de telefoon wat vaker gebruikt, maar ook voor het doorgeven van bestellingen, reserveringen of wijnleveranties. Het was niet mogelijk er iedere avond een schaduw heen te sturen om er te gaan eten; het lag er duimendik bovenop dat de beide Grieken beroeps waren die jaren klandestien hadden geleefd en ogenblikkelijk argwaan zouden krijgen als een onbekende klant wat al te vaak zijn neus liet zien of te lang bleef plakken. Maar Len Stewart en zijn mannen deden hun uiterste best.

De ploeg in de woning van de Roystons kampte voornamelijk met één probleem: verveling. Zelfs het echtpaar zelf begon langzamerhand genoeg te krijgen van al het ongemak, toen eenmaal de eerste opwinding was geluwd. Sam Royston had de Conservative Party zijn diensten aangeboden voor het maken van propaganda – hij weigerde resoluut van andere partijen zelfs maar een op straat uitgereikt pamflet in ontvangst te nemen – en had de ramen van zijn huis vol geplakt met grote posters die de kiezer opwekten om op de plaatselijke Tory-kandidaat te stemmen. Deze omstandigheid maakt het mogelijk om het komen en gaan van mensen wat op te voeren, aangezien de buren niets opvallends zouden ontdekken aan mensen die met een partijrozetje op hun borst aanbelden of het huis verlieten. Dank zij deze drukte konden Burkinshaw en zijn mannen, voorzien van de juiste partijrozet, zo nu en dan even de benen gaan strekken als de beide Grieken in hun eethuisje werkten. Het verbrak de sleur. De enige die immuun voor verveling scheen te zijn was Harry Burkinshaw zelf. Voor het overige vormde de televisie hun belangrijkste afleiding, hoewel ze het geluid altijd zacht moesten draaien, vooral als de Roystons niet thuis waren. Het hoofdthema was onveranderlijk de lopende verkiezingscampagne. Toen die een week oud was begonnen er zich drie zaken duidelijk af te tekenen.

De alliantie tussen de Liberal Party en de Social Democratic Party had volgens de opiniepeilingen nog steeds geen winst geboekt, zodat de verkiezingsstrijd zich opnieuw leek toe te spitsen op de traditionele krachtmeting tusen de Tory's en Labour. De tweede factor was dat alle opiniepeilingen uitwezen dat het verschil tussen beide partijen veel geringer was dan iemand vier jaar eerder, in '83, had kunnen voorzien – in dat jaar hadden de conservatieven zoveel winst geboekt dat het de proporties aannam van een politieke aardverschuiving. En voorts wezen de opiniepeilingen uit dat de uitslag in de tachtig kiesdistricten met het meest wankelmoedige electoraat vrijwel zeker bepalend zou zijn voor de politieke kleur van de volgende regering. Bij iedere nieuwe peiling bleek onomstotelijk dat de 'zwevende stemmen' – waarvan het totaalpercentage op tien tot twintig werd geschat – de doorslag zouden geven.

Een derde ontwikkeling was dat de campagne in weerwil van alle economische en ideologische thema's, en ondanks de inspanningen die alle partijen zich getroosten om meer gewicht aan die thema's toe te kennen, hoe langer hoe meer werd gedomineerd door een onderwerp dat de emoties hoog liet oplaaien: eenzijdige nucleaire ontwapening. Steeds vaker bleek dat dit onderwerp in de ogen van het electoraat op de eerste of tweede plaats kwam. De pacifistische stromingen, vrijwel allemaal van linkse signatuur en voor die ene keer broederlijk vereend, hadden in feite een eigen verkiezingscampagne gestart. Vrijwel dagelijks werden er gigantische demonstraties gehouden, demonstraties die in ruime mate door televisie en pers werden verslagen. Ofschoon er ogenschijnlijk geen organisatie was aan te wijzen die voor de noodzakelijke fondsen zorgde, schenen deze pacifistische bewegingen samen over meer dan voldoende middelen te beschikken om hun demonstratieve aanhang met behulp van honderden, tegen de normale tarieven gehuurde autobussen van hot naar her te verslepen en zo overal in het land acte de présence te geven.

De extreem-linkse coryfeeën van Labour, zonder uitzondering atheïsten óf agnostici, waren bij ieder verkiezingsoptreden in het land of voor de televisie te vinden in het gezelschap van politiek gemotiveerde leden van de Anglicaanse clerus, zodat de toeschouwer werd geconfronteerd met twee groepen waarvan de leden telkens instemmend en ernstig zaten te knikken als iemand uit de andere groep een verklaring uitsprak of een betoog afstak. Het was onvermijdelijk dat de conservatieven het

voornaamste doelwit werden van de alliantie der liberalen en sociaal-democraten, met name van die woordvoerders die voor ontwapening waren; en al evenzeer
sprak het vanzelf dat de Labour Party hun voornaamste
bondgenoot was. De leider van Labour, ondersteund
door het Nationaal Comité van Uitvoering, had al spoedig gezien uit welke hoek de wind waaide en stelde zich
namens zijn partij op achter alle eisen die de voorstanders van eenzijdige ontwapening lieten horen.

Een ander thema dat z'n stempel op de campagne van
'links' drukte was een onverbloemd anti-Amerikaanse
houding. Op honderden verkiezingspodia bleek het al
spoedig onmogelijk voor een vragensteller of intervie-
wer om de woordvoerders van de ontwapeningsvoor-
standers ook maar één woord van kritiek op de Sovjet-
Unie te ontlokken; het aambeeld waarop voortdurend
werd gehamerd was Amerika, voorgesteld als een natie
van oorlogszuchtige imperialisten die een bedreiging
vormden voor de wereldvrede. Op donderdag vier juni
werd de verkiezingscampagne flink aangewakkerd door
een onverwachts aanbod van de Sovjet-Unie: een 'garantie' voor heel West-Europa (niet alleen voor de NAVO-
lidstaten, rnaar ook de neutrale landen) van een kernwa-
penvrije zone 'voor altijd' – mits de Verenigde Staten
hetzelfde zouden doen.

Een poging van de Britse minister van Defensie om uit
te leggen dat a) het terugtrekken van het Europees-
Amerikaanse verdedigingsstelsel door iedereen kon
worden geverifieerd, terwijl dat niet het geval was met
het verwijderen van de Sovjet-Russische kernraketten;
en b) dat het Warschaupact op het vlak van de conventionele bewapening vier maal zo sterk was als de NAVO,
werd overstemd door woedend gebrul, terwijl de minister door zijn lijfwacht haastig moest worden weggebracht om uit de greep te blijven van de 'geweldloosheid'
predikende pacifisten...

'Je krijgt zo langzamerhand de indruk,' gromde Harry

Burkinshaw, terwijl hij een nieuw pepermuntje in zijn mond wipte, 'dat deze verkiezingen geen verkiezingen zijn, maar een volksstemming over nucleaire bewapening.'

'Dat is precies wat ze zijn,' beaamde Preston volmondig.

Vrijdag ging majoor Petrofski in het centrum van Ipswich inkopen doen. Bij een ijzerhandel kocht hij een lichte maar sterke steekwagen, van het type dat gebruikt wordt voor het verplaatsen van kisten, zakken en zware koffers. Bij een hobby-zaak haalde hij twee dikke planken ter lengte van drie meter. In een winkel voor kantoorbenodigdheden schafte hij een kleine stalen opbergkast aan van het formaat 75 x 45 x 30 cm, voorzien van een goed afsluitbare deur. Daarnaast kocht hij in een andere hobby-zaak een verscheidenheid aan latjes, balkjes en profielen, plus een complete gereedschapskist en een sneldraaiende boormachine met de nodige houten staalboortjes. Verder sloeg hij alle mogelijke spijkers, bouten, moeren, schroeven en houtschroeven in, alsmede een stel werkhandschoenen van goede kwaliteit.

Daarna tikte hij een partij piepschuim op de kop en eindigde de ochtend in een electriciteitszaak voor het aankopen van vier zware batterijen met een spanning van negen volt, plus een keur van eenaderig stroomdaad in alle mogelijke kleuren. Hij moest twee keer rijden om alle inkopen over te brengen naar Cherryhayes Close waar hij alles in de garage opsloeg. Toen het donker was geworden bracht hij het meeste over naar het huis zelf.

Die avond meldde zijn wereldontvanger hem in morsetekens de bijzonderheden van de aankomst van de assembleerder, het enige onderdeel van het plan dat hij niet in zijn hoofd had hoeven prenten. Gekozen was voor rendez-vous X en maandag de achtste. Krap, dacht hij bij zichzelf, verdomd krap. Maar ook dán lag hij nog keurig op schema.

Terwijl Petrofski over zijn eenmalige code gebogen zat om de boodschap uit Moskou te ontcijferen, en de beide Grieken hun handen vol hadden aan het bedienen van de liefhebbers van *moussaka* en *biftecki* die tegen sluitingstijd de kroegen van Chesterfield verlieten, zat John Preston te telefoneren in het hoofdbureau van politie. Hij had sir Bernard Hemmings aan de lijn.

'De kwestie, John, hoe *lang* we daar in Chesterfield kunnen blijven zonder dat het resultaat oplevert,' zei sir Bernard.

'We zijn pas een week bezig, sir,' zei Preston. 'Ik ken gevallen waarin een surveillance heel wat langer heeft geduurd.'

'Jawel, daar ben ik me van bewust. Alleen hebben we in de regel wat meer houvast. Er wordt hier steeds meer druk uitgeoefend door lui die er voorstander van zijn dat we die Grieken overrompelen om eens te zien wat ze daar in dat huis verborgen houden – *als* ze dat al doen. Waarom stem je niet in met een insluiping terwijl die twee aan het werk zijn?'

'Omdat ik geloof dat we met twee eersteklas beroeps te maken hebben, kerels die het zullen merken als hun huis is doorzocht. Als dat gebeurt beschikken ze zonder twijfel over een onfeilbare manier om hun dirigent te waarschuwen en zo te voorkomen dat hij ooit nog een bezoek bij hen aflegt.'

'Ja, ik denk wel dat je gelijk hebt. Alleen – het is allemaal leuk en aardig dat jij daar als een vastgebonden geit in India wacht op het moment dat de tijger komt opdagen, maar stel nu eens dat de tijger wegblijft?'

'Ik geloof dat hij er zal komen,' vroeg of laat, sir Bernard,' zei Preston. 'Gunt u me nog even de tijd, alstublieft.'

'Vooruit dan maar,' zei sir Bernard na een korte pauze, vermoedelijk om ruggespraak met iemand anders te houden. 'Een week, John, meer niet. Volgende week vrijdag zal ik Bijzondere Zaken moeten vragen dat huis binnen te gaan en de hele tent te controleren. Laten we het onder ogen zien: de man die je zoekt zou al die tijd in die woning kunnen zitten.'

'Dat denk ik niet. Winkler zou nooit van z'n leven een bezoek aan het hol van de tijger zelf hebben gebracht. Nee, ik denk dat hij ergens in de buurt zit en hierheen zal komen.'

'Goed. Een weekje dan, John. Aanstaande vrijdag zetten we er een streep onder.'

Sir Bernard hing op. Preston staarde naar de hoorn in zijn handen. Over welgeteld dertien dagen zou het Britse volk moeten stemmen. Hij begon het gevoel te krijgen dat niemand hem steunde; dat hij het misschien bij het verkeerde eind had. Behalve sir Nigel geloofde niemand in de waarde van zijn intuïtie. Een kleine schijf van polonium en een derderangs koerier uit Tsjechoslowakije konden nauwelijks concrete bewijzen worden genoemd; en misschien bestond er niet eens verband tussen.

'Goed dan, sir Bernard,' zei hij tegen de zoemende telefoonhoorn, 'een weekje nog. Als er dan nog niets is gebeurt zal ik hoe dan ook in actie moeten komen.'

Het straalvliegtuig van Finnair uit Helsinki landde de maandagmiddag daarop op het gebruikelijke tijdstip en de passagiers gingen zonder problemen door de Heathrow-molen. Een hunner was een man van middelbare leeftijd met een volle baard, die volgens zijn Finse paspoort Urho Nuütila heette en wiens vloeiende beheersing van de Finse taal waarschijnlijk moest worden toegeschreven aan zijn uit Karelië afkomstige ouders. In werkelijkheid was hij een Rus die Wassiliev heette en als kernfysicus verbonden was aan de artillerie van het Rode Leger, het Directoraat voor Onderzoek en Ontwikkeling. Zoals de meeste Finnen sprak hij ook een aardig mondje Engels. Na het passeren van de paspoortencontrole en de douane nam hij de pendelbus naar het Heathrow Penta Hotel, liep bij de receptie meteen door en verliet het hotel via de achteruitgang die uitkwam op de parkeerplaats. Hier bleef hij zonder door iemand te worden opgemerkt in de namiddagzon staan wachten totdat er een kleine gezinsauto met 'derde deur' naast hem stopte. De bestuurder had het portierraampje opengedraaid.

'Is dit de plek waar de luchthavenbus z'n passagiers afzet?' vroeg hij.

'Nee,' zei de reiziger met baard. 'Ik geloof dat de bus aan de voorkant stopt.'

'Waar komt u vandaan?' vroeg de jongeman.

'Uit Finland,' zei de reiziger.

'Het zal wel erg koud zijn in Finland.'

'Nee, omstreeks deze tijd van het jaar is het er juist ontzettend warm. Het is er nu vergeven van muskieten.'

De jongeman knikte. Wassiliev liep om de auto heen en stapte aan de andere kant in. Ze reden weg.

'Naam?' vroeg Petrofski.

'Wassiliev.'

'Da's voldoende. Meer is niet nodig. Ik ben Ross.'

'Moeten we ver?' vroeg Wassiliev.

'Een uur of twee rijden.'

De rest van de rit deden ze er het zwijgen toe. Petrofski voerde drie keer een manoeuvre uit om te ontdekken of ze soms werden gevolgd. Dat werden ze niet. Bij het laatste restje daglicht bereikten ze Cherryhayes Close in Ipswich. In de voortuin naast Petrofski's huurwoning was de buurman, meneer Armitage, bezig met het maaien van zijn gazonnetje.

'Zo, zo, bezoek? vroeg hij, toen Wassiliev uitstapte en naar de voordeur wandelde. Petrofski haalde de enkele kleine koffer die de man bij zich had uit de bagageruimte en gaf Armitage een samenzweerdersknipoog.

'Hoofdkantoor,' fluisterde hij. 'Ik moet m'n beste beentje voorzetten – misschien zit er promotie voor me in.'

'Nou, laten we het hopen,' grinnikte Armitage. Hij knikte Petrofski bemoedigend toe en wijdde zich weer aan zijn maaimachine. In de huiskamer trok Petrofski zoals altijd eerst de gordijnen dicht, alvorens het licht aan te knippen. Wassiliev bleef in het schijnsel van de lamp roerloos staan.

'Mooi,' zei hij toen, 'aan de slag dan maar. Heb je alle negen componenten die je zijn toegestuurd?'

'Ja. Alle negen.'

'Dan zullen we dat eerst even nalopen. Een speelbal met een gewicht van ongeveer twintig kilogram.'

'Aanwezig.'

'Een paar herenschoenen; een kist sigaren; een gipsverband.'

'Aanwezig.'

'Een transistorradio, merk Sony; een electrisch scheerapparaat merk Braun; een stalen buis van uitzonderlijk gewicht.'

'Dat zal deze wel zijn.' Petrofski liep naar een kast en toonde Wassiliev een eind dikke buis van chroomstaal, verpakt in hittebestendig materiaal.

'Klopt,' zei Wassiljiev. 'En tenslotte een kleine brandblusser van uitzonderlijk gewicht; plus een stel uitzonderlijk zware koplampen.'

'Aanwezig.'

'Mooi, dat is het dan. Als je nu ook de rest van de benodigdheden van meer onschuldige aard hebt ingeslagen, kan ik morgenochtend aan de slag.'

'Waarom nu niet?'

'Luister eens, jongeman. Om te beginnen zullen de buren niet bepaald verrukt zijn van gezaag en geboor op dit uur. Ten tweede ben ik moe. En met dit soort speelgoed kun je je geen fouten veroorloven. Ik begin morgenochtend als ik uitgerust ben, dan is het ding tegen zonsondergang klaar.'

Petrofski knikte.'Neem de achterste slaapkamer maar. Woensdag breng ik je terug naar Heathrow, tijdig genoeg om de ochtendvlucht te halen.'

20

Wassiliev gaf er de voorkeur aan in de huiskamer te werken, met gesloten gordijnen en bij electrisch licht. Eerst verzocht hij Petrofski de negen componenten beneden te willen brengen. 'En we hebben een vuilniszak nodig voor het afval,' zei hij.

Petrofski haalde er een uit de keuken.

'Geef mij de componenten waarom ik vraag een voor een aan,' zei de assembleerder. 'Eerst het sigarenkistje.'

Hij verbrak de zegels en wrikte het deksel open. Het kistje bevatte twee lagen sigaren – dertien in de bovenste en twaalf in de onderste laag – in aluminium hulzen.

'Het moet de derde van links zijn, in de onderste laag.' De informatie klopte. Hij liet de sigaar uit de huls glijden en sneed hem open met een scheermesje. De sigaar bevatte een dun glazen buisje dat aan het uiteinde was dichtgesmolten en waaruit twee electradraadjes staken. Een electrische detonator. Het afval verdween in de vuilniszak.

'Gipsverband.'

Dit bleek uit twee lagen te bestaan, waarvan de eerste de kans had gekregen volledig uit te harden voordat de tweede werd aangebracht. Tussen die lagen bevond zich een in plasticfolie verpakte dunne laag van een grijze, geleiachtige substantie die om de eerste gipslaag was gewikkeld. Wassiliev verwijderde de grijze plasticine voorzichtig van de eerste gipslaag, ontdeed de substantie van de beschermende plasticfolie en rolde de massa tot een bal. Een half pond aan kneedbaar explosief. Toen Petrofski hem de schoenen van Litsjka aanreikte sneed hij beide hakken los. Uit de linker schoen kwam een metalen schijf tevoorschijn, met een dikte van 2,5 en een diameter van 5 centimeter. De rand ervan was voorzien van schroefdraad, zodat de schijf het aanzien had van een brede, platte schroef-plug. De diepe gleuf aan de bovenzijde maakte het mogelijk om de schijf met een breedkopschroevedraaier te draaien. Uit de tweede hak kwam een plattere schijf van grijs metaal met een diameter van 5 centimeter; deze schijf was vervaardigd van lithium, een inerte metaalsoort die, als hij via een krachtige explosie in innig contact wordt gebracht met polonium, als 'initiator' of explosie-inleider fungeert, zodat de splijtingsreactie in de atoombom op gang komt.

De benodigde poloniumschijf kwam uit het electrische scheerapparaat waarover Karel Wosniak zich zoveel zorgen had gemaakt; deze zending verving die welke in Glasgow verloren was gegaan. Nu waren er nog vijf zendingen met componenten over. Toen de hittebestendige bekleding van de stalen buis uit de uitlaatpijp van de Hanomag-truck was verwijderd, bleek het een chroomstalen pijp met een gewicht van twintig kilogram te zijn. Hij had een buitendiameter van tien en een inwendige diameter van vijf centimeter, want de wanddikte bedroeg tweeëneenhalve centimeter. Aan het uiteinde ervan was een dikke mof met binnenschroefdraad gelast, terwijl het andere uiteinde was voorzien van een chroomstalen schroefdop, waarin een gaatje was geboord voor het laten passeren voor de stroomdraden van de detonator.

Uit de Sony-transistor van eerste piloot Romanov verwijderde Wassiliev het 'tijdmechanisme' – een platte en verzegelde stalen doos met het formaat van twee tegen elkaar aangelegde pakjes sigaretten. Aan een kant waren er twee grote ronde knoppen zichtbaar: een gele en een rode; uit het andere uiteinde staken twee gekleurde stroomdraden – een positieve en een negatieve. Aan de hoeken waren montagelippen met boutgaatjes gesoldeerd: hiermee kon de doos tegen de buitenkant van de stalen archiefkast worden geschroefd die de hele bom zou herbergen.

Nu nam de assembleerder de brandblusser uit de Saab van Lundquist en begon de bodem eruit te schroeven. De brandblusser was door de technici namelijk van z'n oorspronkelijke bodem ontdaan, waarna er schroefdraad in de brandblusser was aangebracht en er een nieuwe bodem in was gedraaid; de naad was opgevuld met rode verf, zodat er uiterlijk niets bijzonders aan het ding te zien was geweest. In plaats van blusschuim bevatte het nu nylonwatten die de eigenlijke inhoud moesten beschermen: een zware cilinder van een op lood gelijkende metaalsoort met een dikte van vijf centimeter en een lengte van twaalfeneenhalve centimeter. Wassiliev had de zware werkhandschoenen aangetrokken om deze cilinder te kunnen hanteren. Het was tenslotte zuiver uranium-235. 'Is dat spul niet radioactief?' vroeg Petrofski, die als gebiologeerd zat toe te kijken.

'Dat wel, maar niet in zodanige mate dat het gevaarlijk is. De meeste mensen denken dat alle radioactieve materialen even gevaarlijk zijn. Dat is niet zo. De wijzerplaten van sommige horloges zijn radioactief, maar toch dragen we ze. Uranium geeft alfastraling af, van geringe intensiteit. Plutonium is daarentegen dodelijk. Dit spul overigens ook, als het een kritische waarde bereikt. Dat gebeurt pas vlak voor de explosie zelf, maar nu nog niet.'

Het demonteren van de koplampen van de Mini was een tijdrovend karweitje. Wassiliev haalde er de glazen lampjes, de bedrading en de dunne reflectoren uit. Wat hij overhield was een stel bijzonder zware halve kommen van gehard chroomstaal ter dikte van tweeënhalve centimeter. De omtrek van iedere halve kom bestond uit een flens, voorzien van zestien op regelmatige afstanden geboorde boutgaten. Als ze tegen elkaar aan werden gelegd en samen werden gebout vormden ze een volmaakte bol. Een van de helften was onderin voorzien van een rond gat met een diameter van vijf centimeter, waarin schroefdraad was aangebracht, zodat de dikke stalen plug uit Litsjka's linkerschoen er netjes in paste. De andere helft

had aan de onderkant een korte buis met een binnendia-
meter van vijf centimeter. De bovenste helft ervan bestond uit een van schroefdraad voorzien uiteinde waarop
de mof aan de zware, chroomstalen buis uit de Hano-
mag-uitlaat kon worden geschroefd. De binnenwand
van deze buis en die van de korte buisstomp op de halve
bol vormden dan een aaneengesloten geheel, vrijwel
zonder naad.
De laatste component was de 'speelbal' in vrolijke kleuren die met de kampeerauto het land binnen was ge-
smokkeld. Wassiliev sneed de gevulcaniseerde bekleding
los en hield een zware metalen bol over, die in het licht
van de lamp mat glansde.
'Wat je nu ziet is de loodmantel,' zei hij. 'Die omgeeft de
bol van uranium, de eigenlijke atoomkern, die we er later uit zullen halen. Vanzelfsprekend is hij eveneens radioactief, net als die staaf daar.'
Nu hij zich ervan had kunnen overtuigen dat alle negen
componenten aanwezig waren begon hij de stalen archiefkast te prepareren. Hij legde de kast op z'n rug, verwijderde de deur en begon een soort binnenchassis te
maken van de houten latten en profielen die Petrofski in
Ipswich had gekocht. Dit chassis, dat op de 'bodem' van
de metalen 'kist' kwam te rusten, werd voorzien van een
dikke laag schokabsorberend piepschuim.
'Als de bom er eenmaal in zit zal ik de zijkanten en de bovenkant er verder mee opvullen,' legde de assembleerder
uit. Hij nam de vier batterijen van negen volt en verbond
ze in parallelschakeling met elkaar, waarna hij ze met behulp van kleefband samenvoegde tot één enkele accu.
Toen boorde hij vier kleine gaatjes in het deurtje van de
archiefkast, dat nu als deksel moest fungeren, en haalde
er de draden van de accu doorheen. Inmiddels was het
twaalf uur 's middags geworden.
'Juist,' zei Wassiliev, 'nu zullen we het gevalletje in elkaar
zetten. Tussen haakjes, heb je ooit een atoombom gezien?'

'Nee, zei Petrofski schor. Hij was een expert in ongewapende gevechtstechmeken, een man die geen angst kende voor vuisten, messen of vuurwapens. Maar de koelbloedige opgewektheid waarmee Wassiliev omsprong met spul van voldoende explosieve kracht om er een stad mee te vernietigen baarde hem zorgen. Zoals de meeste mensen beschouwde hij de kernfysica als een vorm van zwarte kunst.

'Vroeger waren ze buitengewoon ingewikkeld,' zei de assembleerder. 'Kolossaal groot; zelfs atoombommen van geringe kracht. En bovendien kon je ze uitsluitend onder strikte laboratoriumcondities in elkaar zetten. Dat geldt momenteel nog voor de de meest geavanceerde kernwapens – de waterstofbommen met een explosieve kracht van vele megatonnen. Maar de atoombom, geen fusiewapen maar een splijtingsbom, is nu zover vereenvoudigd dat je zo'n ding thuis op de werkbank in je schuur en elkaar kunt zetten. Mits je natuurlijk over de juiste onderdelen beschikt, de vereiste kennis bezit en de nodige voorzichtigheid in acht neemt.'

'Tsjonge,' zei Petrofski. Wassiliev was nu bezig met het verwijderen van de relatief dunne loodmantel rondom de bol van uranium-235. Het lood was er koud omheen gewikkeld alsof het pakpapier betrof, waarna de naden met behulp van een lasbrander waren dichtgesmolten. Het materiaal liet zich moeiteloos verwijderen. De uraniumbol zelf had een diameter van twaalfeneenhalve centimeter en was in het midden voorzien van een rond gat van vijf centimeter.

'Je wilt zeker wel weten hoe het werkt?' vroeg Wassiliev.
'Allicht.'

'Deze uraniumbol weegt op zichzelf vijftieneneenhalve kilo. Niet voldoende massa voor het bereiken van een kritische waarde. Uranium wordt, zoals je vermoedelijk wel zult weten, pas kritisch als de massa ervan een bepaalde waarde overschrijdt.'

'Wat gebeurt er als die kritische waarde wordt bereikt?'

'Dan begint het te bruisen. Niet letterlijk, natuurlijk, zoals limonade met prik. Met 'bruisen' bedoel ik het toenemen van de radioactieve straling. Die wordt zo intens dat de detonatiedrempel wordt overschreden. Deze bol verkeert nog niet in dat stadium. Maar zie je die korte dikke staaf daar?' Wassiliev wees naar de staaf uranium uit de brandblusser.

'Ja?'

'Die past precies in het vijf centimeter brede gat in het midden van deze uraniumbol. Op het moment dat hij erin wordt geschoven wordt de kritische waarde bereikt. Nu heeft die dikke chroomstalen buis hier de functie van een soort kanonsloop, waarmee de korte uraniumstaaf als een 'kogel' wordt afgevuurd. Door de explosieve kneedmassa tot detonatie te brengen pers je de korte staaf uranium in het hart van de grotere uraniumbol.'

'En dan zegt-ie boem.'

'Dat niet precies. Je zult de kettingreactie eerst moeten inleiden; daar hebben we de initiator voor nodig. Als we het uranium alleen maar kritisch maken zal de totale massa ervan alleen maar gaan bruisen en tenslotte helemaal uiteenvallen, waarbij er een gigantische hoeveelheid radioactiviteit vrijkomt. Om een explosie te krijgen moet je het kritische uranium als het ware bombarderen met neutronen. Nu vormen deze twee schijven, eentje van lithium en eentje van polonium samen een zogeheten initiator: polonium geeft alleen wat alfastraling af en lithium is inert, dus dood. Maar als je ze met geweld tegen elkaar aan kwakt gaan ze iets vreemds doen: ze brengen een kettingreactie op gang – waarbij ze dat bombardement van neutronen veroorzaken dat wij nodig hebben. Zodra het uranium aan dat bombardement wordt blootgesteld barst het uiteen, waarbij een gigantische hoeveelheid energie wordt vrijgemaakt, iets dat altijd gebeurt als materie plotseling uiteenvalt. Het gebeurt in éénhonderdmiljoenste van een seconde. De stalen buis moet het hele zaakje gedurende die korte periode bijeenhouden.'

'Wie kwakt die initiator ertegenaan?' vroeg Petrofski in een poging om geestig te zijn. Wassiliev moest lachen om zijn galgehumor.

'Niemand,' grinnikte hij. De beide schijven zitten er dan al in, maar niet bij elkaar. We brengen het polonium aan in het uiteinde van het gat in de uraniumbol, terwijl de lithiumschijf op de neus van de 'uraniumkogel' wordt gemonteerd. Als de kogel door de buis schiet en in het hart van de uraniumbol belandt, raakt het lithium met geweld de polonium aan het uiteinde van de tunnel. En dan detoneert de hele zaak.'

Wassiliev gebruikte een druppel contactlijm om de schijf van polonium aan te brengen op het binnenoppervlak van de grote dikke stalen plug uit Litsjka's schoen. Daarna schroefde hij de plug in het gat aan de onderkant van de nog niet tegen elkaar aan gemonteerde halve kommen. Toen nam hij de uraniumbol en legde die voorzichtig in de halve kom. Die was voorzien van vier verdikkingen die precies in vier uithollingen in de uraniumbol pasten en deze onwrikbaar op z'n plaats hielden. Wassiliev nam een pennelichtje en liet de lichtbundel in het gat in de bol schijnen, zodat hij kon zien of de poloniumschijf precies op z'n plaats zat. 'Daar hebben we hem,' gromde hij tevreden. 'Nu wacht hij aan het uiteinde van de tunnel op de komst van de lithiumschijf.'

Hij legde de tweede halve bol over de uraniumbol, zodat de flenzen ervan netjes tegen elkaar aan kwamen te liggen en er een complete bol was ontstaan. Het kostte hem een vol uur voor hij de zestien bouten rondom in de flens had gestoken en ze vast had gedraaid.

'Nu de kanonsloop,' mompelde hij. Hij perste de explosieve kneedmassa in het bovenste uiteinde van de dikke buis van gehard chroomstaal en gebruikte een bezemsteel uit de keuken om de kneedmassa aan te stampen. Petrofski zag iets van de massa door het gaatje in de schroefdop naar buiten komen. Met behulp van contactlijm bevestigde Wassiliev de schijf lithium op de platte voorzijde van de staaf uranium, wikkelde kleefband om het geheel om ervoor te zorgen dat de 'kogel' niet als gevolg van triling uit zichzelf door de buis omlaag zou gaan glijden, en duwde hem toen met kracht in de buis, waarna hij het geheel met behulp van de bezemsteel omlaag drukte, zodat de uraniumstaaf tegen de kneedmassa kwam te liggen. Nu schroefde hij de buis van gehard chroomstaal op de daartoe aan de metalen bol gelaste buisstomp. Het geheel zag er nu uit als een metaalgrijze meloen met een diameter van zeventieneneenhalve centimeter op een steel ter lengte van een halve meter – een soort overmaatse pantservuist naar het model van de beruchte 'aardappelstamper'.

'Bijna gepiept,' zei Wassiliev. 'De rest komt overeen met het vervaardigen van een normale conventionele bom.' Hij nam de detonator – de eigenlijke ontstekingsinrichting – duwde de draadjes die eruit staken uiteen en isoleerde ze met kleefband: als ze elkaar konden raken zou de bom te vroeg exploderen. Aan ieder draadje werd een lengte stroomdraad gesoldeerd, waarna hij de detonator door het gat in de schroefdop op de chroomstalen buis duwde en er zo voor zorgde dat hij in z'n geheel werd ingebed in kneedmassa.

Nu liet hij de helse machine voorzichtig alsof het een baby betrof in z'n piepschuimen wieg zakken, vulde de ruimte eromheen op met piepschuim en duwde dat materiaal zo vast mogelijk aan. Alleen de twee stroomdraden bleven vrij. Een ervan werd aangesloten op de positieve pool van de provisorische accu. Een derde draad werd aangesloten op de negatieve pool en nu had Wassiliev er weer twee in z'n handen. De ontblote eindjes van koperdraad isoleerde hij zorgvuldig. 'Alleen maar voor het geval ze per ongeluk met elkaar in contact zouden komen,' grijnsde hij. 'Want dát zou wat je noemt slecht nieuws zijn.'

De enig overgebleven component was het tijdmechanisme. Wassiliev gebruikte de boormachine om in de zijwand van de stalen archiefkast, dicht bij de bovenkant, vijf gaatjes te boren. Het middelste was bestemd voor de draadjes die aan de achterkant van de platte doos met het tijdmechanisme staken. De resterende vier waren afgetekend met behulp van de platte doos zelf, waaraan montagelipjes waren gesoldeerd: Wassiliev kon nu boutjes door deze lippen en de wand van de archiefkast steken, er moertjes opdraaien en het geheel vastzetten. Het tijdmechanisme bevond zich nu aan de buitenkant van de kast. Toen hij zover was sloot hij de draadjes die aangesloten waren op de accu en de detonator aan op de gekleurde draadjes van het tijdmechanisme, in overeenstemming met de kleurcode. Petrofski hield zijn adem in.

'Maak je maar geen zorgen,' zei Wassiliev, die hem in het oog was blijven houden. 'Deze tijdklok is thuis herhaaldelijk beproefd. De onderbreker werkt voortreffelijk.' Hij isoleerde alle verbindingen met de grootste zorg, propte de overtollige lengte aan stroomdraad weg in het piepschuim, bracht het deksel aan op de kist, sloot die af en wierp Petrofski de sleutel toe.

'Zo, kameraad Ross, daar heb je je bommetje. Je kunt hem met je steekwagen naar de derde deur van je auto rijden, het hele geval erin tillen en ermee aan de rol gaan wanneer je maar wilt – de trillingen kunnen geen kwaad. Nog één ding. Als de gele knop hier stevig wordt ingedrukt begint de tijdklok te lopen, maar de stroomkring zal pas twee uur later worden gesloten. Je hebt dus twee uur de tijd om jezelf als de gesmeerde bliksem in veiligheid te brengen. En die rode knop is bedoeld voor handbediening. Als je die indrukt zal de bom ogenblikkelijk detoneren.'

Wassiliev wist niet dat hij Petrofski verkeerd voorlichtte. Hij geloofde onvoorwaardelijk wat hem was wijsgemaakt. Slechts vier mannen in Moskou wisten dat deze knoppen *allebei* een ogenblikkelijke explosie teweeg zouden brengen. Het was nu avond geworden.

'Zo, vriend Ross, nu wil ik iets eten, een borrel met je drinken, een tukje doen en morgenochtend naar huis gaan, als jij 't tenminste goed vindt.'

'Vanzelfsprekend,' zei Petrofski. 'Zullen we eerst samen even deze kast in de hoek zetten, tussen het dressoir en dat tafeltje met die flessen drank? Schenk jezelf maar iets in, dan zal ik intussen iets te eten klaarmaken.'

De volgende ochtend om tien uur vertrokken ze in Petrofski's kleine gezinsauto naar Heathrow. Op een parkeerhaven in het zuidwesten van Colchester, waar de dichte bossen op korte afstand van de snelweg beginnen, bracht Petrofski de auto tot stilstand voor een sanitaire stop. Enkele seconden nadat hij was uitgestapt hoorde Wassiliev hem met luide kreten alarm slaan. Hij rende hem verontrust achterna om een onderzoek in te stellen. Hij eindigde zijn leven achter een scherm van bomen met een deskundig gebroken nek. Toen Petrofski het lijk had ontdaan van alles dat zou kunnen dienen om de identiteit van de dode te achterhalen, legde hij het in een greppel en bedekte het met wat takken. Vermoedelijk zou het binnen een dag of twee, drie worden ontdekt, maar misschien ook zou het wat langer duren. Wellicht zou de politie een foto van het slachtoffer in de krant laten afdrukken; een foto die zijn buurman, Armitage, misschien wel of misschien ook niet onder ogen zou krijgen en misschien wel of misschien ook niet zou herkennen. Het zou hoe dan ook te laat zijn. Petrofski reed terug naar Ipswich.

Scrupules kende hij niet: inzake de assembleerder had hij instructies gekregen die aan duidelijkheid niets te wensen overlieten. Hoe Wassiliev ooit had kunnen denken dat hij nog thuis zou komen was hem een raadsel. In ieder geval kampte hij, Petrofski, nu met andere problemen. Alles was in gereedheid, maar de beschikbare tijd was erg kort. Hij had al een bezoek gebracht aan het Rendlesham Forest en de meest geschikte plek uitgekozen: een plek met dichte vegetatie op nog geen honderd meter afstand van de omheining rond de Amerikaanse luchtmachtbasis Bentwaters. Als hij daar om vier uur de gele knop indrukte voor het in werking stellen van de tijdklok, zodat de bom twee uur later kon exploderen, zou er niemand in het bos zijn. De archiefkast zou door verse takken aan het oog worden onttrokken, zolang de klok de seconden wegtikte en hij zo hard mogelijk terugreed naar Londen.

Het enige wat hij nog niet wist was op welke ochtend het moest gebeuren. Het bericht om in actie te komen zou, zo wist hij, uitgezonden worden met de Engelstalige nieuwsuitzending van Radio Moskou van tien uur, en wel op de avond die eraan vooraf ging. Dat zou gebeuren in de vorm van een opzettelijke verspreking door de nieuwslezer. Moskou moest echter eerst door Petrofski op de hoogte worden gebracht dat alles in gereedheid was, aangezien Wassiliev niet terug zou komen om dat bericht door te geven. Dat betekende dat hij nog één keer de radio moest gebruiken. Daarna zouden de twee Grieken overbodig zijn geworden. In de schemering van een aangenaam warme juni-avond verliet hij Cherryhayes Close en reed op z'n dooie akkertje naar het noordelijker gelegen Thetford en zijn BMW. Om negen uur begon hij aan de rit naar het noordwesten, naar de streek die op de Engelse landkaart is aangegeven als 'the Midlands'.

De verveling van alweer een lange avond in de voorste slaapkamer van de Roystons werd voor de schaduwen van Burkinshaw kort na tienen onderbroken, toen Len Stewart zich vanuit het hoofdbureau van politie via de radio meldde bij Preston. 'John, een van mijn jongens zit toevallig op dit moment in dat eethuisje te eten. De telefoon ging twee keer over, maar degene die het nummer had gedraaid legde op. Daarna ging de telefoon opnieuw twee keer over, en weer werd er opgelegd. Zo ging het

nog een derde keer. De afluisterdienst bevestigt het.'
'Hebben die Grieken geprobeerd de telefoon aan te nemen?'
'De eerste keer waren ze er niet vlug genoeg bij. En daarna probeerden ze het niet eens meer. Ze gingen gewoon verder met het bedienen van hun klanten... Wacht even... John, ben je daar nog?'
'Natuurlijk ben ik er nog.'
'Een van mijn mannetjes buiten geeft zojuist door dat een van de Grieken weggaat. Via de achteruitgang. Hij gaat naar z'n auto.'
'Laat hem volgen door twee auto's en vier man,' zei Preston. 'De resterende twee blijven bij dat eethuisje. Best mogelijk dat de koerier de stad uitgaat.'
Dat gebeurde echter niet. Andreas Stephanides reed terug naar Compton Street, parkeerde zijn auto en ging naar binnen. Achter de gordijnen floepte het licht aan. Verder niets. Om 23.10 uur, vroeger dan anders, sloot Spiridon het eethuisje, wandelde naar huis en verdween om kwart voor twaalf naar binnen.
Prestons 'tijger' arriveerde kort voor twaalven. Het was heel stil in de straat en bijna overal was het licht uitgegaan. Preston had zijn vier auto's en hun inzittenden zo ver mogelijk verspreid en niemand zag hem komen. Het eerste wat ze hoorden was een gemompelde melding van een van de leden van de schaduwploeg van Len Stewart: 'Er is een vent te zien aan het begin van Compton Street, bij het kruispunt met Cross Street.'
'Wat voert-ie uit?' vroeg Preston.
'Helemaal niks. Hij staat roerloos in de schaduw.'
'Blijf opletten.'
Het was aardedonker in de voorste slaapkamer van de Roystons. De gordijnen waren opengeschoven en Prestons mannen bleven afstand bewaren tot het venster. Mungo zat gehurkt achter het statief met de camera, voorzien van de infrarood-telelens. Preston drukte het knopje van zijn portofoon dicht in zijn oor. Daarbuiten

bevonden zich de zes leden van Stewarts schaduwploeg en zijn eigen twee chauffeurs met hun auto's, allemaal via de portofoons met elkaar in verbinding blijvend. Verder-op in de straat ging een deur open, alsof iemand de kat uitliet. De deur ging vrijwel meteen weer dicht.

'Hij begint te lopen,' fluisterde de stem in zijn oor. 'Naar jullie toe. Heel langzaam.'

'Ik zie hem,' siste Ginger, die uit het zijraam van de erker tuurde. 'Normaal postuur en gemiddelde lengte, ge-kleed in een lange donkere regenjas.'

'Mungo, kun je hem knippen als hij onder die straatlan-taarn komt, even voor het huis van die twee Grieken?' vroeg Burkinshaw. Mungo liet de telelens een fractie omzwaaien.

'Ik heb de lichtkring nu in beeld,' meldde hij.

'Hij is er nog tien meter vandaan,' waarschuwde Ginger. Zonder gerucht liep de gedaante in de donkere regenjas het schijnsel binnen dat verspreid werd door de straat-lantaarn. Mungo's fototoestel maakte in snelle opeenvol-ging vijf opnamen. De man passeerde de lichtkring en bereikte het tuinhekje van de woning van de heren Ste-phanides. Hij liep het korte tuinpad op en klopte op de deur, in plaats van op de belknop te drukken. De deur ging ogenblikkelijk open, maar er brandde geen licht in de vestibule. De man in de donkere regenjas stapte naar binnen en de deur ging dicht.

Aan de overkant van de straat vloeide de spanning weg. 'Mungo, haal de film uit dat ding en breng hem snel naar het politielab. Vraag of ze hem dadelijk willen ontwikke-len en doorgeven aan Scotland Yard, die hem meteen moeten doorgeven aan "Charles" en Sentinel House. Ik zal ze vragen of ze zich willen voorbereiden op het snel opsporen van een referentie.'

Er was iets dat Preston bleef dwarszitten, iets aan de ma-nier waarop de man had gelopen. Het was een warme avond, dus waarom die regenjas? Om droog te blijven? Het was de hele dag stralend weer geweest. Om iets te bedekken? Lichte kleding; opvallende kleding?

'Mungo, wat had hij aan? Jij hebt hem door de telelens gezien.'

Mungo was al halverwege de deur. 'Een regenjas,' zei hij. 'Donker en lang.'

'En daaronder?'

Ginger floot zachtjes. 'Laarzen. Nu weet ik het weer. Motorlaarzen, of zoiets.'

'Verdomme, die vent rijdt motor,' zei Preston. Hij bracht zijn portofoon omhoog. 'Iedereen uitstappen en de straat op. Geen motoren starten; alles moet lopend gebeuren. Iedere straat in de wijk doorzoeken, behalve Compton Street. We zoeken naar een motorfiets waarvan de motor nog warm is.'

'De moeilijkheid is alleen,' dacht hij, 'dat ik niet weet hoe lang hij binnen denkt te blijven, daar aan de overkant. Vijf minuten? Tien? Een uur?' Hij riep Len Stewart op.

'Len, John hier. Als we die motorfiets vinden plakken we er een zendertje tegenaan. Bel intussen hoofdinspecteur King op. Hij zal deze operatie moeten leiden. Als maatje weggaat zullen we hem volgen. Ikzelf dus, met de ploeg van Harry. Jij blijft met jouw jongens hier, om op die Grieken te passen. Als we een uur weg zijn kan de politie het huis bestormen en die Grieken inrekenen.'

Len Stewart, die op het hoofdbureau zat, was het er roerend mee eens en draaide het telefoonnummer van Robin King. Het duurde twintig minuten voor een van de leden van Burkinshaws ploeg de motorfiets had gevonden. Hij meldde zijn vondst aan Preston, die nog altijd in het huis van de Roystons wachtte. 'Aan het begin van Queen Street staat een grote BMW. Achter de buddyseat is een grote bagagedoos gemonteerd, maar die is afgesloten. Verder hangen er twee zijtassen aan, zonder slot. De motor en de uitlaat zijn nog warm.'

'Kenteken?'

Preston noteerde het nummer en gaf het meteen door

aan Len Stewart op het hoofdbureau. Stewart liet onmiddellijk het kenteken natrekken. Het bleek een motorfiets te zijn die in Suffolk was geregistreerd op naam van een zekere James Duncan Ross uit Dorchester.

'Natuurlijk een gestolen motor, een vals kenteken of een blind adres,' mompelde Preston.

Uren later stelde de politie van Dorchester vast dat de derde mogelijkheid de juiste was.

De schaduw die de motor had gevonden kreeg opdracht een magnetisch zendertje in een van de zijtassen te deponeren, het ding in te schakelen en te maken dat hij wegkwam van de motor. Het was Joe, een van Burkinshaws chauffeurs. Hij ging terug naar zijn wagen, ging achter het stuur zitten en overtuigde zich ervan of de richtingzoeker functioneerde.

'Mooi zo,' zei Preston. 'We gaan nu van plaats verwisselen. Alle chauffeurs terug naar hun auto. De drie leden van Stewarts schaduwploeg komen daarna naar de achteringang van onze observatiepost in West Street: zij komen ons aflossen. Een voor een, en zo stilletjes mogelijk. Nu.'

Tegen de mannen om hem heen zei hij: 'Harry, inpakken. Jij gaat eerst. Neem de voorste auto, ik ga met jou mee. Barney en Ginger, jullie pakken de tweede wagen. Als Mungo nog op tijd terug is rijdt hij met mij mee.'

Een voor een meldden de leden van Stewarts ploeg zich om de mannen van Burkinshaw te vervangen. Intussen zond Preston een schietgebedje op dat de agent aan de overkant van de straat het niet in z'n hoofd zou halen te vertrekken terwijl de aflossing nog niet was voltooid. Zelf vertrok hij als laatste, na bij de slaapkamer van de Roystons zijn hoofd om de deurstijl te hebben gestoken om het echtpaar te bedanken voor hun hulp en hen de verzekering te geven dat het nog vóór zonsopgang allemaal achter de rug zou zijn. Het gefluisterde antwoord verried hem dat de Roystons zich meer dan een beetje bezorgd maakten. Via de tuinen haastte hij zich naar

West Street; en vijf minuten later stapte hij in de voorste auto, waarin Joe en Burkinshaw al zaten te wachten. Deze auto stond aan Foljambe Road geparkeerd, terwijl die met Ginger en Barney aan het uiteinde stond van Marsden Street, dicht bij Saltergate Road.

'Uiteraard,' zei Burkinshaw somber, 'zitten we tot aan onze nekken in de stront als het die motor *niet* is.'

Preston op de achterbank zweeg. Burkinshaw zat op de passagiersplaats en liet het controlepaneeltje in de console voor hem geen moment uit het oog. Als een klein soort radarscherm toonde het een met ritmische tussenpozen pulserend lichtje dat telkens opgloeide in een vierkant, met behulp waarvan ze, zich oriënterend op de lengteas van de auto, de richting konden bepalen van de plaats waar hun prooi zich bevond, plus ongeveer de afstand – een kleine kilometer. De tweede auto was met dezelfde apparatuur uitgerust, zodat de inzittenden zo nodig een kruispeiling konden doen.

'Het moet die motor zijn,' zei Preston wanhopig. 'In deze stille straten hadden we hem trouwens toch nooit kunnen schaduwen. Hij had ons onmiddellijk opgemerkt en ik heb zo'n idee dat het een eersteklas-agent is.'

'Hij gaat weg!'

De onverwachtse schreeuw via de radio maakte een eind aan alle verdere opmerkingen. Stewarts mannen in het huis van de Roystons meldden dat de man in de donkere regenjas uit het huis aan de overkant was gekomen. Ze bevestigden dat hij nu Compton Street uitliep, op weg naar Cross Street – dus ongeveer in de richting van de BMW. Toen verdween hij uit hun blikveld. Twee minuten later meldde een van Stewarts chauffeurs, gezeten in een auto die aan St. Margaret's Drive geparkeerd stond, dat de agent een eind verderop deze dreef was overgestoken en nu onderweg was naar Queen Street. Verdere meldingen bleven uit. Er verstreken vijf minuten, waarin Preston voortdurend zat te bidden.

'Hij rijdt!'

Burkinshaw zat van opwinding op zijn stoel te wippen, heel ongewoon voor deze flegmatieke schaduw. Het pulserende lichtje verplaatste zich eerst in zuidelijke en daarna oostelijke richting door het centrum van Chesterfield. Toen de BMW de rotonde bij Lordsmill had bereikt begonnen beide auto's hem te volgen. Toen ze zelf de rotonde waren gepasseerd verdween ieder spoortje twijfel dat nog over was: het signaal van de motorfiets was gestaag en krachtig en verplaatste zich in rechte lijn langs de A617 naar Mansfield en Newark. Afstand: iets meer dan anderhalve kilometer. Zelfs de lichten van hun koplampen waren onzichtbaar voor de motorrijder voor hen.

Joe moest grinniken. 'Zo, probeer ons nu nog maar eens af te schudden, hufter,' zei hij.

Preston zou zich een stuk prettiger hebben gevoeld als de man voor hen een auto had bestuurd. Het was verdomd moeilijk een motorfiets te volgen. Door hun snelheid en wendbaarheid konden ze gemakkelijk hun weg vinden door druk verkeer tussen zichzelf en de achtervolgende auto. Ook konden ze onverhoeds afslaan door smalle stegen of tussen paaltjes door, waardoor geen enkele auto zo'n ding kon volgen. En op het platteland konden ze pardoes de weg verlaten om desnoods hun rit over grasland te vervolgen, en ook dan zou een auto zijn prooi nauwelijks kunnen blijven volgen.

Het kwam er vooral op aan de man voor hen niet te laten merken dat hij werd gevolgd. De motorrijder op de BMW reed bijzonder goed. Hij zorgde er voortdurend voor binnen de maximumsnelheid te blijven, maar de bochten nam hij zonder snelheid te verminderen. Hij bleef de A617, een provinciale weg die ongeveer parallel liep aan de M1, volgen, passeerde het centrum van het slapende Mansfield en reed verder richting Newark. Derbyshire maakte plaats voor het vruchtbare akkerland van Nottinghamshire, maar hij minderde geen moment vaart. Kort voor Newark stopte hij.

'Afstand wordt snel kleiner,' zei Joe plotseling.

'Lichten uit en aan de kant,' snauwde Preston.

In feite was Petrofski plotseling een zijweg ingereden, had zijn motor afgezet en de lichten gedoofd; en nu zat hij opzij van de kruising te staren naar de weg die hij had afgelegd. Een grote vrachtwagencombinatie denderde langs hem heen en verdween richting Newark. Verder niets. Anderhalve kilometer terug wachtten de schaduwen in hun auto's in de berm. Petrofski bleef vijf minuten wachten, startte zijn motor en begon de weg te volgen naar het zuidoosten. Toen ze het pulserende lichtje in het vierkant in beweging zagen komen begonnen de schaduwen hem weer te volgen, ervoor zorgend dat de afstand voortdurend op z'n minst anderhalve kilometer bleef bedragen. Ze passeerden een voor een de brug over de rivier de Trent, waar ze aan hun rechter hand de lichtjes van een gigantische suikerraffinaderij konden zien voor ze Newark zelf in reden. Op dat moment was het bij drieën. In de straten van Newark maakte het lichtje in het vierkant wilde sprongen, terwijl de achtervolgende auto zich een weg zocht door het centrum. Het signaal scheen weer gestaag te worden via de A46 naar Lincoln. De beide auto's hadden op die weg bijna een kilometer afgelegd toen Joe plotseling hard op de rem trapte. 'Hij is rechts afgeslagen,' zei hij. 'De afstand wordt snel groter.'

'Omkeren,' zei Preston. In Newark vonden ze de afslag naar een weg naar het zuidoosten: hun prooi was via de A17 onderweg naar Sleaford.

In Chesterfield kwam de politie van die stad om 02.55 uur in actie bij het huis van de gebroeders Stephanides. Het commando was tien agenten in uniform sterk, geleid door twee leden van de afdeling Bijzondere Zaken in burger. Tien minuten eerder en ze zouden de beide Sovjet-agenten overrompeld hebben. Nu hadden ze eenvoudig pech. Op het moment dat de beide BZ-mannen naar de voordeur liepen zwaaide die open.

Kennelijk stonden de twee Griekse broers op het punt er in hun auto vandoor te gaan met hun radiozender voor het versturen van de gecodeerde en op de bandrecorder van de zender vastgelegde boodschap. Andreas Stephanides stapte naar buiten met de bedoeling alvast de auto te gaan starten, toen hij de politiemannen ontwaarde. Spiridon liep achter hem en droeg de zender. Andreas liet een waarschuwende kreet horen, trok zich terug in het huis en smeet de deur dicht. De beide politiemannen stormden met hun schouder naar voren naar de deur. Op het moment dat die open werd gebroken bevond Andreas zich eronder. Hij verweerde zich in de kleine vestibule als een in het nauw gedreven kat en er waren twee potige agenten nodig om hem opnieuw neer te slaan. De twee mannen van BZ lieten het gewoel van de vechtenden achter zich, namen vlug een kijkje in de vertrekken op de begane grond, riepen de twee agenten in de achtertuin aan, kregen te horen dat die niemand naar buiten hadden zien komen en stormden de trap op. De slaapkamer was verlaten. Ze vonden Spiridon op de kleine vliering. De zender stond op de grond; de stekker ervan was in een stopcontact gestoken en het rode lampje op het bedieningspaneel brandde. Spiridon kwam rustig mee.

De luisterpost van Verbindingen onderschepte één enkele 'sputter' van de klandestiene zender en registreerde het bericht om twee minuten voor drie op de ochtend van donderdag elf juni. De driehoekspeiling die ogenblikkelijk werd verricht leverde een lokatie op in het westelijke stadsdeel van Chesterfield. Het hoofdbureau van politie werd onmiddellijk gealarmeerd; een telefoontje dat door werd geschakeld naar de politieauto van hoofdinspecteur Robin King. Hij antwoordde de luisterpost Menwith Hill: 'Weet ik al. We hébben ze.'

De dienstdoende marconist in Moskou zette zijn koptelefoon af en knikte naar de teleprinter.
'Zwak maar duidelijk,' zei hij.
De teleprinter kwam ratelend in actie en braakte een strook papier uit, overdekt met een onbegrijpelijke opeenvolging van letters. Toen de printer zweeg scheurde de dienstdoende officier het papier af en voerde het in de sleuf van de decoder, die al geprogrammeerd was met de juiste decoderingsformule. De computer begon aan zijn berekingen en transformeerde de letterbrij tot een kristalhelder bericht. De officier las de tekst vluchtig door en begon te glimlachen. Hij draaide een nummer, meldde zich, controleerde de identiteit van de man die hij aan de lijn had en zei: 'Aurora is operationeel.'

Voorbij Newark werd het landschap vlakker en wakkerde de wind aan. De achtervolging werd voortgezet door het zachtglooiende heuvelland van Lincolnshire en langs de kaarsrechte wegen die het landschap van vennen en moerassen doorsnijden. Het signaal dat het pulserende lichtje activeerde bleef krachtig en gestaag en leidde de beide volgauto's van Preston via de A17 langs Sleaford naar het graafschap Norfolk. Ten zuidoosten van Sleaford stopte Petrofski opnieuw en tuurde de donkere horizon achter zich af, op zoek naar brandende koplampen. Die bleven weg. Achter hem, op anderhalve kilometer afstand, wachtten zijn achtervolgers zwijgend in het duister. Toen het lichtje weer verderop kroop over het oscillatorscherm begonnen ze het opnieuw te volgen.
Bij het dorp Sutterton deed zich opnieuw een ogenblik van verwarring voor. Er leiden twee wegen het dorp uit: de A16 naar het zuiderlijker gelegen Spalding, en de A17 naar het zuidoostelijker gelegen Lon Sutton en, op de grens van het graafschap Norfolk, King's Lynn. Er moesten twee minuten voorbijgaan voor ze met zekerheid wisten dat hun prooi onderweg was naar Norfolk,

via de A17. De afstand was uitgegroeid tot vijf kilometer. 'Verkorten,' beval Preston, waarop Joe de naald van de snelheidsmeter op de streep bij het cijfer 150 bleef houden totdat de achterstand was verkleind tot anderhalve kilometer. Even ten zuiden van King's Lynn staken ze de Ouse over; en voorbij de rivier begon hun prooi naar het zuiden te rijden, gerekend vanaf de weg die Downham Market en Thetform met elkaar verbindt. 'Waar wil-ie verdomme heen?' gromde Joe.

'Hij moet hier ergens een basis hebben denk ik,' zei Preston achter hem. 'We blijven hem gewoon volgen.' Links van hen zagen ze een streep roze licht boven de horizon verschijnen, zodat de silhouetten van de bomen zich duidelijker begonnen af te tekenen. Joe schakelde van groot licht over op stadslicht.

Ver zuidelijker waren ook de koplampen van de langgerekte stoet autobussen gedimd, toen de kolonne voortronkte langs de verstopte wegen en door de straten van Bury St. Edwards, een marktplaats in het graafschap Suffolk. Het waren er in totaal tweehonderd: toeringcars die vanuit alle windstreken uit alle delen van het land waren samengekomen in Bury St. Edwards en tot op de allerlaatste plaats bezet waren met demonstratiedeelnemers. Anderen kwamen erheen in hun auto's, met de motor, op de fiets of te voet. Langzaam kroop deze heterogene stoet met zijn spandoeken en borden met slagzinnen de stad uit via de A143, om bij het kruispunt van de weg naar Ixworth tot stilstand te komen. De autobussen konden over deze smalle landwegen niet verder en stopten in de berm van de autoweg, op zo kort mogelijke afstand van het kruispunt, om hun grote aantallen passagiers los te laten op het landschap van Suffolk, dat langzaam door de dageraad werd verlicht. De demonstratieleiders begonnen nu de menigte op te stellen tot iets dat bij benadering het aanzien had van een stoet, geflankeerd door gemotoriseerde agenten, die het allemaal rustig gadesloegen.

In Londen brandden de lichten nog volop. Sir Bernard had zich, na te zijn gewaarschuwd in overeenstemming met zijn dringende verzoek daartoe, door zijn chauffeur naar Cork Street laten rijden, toen hij hoorde dat de schaduwploeg in Chesterfield haar prooi begon te volgen. Nu bevond hij zich in de radiocentrale van 'Cork', in gezelschap van Brian Harcourt-Smith.

Aan de andere kant van de stad bevond sir Nigel zich in zijn werkkamer van Sentinel House: ook hij was op eigen verzoek uit bed gebeld. Beneden, in de kelder, had Blodwyn de halve nacht lang naar het gezicht van een man onder een straatlantaarn van een kleine stad in Derbyshire zitten staren. Ze was kort na twaalven opgehaald uit haar kleine huis in Camden Town en had zich alleen laten ontvoeren omdat sir Nigel haar dat persoonlijk had verzocht. Ze was door hem opgewacht met een boeket bloemen: voor hem was ze bereid door het vuur te gaan, maar voor niemand anders.

'Die is hier nog nooit geweest,' had ze gezegd, zodra ze de foto onder ogen kreeg. 'Maar toch…'

Na een uur had ze haar aandacht gericht op het Midden-Oosten; en om vier uur had ze hem thuisgebracht. Het was een zes jaar oude bijdrage van de Israëlische Mossad; een beetje wazig, en maar één enkele opname. Zelfs de Mossad was niet helemaal zeker geweest van haar zaak: de begeleidende tekst maakte duidelijk dat het alleen om een vermoeden ging. De foto was gemaakt door een Mossad-agent – in de straten van Damascus. De Mossad-agent had hem op ingeving gekiekt en daarna navraag laten doen bij zijn mensen in Dublin. Timothy Donnelly bestond inderdaad, maar kon onmogelijk in Damascus zijn. Tegen de tijd dat dit bericht doorkwam bleek de man op de foto verdwenen te zijn. Hij was nooit meer boven water gekomen.

'Dit is 'm,' zei Blodwyn resoluut. 'Die oren verraden hem. Hij had een hoofddeksel moeten dragen.'

Sir Nigel belde naar de radiocentrale in Cork Street. 'Ik

geloof dat we een referentie hebben, Bernard,' zei hij. 'We zullen een afdruk laten maken en je die toesturen.'

Tien kilometer ten zuiden van King's Lynn waren ze hem bijna kwijtgeraakt. De achtervolgende auto's waren op weg naar Downham Market toen het pulserende lichtje, aanvankelijk bijna onmerkbaar, maar later duidelijker, begon af te wijken naar het oosten. Preston raadpleegde zijn wegenkaart. 'Hij is een eindje terug afgeslagen naar de A Honderdvierendertig,' zei hij. 'Kennelijk is hij op weg naar Thetford. Ga hier maar linksaf en terug.'

Ze pikten hem weer op bij Stradsett; en daarna konden ze hem in rechte lijn blijven volgen door de steeds dichter wordende bossen van berken, beuken en grove dennen. Eindelijk bereikten ze de top van Gallows Hill en zagen het oude marktplaatsje in het schaarse ochtendlicht in het dal liggen. Joe bracht de auto slippend tot stilstand. 'Hij staat weer stil.' Opnieuw om zich te overtuigen dat hij niet werd gevolgd? Steeds als hij zich in open terrein bevond had hij dat onderweg gedaan.

'Waar zou-ie zitten?'

Joe bestudeerde het oscillatorscherm en wees voor zich uit. 'Midden in het centrum, John.'

Preston bekeek de wegenkaart. Afgezien van de weg waarop ze zich bevonden leidden er nog vijf andere wegen Thetford in en uit. Het werd nu snel lichter: het was inmiddels vijf uur. Preston geeuwde. 'We geven hem tien minuten.'

Het lichtje verplaatste zich die tien minuten niet meer, noch de vijf die erop volgden. Preston stuurde zijn tweede auto de ringweg op. Vanaf vier verschillende lokaties overlapten de peilingen elkaar: het zendertje bevond zich midden in het centrum van Thetford. Preston nam de handmicrofoon van de mobilofooninstallatie. 'Oké, ik denk dat we zijn basis hebben gevonden. We gaan erheen.'

De beide auto's kwamen in Magdalen Street, in het centrum van Thetford, weer bijeen en hadden om vijf voor half zes de binnenplaats met de eraan grenzende huurgarages gevonden. Joe manoeuvreerde net zo lang met zijn auto totdat de neus naar een van de garagedeuren wees. De spanning onder de achtervolgers werd intenser.

'Daar zit-ie in,' zei Joe. Preston stapte uit, en Barney en Ginger uit de andere auto voegden zich bij hem. 'Ginger,' vroeg Preston, 'zie jij kans die deur open te breken?' Bij wijze van antwoord nam Ginger een bougiesleutel uit de gereedschapset in een van de auto's, schoof hem over de deurkruk van de garagedeur en gaf er een stevige ruk aan. In het inwendige van het slot knapte iets. Hij keek Preston vragend aan en zag hem knikken. Ginger trok de roldeur van de garage met kracht open en stapte haastig opzij. De mannen op de binnenplaats staarden met grote ogen naar binnen. De BMW stond midden in de garagebox op z'n standaard en verspreidde de stank van benzine, olie en rubber. Aan de haak in de muur hing een complete set leren motorkleding, en op de buddyseat van de motor lag een valhelm. Onder de haak stond een stel leren motorlaarzen. Op de stoffige, met olie besmeurde vloer ontwaarden ze de bandensporen van een kleine auto.

'Godallemachtig,' zei Harry Burkinshaw, 'het is een overstap!'

Joe stak zijn hoofd uit het portierrraampje. 'Er kwam zojuist een melding uit Cork via de mobilofoon. Ze zeiden dat ze over een duidelijk portret beschikken. Waar moeten ze het heensturen?'

'Naar het politiebureau van Thetford,' zei Preston. Hij staarde moedeloos naar de strakke blauwe hemel boven hen. 'Maar het zal wel te laat zijn,' voegde hij er fluisterend aan toe.

21

Kort na vijven hadden de demonstranten zich eindelijk gegroepeerd tot een kolonne van zeven man breed en ruim twee kilometer lang. Het 'hoofd' van de kolonne zette zich in beweging over de smalle weg tussen de Ixworth-kruising, de A1088, naar het dorp Little Fakenham, vanwaar de vredesmars verder zou gaan over een nog smallere weg naar de luchtmachtbasis van de RAF te Honington. Het was een stralende ochtend en ze verkeerden ondanks het vroege uur allemaal in een uitstekend en zonnig humeur. De organisatoren hadden dit vroege tijdstip gekozen om bijtijds aanwezig te kunnen zijn bij de aankomst van de eerste zending gemodificeerde kruisraketten die door Amerikaanse transportvliegtuigen van het type Galaxy zouden worden overgevlogen. Terwijl het voorste deel van de stoet zich versmalde tussen de hoge heggen aan weerskanten van de weg begon de menigte aan haar rituele zang: *No to Cruise, Yanks out*. Voor de komst van de eerste kruisraketten, in 1984, was de RAF-basis Honington een thuisbasis voor eskaders Tornado-jachtbommenwerpers geweest en had hij als zodanig nooit de aandacht van de hele Britse natie getrokken. De bewoners van de dorpen Little Fakenham, Honington en Sapiston hadden al die tijd het gebrul van de straalmotoren boven hun hoofden lijdzaam moeten verdragen – niemand had zich er iets van aangetrokken. Het besluit om Honington aan te wijzen als de derde lanceerbasis voor kruisraketten had in dit alles verandering gebracht.

De Tornado's waren overgevlogen naar Schotland, maar nu werd de rust niet meer verstoord door straalmotoren, maar door vredesdemonstranten – hoofdzakelijk vrouwen, die er de meest eigenaardige gewoonten op na hielden, zich overal in het landschap hadden verspreid en protestkampen op stroken openbaar grondgebied hadden gevestigd. Dat ging nu al jaren zo. Er waren ook al eerder protestmarsen gehouden, maar deze spande de kroon wat de omvang betrof. De pers en de televisie waren massaal vertegenwoordigd en op dit moment holden de cameramannen achterwaarts over de smalle landweg om de prominenten in de voorste gelederen te kunnen filmen. Er waren drie leden van het schaduwkabinet bij, plus twee bisschoppen, een kardinaal, verscheidene hoogwaardigheidsbekleders van de gereformeerde kerken, vijf vakbondsleiders en twee vooraanstaande academici. Zij werden gevolgd door volbloed pacifisten, gewetensbezwaarden, marxistischleninisten met pro-Russische sympathieën, anti-Russische trotskisten, docenten en Labour-activisten, plus nog een heterogene groep van milieu-ijveraars, punks en 'beroepsdemonstranten'. Verder bestond de kolonne uit duizenden verontruste huisvrouwen, arbeiders, onderwijzers en schoolkinderen.

Aan weerskanten van de weg stonden groepjes vrouwelijke demonstranten die zich hier permanent hadden gevestigd, voor het merendeel gewapend met spandoeken en borden met slogans; en degenen die hun handen vrij hadden klapten geestdriftig voor de voorbij marcherende demonstranten. Het geheel werd voorafgegaan door twee gemotoriseerde agenten.

Om kwart over vijf die ochtend had Valeri Petrofski Thetford achter zich gelaten en reed hij in zijn gebruikelijke bedaarde tempo in zuidelijke richting over de A1088, op weg naar de snelweg naar Ipswich en Cherryhayes Close. Hij was de hele nacht op geweest en was moe. Maar hij wist dat zijn bericht om half vier 's nachts uitgezonden moest zijn en dat Moskou nu wist dat hij niet had gefaald. Hij passeerde de grens van Suffolk nabij Euston Hall en zag een gemotoriseerde agent aan de kant van de weg staan, gezeten op zijn motor. Het was de verkeerde weg en het verkeerde tijdstip: hij had de voorafgaande maanden deze route al heel wat keertjes gereden en was nog nooit een agent tegengekomen. Een minuut later, bij het naderen van Little Fakenham, kwamen al zijn natuurlijke instincten tot zelfbehoud in het geweer. Ten noorden van het dorpje waren er twee witte patrouillewagens van de politie in de berm geparkeerd. Ernaast waren enkele politie-officieren in gesprek met twee gemotoriseerde agenten. Ze keken op toen hij voorbij reed maar maakten geen aanstalten hem aan te houden.

Wat hij al half-en-half verwachtte gebeurde even later bij Ixworth Thorpe. Hij was het dorp zojuist doorgekomen en naderde nu de kerk aan de rechter kant van de weg, toen hij de politiemotor tegen de heg zag staan en de gestalte van de bijrijder voor zich op de weg ontwaarde, de rechter arm opgeheven om hem aan te houden. Hij nam gas terug en zijn rechter hand zakte naar de opbergruimte in het portier waarin hij onder een wollen pullover zijn Finse automatische pistool had opgeborgen. Als dit een fuik was hadden ze hem de terugweg afgesneden. Maar die motoragent scheen alleen te zijn. Er was niemand in de buurt met een portofoon voor z'n mond. Hij bracht de Escort tot stilstand. De kolos in zwarte motorkleding beende naar hem toe en bukte zich naast het portierrraampje. Petrofski staarde naar een blozend Engels gezicht zonder een spoortje emotie. 'Zou u zo vriendelijk willen zijn naar de kant te gaan, meneer? Hier, op het pleintje voor de kerk. Dan overkomt u niets.'

Het was inderdaad een fuik. Het dreigement was nauwelijks versluierd. Maar hoe kwam het dan dat er verder niemand in de buurt was?

'Wat is de moeilijkheid, agent?'

'Ik vrees dat de weg een eindje verderop geblokkeerd is, meneer. We zullen hem zo dadelijk weer vrij hebben.'
De waarheid, of een truc? Er kón natuurlijk een gekantelde tractor of zo op de weg liggen. Hij zag ervan af de agent neer te schieten en er vandoor te gaan. Nog niet. Hij knikte, liet de koppeling opkomen en reed langzaam het pleintje voor de kerk op. Hier bleef hij wachten. In zijn spiegeltje kon hij zien dat de agent niet de minste aandacht aan hem schonk, maar een tweede naderende auto aanhield en gebaarde dat de bestuurder het pleintje moest oprijden. Dit zou het wel eens kunnen zijn, dacht hij. Contraspionagedienst. Maar in de andere auto kon hij maar één inzittende ontdekken. Hij stopte vlak achter hem. De bestuurder stapte uit.
'Wat is er aan de hand?' riep hij de agent toe. Petrofski kon hem door z'n open raampje duidelijk verstaan.
'Heeft u 't dan niet gehoord, meneer? Het is die demonstratie. 't Heeft allemaal uitvoerig in de kranten gestaan. En het is ook nog op de televisie geweest.'
'O nee,' zei de andere automobilist. 'Ik heb er geen moment rekening mee gehouden dat ze deze weg zouden nemen. En dat op dit uur!'
'Het zal niet zo gek lang duren voor ze hier voorbij zijn,' zei de agent bij wijze van troost. 'Hooguit een uurtje.'
Op dat moment kwam het hoofd van de kolonne de bocht om. Petrofski staarde naar de spandoeken in de verte en luisterde vol walging en minachting naar de gescandeerde leuzen. Hij stapte uit om de stoet gade te slaan.

Het binnenplaatsje opzij van Magdalen Street, een geasfalteerd hol pleintje dat omgeven was door ééneendertig huurgarages, begon vol te raken. Een paar minuten na het ontdekken van de verlaten garage had Preston Barney in de tweede auto via Grove Lane naar het politiebureau gestuurd om daar assistentie te gaan vragen. Op dat moment was er alleen een hoofdagent aanwezig die sterke thee zat te slurpen, terwijl Barney te woord was gestaan door de agent die als wachtcommandant fungeerde. Op dat moment had Preston via de politiecentrale Londen gebeld. En hoewel het een 'open lijn' betrof en hij normaal gesproken gebruik zou hebben gemaakt van het 'dekmanteljargon' van een autoverhuurbedrijf, had hij deze keer alle voorzichtigheid overboord gezet en sir Bernard de situatie in niet voor misverstanden vatbare spreektaal uiteengezet. 'Ik heb assistentie nodig van de politiekorpsen van Norfolk en Suffolk,' zei hij. 'Plus een helicopter. En vlug ook, anders is het te laat.' Daarna had hij twintig minuten besteed aan het bestuderen van de uitgebreide wegenkaart van East Anglia, die hij had uitgespreid op de motorkap van Joe's wagen.

Na een minuut of vijf reed een motoragent van de gemeentepolitie van Thetford, gealarmeerd door de hoofdagent op het bureau, de binnenplaats op, zette zijn motor op de standaard en wandelde naar Preston toe, terwijl hij zijn helm afzette.

'U bent zeker die meneer uit Londen?' vroeg hij. 'Is er iets waarmee ik u kan helpen?'

'Alleen als je toveren kunt, agent,' zuchtte Preston.

Barney kwam terug van het politiebureau.

'Hier is de foto, John. Die kwam net binnen toen ik met de wachtcommandant in gesprek was.'

Preston bestudeerde het gezicht van de knappe jongeman in een straat van Damascus. 'Jij ellendeling,' mompelde hij, maar zijn woorden werden overstemd door een enorm kabaal, zodat niemand anders ze verstond. Twee Amerikaanse jachtbommenwerpers van het type F-III scheerden in formatie laag over het stadje naar het oosten. Het gebrul van hun straalmotoren verstoorde de rust van ontwakende bewoners. De agent nam niet eens de moeite op te kijken. Barney, die naast Preston stond, volgde de beide toestellen met zijn blik.

'Luidruchtige krengen,' zei hij.

'O, die komen voortdurend over Thetford heen,' zei de motoragent. 'Na een poosje merk je ze niet eens meer op. Ze zijn afkomstig van Lakenheath.'

'Heathrow is al erg genoeg,' antwoordde Barney, die zelf op korte afstand van de Londense luchthaven woonde, in Hounslow. 'Maar gelukkig vliegen die burgertoestellen niet zo laag. Ik geloof niet dat ik dit lang zou kunnen uithouden.'

'Mij kan het niet schelen,' zei de motoragent, 'zolang die dingen maar blijven vliegen. Hij diepte een reep chocola uit zijn zak op en begon de wikkel eraf te halen. 'Alleen hou ik m'n hart vast als zo'n ding ooit mocht neerstorten. Ze hebben kernbommen bij zich, die dingen. Kleine kernbommen, dat wel – maar tóch…'

Langzaam draaide Preston zich om.

'Wat zei je precies?' vroeg hij.

MI-5 was vanuit Cork Street razendsnel te werk gegaan. Sir Bernard Hemmings had afgezien van de gebruikelijke bemiddeling van de Juridisch Adviseur die als liaisonofficier moest optreden en had eigenhandig de commissarissen van de criminele recherche in de graafschappen Norfolk en Suffolk gebeld. Die in Norwick lag nog te slapen; maar zijn collega in Ipswich was al op zijn post, met het oog op de demonstratie die de aandacht van de helft van zijn politiekorps opeiste. De commissaris van Norfolk werd bereikt op hetzelfde moment als waarop het telefoontje vanuit het politiebureau van Thetford doorkwam. Hij gaf opdracht tot het verlenen van alle mogelijke assistentie – de papierwinkel kon wachten.

Brian Harcourt-Smith was inmiddels op jacht naar een helicopter. De beide inlichtingendiensten van Groot-Brittannië, MI-5 en Mi-6, kunnen een beroep doen op de diensten van een paar helicopters die op een kleine basis in Northolt voor hen beschikbaar worden gehouden. Het is mogelijk zo'n toestel met spoed op te roepen, maar normaal gesproken moet een vlucht van tevoren worden gearrangeerd. Het dringende telefoontje van de plaatsvervangend directeur-generaal van MI-5 leerde dat er pas na veertig minuten een wentelwiek de lucht in kon, die nog eens veertig minuten later in Thetford zou arriveren. Harcourt-Smith verzocht Northolt aan de lijn te blijven.

'Bijna anderhalf uur,' zei hij tegen sir Bernard, die op dat moment toevallig in gesprek was met de commissaris van de criminele recherche van Suffolk, in diens hoofd-bureau te Ipswich.

'Hebt u misschien een politiehelicopter ter beschikking, commissaris? Op dit moment?' vroeg sir Bernard.

Hij moest even wachten terwijl de commissaris rugge-spraak hield met een collega van de verkeerspolitie, via een interne lijn. 'We hebben er eentje in de lucht boven Bury St. Edmunds,' meldde hij.

'Wilt u die dan alstublieft naar Thetford dirigeren om een van onze mensen aan boord te nemen?' vroeg sir Bernard. 'Het gaat om een zaak die van het grootste be-lang is voor de nationale veiligheid, dat verzeker ik u.'

'Ik zal er ogenblikkelijk opdracht voor geven,' beloofde de commissaris.

Preston wenkte de motoragent uit Thetford naderbij. 'Wijs me eens waar de Amerikaanse luchtmachtbasissen zijn gelegen,' vroeg hij.

De motoragent plantte een dikke wijsvinger op de kaart. 'Tja, eigenlijk liggen ze zo'n beetje overal, meneer. Je hebt Sculthorpe, hier in het noorden van Norfolk; en in het westen liggen Lakenheath en Mildenhall. En verder hebben we hier Bedfordshire, hoewel ik niet geloof dat er daar nog veel vliegverkeer is. En bij de kust van Suf-folk, bij Woodbrigde, ligt de basis Bentwaters.'

Het was inmiddels zes uur geworden. De demonstran-ten passeerden nu de beide geparkeerde auto's op het pleintje van de Church of All Saints, een klein maar prachtig kerkje dat even oud was als het dorp zelf en was gedekt met riet uit Norfolk; en omdat het niet was aangesloten op het electriciteitsnet moesten de avonddiensten nog altijd bij kaarslicht worden gehouden. Petrofski stond naast zijn auto de drukte gade te slaan, de armen over elkaar geslagen. Hij vertrok geen spier van zijn gezicht, maar achter die ogenschijnlijke kalme façade was hij woest. Boven de akkers en velden achter hem raasde een helicopter van de verkeerspolitie naar het noorden, maar hij hoorde er niets van omdat het gescandeer van de betogers alles overstemde.

De bestuurder van de andere auto, die een vertegenwoordiger in beschuit bleek te zijn en onderweg was naar huis na een cursus over de juiste manier om zijn produkt aan de man te brengen te hebben bijgewoond, slenterde naar Petrofski toe. Hij knikte naar de demonstranten. 'Klootzakken!' riep hij boven het gebrul uit. De Rus lachte hem toe en knikte alsof hij het roerend met hem eens was. Toen verdere reacties uitbleven slenterde de vertegenwoordiger terug naar zijn auto, stapte in en begon in de stapel verkoopliteratuur te neuzen die hij had meegekregen. Als Valeri Petrofski een wat beter ontwikkeld gevoel voor humor had gehad zou hij misschien om de situatie hebben moeten glimlachen. Daar stond hij nu – voor de deur van een godshuis terwijl hij niet in een God geloofde, in het hart van een land dat hij gedeeltelijk moest vernietigen, ruim baan makend voor mensen die hij uit de grond van zijn hart verachtte. En dat terwijl alle eisen van deze betogers in vervulling zouden gaan als hij zijn missie tot een goed einde wist te brengen.

Zuchtend dacht hij aan de manier waarop de MVD-troepen van zijn eigen land korte metten zouden hebben gemaakt met een dergelijke betoging, alvorens de belhamels over te dragen aan de ondervragers van het Vijfde Hoofddirectoraat, die hen in Lefortovo eens duchtig aan de tand zouden hebben gevoeld.

Preston staarde neer op de kaart waarop hij de vijf Amerikaanse luchtmachtbasissen had omcirkeld. Als ik een illegaal agent was, dacht hij bij zichzelf, levend in een vijandig land onder een aangenomen identiteit om een sabotageactie uit te voeren, zou ik mezelf bij voorkeur verborgen houden in een grote stad. In Norfolk had hij kunnen kiezen uit King's Lynn, Norwich en Yarmouth; en in Suffolk uit Lowestoft, Bury St. Edmunds, Colchester en Ipswich. Om terug te rijden naar Kings's Lynn, op korte afstand van de basis Sculthorpe, had de man die hij achtervolgde hem bij Gallows Hill in tegenovergestelde richting moeten passeren. Niemand was hem tegemoet komen rijden. Dus bleven er vier basissen over: drie in het westen en een ten zuiden van Thetford. Hij traceerde nog eens de richting van de route die zijn prooi vanuit Chesterfield naar Thetford had gevolgd. Over de hele lengte pal naar het zuidoosten. Het zou logisch zijn om de overstaplokatie – de plek om de motorfiets te verwisselen voor een auto – ergens in de route op te nemen. Als de route vanuit Chesterfield naar Lakenheath en Mildenhall had gelopen, zou het voor de hand hebben gelegen een garage te huren in Ely óf Peterborough, om vandaar verder te rijden naar de Midlands.

Preston traceerde vervolgens de zuidoostelijke lijn tussen Midlands en Thetford en trok deze verder door naar het zuidoosten. Hij wees regelrecht naar Ipswich. En op achttien kilometer van Ipswich, in een dicht bebost gebied op korte afstand van de kust, lag de luchtmachtbasis Bentwaters. Hij meende zich te herinneren dat dit een basis was voor de moderne jachtbommenwerpers van het type F-5, uitgerust met tactische kernwapens en berekend voor het tot staan brengen van een opmars van zo'n 29 000 tanks. Achter hem kwam de mobilofoon van de motoragent krakend tot leven. De agent liep naar zijn motor en meldde zich.

'Er is vanuit het zuiden een helicopter onderweg,' rapporteerde hij.

'Die is voor mij,' zei Preston.

'O, eh, waar wilt u hem laten landen?'

'Is er een vlak terrein in de buurt?' vroeg Preston.

'Ja, meneer, de Meadows,' zei de agent. 'Aan het uiteinde van Castle Street, bij de rotonde. Daar zal het wel niet al te drassig zijn.'

'Zeg hem dat hij daar heen moet komen,' zei Preston. 'Ik kom er naartoe.'

Tegen zijn eigen mannen, die bijna allemaal in de auto's lagen te soezen, riep hij: 'Iedereen wakker worden. We gaan naar de Meadows.' Terwijl ze zich gereedmaakten liep hij met de landkaart naar de motoragent. 'Zeg me eens, als je hier vandaan naar Ipswich moest rijden, welke weg zou je dan nemen?'

Zonder aarzeling wees de motoragent een rode lijn op de kaart aan. 'Dan zou ik de A Duizendachtentachtig nemen en die in rechte lijn afrijden tot Ixworth: daar het kruispunt passeren en verder tot de afslag naar de snelweg, de A Vijfenveertig naar Ipswich. Die afslag is hier, bij het dorp Elmswell.'

Preston knikte. 'Net wat ik dacht. Laten we hopen dat maatje ook zo redeneert. Ik zou graag zien dat jij hier blijft en probeert voor mij een andere garagehuurder op te sporen, iemand die misschien de auto van de verdachte wel eens heeft gezien. We moeten dat kentcken zien te achterhalen.'

De lichte Bell-helicopter wachtte al op hem in de weide bij de rotonde. Preston stapte uit de auto en nam zijn portofoon mee. 'Blijf jij hier, Harry,' zei hij tegen Burkinshaw. 'Het is een schot in het duister. Waarschijnlijk is hij al in geen velden of wegen meer te bekennen. Hij heeft zeker zo'n vijftig minuten voorsprong. Ik zal doorvliegen tot Ipswich om te zien of ik iets kan ontdekken. Zo niet, zullen we afhankelijk zijn van dat kenteken. Misschien dat iemand het heeft genoteerd of gezien. Je weet maar nooit. Als de politie hier soms iemand opspoort die het kent ben ik binnen de kortste keren bij je terug.' Hij rende in gebogen houding onder de rondmalende rotorbladen door en klom de kleine cabine in, liet de piloot zijn legitimatie zien en knikte naar de verkeerscontroleur die zich achterin zo klein mogelijk had gemaakt.

'Dat was vlot!' riep hij de piloot toe.

'Ik zat al in de lucht!' schreeuwde de man terug. De helicopter begon te stijgen en Thetford gleed onder hen weg. 'Waar wilde u heen?'

'Graag de A Duizendachtentachtig volgen.'

'Dan wilt u zeker de demonstratie zien, hè?'

'Welke demonstratie?'

De piloot staarde hem aan alsof hij zojuist van Mars was gekomen. Met de neus omlaag begon de helicopter zich langs de donkere streep van de A1088 te verplaatsen, zodat Preston de weg kon zien. 'De demonstratie bij de RAF-basis Honington,' zei de piloot. 'De kranten hebben er vol van gestaan; en het is ook op het journaal geweest.'

Vanzelfsprekend had ook hij het journaalbericht over de geplande demonstratie bij deze basis gezien: tenslotte had hij twee weken lang in Chesterfield weinig anders gedaan dan kastje-kijken. Alleen had hij zich niet gerealiseerd dat deze basis aan de A1088 was gelegen, tussen Thetford en Ixworth. Een halve minuut later ontwaarde hij de basis zelf. Rechts van de helicopter glinsterden de landingsbanen van de luchtmachtcomplex. Op een ervan taxiede een reusachtige Galaxy, die kennelijk zojuist was geland. Voor de toegangshekken in de omheining rondom de basis stonden honderden in zwart uniform gestoken agenten van de politie van Suffolk; ze stonden met hun rug naar het prikkeldraad toe en zagen zich geconfronteerd met de betogers. Vanaf de aangroeiende mensenmassa, gewapend met borden en spandoeken, strekte een lange kolonne demonstranten zich uit over de toegangsweg naar de A1088, volgde daar de bocht op het kruispunt en zette zich over de A1088 voort in zuidoostelijke richting, naar de Ixworth-kruising. Recht onder zich lag het dorp Little Fakenham; en even verderop kwam het dorp Honington in het zicht. Hij kon de bijgebouwen van het buiten Honington Hall onderscheiden, en de uit rode baksteen opgetrokken huisjes van Malting Row aan de overkant van de weg. Hier was de kolonne betogers het dichtst en het breedst, omdat er een opstopping was ontstaan bij de toegang van de smalle landweg naar de luchtmachtbasis zelf.

Op dat moment had Preston het gevoel dat zijn hart een sprongetje maakte. Langs de kant van de weg naar het dorp Honington stond een lange rij auto's te wachten – allemaal automobilisten die zich er geen rekenschap van hadden gegeven dat de weg gedurende een deel van de ochtend geblokkeerd zou zijn, of misschien gehoopt hadden er nog voor die tijd langs te kunnen komen. Het moesten er meer dan honderd zijn...

Verderop, in het midden van de voortmarcherende stoet betogers, zag hij de daken van twee, drie auto's glanzen: kennelijk hadden deze automobilisten er nog door gemogen vlak voordat de weg werd afgesloten; alleen hadden ze niet tijdig genoeg de Ixworth-kruising kunnen bereiken om te voorkomen dat ze vast kwamen te zitten. Er stonden een paar auto's in het centrum van Ixworth-Thorpe; en even verderop ontdekte Preston er nog twee, geparkeerd op het pleintje van een kleine dorpskerk. 'Zou het mogelijk zijn?' fluisterde hij voor zich heen.

Valeri Petrofski zag de agent die hem had aangehouden zijn richting uitkomen. De kolonne was nu wat uitgedund; wat hier nog langs kwam vormde de achterhoede van de kolonne demonstranten. 'Het spijt me dat 't zo lang heeft geduurd, meneer. Het waren er zeker meer dan was voorzien.'

Petrofski haalde lachend zijn schouders op. 'Niks aan te doen, agent. Het was stom van me om het nog te proberen. Ik had gehoopt er nog voor die tijd doorheen te zijn.'

'Och, u moet maar denken dat u de enige niet bent. Er zijn heel wat automobilisten die zich erdoor hebben laten verrassen. Maar het zal nu niet meer lang duren. Ik schat nog zo'n tien minuten voor de rest van de demonstranten; en daarna komen er nog een paar grote televisiewagens. Zodra die voorbij zijn zullen we de weg weer vrij geven.'

Boven de landerijen voor hen beschreef een helicopter van de politie grote kringen. Petrofski zag in de open deur van de cabine de gestalte van een verkeerscontroleur die tegen zijn portofoon praatte.

'Harry, ontvang je mij? Meld je even, Harry; John hier.' Preston zat in de cabine van de Bell-helicopter boven Ixworth-Thorpe en probeerde Burkinshaw te pakken te krijgen. Even later hoorde hij de stem van Harry, die zwakjes doorkwam vanwege de afstand naar Thetford.

'Harry hier. Ik ontvang je duidelijk, John.'

'Harry, er is hier een demonstratie tegen de kruisraketten aan de gang! En er is een kans, een kleine kans, dat maatje er in vast is komen te zitten. Wacht even.'

Hij wendde zich tot de piloot. 'Hoe lang is dit al aan de gang?'

'Een uur, ongeveer.'

'Hoe laat hebben ze daar beneden in Ixworth de weg afgesloten?'

De verkeerscontroleur achterin boog zich naar voren en riep: 'Om twintig over vijf!'

Preston raadpleegde zijn horloge. Vijf voor half zeven. Ruim een uur geleden dus. 'Harry, rij als de bliksem over de A Hondervierendertig naar Bury St. Edmunds, neem daar de A Vijfenveertig; dan treffen we elkaar op het kruispunt tussen de Duizendachtentachtig en de Vijfenveertig bij Elmswell. Laat de motoragent bij die garageboxen de weg voor je vrij maken. En zeg tegen Joe, Harry, dat hij harder moet rijden dan hij ooit van z'n leven heeft gedaan.'

Hij tikte de piloot op de schouder. 'Breng me naar Elmswell, wil je? Je kunt me daar afzetten in een weiland bij het kruispunt.'

In vogelvlucht was hij er in slechts vijf minuten. Toen ze de Ixworth-kruising in de A143 passeerden zag Preston de lange, kronkelende kolonne van in de berm geparkeerde autobussen waarmee de betogers naar dit schilderachtige deel van het land waren vervoerd. Twee minuten later zag hij de vierbaans-autoweg van Bury St. Edwards naar Ipswich, de A45, het landschap doorsnijden. 'Die weilanden zijn vermoedelijk te drassig voor een landing,' schreeuwde de piloot hem toe. 'Ik zal vlak boven de grond blijven hangen, dan kunt u eruit springen.'

Preston knikte. Hij wendde zich tot de in uniform gestoken verkeerscontroleur. 'Neem uw pet mee, u gaat met mij mee.'

'Maar dat is mijn werk niet!' protesteerde de hoofdagent. 'Ik ben verkeerscoördinator!'

'Da's precies waarvoor ik u nodig heb. Kom mee, we gaan.'

Vanaf de treeplank van de helicopter sprong Preston in het lange, weelderige gras, een half metertje lager. De hoofdagent van de verkeerspolitie drukte zijn uniformpet stevig op zijn hoofd om te voorkomen dat het hoofddeksel door de rotorbladen zou worden weggeblazen en volgde zijn voorbeeld. Meteen steeg de Bell-helicopter weer op om terug te keren naar Ipswich en zijn basis. Preston, gevolgd door de hoofdagent, begon door het inderdaad drassige weiland te waden, klom over het hek en bereikte de berm van de A1088. Honderd meter verder werd hij gekruist door de A45. Aan de overkant van het kruispunt zagen ze de eindeloze stroom van voertuigen die onderweg waren naar Ipswich.

'Wat nu?' vroeg de hoofdagent van de verkeerspolitie.

'Posteer je hier aan de kant en houd de auto's die via deze weg naar het zuiden rijden aan. Vraag de bestuurders of ze deze weg vanaf Honington hebben gevolgd. Als ze pas ten zuiden van de Ixworth-kruising óf vanaf dat kruispunt zelf deze weg hebben genomen kun je ze door laten rijden. Maar zodra je de eerste te pakken hebt die in die demonstratie vast heeft gezeten moet je me waarschuwen.'

Hij liep verder naar de A45 en keek die af naar Bury St. Edwards.

'Maak voort, Harry, maak voort, ouwe jongen,' mompelde hij bij zichzelf.

De auto's die over de A1088 aan kwamen rijden stopten netjes voor de politieman die hen aanhield, maar alle bestuurders verzekerden hem dat ze pas ten zuiden van de demonstratie deze weg waren gaan volgen. Twintig minuten later zag Preston de motoragent uit Thetford komen aanrijden met huilende sirene, direct gevolgd door de beide wagens van Burkinshaws schaduwploeg. Met gillende banden kwam de kleine stoet tot stilstand bij de kruising met de A1088. De motoragent klapte zijn vizier omhoog. 'Ik hoop dat u weet waarmee u bezig bent, meneer. Ik geloof niet dat iemand deze rit ooit sneller heeft voltooid. Er zullen lastige vragen worden gesteld.'

Preston bedankte hem en stuurde zijn beide auto's de secundaire weg op en liet ze stoppen. Hij wees naar het met gras begroeide lage talud langs de smalle weg. 'Joe, ram die wagen ertegenaan.'

'Wát moet ik?'

'Dat talud rammen. Niet zo hard dat de wagen total loss is; maar zorg dat het er overtuigend genoeg uitziet.'

De beide leden van de politie van Suffolk staarden met grote ogen van verbazing naar de wagen van Joe, die met een flink vaartje het talud ramde: de achterkant van de auto stak uit over de weg en blokkeerde die voor de helft. Preston stuurde de tweede auto naar een plek op een meter of vijftien afstand. 'Uitstappen,' beval hij de bestuurder. 'Help even, jongens – allemaal tegelijk. Hij moet op z'n kant.'

Er waren zeven verwoede krachtinspanningen nodig voor de dienstauto van MI-5 op z'n zij lag. Preston raapte een flinke kei op en sloeg een zijraampje in, waarna hij de brokstukjes van glinsterend glas over de weg begon te strooien. 'Ginger, ga jij hier op de weg liggen, dicht bij de auto van Joe. Barney, haal een deken uit de koffer en leg die over hem heen. Helemaal bedekken, ook zijn gezicht,' zei Preston. 'Mooi zo. De rest over de heg; en blijf uit het zicht.'

Preston wenkte de beide politiemannen naderbij.

'Hoofdagent, er heeft zich een lelijke botsing voorgedaan. Ik zou graag zien dat u naast het slachtoffer positie kiest en het verkeer er langs dirigeert. Agent, jij zet je motor op de standaard, posteert je een eindje terug en zorgt dat het verkeer stapvoets rijdt als het hier langs komt.'

De beide politiemannen hadden uitdrukkelijke instructies – de een uit Norwich, de ander uit Ipswich. Verleen alle mogelijke medewerking aan die heren uit Londen, al doen ze nog zulke krankzinnige dingen. Preston zelf ging aan de voet van het talud zitten en drukte een zakdoek tegen zijn gezicht, alsof hij probeerde een bloedneus te stelpen. Niets is zo effectief om passerende automobilisten langzamer te laten rijden dan het lijk van een verkeersslachtoffer, omdat ze vrijwel allemaal de neiging hebben om uit hun zijraampje te staren tijdens het voorbijkruipen van de plaats des onheils. Preston had ervoor gezorgd dat Gingers 'lijk' in het volle zicht lag van automobilisten die in zuidelijke richting over de A1088 kwamen aanrijden.

Majoor Valeri Petrofski zat achter het stuur van de zeventiende auto. Evenals de andere auto's ervóór minderde de kleine Escort snelheid bij het zien van de zwaaiende arm van de motoragent, waarna hij heel langzaam de plaats van het 'ongeluk' passeerde. Onderaan het talud staarde Preston met half gesloten ogen naar het gezicht van de Rus op nog geen drie meter afstand, een gezicht waarvan hij de trekken dank zij de foto in zijn zak in zijn geheugen had kunnen griffen. Hij had alle tijd om het te herkennen, want heel langzaam slalomde de Escort langs de beide auto's die de weg bijna helemaal versperden. Vanuit zijn ooghoeken zag hij de kleine gezinsauto linksaf de A45 opdraaien, wachten op een opening in de verkeersstroom en snel optrekken. Op hetzelfde moment sprong hij op en rende naar de motoragent een eindje verderop. Onderweg schreeuwde hij de beide bestuurders en de overige leden van de schaduwploeg achter de heg toe dat ze moesten komen. Een automobilist die op dat moment langzaam voorbij de plaats van het ongeluk kwam zag tot zijn stomme verbazing plotseling het 'lijk' opspringen om een stel andere mannen te gaan helpen bij het weer op z'n wielen kantelen van een auto die zich in het talud had geboord.

Joe sprong achter het stuur van zijn eigen auto en reed achteruit de weg op. Barney veegde haastig wat gras en modder van de koplampen alvorens er ook in te springen. Harry Burkinshaw diepte niet één maar drie pepermuntjes uit zijn zak en wipte ze in zijn mond. Preston had intussen de motoragent bereikt.

'Het lijkt me het beste dat je nu maar weer teruggaat naar Thetford, agent. En ontzettend bedankt voor alle assistentie.'

Tegen de hoofdagent van de verkeerspolitie zei hij: 'Helaas zal ik u hier moeten achterlaten – dat uniform is té opvallend om u mee te kunnen nemen. Maar u ook hartelijk bedankt voor uw hulp.'

Een paar tellen later scheurden de twee auto's van MI-5 de kruising over en reden de A45 naar Ipswich op. De verbaasde automobilist die het allemaal had gadegeslagen sprak de achtergelaten hoofdagent aan. 'As-je-menou, agent, draaien ze soms een film voor de televisie?'

'Het zou me verdomme niet verbazen,' zei de hoofdagent. 'Maar tussen haakjes, meneer, kunt u me meenemen naar Ipswich?'

Het vracht- en forensenverkeer naar Ipswich was intensief en de stroom voertuigen werd hoe langer hoe dichter naarmate ze dichter bij Ipswich kwamen. Voor de beide schaduwauto's was dit een plezierige bijkomstigheid, want op deze manier konden ze voortdurend van positie verwisselen om zonder dat het opviel om beurten de Escort met derde deur in het oog te houden.

Voorbij Whitton reden ze de stad zelf in, maar vlak voor het centrum sloeg de kleine auto rechtsaf naar Chevallier Street en volgde de ring naar de Handford Bridge, om via deze brug de Orwell-rivier over te steken. Aan de overkant volgde hun prooi Ranelagh Road en sloeg toen opnieuw rechtsaf.

'Hij gaat zeker weer de stad uit,' zei Joe, die vijf auto's tussen zijn wagen en de Escort was blijven houden. Ze reden nu Belstead Road op, die zich vanuit Ipswich uitstrekt naar het zuiden. Tamelijk onverwachts sloeg de Escort echter linksaf en reed een zijweg in, geflankeerd door huizen.

'Rustig aan nu,' zei Preston waarschuwend tegen Joe. 'Hij mag ons nu niet in de smiezen krijgen.' Hij gaf de tweede auto opdracht zich te posteren bij de kruising tussen de zijweg en Belstead Road, voor het geval hun prooi een rondje zou rijden en het huizencomplex aan weerskanten van de zijweg weer te verlaten. Langzaam reed Joe langs de zeven korte en doodlopende zijstraatjes die samen The Hayes vormen. Ze passeerden de toegang tot Cherryhayes Close nog net bijtijds om te kunnen zien dat de man die ze schaduwden zijn auto parkeerde voor het tuinpaadje van een van de kleine huizen halverwege de straat. Ze zagen het rechter portier opengaan en Preston maande Joe om door te rijden totdat ze uit het zicht zouden zijn en daar te stoppen.

'Harry, geef me jouw hoed eens aan, en ga even na of er soms nog een verkiezingsrozet van de Tory's in het handschoenenkastje ligt. Preston had geluk: de rozet in het handschoenenkastje was nog een overblijfsel van de twee weken waarin de leden van de schaduwploeg er gebruik van had gemaakt om zonder argwaan te wekken het huis van de Roystons in en uit te gaan. Preston speldde het bontgekleurde geval op zijn revers, liet zijn regenjas achter in de auto (die had hij gedragen toen hij aan de voet van het talud naar de voorbijrijdende auto's had zitten kijken en voor de eerste keer Petrofski recht in het gezicht had gezien), drukte Harry's vormeloze hoed op zijn hoofd en stapte uit.

Hij wandelde Cherryhayes Close in, aan de kant tegenover het huis waarin hij de Sovjet-agent vermoedde. Recht tegenover nummer twaalf bevond zich het huis met nummer negen. Voor het raam hing een verkiezingsposter van de Social Democratic Party. Hij liep naar de voordeur en belde aan. Er werd opengedaan door een jong vrouwtje met een aantrekkelijk uiterlijk. Binnen hoorde Preston de stem van een kind en daarna een mannenstem Het was acht uur 's morgens – het gezin zat aan het ontbijt. Preston lichtte zijn hoed op.

'Goeiemorgen, mevrouw.'

Bij het zien van zijn rozet zei ze meteen: 'O, het spijt me, meneer, maar ik ben bang dat u hier uw tijd verdoet. Wij stemmen altijd SPD.

'Daar heb ik alle begrip voor, mevrouw. Maar ik heb hier wat verkiezingsliteratuur en zou u uiterst dankbaar zijn als u die even aan uw man wilt laten zien.' Hij overhandigde haar zijn geplastificeerde legitimatiebewijs van MI-5. Ze keek er niet eens naar, maar slaakte een zucht.

'O, nou, vooruit dan maar. Maar ik weet zeker dat het niets uithaalt!'

Ze liet hem voor de deur staan en trok zich terug in het huis. Preston hoorde het echtpaar in de keuken fluisterend overleggen. Even later kwam er een man de gang in, het legitimatiebewijs in zijn hand. Een jeugdige zakenman, zo te zien, gekleed in een donkergrijze pantalon, een hagelwit overhemd en een clubdas. Nog geen colbertje, dát zou hij pas aantrekken als hij op weg ging naar zijn werk. Met gefronst voorhoofd staarde hij naar Prestons legitimatiebewijs. 'Wat stelt dit in hemelsnaam voor?' vroeg hij.

'Precies wat het lijkt, meneer. Het is mijn legitimatie als officier van de Veiligheidsdienst.'

'Dit is geen vervelende grap?'

'In geen geval. Dit legitimatiebewijs is echt.'

'Zo zo. Wat komt u hier doen, als ik vragen mag?'

'Is het goed dat ik binnenkom, zodat we de deur kunnen sluiten?'

De jongeman aarzelde een ogenblik, maar knikte toen. Preston lichtte opnieuw zijn hoed op en stapte over de drempel, waarna hij de deur achter zich dicht deed. Aan de overkant van de straat bevond Valeri Petrofski zich in de huiskamer, achter de ondoorschijnende grove vitrage van nummer twaalf. Hij was doodop, zijn spieren waren pijnlijk stijf van de lange rit en hij had trek in een borrel. Hij schonk zichzelf een whisky in.

Toen hij door de gordijnen heen naar buiten keek zag hij alweer een van die talloze politieke propagandisten staan praten met de bewoners van nummer acht. Hij was de af-gelopen tien dagen zelf al drie keer lastiggevallen; en toen hij zoëven binnenkwam was hij bijna gestruikeld over de stapel verkiezingspropaganda op de deurmat. Hij zag dat de man aan de overkant door de bewoner werd binnengelaten. 'Alweer een bekeerling, dacht hij. Wat zal dát een geweldig verschil maken.'

Aan de overkant slaakte Preston een zucht van opluch-ting. De jongeman stond hem argwanend op te nemen. Achter hem, in de deuropening van de keuken, stond zijn vrouw naar hem te staren. Ter hoogte van haar knie zag hij het gezichtje van een kind van een jaar of drie om de deurstijl gluren. 'U bent wérkelijk van de Veiligheids-dienst?' vroeg de man.

'Inderdaad. We hebben namelijk geen dubbele hoofden en groene oortjes, ziet u.'

Voor het eerst begon de jongeman te grijnzen. 'Ach nee,

natuurlijk niet. Het overvalt me alleen wat. Maar wat wilde u hier precies van ons?'

'Helemaal niets, natuurlijk,' grinnikte Preston. 'Ik weet niet eens hoe u heet. Mijn collega's en ik hebben een man geschaduwd van wie wij vermoeden dat hij een buitenlandse spion is; en toevallig verdween hij in het huis aan de overkant. Nu zou ik graag even van uw telefoon gebruik willen maken, en verder zou ik graag zien dat u het goed vindt dat een paar van mijn mensen vanuit het raam van uw slaapkamer het huis aan de overkant in het oog houden.'

'Nummer twaalf?' vroeg de man. 'Jim Ross, bedoelt u? Dat is geen buitenlander.'

'Wij geloven van wel. Mag ik uw telefoon gebruiken?'

'O, ja, ik veronderstel van wel.' Hij draaide zich om naar zijn gezin. 'Iedereen de keuken in.'

Preston belde Charles Street en werd meteen doorverbonden met sir Bernard Hemmings, die zich nog steeds in de kelder van 'Cork' bevond. Burkinshaw had 'Cork' al via de mobilofoon in bedekte bewoordingen te verstaan gegeven dat hun 'cliënt' thuis in Ipswich was 'afgeleverd' en dat er zo nodig nog andere 'taxi's' in de buurt klaarstonden.

'Preston?' zei de directeur-generaal aan de andere kant van de lijn. 'Waar zit je precies, John?'

'In een kleine, doodlopende straat in Ipswich – Cherryhayes Close,' zei Preston. 'We hebben maatje de hele nacht gevolgd. Ik ben er zeker van dat hij deze keer op z'n basis is beland.'

'Acht je de tijd rijp om in actie te komen?'

'Inderdaad, sir. Maar ik ben bang dat hij gewapend is. Ik denk dat u wel begrijpt wat ik bedoel. En daarom geloof ik niet dat dit een klus is voor BZ of de plaatselijke politie.' Hij legde zijn directeur-generaal uit wat hij precies wilde, hing toen op en draaide het nummer van Sentinel House.

'Inderdaad, John, ik ben het met je eens,' zei 'C' toen hij

hetzelfde te horen had gekregen als zijn collega van MI-5. 'Als hij inderdaad bij zich heeft wat wij denken, lijkt het me verstandiger om de SAS in te schakelen.'

22

Assistentie inroepen van de Special Air Service, het elite-
regiment van het Verenigd Koninkrijk dat bestaat uit
louter experts op het gebied van diepe penetratie, waar-
neming en – zo nu en dan – een gevechtsactie in een stad,
is lang niet zo eenvoudig als wel wordt gesuggereerd
door sommige televisie-thrillers. De SAS komt nooit op
eigen initiatief in actie. In overeenstemming met de
Britse grondwet kan deze eenheid, evenals iedere andere
eenheid van de gewapende macht, uitsluitend binnen de
landsgrenzen opereren ter ondersteuning van het civiel
gezág – Hermandad. Formeel blijft de plaatselijke politie ook de algehele leiding over zo'n operatie uitoefenen.
Maar in de praktijk doet de politie er verstandiger aan
een stapje terug te doen als de mannen van de SAS het
groene licht hebben gekregen. De wet eist van de hoofdcommissaris van het politiekorps in een graafschap of
district waarin een noodsituatie is ontstaan dat hij, als hij
van oordeel is de situatie niet zonder assistentie de baas
te kunnen worden, een officieel verzoek indient bij Binnenlandse Zaken om ondersteuning van de SAS. Het kan
natuurlijk ook gebeuren dat deze hoofdcommissaris het
'advies' krijgt een dergelijk verzoek in te dienen; en als
zo'n 'advies' afkomstig is uit regionen die hoog genoeg
zijn moet hij al heel sterk in z'n schoenen staan als hij het
naast zich neer wil leggen.
Als de hoofdcommissaris zo'n verzoek heeft ingediend
bij de permanente onderminister van Binnenlandse Zaken, zal deze dit formele verzoek doorgeven aan zijn collega van Defensie, die op zijn beurt de directeur Militaire Operaties zal verwittigen; en pas daarna zal de DMO

een waarschuwing doen uitgaan naar de SAS-basis in Hereford. Dat deze procedure binnen enkele minuten effect kan sorteren is deels een gevolg van het feit dat de gang van zaken tot in den treure is gerepeteerd, net zolang totdat het was verheven tot een schone kunst; deels ook moet het worden toegeschreven aan de omstandigheid dat de 'gevestigde orde' in Groot-Brittannië (als het nodig is razendsnel over te gaan tot handelen) voldoende persoonlijke relaties telt om het mogelijk te maken dat de procedure zich voor een groot deel mondeling voltrekt en het onvermijdelijke administratieve gedeelte tot later kan worden uitgesteld. De burger zal wellicht de indruk hebben dat de Britse bureaucratie uiterst moeizaam en traag functioneert, maar zo nodig werkt ze als de 'gesmeerde bliksem' in vergelijking met haar Amerikaanse en Europese tegenhangsters.

Feitelijk is het zelfs zo dat het merendeel van alle Britse hoofdcommissarissen al eens een bezoekje heeft afgelegd in Hereford, om kennis te maken met de eenheid die in de wandeling 'het Regiment' wordt genoemd. Bij die gelegenheid hebben ze te zien gekregen welke vormen de SAS-assistentie kan aannemen, als daarom wordt verzocht. En maar weinig hoofdcommissarissen waren niet onder de indruk toen ze de SAS-basis verlieten.

Die ochtend werd de hoofdcommissaris van Suffolk door 'Londen' op de hoogte gesteld van de crisis waarmee hij was opgezadeld – in de vorm van een man die waarschijnlijk een buitenlandse agent en vermoedelijk gewapend was, misschien zelfs met een bom; en dat deze man zich schuil hield in Cherryhayes Close in Ipswich. Hij nam contact op met sir Hubert Villiers in Whitehall – het ministerie van Binnenlandse Zaken, waar al op zijn telefoontje werd gerekend. Sir Hubert lichtte zijn ministerie in; en vervolgens zijn collega, de secretaris van de ministerraad; die de Eerste Minister op de hoogte stelde. Nadat de toestemming van 'Downing Street' was verkregen gaf sir Hubert het nu ook politiek goedgekeurde verzoek door aan sir Peregrine Jones, de permanente onderminister van Defensie, die er natuurlijk allang van op de hoogte was omdat hij een babbeltje had gemaakt met sir Martin Flannery. Na het eerste contact tussen Binnenlandse Zaken en de hoofdcommissaris van Suffolk was er nog geen vol uur verstreken toen de Directeur Militaire Operaties via een van een omvormer voorziene telefoonverbinding een gesprek voerde met de SAS-commandant te Hereford.

De gevechtsstructuur van de SAS stoelt op het getal Vier. Een patrouille bestaat uit vier man; vier patrouilles vormen een peloton; vier pelotons vormen een eskader. De vier 'cavalerie-eskaders' worden aangeduid als A, B, C en D. Bij toerbeurt doen ze dienst in de sector waar de SAS een taak toebedeeld is: Noord-Ierland, het Midden-Oosten, Jungle-training en Bijzondere Projecten – dit nog afgezien van de permanente NAVO-taken en een paraat gehouden reserve-eskader in Hereford. Zo'n 'toerbeurt' kan zes tot negen maanden duren; en deze junimaand was Eskader B aanwezig op de SAS-basis Hereford. Zoals gebruikelijk was één peloton binnen een half uur inzetbaar, terwijl de overige drie pelotons binnen twee uur in actie konden komen. Een eskader bestaat altijd uit een *Air Troop* (parachutisten die de vrije val perfect beheersen), een *Boat Troop* (mariniers met kano- en onderwaterervaring), een *Mountain Troop* (geoefende bergbeklimmers) en een *Mobile Troop* (dit peloton verplaatst zich met bewapende Landrovers). Na het telefoongesprek dat brigade-generaal Jeremy Cripps met 'Londen' had gevoerd kreeg de *Seven Troop* – de 'vrijevallers' van het B-eskader – opdracht om naar Ipswich te vertrekken.

'Wat doet u normaal altijd omstreeks deze tijd?' vroeg Preston aan meneer Adrian, de bewoner van Cherryhayes Close nummer negen. Deze jonge zakenman had zojuist een telefoongesprek gevoerd met de Commissaris

Criminele Recherche, die aanwezig was in het hoofdbureau van politie in Ipswich, op de hoek van Civic Drive en Elm Street. Als er soms nog een restje twijfel was geweest bij de heer Adrian, twijfel aan de bevoegdheden van de onverwachte gast die een half uur geleden zijn woning was binnengestapt, dan was die nu wel verdwenen. Preston had Adrian voorgesteld zelf de commissaris te bellen, en die had hem ervan overtuigd dat de politie van Suffolk de medewerker van mi-5 in zijn huiskamer onvoorwaardelijk steunde.

Ook had Adrian te horen gekregen dat de man aan de overkant van de straat gewapend en uiterst gevaarlijk kon zijn; en dat hij in de loop van de dag zou worden gearresteerd.

Op Prestons vraag antwoordde Adrian: 'Eh, laat me even nadenken. Om ongeveer kwart voor negen ga ik altijd naar m'n werk, dus over een minuut of tien. Om tien uur brengt Lucinda de kleine Samantha naar de kleuterschool. Meestal gaat ze dan meteen boodschappen doen, haalt Samantha 's middags weer op en komt thuis. Lopend. Zelf kom ik om een uur of half zeven weer thuis – uiteraard met de auto.'

'Dan zou ik graag zien dat u een dagje vrij neemt,' zei Preston. 'Bel nu de zaak op en zeg dat u zich niet lekker voelt. Maar ga wél op uw normale tijd van huis. Aan het begin van de weg, daar waar je vanuit The Hayes Belstead Road bereikt, zult u worden opgewacht door een patrouillewagen van de politie.'

'En mijn vrouw en kind dan?'

'Het is 't beste dat mevrouw Adrian hier blijft wachten tot het gebruikelijk tijdstip, om dan met Samantha en de boodschappentas aan de arm van huis te gaan, naar Belstead Road te wandelen en zich daar bij u te voegen. Kunt u vandaag ergens terecht?'

'Bij m'n moeder in Felixstowe,' antwoordde mevr. Adrian nerveus.

'Zou zij er bezwaar tegen hebben dat u de dag bij haar

doorbrengt? Misschien zelfs de nacht ook?'

'En ons huis?'

'Ik verzeker u, meneer Adrian, dat er niets mee zal gebeuren,' zei Preston optimistisch. Hij had eraan kunnen
toevoegen dat er maar twee mogelijkheden waren: ofwel
er zou inderdaad niets mee gebeuren, of het zou – als de
zaken mis liepen – eenvoudig in rook opgaan. 'Ik moet u
verzoeken mij en mijn collega's toestemming te geven
uw huis te benutten als observatiepost, van waaruit we de
man aan de overkant in het oog kunnen houden. We zullen het huis uitsluitend via de keukendeur in en uit gaan.
We beloven u dat er niets zal worden beschadigd.'

'Wat vind jij, liefste?' vroeg Adrian aan z'n knappe
vrouwtje.

Ze knikte. 'Het enige wat ik wil is zorgen dat Samantha
hier weg komt,' zei ze.

'Over een uurtje kunt u weg, dat verzeker ik u,' zei Preston. 'Die zogenaamde meneer Ross aan de overkant is de
hele nacht in touw geweest; dat weten we omdat wij hem
al die tijd hebben gevolgd. Waarschijnlijk ligt-ie nu te
slapen. En in geen geval zal de politie voor de middag tegen hem in actie komen – en misschien zelfs pas in het
begin van de avond.

'Akkoord,' zei meneer Adrian. 'U kunt uw gang gaan.'

Hij belde naar kantoor om te zeggen dat hij die dag niet
kon komen en reed om kwart voor negen weg. Vanuit
zijn slaapkamerraam op de tweede verdieping zag Valeri
Petrofski hem vertrekken. De Rus bereidde zich voor op
een paar uurtjes slaap. Buiten was niets bijzonders te
zien: Adrian ging op dit tijdstip altijd naar zijn werk.
Preston zag dat er achter nummer negen een lap grond
braak lag. Hij riep Harry Burkinshaw en Barney op. Ze
kwamen via de keukendeur binnen en knikten de verlegen mevr. Adrian toe, waarna ze meteen doorliepen naar
de voorste slaapkamer om daar weer gehoor te geven aan
hun 'roeping': het in het oog houden van iemand anders.
Ginger had op een halve kilometer afstand een heuvel-

top gevonden vanwaar hij zowel het estuarium van de Orwell-rivier als de kaden ernaast kon zien en onbelemmerd uitzicht had op het kleine groepje moderne woonhuizen beneden. Via een krachtige verrekijker kon hij de achterdeur van Cherryhayes Close nummer twaalf in het oog houden.

'De tuin sluit aan op de achtertuin van het huis ertegenover aan Brackenhayes,' meldde hij Preston via z'n portofoon. 'In de tuin en binnenshuis is geen beweging te zien. Alle ramen zijn potdicht; heel eigenaardig bij dit weer.'

'Blijf opletten,' zei Preston overbodig. 'Ik blijf hier, en als ik weg moet neemt Harry het van me over.'

Een uur later wandelden mevr. Adrian en haar dochtertje rustig de deur uit.

In het centrum van Ipswich begon een andere operatie op gang te komen. De hoofdcommissaris, die bij de geüniformeerde politie carrière had gemaakt, had de bijzonderheden van de komende actie doorgegeven aan zijn Commissaris Criminele Recherche: hoofdinspecteur Peter Low. Low stuurde twee rechercheurs naar het stadhuis om daar hun licht op te steken. Ze stelden vast dat het huis op dat het doel van de actie zou zijn eigendom was van een zekere meneer Johnson, maar dat GEB-rekeningen en belastingaanslagen naar Makelaardij Oxborrow moesten worden gestuurd. Een telefoontje naar Oxborrow bracht aan het licht dat de heer Johnson aan het werk was in Saoedi-Arabië en dat het huis gemeubileerd was verhuurd aan een zekere James Duncan Ross. De via de telex binnengekomen foto van Ross, alias Timothy Donelly, genomen in een straat van Damascus, werd aan het personeel van Oxborrow's voorgelegd. Dit leverde de bevestiging op dat hij inderdaad de bewuste huurder was.

De afdeling Huisvesting in het stadhuis verschafte Lows rechercheurs de naam van het architectenbureau dat

The Hayes had ontworpen; en dit architectenbureau beschikte over de gedetailleerde bouwtekeningen van het complex, met inbegrip van die voor nummer twaalf. De architecten toonden zich uiterst hulpvaardig: er waren elders in Ipswich nog meer woningen van dit type gebouwd, woningen die tot op het allerkleinste detail identiek waren aan het huis aan Cherryhayes Close – en het bleek dat een van die woningen nog leeg stond. Dit zou de SAS-eenheid bijzonder van pas komen; op deze manier zouden de commando's precies de indeling van het huis dat ze moesten 'nemen' in zich op kunnen nemen.

Een ander aspect van de taak van hoofdinspecteur was het vinden van een 'wachtlokatie' voor de SAS-commando's. Zo'n lokatie dient snel beschikbaar te zijn, moet dekking bieden en de commando's bescherming bieden tegen nieuwsgierige blikken. Verder moet hij toegankelijk zijn voor voertuigen en dient communicatie per telefoon mogelijk te zijn. Er werd een leegstaand magazijn aan Eagle Wharf – een kade bij de riviermonding – gevonden, en de eigenaar ervan vond het goed dat de politie er tijdelijk gebruik van maakte voor het houden van een 'oefening'. Het magazijn was toegankelijk via grote schuifdeuren die breed genoeg waren om de voertuigen van het hele peloton door te laten; als ze dan weer gesloten werden zou niemand iets bijzonders aan het pand zien. De ruimte in het magazijn was groot genoeg om er met behulp van wat latten en jutezakken provisorische 'muren' in op te stellen volgens de indeling van het huis aan Cherryhayes Close. Het kantoortje achterin het magazijn was uitstekend geschikt als commandocentrum.

Kort voor het middaguur landde er een Scout-helicopter van het Britse leger op een afgelegen hoek van de luchthaven van Ipswich, waarna de drie passagiers uit het toestel klommen: de commandant van het SAS-regiment, brigade-generaal Cripps; een operatieleider met de rang van majoor; en een pelotonscommandant, kapitein Julian Lyndhurst. Ze waren alledrie in burger en droegen koffers waarin hun uniformen waren opgeborgen. Ze werden afgehaald door een civiele auto van de politie van Suffolk, die hen regelrecht overbracht naar het magazijn aan Eagle Wharf, de wachtlokatie waar de politie al een commandocentrum had ingericht. Hoofdinspecteur Low bracht de drie heren zo goed als in zijn vermogen lag op de hoogte van de situatie (hij kon slechts afgaan op wat 'Londen' hem had verteld). Hij had inmiddels John Preston al aan de lijn gehad, maar hem nog niet *vis-à-vis* gesproken.

'Er schijnt een zekere John Preston te zijn, zo heb ik begrepen,' zei brigadier-generaal Cripps, 'die als operatie-leider-te-velde voor MI-5 optreedt. Is hij hier?'

'Ik meen dat hij zich nog in de observatiepost bevindt,' zei Low. 'Het huis tegenover het actiedoel, dat hij heeft gevorderd. Ik kan hem opbellen om te vragen of hij het huis via de achterdeur wil verlaten om hierheen te komen.'

'Ik vraag me af, generaal,' zei kapitein Lyndhurst tegen zijn commandant, 'of ik er niet beter naartoe kan gaan. Dan heb ik de kans om even een kijkje te nemen bij het bolwerk; en dan kan ik deze Preston-figuur meteen mee terug nemen.'

'Wat mij betreft akkoord, aangezien er toch al een wagen heen moet,' knikte Cripps.

Een kwartier later wees de politie kapitein Lyndhurst de achterdeur van Cherryhayes Close nummer negen, toen hij op een helling aan de overkant van Eagle Wharf de situatie door een kijker in zich opnam. Een poosje later stak de negenentwintigjarige kapitein, die nog steeds in burger was, het stuk braakliggende grond over, sprong over het tuinhek en stapte via de keukendeur het huis in. Daar stuitte hij op Barney, die op het gasstel van mevr. Adrian water aan de kook bracht voor een pot thee.

'Lyndhurst,' zei de kapitein, 'van het Regiment. Is meneer Preston hier?'

'John!' riep Barney zacht naar boven – het huis werd im-

526

mers geacht leeg te zijn – 'er is hier een officier voor je.'
Lyndhurst liep de trap op naar de voorste slaapkamer,
waar hij John Preston aantrof en zichzelf voorstelde.
Harry Burkinshaw mompelde iets over een kop thee en
verdween. De kapitein staarde naar nummer twaalf aan
de overkant van de straat. 'Onze informatie vertoont nog
wat leemten,' teemde Lyndhurst. 'Wie is daar binnen,
volgens u?'

'Een vermoedelijk Sovjet-Russische agent,' antwoordde
Preston, 'iemand die hier illegale activiteiten ontplooit
en zich de identiteit van een zekere James Duncan Ross
heeft aangemeten. Hij is een jaar of vijfendertig, heeft
een normaal postuur en is van gemiddelde lengte. En
waarschijnlijk verkeert hij als eersteklas-beroeps in een
uitstekende conditie.'

Hij toonde Lyndhurst de foto uit Damascus. Belangstellend bestudeerde de kapitein de opname. 'Is er nog iemand bij hem?'

'Niet onmogelijk, maar weten doen we het niet. In ieder
geval is Ross zelf binnen. Het kan zijn dat hij een assistent bij zich heeft. We kunnen niet met de buren gaan
praten – in een buurt als deze zouden ze gegarandeerd de
straat op komen om het allemaal met open mond aan te
zien. De bewoners van dit huis zeiden voor ze weggin-
gen dat ze er zeker van waren dat hij alleen woont. Maar
we hebben er geen bewijzen voor.'

'En volgens onze informatie schijnt u te denken dat hij
gewapend is; misschien zelfs gevaarlijk. En te glad voor
de plaatselijke politie, mmm, zelfs als die mannen gewapend zijn?'

'Inderdaad. We denken dat hij daarbinnen een bom
heeft. Er zal hem belet moeten worden bij die bom te komen.'

'Een bom, hè?' zei Lyndhurst met zoveel gebrek aan belangstelling dat het opgelegd pandoer moest zijn. (Hij
had twee 'toerbeurten' in Noord-Ierland vervuld en
meende het klappen van de zweep te kennen.) 'Groot

genoeg om dat huis op te blazen, of desnoods de hele straat?'

'Een tikkeltje groter, dachten wij,' zei Preston. 'Als we gelijk hebben heeft-ie daar een kleine kernbom.'

De lange kapitein wendde zijn blik eindelijk even af van het huis aan de overkant om zijn hoofd om te kunnen draaien en Preston met zijn bleekblauwe ogen aan te staren. 'Potverdrie,' zei hij. 'Nu ben ik toch even onder de indruk.'

'Dat hebben we dan alvast gewonnen,' zei Preston. 'Tussen haakjes, ik wil hem hebben – en wel *levend*.'

'Laten we maar teruggaan naar de Eagle Wharf om een praatje te maken met generaal Cripps,' opperde Lyndhurst.

Terwijl Lyndhurst en Preston met elkaar stonden te praten in Cherryhayes Close, landden er nog twee helicopters uit Hereford op het vliegveld van Ipswich: een Puma en een Chinook. In het eerste toestel werd het actiepeloton zelf aangevoerd; met het tweede, grotere toestel hun uitgebreide en uitzonderlijke uitrusting. Het peloton stond tijdelijk onder bevel van de waarnemend pelotonscommandant, een veteraan met de rang van sergeantmajoor die Steve Bilbow heette. Hij was klein van stuk, pezig en even taai als het leer van een oud soldatenkistje, had een donker uiterlijk en zwarte kraaloogjes en lachte graag. Zoals alle onderofficieren van het SAS-regiment was hij al heel lang bij deze eenheid – in zijn geval bijna vijftien jaar.

De SAS is nog in een ander opzicht uitzonderlijk: nagenoeg alle officieren die het regiment telt zijn er tijdelijk, meestal voor een jaar of twee, drie, aan uitgeleend door hun eigen eenheden, waarnaar zij na afloop van hun 'stage' terugkeren. Alleen de manschappen en onderofficieren blijven aan het SAS-regiment verbonden; en dan nog niet eens allemaal, maar uitsluitend de allerbesten. Zelfs de regimentscommandant zélf blijft, hoewel hij vermoedelijk al eens eerder in zijn militaire loopbaan een poosje bij de SAS zal hebben gediend, slechts een paar jaar in functie. Slechts een heel enkele officier blijft langduriger bij het regiment; en in de regel heeft hij dan in het SAS-hoofdkwartier een logistieke of technische functie.

Steve Bilbow was als gewoon parachutist uit een regiment paratroepen bij de SAS gekomen, was op grond van zijn prestaties geselecteerd als een kandidaat voor permanent dienstverband en had het nu tot sergeant-majoor gebracht. Hij had twee 'toerbeurten' vervuld in Dhofar en had in de jungle van Belize gevochten, badend in z'n zweet. In South Armagh had hij de bittere kou van de nacht moeten doorstaan als hij ergens in hinderlaag lag; maar in het Cameron-hoogland van Maleisië had hij een soort vakantie kunnen houden. Bilbow had geholpen bij het opleiden van de Westduitse specialistenteams GSG-9; en in de Verenigde Staten had hij gewerkt met de Delta-groep van Charlie Beckwith. In zijn tijd had Bilbow de verveling gekend van de schier eindeloos herhaalde oefeningen waarmee de SAS-commando's zover werden gebracht dat ze in topconditie verkeerden en hun taken konden dromen. Ook had hij gevechtsacties meegemaakt waarbij er een zware wissel werd getrokken op hun adrenalineproduktie – als zij bijvoorbeeld in de heuvels van Oman door opstandelingen onder vuur werden genomen en rennend trachtten in dekking te komen, of als gecamoufleerd overvalcommando een operatie uitvoerden tegen republikeinse sluipschutters in het oostelijk deel van Belfast. Of als ze een programma van vijfhonderderd parachutesprongen moesten afwerken, voor het merendeel zogeheten HALO-sprongen – *High Altitude, Low Opening*.

Tot zijn grote verdriet was Bilbow ingedeeld bij de reserve-eenheid, toen zijn collega's in 1981 de Iraanse ambassade in Londen moesten bestormen en er geen beroep op hem werd gedaan. Zijn peloton bestond uit een fotograaf, drie zogenaamde verifieerders (mannen die infor-

matie moesten verzamelen en/of natrekken in het opera-
tiegebied), acht scherpschutters en negen aanvallers.
Steve hoopte vurig dat *hij* de aanvalsploeg zou mogen
leiden. Op het vliegveld bleken er verscheidene civiele
politiewagens voor hen klaar te staan, die hen naar de
wachtlokatie brachten. Toen Preston en Lyndhurst bij
het magazijn aankwamen bleek het peloton daar al te zijn
en waren de manschappen bezig hun uitrusting uit te
stallen op de vloer, nieuwsgierig gadegeslagen door een
aantal leden van de Ipswichse politie.
'Dag Steve,' zei kapitein Lyndhurst. 'Alles in orde?'
'Dag chef. Ja, alles kits. We stellen even orde op zaken.'
'Ik heb het bolwerk in ogenschouw genomen. Het is een
kleine burgerwoning. In ieder geval is er één persoon
binnen; misschien twee. Plus een bom. Het zal een kleine aanvalsploeg worden en ik zou graag zien dat jij de
eerste was.'
'Probeer me maar eens tegen te houden, chef,' grinnikte
Bilbow.
In het SAS-regiment ligt de nadruk op zelfdiscipline in
plaats van de van buitenaf opgelegde tucht in normale legeronderdelen. Een vent die niet de zelfdiscipline op kan
brengen die nodig is om dat wat de SAS-commando moet
doen te kunnen volbrengen, zou het trouwens niet lang in
deze eenheid uithouden. Wie daartoe wel in staat is kan
het zonder de starre formaliteit tussen superieur en ondergeschikte stellen die de verhoudingen in een 'gewoon'
onderdeel van iedere krijgsmacht kenmerkt. Dit is de reden waarom de officieren in het SAS-regiment degenen
die onder hun bevel staan bij de voornaam aanspreken.
De niet-officieren hebben de neiging hun superieuren
met 'chef' aan te spreken, hoewel er voor de regimentscommandant zelf een 'sir' afkan. Onder elkaar noemen
SAS-commando's hun officieren steevast 'Rupert'.
Sergeant-majoor Bilbow kreeg John Preston in het vizier
en meteen begon hij verrukt te grijnzen. 'As-je-me-nou –
majoor Preston... Goeie genade, is me dát lang geleden!'

Preston stak hem z'n hand toe en keek hem lachend aan. De laatste maal dat hij Steve Bilbow had gezien was toen hij, na die schietpartij in de Bogside, een toevlucht had gezocht in een 'wijkplaats' een huis waarin vier SAS-commando's onder leiding van Bilbow een uitvalsbasis hadden ingericht. Bovendien waren ze allebei ex-parachutisten en dat schept altijd een bepaalde band. 'Ik zit tegenwoordig bij MI-Five,' zei Preston. 'En bij deze actie ben ik, althans namens MI-Five, operatieleider-te-velde.'

'Wat heb je eigenlijk voor ons?'

'Een Rus. Agent van de KGB – eersteklas-beroeps. Waarschijnlijk heeft-ie de *spetsnaz*-cursus gedaan. Hij zal dus bekwaam en snel zijn; en bovendien is hij gewapend, denk ik zo.'

'Dat klinkt heel zachtzinnig. *Spetsnaz*, hè? Mooi, dan kunnen we nu eens zien hoe goed die lui in werkelijkheid zijn.' Ze wisten alledrie van het bestaan van de zogeheten *spetsnaz*-commando's, het puikje van de door het Rode Leger opgeleide saboteurs: zij vertegenwoordigen de Sovjet-Russische tegenhanger van de Britse Special Air Service.

'Het spijt me dat ik als spelbreker moet optreden,' zei kapitein Lyndhurst. 'Maar ik zou graag beginnen met de *briefing*.'

Samen met Preston beklom hij de trap naar het op een entresol gelegen kantoortje. Hier maakte Preston kennis met brigade-generaal Cripps, de majoor die als zijn adjudant-operaties zou fungeren, hoofdinspecteur Low en de 'verifieerders' van het SAS-peloton. Preston vertelde de aanwezigen zoveel hij zelf van de zaak wist; en toen hij een uur lang aan het woord was geweest was de sfeer bijzonder ernstig geworden.

'Beschikt u over ook maar enig bewijs dat die man in dat huis een atoombom bij zich heeft?' vroeg de hoofdinspecteur eindelijk.

'Dat niet. Wel hebben we in Glasgow een onderdeel voor een dergelijke bom onderschept, bestemd om te worden afgeleverd aan een onder een dekmantel opererende illegaal agent in dit land. Volgens de geleerden kon het betreffende onderdeel nergens anders voor dienen. We weten met zekerheid dat de man in dat huis een illegaal agent van de Sovjets is – de Mossad heeft hem eens gekiekt in Damascus. Uit zijn bezoek aan de twee Grieken met die verborgen zender in Chesterfield blijkt zonneklaar dat hij inderdaad een illegaal is. Voor het overige moet ik afgaan op m'n logische conclusies. Want: als dat onderdeel dat we in Glasgow in handen kregen niet bestemd was voor een atoombom, waar was het dan wel voor? Ik kan er absoluut geen andere aannemelijke verklaring voor verzinnen. En wat deze Ross betreft: *tenzij* de KGB momenteel twee grote illegale operaties in Groot-Brittannië tegelijk uitvoert kan het niet anders of dat onderdeel was voor hem bestemd. Dat zal nu moeten blijken.'

'Ja,' zei brigade-generaal Cripps, 'ik geloof dat we ons bij uw conclusie moeten aansluiten. We zullen er dus van uit moeten gaan dat die atoombom daar binnen is. Als dat niet zo mocht zijn zullen we eens een hartig woordje met onze vriend Ross moeten wisselen.'

Hoofdinspecteur Low had het gevoel het slachtoffer te zijn van een nachtmerrie. Hij moest het ermee eens zijn dat hen niets anders overbleef dan dat huis te bestormen; alleen probeerde hij zich nu een voorstelling te maken van wat er van Ipswich over zou zijn als die bom explodeerde. 'Kunnen we niet overgaan tot evacuatie?' vroeg hij weinig hoopvol.

'Dat zou-ie onmiddellijk in de gaten krijgen,' zei Preston toonloos. 'Ik denk dat hij, als eenmaal tot hem doordringt dat het met hem gebeurd is, ons allemaal met zich mee zal nemen.'

De militairen knikten: ze wisten dat zij, als zij diep in hartje Rusland een dergelijke actie hadden moeten uitvoeren, hetzelfde zouden hebben gedaan. Het lunchuur was inmiddels al voorbij, maar niemand had er erg in gehad. Niemand zou trouwens trek hebben gehad in eten. De middag werd gebruikt voor het verkennen van de details van de situatie en het treffen van de noodzakelijke voorbereidingen. Steve Bilbow ging met een fotograaf en een politieman terug naar het vliegveld. Het drietal ging met de Scout-helicopter de lucht in om één enkel rondje boven het estuarium van de Orwell te beschrijven, op ruime afstand van The Hayes, maar langs een parcours vanwaar ze het huizencomplex goed in het vizier konden nemen. De politieman wees de bewuste woning aan; de fotograaf maakte met zijn automatische camera vijftig opnamen, terwijl Bilbow zelf een video-opname maakte die in de wachtlokatie voor het instrueren van de aanvalsgroep kon worden gebruikt.

De aanvalsploeg ging, nog altijd in burger, met de politiefunctionarissen naar het leegstaande huis van het hetzelfde type en met dezelfde indeling. Toen ze terugkwamen in het magazijn aan Eagle Wharf konden ze de video-opnamen en de uitvergrote opnamen bekijken. De rest van de middag bleven ze in het magazijn oefenen met de provisorische nabootsing die de politiemannen onder SAS-toezicht op de magazijnvloer hadden gebouwd. Het geheel bestond slechts uit latwerk en jute, maar de afmetingen klopten precies en maakten één allesbeheersende factor duidelijk: de ruimte binnenshuis was uiterst krap bemeten. Een smalle voordeur, een nauwe gang, een smalle trap en kleine kamers.

Kapitein Lyndhurst besloot om slechts zes aanvallers in te zetten, tot verdriet van de vier man die overbleven. Verder waren er drie scherpschutters nodig; twee in de voorste slaapkamer van het gezin Adrian, plus één man op de heuveltop die Ginger als uitkijkpost had gekozen en vanwaar hij uitzicht had op de achtertuin. Twee van Lyndhursts aanvallers zouden de achterkant van het huis voor hun rekening nemen. Hoewel ze hun complete uitrusting zouden dragen, dienden ze hun uniformen te bedekken met civiele regenjassen. Een niet-gemarkeerde politiewagen zou hen naar Brackenhayes Close brengen. Daar moesten ze uitstappen en – zonder de bewoners om toestemming te vragen – de voortuin van het huis dat 'rug-aan-rug' stond met nummer twaalf in lopen; vandaar konden ze via de oprit van de garage naast het huis de achtertuin bereiken. Hier moesten ze zich ontdoen van hun regenjassen, over de schutting klimmen en zich in de achtertuin van het actiedoel posteren.

'Het is mogelijk dat er een dunne struikeldraad over de tuin is gespannen,' waarschuwde Lyndhurst. 'Maar vermoedelijk dicht bij het huis zelf. Blijf dus achterin. Als ik het teken geef wil ik dat er een verdovingsgranaat door het raam van de achterste slaapkamer gaat, plus eentje door het keukenraam. Dan de HK's ontzekeren en jezelf opstellen. Geen vuur afgeven op ramen van het huis: Steve en z'n jongens komen via de voorzijde binnen.'

De mannen die het huis via de achterzijde zouden binnendringen knikten. Kapitein Lyndhurst wist dat hij zelf geen deel zou kunnen nemen aan de aanval. Hij was luitenant geweest bij de King's Dragoon Guards, vervulde een eerste 'toerbeurt' bij de SAS en had momenteel de rang van kapitein, eenvoudig omdat het SAS-regiment geen officieren van lagere rang heeft. Maar over een jaar, als hij terugkeerde naar zijn eigen onderdeel, zou hij weer gewoon luitenant zijn, hoewel hij hoopte dat hij later nog eens als eskader-commandant bij de SAS terug zou kunnen komen. Hij was echter vertrouwd met een bij de SAS geldende traditie die wat afwijkt van wat bij andere legeronderdelen gebruikelijk is: officieren nemen wel deel aan gevechtsacties in open terrein, oerwoud of woestijngebied, maar nooit in een bebouwde kom. Aanvallen worden in zo'n geval uitsluitend uitgevoerd door onderofficieren en manschappen.

Het zwaartepunt van de overrompelingsactie zou, zo was Lyndhurst met zijn regimentscommandant en diens adjudant overeengekomen, tegen de voorzijde van het bolwerk worden gericht. Er zou stilletjes een bestelwa-

gen voor komen rijden waaruit vier aanvallers tevoorschijn moesten komen. Twee aanvallers zouden de voordeur bestormen: een hunner zou gewapend zijn met de
Wingmaster; de tweede met een zware moker en/of een
zware tang waarmee bouten konden worden doorge-
knipt (dit voor alle eventualiteiten). Zodra de voordeur
bezweek zou het voorste aanvalsgelid het huis binnen-
stormen: Steve Bilbow en een korporaal. De 'deurploeg'
diende de Wingmaster en moker te laten vallen, waarna
beide mannen hun HK's in handen moesten nemen en
het huis binnendringen ter ondersteuning van het eerste
aanvalsgelid. In de gang moest Steve meteen langs de
trap doorlopen naar de deur van de huiskamer aan z'n
linker hand. De korporaal zou intussen de trap op stormen om de voorste slaapkamer te 'bezetten'. Hij zou
worden gevolgd door een lid van de 'deurploeg', voor
het geval maatje zich ophield in de badkamer. De tweede moest Steve Bilbow volgen naar de huiskamer.
Het teken dat de beide aanvallers in de achtertuin zouden krijgen voor het werpen van hun verdovingsgranaten in de achterslaapkamer en de keuken zou bestaan uit
de zware dreun van de Wingmaster bij de voordeur. Op
het moment dat de eigenlijke bestorming werd uitgevoerd zou iemand die op dat moment in de keuken of
achterslaapkamer was totaal versuft zijn en zich zitten afvragen waardoor hij was getroffen.
Preston, die te kennen had gegeven dat hij wilde terugkeren naar zijn observatiepost om het verloop van de
aanval te kunnen meemaken, mocht ook luisteren naar
de overige details van de overrompelingsactie. Hij wist
dat de SAS als enig onderdeel van de Britse strijdkrachten
toestemming had z'n bewapening te kiezen uit alles dat
er op dat gebied in de wereld te koop was. Voor gevech-
ten op korte afstand was gekozen voor het snelvurende
semi-automatische *Heckler & Koch*-machinepistool met
een kaliber van negen millimeter: een licht en gemakkelijk te hanteren handvuurwapen van grote betrouwbaar-

heid, uitgerust met een opvouwbare kolf die tevens als 'foedraal' diende. Zo'n HK werd gewoonlijk schuins voor de borst gedragen, op z'n plaats gehouden door twee verende klemmen. Het wapen was dan altijd geladen en klaar om te worden afgevuurd Hierdoor hielden ze hun beide armen vrij voor het opensmijten van deuren, het gooien van verdovings- of andere granaten of het klimmen door ramen. Daarna konden ze de HK met één snelle ruk uit de twee klemmen rukken en afvuren – een handeling die minder tijd vergde dan een halve seconde. De praktijk had uitgewezen dat het stukschieten van deurscharnieren sneller in z'n werk ging dan het openbreken van het slot. Voor dit doel gaven ze de voorkeur aan het repeterende jachtgeweer van het type Wingmaster, zoals dat door de fabrikant Remington in de handel werd gebracht: alleen werden er geen normale hagelpatronen in gebruikt, maar massieve projectielen.

Afgezien van dit speelgoed moest een van de leden van de 'deurploeg' een moker en een zware boutkniptang meenemen, voor het geval de uit z'n scharnieren gerukte deur op z'n plaats werd gehouden door grendels en een deurketting. Ook zij waren verder bewapend met verdovingsgranaten, projectielen die erop berekend waren iemand tijdelijk te verblinden door een felle lichtflits en hem tegelijkertijd door de enorme knal te verdoven, zonder dat dit hem het leven zou kosten. En tenslotte zou iedere aanvaller uitgerust zijn met zijn automatische Browning, kaliber negen millimeter – een wapen dat dertien schoten achtereen kon afvuren.

Tijdens de bestorming, zo onderstreepte Lyndhurst nog eens nadrukkelijk, was de factor 'timing' van het allergrootste belang. Voor het tijdstip waarop de aanval zou worden ingezet had hij gekozen voor kwart voor tien 's avonds, als het al behoorlijk donker zou zijn in Cherryhayes Close; donker genoeg om verwarring te veroorzaken, maar niet zo donker dat ze zelf niets meer zouden kunnen zien. Lyndhurst zelf zou zich in het huis van de Adrians aan de overkant bevinden, vanwaar hij het actiedoel kon observeren en het contact kon onderhouden met de bestelbus waarin de aanvallers zouden arriveren. Als er op dat moment toevallig een voetganger door de Close kwam zou hij de bestuurder kunnen zeggen de nadering even uit te stellen totdat de kust weer vrij was. Op deze manier kon hij zelf toezicht houden op de nadering van de aanvalsploeg. Ook de politiewagen waarmee de beide aanvallers naar de achterkant van het huis zouden komen diende op diezelfde golflengte af te stemmen; anderhalve minuut voordat de vier 'voorste' aanvallers de voordeur neerhaalden zouden zij opdracht krijgen uit te stappen en naar de achtertuin te rennen.

Lyndhurst bedacht nog één laatste verfijning: op het moment dat de bestelbus de Close binnen reed zou hij vanuit het huis aan de overkant Ross opbellen. Hij wist al dat de telefoon in al deze huizen op een tafeltje in de gang was geplaatst. De afleidingsmanoeuvre was bedoeld om de Sovjet-agent weg te lokken bij zijn bom, waar dat ding zich ook mocht bevinden; dit zou de aanvallers de kans geven om hem snel onder vuur te nemen. De opdracht 'vuren als gebruikelijk' vormde de vaste omschrijving voor het lossen van twee snel op elkaar volgende salvo's van ieder twee schoten. Ofschoon een HK z'n magazijn van dertig patronen binnen enkele seconden kan rondsproeien, hebben de SAS-commando's zo'n hoge graad van bekwaamheid in de omgang met dit wapen bereikt dat zij zelfs in de verwarrende omstandigheden van een gijzelingssituatie in staat zijn deze afvuurtechniek toe te passen. Degene die de vier kogels opvangt zal zich binnen de kortste keren uiterst onprettig gaan voelen. Deze spaarzame manier van omspringen met munitie heeft het voordeel dat ook de gegijzelden in leven worden gehouden.

Onmiddellijk na de overrompelingsactie zou de politie massaal de Close bezetten, ter kalmering van de onvermijdelijke menigte nieuwsgierigen die uit de belendende huizen tevoorschijn zouden komen. Er zou meteen een hecht cordon worden getrokken rondom de voorzijde van het huis, terwijl de aanvalsploeg via de achteruitgang en door de tuin weg konden komen, in hun bestelbus stappen en vertrekken. Het actiedoel zelf zou eveneens worden overgenomen door het civiele gezag: om een uur of zeven die avond zou er een team van zes deskundigen uit Aldermaston op het vliegveld arriveren. Om zes uur verliet Preston het magazijn aan Eagle Wharf en keerde terug naar zijn observatiepost, die hij achterom benaderde zonder door de buren van de Adrians te worden opgemerkt.

'De lichten zijn zojuist aangegaan,' meldde Harry Burkinshaw, toen Preston zich in de voorste slaapkamer bij hem voegde. Preston zag dat de overgordijnen in de huiskamer van het huis aan de overkant waren dichtgetrokken, maar erachter was lichtschijnsel waarneembaar, terwijl ook door de ruitjes in de voordeur licht was te zien.

'Ik geloof dat ik kort nadat je was weggegaan iets heb zien bewegen achter die netvitrage in de slaapkamer boven,' zei Barney. 'Maar hij heeft geen licht aangedaan, toen – zoals te verwachten was, trouwens, zo kort na het middaguur. In ieder geval is hij niet naar buiten gekomen.' Preston nam contact op met Ginger, die nog steeds op de heuveltop zat, maar diens melding verschilde nauwelijks van de twee anderen: achter was geen beweging te zien geweest.

'Over een paar uur zal het donker beginnen te worden,' waarschuwde Ginger hem via de portofoon. 'Het zicht zal steeds slechter worden.'

Valeri Petrofski had uiterst onrustig en slecht geslapen. Kort voor enen was hij wakker geworden, had zich in bed half opgericht en was door de netvitrage in de slaapkamer naar het huis aan de overkant gaan zitten staren –

waarom wist hij zelf niet. Na een minuut of tien was hij z'n bed uitgekomen, had een bezoek aan de badkamer gebracht en daar een douche genomen. Om twee uur maakte hij in de keuken een paar boterhammen klaar, ging aan de keukentafel zitten eten en wierp zo nu en dan een blik op de achtertuin waar een dunne, vrijwel onzichtbare vislijn de tuin over de volle breedte overspande. De lijn liep om een klein snaarschijfje dat hij in nachtelijk duister aan het tuinhek had bevestigd; en het uiteinde van de draad verdween in de keuken, waar het verbonden was aan een hele tros lege blikken. Als hij wegging had hij de spanning telkens van de draad gehaald en deze weer strak getrokken zodra hij thuiskwam. Tot nu toe had nog niemand de blikken laten rammelen. De middag kroop tergend langzaam om. In aanmerking genomen dat het ding dat explosiegereed in de huiskamer stond niet bepaald bevorderlijk was voor zijn gemoedsrust, wist Petrofski dat hij uiterst gespannen was – waakzaam met al zijn zintuigen. Hij deed een poging tot lezen, maar kon z'n gedachten er niet bijhouden. Moskou moest nu al minstens twaalf uur in het bezit zijn van zijn bericht. Hij luisterde wat naar muziek op de radio en ging om zes uur in een leunstoel in de huiskamer zitten. Hoewel hij zag dat de gevels van de huizen aan de overkant werden beschenen door de felle zon, lag 'zijn' huis op het oosten en dus nu in de schaduw. Vanaf dit moment zou het in de huiskamer steeds donkerder worden. Zoals iedere avond trok hij de gordijnen dicht alvorens de schemerlampen aan te doen; en omdat hij toch niets beters om handen had zette hij het televisietoestel aan. Ook vandaag stonden de programma's voornamelijk in het teken van de snel naderende verkiezingen.

In de wachtlokatie nam de spanning voortdurend toe. Er werden, nog wat laatste voorbereidingen getroffen aan de bestelbus voor de aanvalsploeg; een onopvallende grijze Volkswagenbus met een schuifdeur opzij. In de cabine voorin zouden twee 'passieve' aanvallers plaatsnemen: een voor het besturen van de bus en een voor het via de radio onderhouden van het contact met kapitein Lyndhurst. Ze controleerden de radio's telkens en telkens weer, zoals ze ook voortdurend de rest van hun uitrusting op z'n werking bleven nakijken. De bus zou door een civiele politiewagen naar de toegang van The Hayes worden geloodst; de bestuurder van de bus had de plattegrond van The Hayes grondig bestudeerd en wist precies waar hij moest zijn. Als ze The Hayes binnenreden zou hij door de kapitein per radio verder worden gedirigeerd. Het laadgedeelte van de bus was in z'n geheel 'gevoerd' met een dikke laag piepschuim om het geluid van metaal op metaal te voorkomen.

Op dit moment was de aanvalsploeg bezig zich te kleden voor de actie. Iedere man trok over zijn ondergoed een kledingstuk aan dat bij geen enkele actie ontbrak: een soort strak om zijn lichaam sluitende 'maillot' van een dun maar vuurvast materiaal, vervaardigd uit één stuk. Op het laatste moment zou dit kledingstuk worden gecompleteerd door een zwarte hoofdbedekking mét het model van een bivakmuts. Daarna kwamen het kogelvrije harnas, een lichtgewicht-model dat 'gebreid' was door Briston Armour en een structuur bezat die erop berekend was om de inslag van een kogel te absorberen door het projectiel zijwaarts ten opzichte van het inslag punt te 'spreiden'. Onder dit 'maliënkolder bevonden zich bovendien nog keramische 'absorptiekussens' die bedoeld waren om het penetrerende projectiel nog verder te vertragen en stomp te maken. Over dit alles kwam de speciale 'koppelriem' met schouderbanden, beter bekend als het 'tuigje': dit was voorzien van bevestigingsklemmen voor de HK, tetwijl ook het pistoolholster eraan was verbonden, naast lussen voor de handgranaten. Verder droegen de commando's van SAS de traditionele 'woestijnkistjes' met dikke rubberzolen. Schoeisel dat in het Britse leger bekend is als *boots des** en waarvan de kleur alleen maar kan worden omschreven als 'vies'. Kapitein Lyndhurst wisselde nog een paar laatste woordjes met ieder lid van de aanvalsploeg, maar met sergeant-majoor Steve Bilbow duurde z'n praatje het langst. Vanzelfsprekend werd de wens 'veel geluk' niet gebezigd; alles is goed, zolang niemand het woord 'geluk' in de mond neemt. Daarna vertrok de pelotonscommandant naar de observatiepost. Het was net acht uur geweest toen hij de keuken binnenstapte. Preston bespeurde duidelijk 's mans nervositeit, die hij gewoonweg uitstráálde. Om half negen rinkelde de telefoon. Barney stond toevallig in de gang, dus nam hij de hoorn van de haak. In de loop van de dag was er al verscheidene malen gebeld en Preston was tot de conclusie gekomen dat het zinloos zou zijn de telefoon niet te beantwoorden; ze liepen dan het risico dat iemand – een kennis van de Adrians – op bezoek kwam. Iedere keer had degene die belde te horen gekregen dat de Adrians de hele dag bij de moeder van de vrouw des huizes op bezoek waren en dat de spreker een van de behangers was die de huiskamer van een nieuw behangetje voorzagen. Niemand had twijfel aan deze verklaring uitgesproken. Toen Barney de hoorn oppakte kwam kapitein Lyndhurst juist met een kop thee de keuken uit. 'Voor u,' zei hij, en ging weer naar boven. Na negenen nam de spanning steeds meer toe. Lyndhurst was bijna voortdurend met zijn portofoon in de weer om contact met de wachtlokatie te onderhouden. Om kwart over negen reden daar de grijze Volkswagenbus en de civiele politiewagen die als gids zou dienen weg naar The Hayes. Om drie minuten over half tien hadden beide voertuigen de toegang tot het complex aan Belstead Road bereikt, op tweehonderd meter van het actiedoel. Daar moesten ze blijven staan wachten. Om elf minuten over half tien kwam meneer Armitage naar buiten om vier lege melkflessen voor de melkman klaar

* Foeriersomschrijving voor 'desert boots'. Vert.

te zetten. Tergend lang bleef hij talmen om in de snel dieper wordende duisternis de stenen bak met bloemen in het midden van zijn voortuin te inspecteren. Daarna begroette hij omstandig een buurman aan de overkant.

'Ga toch naar binnen, ouwe idioot,' fluisterde Lynd- hurst, die aan de overkant van de weg naar het licht- schijnsel achter de gordijnen van het actiedoel stond te staren. Om twaalf minuten over half tien stond de civie- le politiewagen met de twee aanvallers voor de achterzij- de van het 'bolwerk' op z'n post in Brackenhayes, klaar voor actie. Tien seconden later wenste Armitage zijn buurman luidkeels goeienacht en verdween naar binnen. Om dertien minuten over half tien reed de grijze bestel- bus de toegang tot het complex in, de straat die Gorse- hayes heette. Preston, die in de gang klaar stond bij de telefoon, kon het heen-en-weergepraat tussen Lynd- hurst en de bestuurder van de bus woordelijk volgen. Langzaam en stilletjes rolde de bus naar de toegang tot Cherryhayes. Op straat was nog altijd niemand te zien. Lyndhurst gaf de twee 'achteraanvallers' opdracht uit hun politiewagen te stappen en in actie te komen. 'We rijden over vijftien tellen Cherryhayes binnen,' mom- pelde de bijrijder van het busje.

'Iets vertragen, we hebben nog dertig seconden te gaan,' antwoordde Lyndhurst. Twintig seconden later zei hij: 'Nu de Close binnenrijden.'

Het bestelbusje kwam de hoek om, heel langzaam; en al- leen de stadslichten brandden. 'Nog acht seconden,' mompelde Lyndhurst in zijn portofoon; en meteen daar- na fluisterde hij Preston schor toe: 'Nu dat nummer draaien.'

De bus rolde dieper Cherryhayes Close binnen, passeer- de de huisdeur van nummer twaalf en kwam voor de ste- nen bloembak van Armitage tot stilstand. Dit gebeurde weloverwogen: de aanvallers wilden het 'bolwerk' in dia- gonale richting benaderen. De goed geoliede zijdeur gleed geruisloos open en in volmaakte stilte stapten vier geheel in het zwart gehulde mannen de straat op. Geen geren, geen dreunende voetstappen of schorre kreten. In de zorgvuldig gerepeteerde volgorde wandelden ze bedaard over het gazon van Armitage, liepen om de geparkeerde Escort van Ross heen en bereikten de voordeur van nummer twaalf. De man met de Wingmaster wist blindelings waar de scharnieren zich bevonden. Nog voor hij stilstond had hij het zware jachtgeweer al in de hand. Hij overtuigde zich van de juiste plaats van de scharnieren en richtte. Naast hem wachtte een tweede in het zwart gehulde gedaante met een kolossale moker, al opgeheven om toe te slaan. Achter hem stonden Steve en de korporaal, hun HK's schietklaar in de handen...

In de huiskamer van nummer twaalf was majoor Valeri Petrofski ten prooi aan een onverklaarbare onrust. Op de televisie kon hij zich niet concentreren, zijn zintuigen vingen té veel op – het gerinkel van melkflessen die iemand buiten zette; het miauwen van een kat; het gesnor van een motor, ergens ver weg; de dreunende claxon van een grote vrachtwagencombinatie die op een van de kaden aan het estuarium van de Orwell was gearriveerd. Om half tien had de televisie hem het zoveelste acualiteitenprogramma voorgeschoteld, vol met interviews met ministers en aspirant-regeerders. Geërgerd schakelde hij over naar BBC 2 en belandde midden in een documentaire over vogels. Hij zuchtte. In ieder geval was dit beter dan die eeuwige politiek. Het programma had nauwelijks tien minuten aangestaan toen hij Armitage zijn lege melkflessen buiten hoorde zetten. 'Altijd hetzelfde aantal, en altijd op precies hetzelfde tijdstip van de avond,' dacht hij minachtend. Toen hoorde hij de oude dwaas naar iemand aan de overkant van de straat roepen. Op dat moment werd zijn aandacht getrokken door iets op het scherm en staarde hij stomverbaasd naar de beelden. De interviewster stelde vragen aan een lange, magere man over diens liefhebberij, die betrekking bleek te hebben op de duivensport. Hij hield een van zijn duiven voor de cameralens – een gestroomlijnde vogel met een kopje en snavel waarvan het profiel Petrofski bekend voorkwam. Hij ging met een ruk overeind zitten en concentreerde zich met vrijwel z'n hele aandacht op de vogel, terwijl slechts een deel van zijn geest het interview zelf volgde. Ja, hij was er zeker van dat dit dezelfde vogel was die hij al ergens anders had gezien!

'Is deze fraaie duif bestemd voor deelname aan tentoonstellingen?' vroeg het meisje. Ze was een nieuwelinge en probeerde net iets meer uit het interview te wringen dan het onderwerp verdiende.

'Goeie genade, nee,' zei de lange, schrale man, die een platte pet droeg. 'Dit is geen show-duif. Het is een raszuivere Westcott!'

In een flits en met ongelooflijke helderheid herinnerde Petrofski zich de kamer in de gastensuite van de *datsja* van de secretaris-generaal in Oesovo. 'Ik vond hem afgelopen winter op straat...' had de oude Engelsman met het gerimpelde gezicht gezegd; en de duif had hem met slimme glinsterende kraaloogjes van achter de tralies van z'n kooi op zitten nemen.

'Ik bedoel, dit is niet bepaald een duif van het soort dat we meestal in de stad zien,' probeerde het meisje op het televisiescherm hakkelend. Op dat moment begon de telefoon in Petrofski's gang te rinkelen...

Normaal zou hij het telefoontje hebben beantwoord, voor het geval het een van de buren was. Doen alsof hij niet thuis was zou achterdocht hebben gewekt, omdat de lichten in huis brandden. Ook zou hij zijn pistool niet hebben meegenomen naar de gang. Maar deze keer bleef hij in de huiskamer naar het televisiescherm zitten staren. De telefoon rinkelde hardnekkig door. Samen met het geluid van de televisie overstemde hij de zachte tred van rubberen zolen op de stoeptegels.

'Nee, in hemelsnaam, dat niet,' zei de man met de platte pet opgewekt. 'Een Westcott is beslist geen stadsduif.

Waarschijnlijk is het een van de edelste duiverassen die ooit zijn gefokt. Deze kleine schoonheid hier zal altijd terugkeren naar het hok waarin hij is grootgebracht. Om die reden staan ze algemeen bekend als "thuiskomers".'

Met een grauw van woede sprong Petrofski op uit zijn stoel. Het zware, met uiterste precisie vervaardigde Sako-pistool dat hij sinds zijn overkomst naar Groot-Brittannië voortdurend binnen handbereik had gehouden, had hij uit de schuilplaats tussen armleuning en zitkussen gegrist. Hij uitte één enkel Russisch woordje. Niemand hoorde hem, maar het was de term die in zijn vaderland was gereserveerd voor verraders. Op hetzelfde moment hoorde hij een dreunende knal, onmiddellijk gevolgd door een tweede, zo snel na de eerste dat het bijna één geluid was. Meteen daarna werden de ruitjes van de voordeur aan diggelen geslagen, trilde het huis op z'n grondvesten door twee daverende explosies in de achterste helft van de woning en hoorde Petrofski het doffe geluid van rennende voeten op de gang. Hij draaide zich razendsnel om z'n as en vuurde drie keer achtereen op de deur van de huiskamer. Zijn Sako Triace, een wapen met drie verwisselbare lopen, was uitgerust met de loop voor het zwaarste kaliber kogels. Het magazijn bevatte vijf patronen, dus liet hij het bij drie schoten; de resterende twee zou hij wellicht voor zichzelf nodig hebben. Maar de drie projectielen die hij afvuurde boorden zich dwars door het dunne houtwerk van de gesloten deur naar de gang erachter...

De bewoners van Cherryhayes Close zullen zich die avond blijven herinneren alsof het gisteren was gebeurd, maar geen van allen zullen ze ooit in staat zijn een accurate beschrijving te geven van wat er gebeurde. Het dreunen van de Wingmaster rukte niet alleen de voordeur van nummer twaalf van z'n scharnieren, maar ook vrijwel iedereen uit z'n luie stoel. Zodra hij de schoten had afgevuurd deed de schutter een stap opzij om ruim baan te maken voor zijn maat met de moker. Na een goedgerichte zwaai met dat instrument schoten het deurslot, de deurgrendel en de dievenketting alle richtingen uit. Meteen stapte ook hij opzij en achteruit, waarna ze allebei hun 'gereedschap' lieten vallen en hun HK's uit de borstklemmen rukten. Op dat moment waren Steve en de korporaal al door de gapende opening gesprongen. Met drie grote sprongen nam de korporaal de trap. Steve stormde langs de rinkelende telefoon, draaide een kwart slag om toen hij de deur van de huiskamer had bereikt en werd van zijn voeten gelicht. De drie projectielen die zich met nietsontziend geweld door het houtwerk boorden troffen hem met duidelijk hoorbare inslagen en kwakten hem ruggelings tegen de trap. De man die de Wingmaster had gehanteerd boog zich eenvoudig met de HK in zijn uitgestrekte handen iets voorover en loste twee salvo's van telkens twee schoten. Toen trapte hij de deur open en maakte in één vloeiende beweging een koprol de kamer in, waar hij meteen op zijn hurken kwam te zitten, het wapen nog steeds in z'n handen. Zodra het jachtgeweer was afgevuurd rukte kapitein Lyndhurst de voordeur van nummer negen open en keek naar de gang van zaken aan de overkant, Preston vlak achter hem. In de verlichte gang zag de kapitein zijn ploegleider de huiskamerdeur bereiken, waar hij als een ledepop opzij werd gekwakt. Lyndhurst begon de straat over te steken, op de hielen gevolgd door Preston. Toen de commando die de twee korte salvo's had afgevuurd zich oprichtte en de roerloze gestalte op het vloerkleed in ogenschouw nam verscheen kapitein Lyndhurst in de deuropening. Met één blik overzag hij de situatie, ondanks het gordijn van grijze kruitdamp.

'Ga jij Steve in de gang maar helpen,' zei hij resoluut. De commando protesteerde niet. De gestalte op de grond begon zich te bewegen. Lyndhurst trok zijn Browning uit het schouderholster onder zijn jasje. De commando had zijn taak uitstekend verricht. Petrofski was getroffen in zijn linker knie, onder in de maag en in de rechter schouder. Zijn pistool was uit zijn hand geslingerd en lag een eind verder op de grond. Ondanks de door het houtwerk geleverde weerstand had de commando dus met drie van de vier schoten doel getroffen. Petrofski moest afschuwelijk veel pijn hebben, maar hij leefde. Hij begon te kruipen. Op drie meter afstand zag hij het grijze metaal van de archiefkast met de platte doos aan de zijkant; de doos met twee knoppen – een gele en een rode. Kapitein Lyndhurst richtte zorgvuldig en loste één schot.

John Preston rende zo haastig langs hem heen dat hij in onzachte aanraking kwam met de heup van de officier. Naast de gedaante op de vloer hurkte hij neer. Petrofski lag op z'n zij: de helft van zijn achterhoofd was weggeschoten, maar de mond was nog in beweging, als een vis op het droge. Preston bracht zijn hoofd omlaag naar het gezicht van de stervende man. Lyndhursts pistool was nog altijd op hem gericht, maar de man van MI-5 bevond zich tussen hemzelf en de Rus. Hij stapte opzij om ruimte te hebben voor een tweede schot, maar liet toen zijn wapen zakken: Preston was bezig zich op te richten. Een tweede schot was overbodig.

'Het lijkt me verstandig dat we de magiërs van Aldermaston erbij halen om dat ding daar te bekijken,' zei Lyndhurst, met zijn pistool wijzend naar de stalen archiefkast tussen het dressoir en een tafeltje met flessen drank erop.

'Ik had hem *levend* willen hebben,' zei Preston.

'Sorry, ouwe jongen. Dat was niet te doen,' zei de kapitein.

Op dat moment schrokken beide mannen hevig bij het horen van een luide klik, waarna een stem ergens in de kamer hen begon toe te spreken. Ze ontdekten dat het geluid afkomstig was van een grote wereldontvanger op het dressoir, die uitgerust was met een tijdklok en zichzelf had ingeschakeld.

'Goedenavond,' zei de stem. 'Hier is Radio Moskou met

de Engelstalige uitzending van vanavond. We beginnen met het nieuws van tien uur. In Terry… pardon, ik zal dit even herhalen. In Teheran verklaarde een woordvoerder van de regering dat…'

Kapitein Lyndhurst liep naar het dressoir en schakelde het toestel uit. De man op de grond staarde met doffe ogen naar het vloerkleed zonder iets te zien, volkomen immuun voor de voor hem alleen bedoelde boodschap in code.

De lunch-invitatie was voor vrijdag de negentiende juni om één uur, in Brook's Club in St. James' Street. Op dat moment stapte Preston de dubbele deuren door, maar nog voor hij zich had kunnen melden bij de portier van de club, in diens loge aan z'n rechter hand, zag hij sir Nigel met grote stappen door de marmeren gang op zich toe komen.

'Ah, beste John, fijn dat je kon komen.'

Ze begaven zich naar de bar om daar eerst iets te gaan drinken; hier konden ze informeel met elkaar praten. Preston vertelde het hoofd van MI-6 dat hij zojuist was teruggekomen uit Hereford, waar hij een bezoek had gebracht aan de in het kazernehospitaal opgenomen sergeant-majoor Steve Bilbow. Hij had veel geluk gehad. Pas toen de platgedrukte kogels uit het zware pistool van de Rus uit zijn 'maliënkolder' waren verwijderd merkte een van de laboranten op dat er een kleverig goedje op zat, dat hij dadelijk liet analyseren. Het dodelijke blauwzuurderivaat had Bilbows bloedbaan niet kunnen bereiken: de SAS-commando dankte zijn leven aan de keramische kussens voor het absorberen van de inslag die zich onder zijn kogelvrije harnas hadden bevonden. Hij had een paar lelijke blauwe plekken en wat kneuzingen opgelopen maar verkeerde voor de rest in goede conditie.

'Uitstekend,' zei sir Nigel met oprecht enthousiasme. 'Zo'n goeie vent willen we niet graag kwijt.'

De overige barbezoekers waren druk aan de praat over de verkiezingsuitslagen. Er waren er heel wat die de halve nacht op waren gebleven om te wachten op de laatste cijfers over de nek-aan-nekrace tussen de Tory's en Labour in de provincies.

Om half twee liepen ze naar de eetzaal, waar sir Nigel de beschikking had over een tafeltje in een rustige hoek, zodat ze ongestoord konden praten. Bij het betreden van de eetzaal passeerden ze de secretaris van de ministerraad, sir Martin Flannery, die op weg was naar buiten. Hoewel ze elkaar goed kenden, zag sir Martin dadelijk dat zijn collega 'in bespreking' was. De beide 'mandarijnen' groetten elkaar met een welhaast onmerkbaar hoofdknikje, een geste die voor twee mensen die Oxford hadden bezocht voldoende is. Elkaar op de schouders meppen laten ze liever over aan buitenlanders.

'Ik heb je eigenlijk hier uitgenodigd, John,' zei 'C', terwijl hij het linnen servet uitspreidde over zijn knieën, 'om je allereerst te bedanken en je te feliciteren. Het was een opmerkelijke operatie, die een voortreffelijk resultaat heeft opgeleverd. Ik zou je de geroosterde lamsbout willen aanraden; die is in dit jaargetijde werkelijk verrukkelijk.'

'Tja, sir, wat die felicitaties aangaat – ik ben bang dát ik die moeilijk kan accepteren,' zei Preston bedaard.

Sir Nigel bestudeerde door zijn leesbril met zijn halve glazen de menukaart. 'Is het werkelijk? Ben je nu bewonderenswaardig bescheiden, of – minder bewonderenswaardig – alleen maar onheus? Ah, boontjes, worteltjes en misschien wat aardappelkroketjes, liefje,' zei sir Nigel, terwijl hij de serveerster aankeek.

'Alleen maar realistisch, naar ik hoop,' zei Preston, toen het meisje zich had verwijderd. 'Kunnen we het misschien even hebben over de man die we hebben leren kennen als Franz Winkler?'

'De man die je op zo'n briljante maniet hebt geschaduwd tot in Chesterfield.'

'Staat u mij toe open kaart te spelen, sir Nigel. Die Winkler zou nog geen kans hebben gezien een hoofdpijn van zich af te schudden met een hele kist aspirine. De man was volslagen onbekwaam. Een geboren idioot.'

'Ik meen anders te weten dat hij je in dat station van Chesterfield bijna te glad af was.'

'Een schoonheidsfoutje,' zei Preston. 'Als we over meer manschappen hadden beschikt hadden we die op alle stations langs die route kunnen posteren. De kwestie is dat hij de meest onhandige manoeuvres uitvoerde; ze hadden ons gezegd dat de man een beroeps was, maar toch zag hij geen kans ons kwijt te raken.'

'Het is me duidelijk. Maar wat wilde je verder zeggen over deze Winkler? Ah, daar hebben we de lamsbout; dat ziet er weer perfect uit.'

Ze wachtten totdat ze waren bediend en de serveerster weg was. Met een zorgelijk gezicht begon Preston te snijden. Sir Nigel liet het zich uitstekend smaken.

'Franz Winkler was met een authentiek Oostenrijks paspoort op Heathrow aangekomen; en dat paspoort bevatte een geldig Brits visum.'

'Dat klopt, ja.'

'En net als die douanier die zijn paspoort controleerde weten we allebei dat een Oostenrijks burger geen visum nodig heeft voor Groot-Brittannië. Winkler had dat te horen kunnen krijgen van iedere medewerker op ons Weense consulaat. Dit visum was er de aanleiding van dat de paspoortcontroleur op Heathrow het nummer van het paspoort intoetste in de computer. En toen bleek het nota bene om een vals paspoort te gaan!'

'Och, we maken allemaal wel eens een foutje,' prevelde sir Nigel.

'Maar de KGB maakt dergelijke fouten niet, sir. Hun documentatie is zo nauwkeurig dat je het bijna volmaakt zou mogen noemen.'

'Je moet ze niet overschatten, John. Zo nu en dan draait er in iedere grote organisatie wel eens iets in de soep. Nog wat worteltjes? Nee? Nou, als je het goed vindt…'

'De kwestie is, sir, dat er *twee* gebreken aan het paspoort werden ontdekt. De reden dat het betreffende paspoortnummer maakte dat het rode lampje begon te branden, is dat een andere zogenaamde Oostenrijker drie jaar geleden door de FBI in Californië werd gearresteerd en nu in Soledad gevangen zit: die man had een paspoort met hetzelfde nummer bij zich.'

'Is het waarachtig? Hemeltje, dat is dan achteraf bezien inderdaad niet zo slim van de Sovjets.'

'Ik heb namelijk de FBI-vertegenwoordiger hier in Londen gebeld en hem gevraagd op welke aanklacht die man was veroordeeld. Het schijnt dat die andere Sovjet-agent een poging had ondernomen om een directeur van de Intel Corporation in Silicon Valley – u weet wel, die streek in Californië waar zich een concentratie bevindt van snelgroeiende electronicaproducenten – technologische geheimen af te persen.'

'Heel lelijk van de man.'

'Het ging om nucleaire geheimen.'

'Hoe kwam je er dan bij te denken...'

'Dat Franz Winkler als een soort wandelende lichtreclame dit land binnenkwam? Omdat ik meteen vermoedde dat dit een waarschuwing was – een waarschuwing op twee benen.'

Sir Nigels gezicht stond nog even opgewekt en welwillend, maar iets van de glinstering in zijn ogen was verdwenen. 'En wat behelsde deze wandelende waarschuwing, John?'

'Volgens mij het volgende: Ik kan je de uitvoerende illegaal agent niet leveren, omdat ik niet weet waar hij zich bevindt. Maar volg deze man: hij zal je naar de zender leiden. Dat gebeurde inderdaad. Dus begon ik de zender te observeren. En uiteindelijk verscheen de illegaal agent zelf op het tapijt.'

'Wat probeer je me nu eigenlijk duidelijk te maken?'

Sir Nigel legde zijn mes en vork op het lege bord en depte zijn mond af met het servet.

'Ik geloof, sir, dat we attent werden gemaakt op deze operatie. Het lijkt me een onvermijdelijke gevolgtrekking dat iemand aan de andere kant de zaak doelbewust heeft verraden.'

'Dat is wel een wel heel opmerkelijke suggestie. Laat me je de vla met aardbeien aanbevelen. Ik heb ze vorige week zelf geprobeerd; maar je krijgt natuurlijk verse. Twee maal, liefje. Ja, met wat verse slagroom, graag.'

'Mag ik u een vraag stellen?' zei Preston toen de borden waren afgeruimd. 'Ik heb zo'n idee dat je je er niet van zult laten weerhouden,' glimlachte sir Nigel.

'Waarom moest die Rus met alle geweld dood?'

'Ik heb begrepen dat hij kruipend onderweg was naar een atoombom, kennelijk met het vast voornemen dat ding te laten ontploffen.'

'Ik was erbij,' zei Preston, toen de aardbeienvla werd gebracht. Ze wachtten totdat de slagroom erop was gespoten. 'De man was op drie plaatsen getroffen: boven de knie, in de buik en in de rechter schouder. Kapitein Lyndhurst had hem met een schop kunnen uitschakelen. Het was nergens voor nodig hem voor het hoofd te schieten.'

'Ik ben ervan overtuigd dat de brave kapitein geen enkel risico wilde nemen,' opperde 'C'.

'Als we deze Rus levend te pakken hadden gekregen, sir, zouden we de Sovjet-Unie op heterdaad hebben betrapt en hadden we dat bewind aan de schandpaal kunnen nagelen. Zonder hem hebben we niets in handen dat niet op overtuigende manier kan worden tegengesproken. Met andere woorden – de hele affaire zal nu voorgoed in de doofpot verdwijnen.'

'Volkomen juist,' knikte de spionnenbaas, bedachtzaam kauwend op een paar aardbeien.

'Het toeval wil dat kapitein Lyndhurst een zoon is van lord Frinton,' zei Preston.

'Nee maar! Frinton? Word ik geacht hem te kennen?'

'Het ziet er wel naar uit, sir. Lord Frinton en u hebben samen school gegaan.'

'Is het werkelijk? Er waren er zoveel. Al die namen zijn wat moeilijk te onthouden.'

'En ik meen te weten dat Julian Lyndhurst uw petekind is.'

'Waarde John, je trekt de dingen wel heel grondig na, is 't niet?' Sir Nigel was nu klaar met zijn dessert. Hij zette zijn ellebogen op de tafelrand, legde zijn vingertoppen tegen elkaar en keek de 'laatbloeier' van MI-5 recht in de ogen. Zijn hoffelijkheid bleef; maar zijn goeie humeur ebde hoe langer hoe meer weg.

'Verder nog iets?'

Preston knikte ernstig. 'Een uur voor de overrompelingsactie werd ingezet nam kaptein Lyndhurst een telefoontje aan in de gang van het huis tegenover het actiedoel. Ik heb het even nagevraagd bij mijn collega, die het telefoontje heeft aangenomen. Degene die opbelde deed dat vanuit een cel.'

'Ongetwijfeld een van z'n collega's van de SAS.'

'Nee, sir, die maakten gebruik van hun portofoons. En buiten de leden van de ploeg die de actie moest uitvoeren wist niemand dat wij ons daar in dat huis bevonden. Niemand, *behalve* een paar lui in Londen.'

'Mag ik vragen waar je precies heen wilt?'

'Nog één kleine bijkomstigheid, sir Nigel. Voor hij stierf fluisterde deze Russische agent één woordje. Hij scheen alle mogelijke moeite te willen doen om dat ene woordje uit te brengen voor hij daar niet meer toe in staat was. Op dat moment had ik mijn oor vlak bij zijn mond gebracht. Het woordje dat hij uitbracht was... Philby.'

Philby? M'n hemel! Ik vraag me af wat hij daarmee bedoelde.'

'Ik denk dat ik het wel weet, sir. Ik denk dat hij vermoedde dat Harold Philby hem had verraden; en ik geloof dat hij volkomen gelijk had.'

'Zo, zo. En mag ik het voorrecht genieten om deelgenoot te worden gemaakt van je gevolgtrekkingen die tot die mening hebben geleid?' Het werd zacht uitgesproken, maar in de stem van 'C' was geen spoortje jovialiteit meer te beluisteren.

Preston schepte adem. 'Ik ben tot de conclusie gekomen dat niemand minder dan Philby de verrader is geweest die op de hoogte was van deze operatie, misschien wel vanaf het allereerste begin. Als dat inderdaad zo is zou hij zich aan alle kanten hebben ingedekt, zodat *hij* er niets bij kon verliezen. Zoals zoveel anderen heb ik horen fluisteren dat hij dolgraag naar huis wil komen, hierheen, naar Engeland, om er z'n oude dag te slijten. Als het plan had gefunctioneerd zou hij waarschijnlijk van zijn Sovjet-bazen gedaan hebben gekregen dat ze hem lieten vertrekken, terwijl een nieuwe extreem-linkse regering in Londen hem met open armen zou hebben ontvangen. Over een jaartje, of zo. *Of* hij kon "Londen" in grote trekken deelgenoot maken van het plan door het te verraden.'

'En welke keuze heeft hij volgens jou gedaan uit deze twee hoogst opmerkelijke mogelijkheden?'

'Hij koos voor de tweede oplossing, sir.'

'Met welk oogmerk, als ik vragen mag?'

'Om een overtocht naar huis te verdienen, sir. Te voldoen door Londen. Een soort ruil.'

'En nu verdenk je mij ervan de hand te hebben gehad in deze koehandel?'

'Ik weet niet wat ik ervan moet denken, sir Nigel. Eigenlijk weet ik niet wat ik er *anders* van zou moeten denken. Er wordt nogal wat afgepraat... over zijn voormalige collega's, over de magische kring, over de solidariteit tussen de leden van het establishment waar hij ooit zelf deel van uitmaakte... dat soort dingen.' Preston staarde naar zijn half verorberde dessert. Sir Nigels blik bleef langdurig naar het plafond gericht, voordat hij eindelijk een diepe zucht slaakte.

'Je bent werkelijk een opmerkelijk man, John. Zeg me eens, wat voer je deze week precies uit?'

'Niets, geloof ik.'

'Wees dan zo vriendelijk om acht uur aanwezig te zijn bij de ingang van Sentinel House; ik kom er zelf ook heen.

En neem je paspoort mee, wil je? Zo, als je 't me niet kwalijk neemt stel ik voor dat we de koffie in de bibliotheek maar overslaan...'

De man voor het raam op de tweede verdieping van het huis dat in die straat van Geneve als toevluchtsoord fungeerde stond het vertrek van zijn bezoeker gade te slaan. Hij zag hoofd en schouders van de gast beneden verschijnen – de man wandelde het korte voetpad naar het tuinhek af en liep over de stoep naar zijn wachtende auto. De chauffeur stapte haastig uit, liep vlug om de auto heen en hield gedienstig het portier open voor de oudere man. Toen wandelde hij terug naar de plaats van de bestuurder. Maar voor hij instapte richtte Preston zijn blik op de gestalte van de man achter het raam op de bovenverdieping. Toen hij achter het stuur van de auto was gekropen vroeg hij: 'Dus dat is hem? Dat is hem werkelijk? De man uit Moskou?'

'Ja, dat is hem inderdaad. En nu naar het vliegveld, graag,' antwoordde sir Nigel hem vanaf de achterbank. Ze reden weg. Een poosje later hernam sir Nigel: 'Tja, John, ik had je een verklaring beloofd. Brand maar los met je vragen.'

Preston kon het gezicht van 'C' in zijn achteruitkijkspiegeltje zien. De oudere man staarde naar het voorbijglijdende landschap.

'De operatie, sir?'

'Je had volkomen gelijk. Het initiatief was afkomstig van de secretaris-generaal zelf; en hij heeft zich door Philby laten adviseren en assisteren. Het schijnt dat ze het plan de naam Morgenrood hebben gegeven, of Aurora, of zoiets. Het werd inderdaad verraden, maar niet door Philby.'

'Waaróm?'

Sir Nigel nam verscheidene minuten de tijd om na te denken. 'Al in een heel vroeg stadium geloofde ik dat je wel eens gelijk kon hebben. Zowel met je voorlopige conclusies in je rapport uit december van het afgelopen jaar, wat momenteel circuleert onder de naam "het Prestonrapport", als wat je gevolgtrekkingen uit de gebeurtenissen in Glasgow betrof. Ook al wenste Harcourt-Smith er niet in te geloven. Ik was er niet zeker van of beide zaken verband met elkaar hielden, maar wilde die mogelijkheid zeker niet uitsluiten. Hoe langer ik er over nadacht, hoe meer ik ervan overtuigd raakte dat Plan Aurora onmogelijk een echte KGB-operatie kon zijn. Het droeg in elk geval niet het stempel van de KGB – de minutieuze zorg voor ieder detail. Het zag er eerder uit als een overhaast op touw gezette operatie, in opdracht van iemand of een groep die geen vertrouwen stelde in de KGB. Niettemin was er maar heel weinig kans dat jij de planuitvoerder tijdig zou weten te lokaliseren.'

'Ik tastte dan ook volkomen in het duister, sir Nigel. En daar was ik me maar al te goed van bewust. In de computergegevens van de douane en de paspoortendienst was geen spoor van een patroon te ontdekken dat kon wijzen op het stelselmatig overkomen van koeriers. Zonder Winkler zou ik nooit op tijd in Ipswich zijn beland.'

Ze reden een poosje zwijgend verder. Preston wachtte totdat 'C' het moment gekomen achtte om het gesprek voort te zetten.

'Dus stuurde ik een berichtje naar Moskou,' zei sir Nigel tenslotte.

'Namens uzelf?'

'M'n hemel, nee. Dat zou nooit gelukt zijn; veel te opvallend. Via een andere bron, een bron waarvan ik hoopte dat er geloof aan zou worden gehecht. Het berichtje was trouwens niet erg waarheidsgetrouw, vrees ik. In onze branche moet je soms met de waarheid een loopje nemen. Maar het werd verstuurd via een kanaal dat naar ik hoopte geloofwaardig genoeg was.'

'En dat bleek zo te zijn?'

'Gelukkig wel, ja. Toen Winkler hier z'n gezicht liet zien wist ik met zekerheid dat de boodschap was overgekomen, begrepen en – dat vooral – geloofd.'

'Winkler zelf was dus het antwoord?' vroeg Preston.

'Ja. Arme kerel. Hij verkeerde in de waan dat hij een routinecontrole op de Grieken en hun slapende zender moest uitvoeren. Tussen haakjes, zijn lijk is een paar weken geleden in de Moldau gevonden. In Praag. Hij schijnt verdronken te zijn. Ik denk dat hij teveel wist.'

'En die Rus in Ipswich, die zich uitgaf voor James Duncan Ross?'

'Ik hoorde zoëven dat hij in werkelijkheid Petrofski heette, een majoor. Een eersterangs vakman met een overmaat aan vaderlandsliefde.'

'En ook hij moest beslist dood?'

'John, het was een afschuwelijk besluit. Maar niet te vermijden.

De overkomst van deze Winkler was een aanbod; een voorstel tot een ruil. Geen formele overeenkomst, uiteraard. Een stilzwijgend accoord, meer niet. De agent Petrofski mocht niet levend in onze handen vallen, zodat wij hem konden ondervragen. Ik moest me wel neerleggen bij de onuitgesproken en nergens schriftelijk vastgelegde voorwaarden voor de ruilovereenkomst met de man die je zoëven daarboven voor dat raam hebt zien staan.'

'Als we Petrofski levend in handen zouden hebben gekregen hadden we de Sovjet-Unie onder druk kunnen zetten.'

'Dat klopt, John. Dat hadden we dan kunnen doen. We hadden de Sovjets bloot kunnen stellen aan een enorme internationale vernedering. Maar waartoe? De USSR had dit nooit gelaten over z'n kant kunnen laten gaan. Ze hadden moeten terugslaan, ergens anders misschien. Wat had je liever gezien? Dat we waren teruggekeerd naar de situatie waarin de Koude Oorlog op z'n hevigst was?'

'Het leek me alleen doodjammer dat we deze kans om ze eens flink op hun nummer te zetten voorbij lieten gaan, sir.'

'Luister, John, dat land is groot, tot de tanden bewapend en gevaarlijk. De USSR zal er morgen ook nog zijn; en ook de volgende week en het volgende jaar. Op een of andere manier zullen we deze planeet met de Sovjets moeten delen. En het is beter dat ze worden geregeerd door realistische pragmatici dan door heethoofden en fanatici.'

'En dat rechtvaardigt een koehandel met zo iemand als de man achter dat raam, sir Nigel?'

'Dat valt soms niet te vermijden. *Ik* ben een professional; en *hij* is dat ook. Er zijn massa's journalisten en schrijvers die het doen voorkomen alsof wij, de mensen in ons vak, in een droomwereld zouden leven. In werkelijkheid zijn de rollen omgedraaid. Het zijn juist de politici die hun dromen, hun soms gevaarlijke dromen, niet willen opgeven, zoals de secretaris-generaal weigerde afstand te doen van zijn droom om het aanzien van heel Europa te veranderen – als zijn persoonlijke stempel op de geschiedenis. Als een monument voor hemzelf. Een man die werkzaam is in de top van een belangrijke inlichtingendienst moet nuchterder en vasthoudender zijn dan de hardste zakenman. We zullen met beide benen op de grond moeten blijven, John. Als de dromen de overhand krijgen eindigen we met affaires als het Varkensbaai-incident. De eerste doorbraak in de impasse die was ontstaan inzake die Russische raketten op Cuba werd geopperd door de KGB-*rezident* in New York. Het was Chroesjtsjov die z'n hoofd was kwijtgeraakt; niet de professionals.'

'En wat gaat er nu gebeuren, sir?'

De oude spionnenbaas zuchtte. 'We laten het rustig aan hén over. Er zullen wel wat veranderingen komen. Die zullen ze op hun eigen, onnavolgbare manier doorvoeren. De man daar achter dat raam – hij zal de kat de bel aanbinden. Zelf zal hij promotie maken: met de carrière van andere figuren is het voorgoed gedaan.'

'En Philby?' vroeg Preston.

'Hoezo, Philby?'

'Zal hij proberen thuis te komen?'

Ongeduldig haalde sir Nigel z'n schouders op. 'Allemaal nostalgie,' zei hij. 'En, ja, van tijd tot tijd horen we nog wel eens van hem, heimelijk, via mijn mensen in onze ambassade daarginds. We leggen ons toe op de duivensport...'

'Duiven...?'

'Heel ouderwets, ik weet het. En eenvoudig. Maar nog altijd verbazend doelmatig. Op die manier houdt hij contact met ons. Maar *niet* over Plan Aurora. En zelfs als hij dat wel had gedaan zou hij, voor mijn part...'

'Wat zou hij, sir Nigel?'

'Voor eeuwig mogen branden in de hel,' zei sir Nigel. Zwijgend reden ze verder.

Na een poosje zei 'C': 'En wat zijn je plannen, John? Blijf je bij MI-Five?'

'Dat denk ik niet, sir. Ik heb er een leuke tijd gehad. De directeur-generaal gaat op één september met pensioen, maar volgende maand neemt hij zijn resterende verlof al op. Ik heb niet zo'n hoge pet op van mijn kansen onder zijn opvolger.'

'Ik kan je niet over laten komen naar MI-Six. Dat weet je wel. Wij nemen geen laatbloeiers. Heb je al overwogen om terug te keren naar de burgermaatschappij?'

'Dit is niet bepaald een ideale tijd voor een vent van zesenveertig zonder specifieke bekwaamheden om op zoek te gaan naar een baantje,' zei Preston.

'Ik heb een paar goeie kennissen,' zei 'C' peinzend. 'Ze houden zich bezig met de bescherming van particuliere eigendommen.'

'Particulier bezit?'

'Oliebronnen, mijnen, voorraden, renpaarden. Allemaal zaken die men graag tegen diefstal of vernietiging wil beveiligen. Zelfs zichzelf. En het zou uitstekend betalen. Je zou volledig in staat zijn om voor die zoon van je te zorgen.'

'Zo te horen ben ik niet de enige die de dingen grondig

natrekt,' grinnikte Preston.

De oudere man staarde uit het zijraampje alsof hij iets waarnam dat heel veraf lag, in een grijs verleden. 'Ik heb zelf een zoon gehad,' zei hij zacht. 'Eén maar; een fijne knul. Gesneuveld in de Falklands-oorlog. Ik kan me je gevoelens indenken.'

Verrast staarde Preston naar het gezicht in zijn spiegeltje. Het zou nooit bij hem opgekomen zijn dat deze nuchtere man-van-de-wereld die aan het hoofd stond van een spionagedienst ooit over een tapijt had gekropen om zijn kleine zoon op z'n rug te laten paardrijden.

'Het spijt me dat te horen. Misschien zal ik u eraan houden, sir.'

Ze bereikten de luchthaven van Genève, leverden hun huurauto af en vlogen terug naar Londen – even anoniem als ze waren gekomen.

De man achter het venster van de woning in Genève sloeg het vertrek van de auto gade. Zijn eigen auto zou nog een uur op zich laten wachten. Hij keerde het venster de rug toe en nam plaats aan het bureau om zich nog eens te verdiepen in de map die hij net had ontvangen en nog steeds in zijn handen had. Hij was in z'n nopjes: het was een bevredigend onderhoud geweest en de documenten die hij nu in z'n bezit had zouden zijn toekomst garanderen. Als vakman betreurde generaal Jevgeni Karpov het mislukken van Plan Aurora: het was een uitstekend plan geweest: subtiel, geruisloos en effectief. Maar als vakman wist hij ook dat je, als zo'n operatie eenmaal 'aangebrand' was, niets anders kon doen dan het plan ertoe voorgoed te annuleren en de hele zaak af te keuren – voordat het te laat zou zijn. Ieder uitstel zou rampzalig zijn geweest.

Hij herinnerde zich duidelijk de zending documenten die zijn diplomatieke koerier had meegebracht uit Londen, afkomstig uit de bron in Hampstead die via Jan Marais werd gedirigeerd. Het was materiaal geweest van het gebruikelijke hoge gehalte, eersteklas informatie zoals uitsluitend iemand met de hoge rang van een Berenson in de vingers had kunnen krijgen. Althans: *zes* van de zeven documenten. Bij het lezen van het zevende stuk was hij rechtop in zijn stoel gaan zitten, gefascineerd starend naar het document. Het was een persoonlijk memorandum van Berenson aan Marais, bedoeld om te worden doorgespeeld aan Pretoria. In dat memo zette de topambtenaar van het Britse ministerie van Defensie uiteen dat hij, als plaatsvervangend hoofd van de afdeling Aanschaf Materieel, in het bijzonder verantwoordelijk voor de aanschaf van nucleaire technologie, aanwezig was geweest bij een zeer exclusieve instructiebijeenkomst, waartoe de directeur-generaal van MI-5, sir Bernard Hemmings, het initiatief had genomen. De DG van de Britse Veiligheidsdienst had het selecte groepje deelnemers onthuld dat zijn dienst op de hoogte was gekomen van een Sovjet-Russische samenzwering, compleet met alle schrikbarende bijzonderheden, tot het in Groot-Brittannië invoeren en monteren van een klein model atoombom. Het venijn zat in de staart: MI-5 was in hoog tempo bezig het net rondom de Sovjet-Russische illegaal die het plan moest uitvoeren dicht te trekken; en de Veiligheidsdienst had er het volste vertrouwen in dat de man op heterdaad zou worden betrapt – met al het bewijsmateriaal in z'n bezit.

Uitsluitend op grond van de bron waaruit deze informatie afkomstig was had generaal Karpov er onvoorwaardelijk geloof aan gehecht. Z'n eerste opwelling was geweest om de Britten rustig hun gang te laten gaan; maar toen hij er langer over had nagedacht was hij tot de overtuiging gekomen dat dit catastrofaal zou uitpakken. Als de Britten op eigen kracht, zonder hulp van buitenaf, in hun opzet slaagden zouden ze aan niemand verplicht zijn dit afgrijselijke internationale schandaal onder de roos te houden. Om een dergelijke verplichting te scheppen moest hij, Karpov, hun een boodschap sturen – een boodschap, gericht aan iemand die zou kunnen begrijpen wat hem te doen stond, iemand met wie hij over de brede kloof heen zaken kon doen. Daar kwam nog bij dat hij er zelf ook garen bij wilde spinnen... Na een lange, eeniame wandeling in de voorjaarsgroene bossen van Peredelkino had hij besloten tot het wagen van de allergrootste gok van z'n leven. Hij had zich voorgenomen een uiterst discreet bezoekje af te leggen aan het privé-kantoor van Noebar Geworkovitsj Wartanjan.

Hij had zijn 'man' met de allergrootste zorg geselecteerd. Dit uit Armenië afkomstige lid van het Politburo werd ervan verdacht de leider te zijn van de stroming binnen het Politburo die heimelijk van oordeel was dat het tijd werd voor een commandowisseling aan de top. Wartanjan had hem zonder ook maar één woord te zeggen aangehoord, in de geruststellende zekerheid dat hij een veel te hoge positie bekleedde voor het installeren van afluisterapparatuur in zijn privé-kantoor. Onder het luisteren had hij met zijn zwarte hagedissenogen de KGB-generaal alleen maar strak zitten aanstaren. Toen Karpov uitgesproken was had hij gevraagd: 'U bent ervan overtuigd dat uw informatie juist is, generaal?'

'Ik heb het complete relaas van professor Krilov op de band staan,' zei Karpov. 'Ik had een klein dicteerapparaat in m'n aktetas.

'En hoe staat het met die informatie uit Londen?'

'Uit een onberispelijke bron. Ik heb de betreffende agent drie jaar lang persoonlijk gedirigeerd.' De Armeense makelaar in macht had hem langdurig aangestaard, alsof hij over een massa dingen nadacht – niet in het minst over de beste manier om deze informatie uit te buiten.

'Als dat wat u mij hebt verteld waar is, heeft men zich op het allerhoogste niveau in dit land bezondigd aan de ernstigste mate van roekeloosheid en avonturisme. Als dit te bewijzen zou zijn – vanzelfsprekend is een concreet bewijs onontbeerlijk – zouden er zich aan de top wel eens ingrijpende veranderingen voor kunnen doen. Ik groet u.'

Karpov had aan een half woord genoeg: als de man op het topje van de Russische machtspiramide ten val werd gebracht zou hij al zijn stromannen in die val meesleuren. Als er zich zo'n situatie voordeed zou de positie van KGB-chef vacant komen; een positie die Karpov geknipt achtte voor zichzelf. Maar om de noodzakelijke krachten binnen de Partij daartoe te kunnen bundelen zou Wartanjan bewijzen nodig hebben: meer bewijzen, *concrete* bewijzen. Onweerlegbare bewijzen van het feit dat deze roekeloze, doldrieste actie op een haar na een rampzalige uitslag had opgeleverd. Niemand was ooit vergeten dat Michail Soeslov in 1964 Nikita Chroesjtsjov ten val had weten te brengen met zijn beschuldiging dat hij zich in 1962 aan 'avonturisme' had bezondigd met zijn beleid in de Cuba-crisis.

Kort na dit onderhoud met Wartanjan had Karpov de meest blunderende agent uit een Oostblokland die hij in zijn archieven had kunnen opsporen naar Groot-Brittannië gestuurd: en deze boodschap was opgemerkt en begrepen. Nu hield hij de harde bewijzen in handen die zijn Armeense lastgever nodig had. Nog eens keek hij de documenten door.

Het procesverbaal van de denkbeeldige ondervraging en bekentenis van majoor Valeri Alexeivitsj Petrofski, hem afgedwongen door de Britse Veiligheidsdienst, zou hier en daar wat moeten worden 'bijgeschaafd' – maar hij beschikte in Jasjenevo over mensen voor wie zoiets een kolfje naar hun hand was. De procesverbaalformulieren waren absoluut authentiek, dat was het voornaamste. Zelfs de rapporten die de heer Preston over zijn vorderingen had ingediend – handig omgewerkt, zodat er nergens melding werd gemaakt van Franz Winkler – waren fotokopieën van de originelen. Persoonlijk zou de secretaris-generaal niet genegen of bij machte zijn de verrader Philby te redden; noch zou hij in staat zijn zelf het vege lijf te redden. Wartanjan zou daar wel op toezien; en de Armeniër zou zijn dankbaarheid niet onder stoelen of banken steken.

Karpovs auto reed voor om hem terug te brengen naar Zürich waar zijn toestel naar Moskou zou vertrekken. Hij stond op. Ja, het was een bevredigend onderhoud geweest. Zoals altijd was zakendoen met 'Chelsea' uiterst lonend gebleken.

Epiloog

Sir Bernard Hemmings ging formeel pas op de eerste september 1987 met pensioen, maar hij was al sinds half juli met verlof gegaan. In november van datzelfde jaar overleed hij, in de zekerheid dat zijn echtgenote en stiefdochter dank zij z'n pensioenrechten verzekerd waren van een inkomen.

Brian Harcourt-Smith volgde hem niet op als directeur-generaal. De Commissie van Wijze Mannen stak zoals gebruikelijk haar voelhorens uit; en of schoon ze het erover eens werden dat er achter Harcourt-Smiths pogingen om het Prestonrapport weg te moffelen of de betekenis van het rapport over het Glasgow-incident te bagatelliseren geen sinistere bedoelingen hadden gezeten, was de conclusie onvermijdelijk dat hij zich twee ernstige beoordelingsfouten had veroorloofd. Omdat er binnen de afdeling F-5 geen geschikte kandidaat kon worden gevonden, werd er iemand van buiten deze diensttak aangezocht voor de positie van directeur-generaal. Harcourt-Smith diende een paar maanden later zijn ontslag in en werd opgenomen in de directie van een handelsbank, waarvan het hoofdkantoor gevestigd was in de Londense City.

Begin september trok ook John Preston zich terug uit de Veiligheidsdienst, om deel te gaan uitmaken van het kader van een particuliere beveiligingsorganisatie die zich toelegde op het bewaken van personen en bezittingen. Zijn inkomen werd meer dan tweemaal zo hoog, wat hem in staat stelde zich van zijn vrouw te laten scheiden en het voogdijschap over zijn zoontje Tommy op te eisen, aangezien hij nu garant kon staan voor zijn opvoeding en onderwijs. Zijn ex-vrouw Julia trok haar bezwaren onverwachts in en het voogdijschap werd hem toegewezen.

Sir Nigel Irvine ging volgens plan op de laatste dag van het jaar met pensioen en kon zijn ambt nog voor de kerst overdragen aan zijn opvolger. Hij trok zich terug in zijn buitenhuisje in Langton Matravers, waar hij volop ging deelnemen aan het dorpsleven en iedereen die hem ernaar vroeg wijsmaakte dat hij 'iets stomvervelends in Whitehall' had gedaan.

Jan Marais werd begin december voor 'overleg' teruggeroepen naar Pretoria. Toen de Boeing 747 van South African Airlines opgestegen was van Heathrow, kwamen er twee potige NIS-agenten uit de voor de bemanning gereserveerde cabine en sloten hem in de handboeien. Van genieten van zijn pensioen kwam niets terecht, want de rest van zijn leven bracht hij enkele meters onder de grond door, waar hij voortdurend aan de tand werd gevoeld door gespierde heren die het naadje van de kous wilden weten. Aangezien de arrestatie van Marais zich voor de ogen van de verbaasde vliegtuigpassagiers had afgespeeld en het nieuws erover spoedig uitlekte, kwam generaal Karpov kort nadien te weten dat zijn 'mol' was aangebrand. Hij was ervan overtuigd dat Marais, alias Friedrich 'Frikki' Brandt, niet lang weerstand zou kunnen bieden aan zijn ondervragers, dus verwachtte hij de spoedige arrestatie van George Berenson, tot grote ergernis van de NAVO-bondgenoten.

Half december werd Berenson door het ministerie van Defensie 'in de VUT' gestuurd, maar het kwam niet tot een arrestatie. Na de persoonlijke tussenkomst van sir Nigel Irvine werd de man toegestaan zich terug te trekken op de Britse Maagdeneilanden, waar hij dank zij een bescheiden maar toereikende toelage van zijn vrouw in de kosten van levensonderhoud kon voorzien.

Dit nieuws maakte generaal Karpov duidelijk dat zijn eersterangs-agent niet alleen was aangebrand, maar bovendien omgeturnd. Alleen wist hij niet precies *wanneer* Berenson besloten had voor de Britten de gaan werken. Maar vanuit Karpovs eigen *rezidentoera* in Londen meldde de KGB-agent Andrejev hem het gerucht dat Berenson al vanaf het allereerste moment dat Marais hem had benaderd ruggespraak zou hebben gehouden met MI-5. Binnen een week moesten de analitici te Jasjenevo zich neerleggen bij het treurige feit dat informatie, die in een tijdsbestek van drie lange jaren moeizaam was vergaard en steeds als 'eersterangs' was aangemerkt, vanaf het allereerste begin uiterst verdacht was geweest en daarom volslagen onbruikbaar.

Het was de allerlaatste coup van 'C', een grootmeester in zijn vak.

Frederick Forsyth

De dag van de Jakhals

Generaal Charles de Gaulle was bij leven door velen geliefd, maar ook door velen gehaat. In totaal werden destijds zes komplotten tegen zijn leven gesmeed, waarvan er drie in een daadwerkelijke aanslag uitmondden.
De dag van de Jakhals beschrijft een van deze aanslagen op zo'n angstwekkend realistische wijze, dat miljoenen lezers over de hele wereld zich afvragen of hier een echte samenzwering wordt beschreven.
De dag van de Jakhals volgt nauwgezet de voorbereidingen van de volkomen emotieloze en meedogenloze Engelse huurmoordenaar, aangeduid als de Jakhals, die door de OAS werd benaderd om De Gaulle uit de weg te ruimen. Zijn plannen zijn uiterst gedetailleerd en hij laat werkelijk niets aan het toeval over. De Gaulles laatste uren lijken geteld...

De dag van de Jakhals werd op magistrale wijze verfilmd, waarbij Edward Fox als de Jakhals een eersteklas rolbezetting aanvoerde.

ISBN 90 449 2863 5

Lees ook van A.W. Bruna Uitgevers B.V.

Frederick Forsyth

Geheim dossier Odessa

Odessa is de afkorting voor *Organisation der Ehemaligen SS-Angehörigen*, een besloten organisatie van voormalige SS'ers. De voornaamste doelstellingen zijn: eer- en functieherstel voor oud-SS'ers, infiltratie in partijpolitieke activiteiten, de leden op belangrijke handels- en industrieposten manoeuvreren en... niet in de laatste plaats, via propaganda het Duitse volk ervan overtuigen dat de SS'ers in de Tweede Wereldoorlog geen nietsontziende moordenaars waren, maar vaderlandslievende soldaten die niet meer dan hun plicht hebben gedaan. De activiteiten lijken het beoogde resultaat te hebben.

Tot in het voorjaar van 1964 bij het ministerie van Justitie in Bonn een bundel documenten bezorgd wordt. Dit opzienbarende pakket zal bekend worden als *Geheim dossier Odessa* en zal voor velen verstrekkende gevolgen hebben...

ISBN 90 449 2862 7

Frederick Forsyth

De verrader

Sam McCready is de pokerface van de Britse inlichtingen-dienst. Pas als alle andere geheim agenten hebben opgegeven of gefaald, speelt hij zijn kaarten uit. Door nooit zijn ware identiteit te tonen misleidt hij zijn tegenstander in situaties waarin iedereen de verrader kan zijn...

Als hoofd van de afdeling Misleiding, Desinformatie en Psychologische Operaties wordt McCready keer op keer geconfronteerd met wereldomvattende opdrachten. Of hij nu te maken heeft met de Sovjets, Arabische terroristen of corrupte politici in het Caribisch Gebied, altijd speelt McCready zijn psychologische spelletje perfect: onopvallend wacht hij af om op het moment dat de tegenstander zijn eerste fout maakt onverwacht toe te slaan...

In *De verrader* bewijst Forsyth zich opnieuw als de meester van de thrillerauteurs. Adembenemend snel voert hij de lezer van de ene spectaculaire scène naar de andere; geraffineerd bouwt hij de spanning op, niet zelden gevolgd door een verrassende wending. Sam McCready, een held van absolute topklasse, zal miljoenen in zijn ban houden.

ISBN 90 449 2706 X

Lees ook van A.W. Bruna Uitgevers B.V.

Frederick Forsyth

De onderhandelaar

De zoon van de president van de Verenigde Staten wordt door een internationale bende misdadigers ontvoerd. Slechts één man is in staat om met deze professionals te onderhandelen: Quinn.

Maar Quinn – de man die ooit wereldfaam genoot als onderhandelaar in de meest geruchtmakende ontvoeringszaken – leeft in afzondering sinds de dramatische afloop van zijn laatste zaak, toen hij begrrep hoe weinig waarde de wereld hecht aan het leven van een kind.
Toch laat hij zich overhalen. Door zijn onconventionele werkwijze jaagt hij zowel de FBI als de CIA tegen zich in het harnas, maar desondanks weet hij de onderhandelingen in goede banen te leiden.
Tot het moment dat de zaak een gruwelijke wending neemt...

ISBN 90 449 2573 3

Lees ook van A.W. Bruna Uitgevers B.V.

Frederick Forsyth

Er zijn geen slangen in Ierland

In *Er zijn geen slangen in Ierland* zijn zeven staaltjes van vertelkunst bijeengebracht.
De verhalen zijn zeer uiteenlopend van onderwerp en hebben alle een zeer verrassend plot; de thrillerachtige inhoud doet vaak denken aan de meestervertellingen van Roald Dahl. De soms bizarre gebeurtenissen worden door de auteur subtiel verwoord en de onverwachte wendingen zorgen ervoor dat de ontknoping tot het allerlaatste moment bewaard blijft.

ISBN 90 449 2440 0

Lees ook van A.W. Bruna Uitgevers B.V.

Steven Hartov

De hitte van ramadan

Op een grauwe winterdag slagen de agenten van een Israëlisch commando erin een Palestijnse terrorist, die ze al maandenlang achtervolgen, in de Münchense wijk Bogenhausen in de val te lokken. Het is Amar Kamil, het brein achter talloze bloedige aanslagen, ontvoeringen en moorden. Eindelijk hebben agent Eytan Eckstein en zijn team hun prooi te pakken. Tenminste, dat denken ze.

Want op het moment van de waarheid, op het moment dat hij de kogel afvuurt die zijn aartsvijand moet doden, beseft Eckstein dat hij een fatale vergissing heeft begaan. Hij heeft een onschuldige Arabische chauffeur vermoord... Opnieuw is Kamil hem te slim af geweest.

Meer dan een jaar later is Eytan Eckstein nog steeds niet helemaal hersteld van het 'fiasco van Bogenhausen', waarvoor hij verantwoordelijk was. Hij heeft een kantoorbaantje in Jeruzalem geaccepteerd in het besef dat de hoop op een carrière in het veld vervlogen is.

Maar dan vallen er nieuwe doden: één voor één komen de leden van zijn oude team om het leven. De jagers van vroeger zijn tot prooi geworden, de nachtmerrie begint opnieuw. En terwijl Eckstein wanhopig probeert zijn superieuren ervan te overtuigen dat zij het gevaar niet mogen onderschatten, slaat een geobsedeerde terrorist keer op keer toe, vervuld van wraakgevoelens en vastbesloten een complete natie te vernietigen...

ISBN 90 449 2801 5

Lees ook van A.W. Bruna Uitgevers B.V.

Steven Hartov

De hand van God

Luitenant-kolonel Benjamin 'Benni' Baum van de Israëlische geheime dienst
staat op het punt Operatie Moonlight in gang te zetten, een intensief
voorbereide gevangenenruil van Israëli's en door Iran gesteunde
moslimfundamentalisten, als een Palestijns zelfmoordcommando een
bomaanslag op het Israëlische consulaat in New York pleegt. Baum wordt op
deze zaak gezet en vliegt naar de VS.

Het spoor leidt naar Martina Klump, een Duitse terroriste die bekend staat om
haar nietsontziende acties om het vredesproces in het Midden-Oosten te
verstoren. In haar, een aantrekkelijke jonge vrouw, vindt Baum, de oude rot
in het vak, zijn gelijke. Keer op keer overtroeven zij elkaar in een dodelijk
spel.

Een plot vol onverwachte wendingen en dubbele bodems. Een intrige die zich
in vliegende vaart van Jeruzalem naar de Algerijnse Sahara verplaatst. *De
hand van God* is een briljante politieke spionagethriller in de beste traditie
van John le Carré en Frederick Forsyth.

ISBN 90 449 2774 4

John Katzenbach

De Schaduwman

In de nazi-tijd stond hij bekend als *Der Schattenmann*. Als hij je verried, liet deportatie niet lang op zich wachten. Nu waart hij opnieuw rond, op zoek naar de laatste overlevenden...

Berlijn, 1943. Slechts enkelen zagen ooit zijn gezicht, niemand kende zijn ware naam. Fluisterend sprak men over *Der Schattenmann*, de gevreesde en gehate `jager' die ondergedoken joden opspoorde. Altijd was hij erbij, in de duisternis, als ze je kwamen halen. En hij zou er zijn, grijnzend, als ze je wegvoerden naar de kampen...

Miami Beach, nu. Simon Winter – rechercheur Moordzaken in ruste – staat op het punt met een welgemikt pistoolschot een eind te maken aan zijn eenzame laatste levensjaren. Maar een klop op zijn deur doet zijn leven een onverwachte wending nemen: trillend staat daar Sophie Millstein, zijn oude joodse buurvrouw. Zij heeft *Der Schattenmann* gezien, zonet nog, en nu zal hij haar doden. Net zoals hij al die anderen heeft vermoord, in Berlijn, toen de nazi's aan de macht waren... De volgende dag wordt Sophie gevonden, gewurgd, haar ogen verstard in doodsangst.
Voor de politie is het een gewone roofmoord, maar Simon Winter kent de verschrikkelijke waarheid: *Der Schattenmann* is terug. En dit haast onzichtbare, anonieme beest slaat keer op keer toe en vermoordt stelselmatig de laatste overlevenden van de holocaust. En nu – jaren na zijn pensioen – gaat Winter weer de straat op: in de jacht op deze jager die martelt uit machtswellust, die moordt om zichzelf en zijn verleden voor altijd verborgen te houden...

ISBN 90 449 2709 4